원로 코미디언 고 김희갑 씨를 제대 직후에 어느 모임에서 만났는데, 그는 내가 육본 보통군법회의에서 심판부장으로 모셨던 윤의준 대령의 초등학교 친구였다.(1969년, 반도호텔 다이너스티룸에서, 오른쪽이 저자)

고려대 김상협 총장으로부터 특대생 장학증서를 받고 있다.(1970년)

광주 외곽에 위치한 노씨 시조 묘소를 노태우 민정당 대표(사진 중앙)와 함께 참배했다. "조용히 다녀오자"는
노 대표의 다짐에도 전국에서 백여 명이 넘는 일가분들이 몰려들었다.(1984년, 2열 왼쪽에서 세 번째가 저자)

JP(김종필)도 김영삼, 김대중 씨에 이어 청구동 자택을 기자들에게 개방했다.
(1987년, 응접실에서 기자회견을 하는 JP, 탁자 앞에서 취재하고 있는 저자)

김대중 평화민주당 총재 내외와 출입기자단이 여름 휴가차 통일전망대를 찾았다.
(1988년, 왼쪽으로부터 권노갑 최고위원, 민병욱 동아일보 기자 · 전 간행물윤리위원장, 오른쪽이 저자)

모친이 별세했을 때 조문을 온 손학규 의원과 김무성 의원(1994년)

졸저 〈외교가의 사람들〉 출판기념회가 프레스센터에서 있었다.
축하객으로 참석한 김석우 의전 수석, 저자, 김덕룡 의원, 홍인길 총무수석.(1994년)

역시 축하객으로 참석한 김병오 정책위의장, 이기택 의원, 저자, 김덕규 사무총장, 박지원 의원(1994년)

환경운동가로 변신한 미하일 고르바초프 국제그린크로스 초대총장 내외가 방한,
인터뷰 직전 한국일보 간부들과 기념촬영을 했다.(1995년)

㈜종근당의 이장한 회장(가운데)이 제28회 보건의 날에 국민훈장을 받은 후 고문, 사외이사들과
이종근 창업주 흉상 앞에서 기념촬영을 했다.(2000년, 왼쪽이 사외이사인 저자)

저자는 김영삼 대통령이 퇴임한 후 해마다 1월 1일이면 상도동으로 찾아가 신년인사를 했다.(2007년)

한국일보 주필이었던 저자가 김대중 대통령의 초청으로 청와대를 방문, 김 대통령에게 인사하고 있다.(2002년)

중진 언론인들이 미국 방산업체 레이티온 사의 보스턴 패트리어트 미사일 제작 현장을 시찰하였다.
(2000년, 가운데가 저자)

제28대 서울신문사 대표이사 사장으로 선임돼 취임식을 가졌다.(2006년)

박범훈 중앙대학교 총장과 박용성 중앙대학교 재단이사장으로부터 '중앙언론문화상'을 수상하고 있다.(2008년)

반기문 유엔사무총장 취임축하 음악회가 KBS주최로 열렸다.
사진은 반 총장과 악수하는 모습이다.(2007년)

기후변화센터리더십 2기생들과 함께했다.
(2008년, 가운데가 고건 이사장, 저자 왼쪽이 손경식 대한상의 회장, 오른쪽이 이석연 법제차장)

42대 국방부 장관을 지낸 김태영 합참의장(맨 오른쪽)과 휘하의 장성들 앞에서 인사말을 하고 있다.(2008년)

오세훈 서울시장으로부터 서울특별시문화상(언론부문)을 수여받고 있다.(2008년)

김재순 국회의장 내외의 초청으로 국회의장 공관에서 아내와 함께했다.(1988년)

김영삼 대통령 영안실에서 최형우 의원 내외, 신용선 전 체육진흥공단 부이사장과 함께했다.(2015년)

바둑국수 사초 노근영 할아버지 기념비가 경남 함양 개평 마을에서 제막되었다.
사초 할아버지의 직손이자 가형인 노인환 전 국회재무위원장과 함께하였다.(흰 상의차림이 저자)

시대의 격랑 속에서

시대의 격랑 속에서

노진환 지음

존경하는 김성우 선배(한국일보 파리특파원, 편집국장, 주필 등 역임)는 책이 한 권 될 만한 인생을 살아오지 않은 사람은 아직 태어나지 않은 사람이라고 했다. 이런 기준에서 보면 나는 이제 걸음마 단계는 되지 않을까 싶다. 이십여 년 전 3년간의 외교부 취재경험을 엮은 《외교가의 사람들-비록(秘錄) 5공 외교》로 이미 고고성은 울렸다고 할 수 있으니까.

내가 지금까지 살아온 나의 얘기를 쓰기로 작정한 것은 고희(古稀)를 1년 앞둔 2014년이다. 부모님 유택이 있는 경남 함양 땅으로 일시 거처를 옮기고서다. 지리산 자락의 맑은 공기와 물을 마음껏 들이키며 살아온 지난날을 더듬어 보기로 했다.

나는 하고많은 직업 가운데 신문기자를 택했다. 그리고 33년을 한곳(한국일보)에서 일했다. 기자라는 직업이 다른 곳보다는 영혼이 자유스러울 것으로 생각했기 때문이다. 하지만 현실은 기대만큼 여유롭지 못했다. 심히 기울어진 운동장에서의 생활은 대체로 부끄러움뿐이다. 신념체계가 흔들릴 지경에선 결기라도 부려야 했지만 그러지를 못했음을 고백하지 않을 수 없다. 독하고 모질지 못한 성격 탓이다. 나의 전기(傳記)가 회한조(悔恨調)가 된 까닭이 아닐까 싶다. 늦게나마 성령은 나의 투정을 받아 주셨다. 세상이 질식할 정도로 죄어 올 때도 하나님은 나의 울부짖음에 응답해 주셨다.

4

기자가 신문경영인이 되기는 퍽 어려운 게 현실이다. 오너십이 확립된 오늘과 같은 상황에서는 언감생심일 뿐이다. 기껏 주인(오너)의 마름 노릇에 불과할 따름이다. 하지만 유일한 예외가 서울신문사가 아닐까 생각한다. 나는 2006년 주인 없는 서울신문사의 대표이사 사장이 됐다. 처음엔 내키지 않아 안 가려 했지만 결국 하나님은 나를 그곳으로 인도하셨다. 기자(주필)로 신문사 생활을 마감하지 못할 팔자였나 보다. 거기서 후회 없이 일했다. 지나고 보니 서울신문사의 경험은 결코 간과해서는 안 될 소중한 체험으로 남았다.

나의 이 보잘것없는 자전(自傳)의 기록이 나오기까지 고마워해야 할 사람이 몇 분 있다. 항상 하나님의 목소리로 일깨워주신 공주 변화산 기도원 이옥순 원장님과 흔들릴 때마다 눈물의 기도로 붙들어 준 아내 김영옥 권사에게 감사한다. 이 원고를 감수해 준 한국일보 후배 신학림 미디어오늘 사장과 예쁜 책자로 꾸며준 '예지'의 김종욱 사장께도 고마움을 전한다. 또한 이 책의 출간이 귀여운 첫 손자 녀석 호진이의 뜻있는 초등학교 입학선물이 됐으면 하는 바람도 있다.

2016년 11월 함양 지리산 우거에서

지산(智山) 노진환(盧縉煥)

차례

들어가며

1 지원입대, 군재판소 서기병으로　　　　　13

전쟁과 홍역, 나의 유년기 • 14
사포로 항문을 문지른 장정들 • 19
당대의 명사들, 정훈학교 강사진 • 24
군 사법개혁 공염불 안 되려면 • 28
나의 상관 법무사들 • 32
당신 고정간첩 아니야? • 38
전대미문의 천재, 장기욱 대위 • 41
사고현장의 '앰뷸런스 로이어' • 44
군사재판의 사형수들 • 46
이산가족의 대부, 이재운 변호사 • 61
야성의 한신 참모차장 • 63
인권변호사 박한상 의원 • 67
베트남 파병 지원했다가 혼쭐 • 70
제대 직전 터진 통일혁명당 사건 • 73
그래, 기자야! • 77
YS의 특보, 김정원 박사 • 80
수도경비사의 고려대 도서관 난입 • 86
DJ의 '4대국 안전보장론'에 매료돼 • 89
한국일보 견습기자로 • 91

2 연수 장학생으로 미국에　　　　　95

USC 개교 백주년에 입학 • 96
고학하는 친구 보고 코스워크 시작 • 98
학생이 교수를 평가하다 • 101

김우중에게 해외도피 도움 청한 김일성 • 103
존경을 받은 사회부 기자, 황승일 선배 • 110
LA 유학생 사회의 맏형, 이영철 형 • 120
인촌의 아들, 고 김남 의원 • 122
딸아이를 찾아준 백년설 부부 • 125
캠퍼스에서 본 광주사태 • 127
하버드 옌칭연구소의 사서 김성하 씨 • 131
나를 실망시킨 김상돈 옹 • 134
정래혁 의장의 운전기사가 된 사연 • 136

3 정치부 기자로   139

단합대회 비판했다가 혼쭐 • 140
분위기 메이커 심상우 의원 • 143
외무부 출입기자로 • 149
외교정책 자문위원으로 • 156
노진환 의원과 정인숙 • 164
세계적 석학, 김경원 박사 • 170
외로웠던 재외동포법 폐지 운동 • 173
치열한 경쟁 끝에 이주일 회고록 유치 • 184
잊혀지지 않는 탈북 여의사 • 188
송민순의 집념과 박명재의 결단 • 190
3자회담 보도 파문 • 198
DJ의 파격적인 대사 인선 • 210
홍순영 장관의 '병주고 약주고' • 215
북쪽 기자에게서 얻은 안타까운 특종 • 218
집권 의욕 보였던 아버지 아베 요절 • 223
넓고 깊은 다독가, 김재순 의장 • 227
이원경 장관 해외순방 수행취재 • 232
다시 국회 출입기자로 • 241

YS와 소선거구제 • 244

소선거구제 되자 "함께 정치하자" 유혹도 • 249

노태우 대표 신경질에 당한 봉변 • 254

존경받은 고 유수호 변호사 • 260

자상한 형 같았던 염길정 의원 • 262

노태우 대통령 만들기 일등공신, 이병기 • 264

군중 수는 YS 수영만 대회, 열기는 DJ 광주집회 • 268

YS가 정승화 장군을 영입했다고? • 271

박영환 춘추관장의 학력 시비 • 277

'가짜'가 판치는 정치판 • 282

'내각제 조건부 수용' 이민우 총재의 말로 • 286

'DJ 의자' • 292

직인 탈취 소동의 '학습효과' • 294

"고지가 저긴데" '불곰' 김동영의 병사 • 296

통일민주당의 새 피, 황병태 • 301

김종철 총재의 수면제는 코냑(?) • 305

잊지 못할 김종하 선배 • 309

YS, DJ를 이을 유력인사는 이기택 • 313

박힌 돌도 이겨낸 열정, 박지원 의원 • 317

양 김 리더십에 반기 든 박찬종 • 327

치밀한 DJ • 331

친화력 돋보인 후농, 김상현 • 336

오봉과 DJ의 우정과 경쟁 • 339

DJ, "나는 침대 없으면 안 벗어" • 342

강골 검사, 박주선 • 344

DJ의 숨겨둔 딸 • 347

시간개념이 느긋한 DJ, 칼 같은 YS • 349

인권변호사 강신옥의 DJ관 • 351

만년 이인자로 끝난 JP • 357

시원시원한 정필근 전 의원 • 363
언론인 출신의 이만섭 전 국회의장 • 369
외유내강의 김병오 전 국회사무총장 • 373
탁월한 관료, 노신영 전 국무총리 • 376
막내둥이 기질의 신건 전 국정원장 • 384
이규호 대통령비서실장과 노신영 국무총리 • 387
대인관계가 폭넓은 이수성 전 총리 • 390

 ## '3김 시대'와 나   393

YS의 선동적 연설에 감동받기도 • 394
YS의 탁월한 정치 감각 • 398
여론이 전두환·노태우를 법정에 세우다 • 402
현철 구속 두고 벌어진 경남-경복고 열전 • 404
경호실장의 실언과 경질 • 407
YS계에도 저질 의원 상당수 • 409
돈은 오래 두면 썩는다 • 413
돼지고깃집을 차린 전직 경제수석 • 416
김태정 검찰총장 임명의 의미 • 421
김태정 검찰총장 시대 • 426
사정은 미운털 있는 사람부터 • 431
외화불법반출은 매국행위 • 434
이회창에 진노한 YS • 439
대세 그르친 협량한 리더십 • 443
"DJ는 치매다" 흑색선전 • 446
기사 고치는 일로 마음고생 • 449
공멸을 의미했던 DJ 비자금 수사 • 452
북의 불평 부른 비전향장기수 송환 • 458

5 **김영삼, 노무현 대통령에 대한 단상** 461

직정경행의 YS • 462

상도동에서 첫 대면한 노무현 • 468

바보 노무현 • 471

자질 미달의 국정원장, 김만복 • 474

노무현의 한계 • 480

나를 감동케 한 이창동 문화부장관 • 484

임기 말의 방북은 만용 • 487

6 **서울신문사 사장으로** 489

청와대 비서실장의 전화 • 490

김정일에 YS 방북초청을 권유하라 • 494

뉴스통신진흥법 • 498

커밍아웃하듯 한 정년퇴직 • 502

자문위원 활동 • 506

문재인 수석의 한 표 • 508

월급 도둑은 되지 말아야지 • 513

서울구청 홍보지 확장에 사활 • 515

빨갱이 신문 안 본다 • 519

버스 출근 고집하다 당한 교통사고 • 521

배은망덕 • 526

짠돌이 경영 • 528

서울신문 정상화를 위한 노력 • 532

굴욕의 오찬 • 537

7 그들은 비열했다   539

서울신문·KBS 장악시도 • 540
그들의 방법은 졸렬하고 치졸했다 • 544
비열한 정치공작의 실체 • 552
'정무수석감' 대 '구정권 사람' • 559
증권거래법 공시 위반으로 기소되다 • 562
동기생 아들이 기소 검사로 • 568
음모가 통하지 않은 중간평가 • 571
소위 '형님 편지'의 공작 전모 • 574
임기 석 달 앞두고 퇴임 결행 • 580
신우회 결성이 가장 큰 보람 • 582
18대 국회의 새 피, 최규식과 김영춘 의원 • 585
기업의 사외이사로 세상에 눈뜨다 • 589
종근당의 사외이사로 • 591
다국적 제약회사의 횡포에 분노 • 593

8 아! 한국일보   597

창업보다 수성이 더 어렵다 • 598
한국일보는 별였다 하면 '한국 최초' • 600
회장 측근의 전횡과 호가호위 • 603
재벌 비판 안 된다는 자기 검열 • 608
"한국일보에 '악의 축' 있다" 소문 • 612
후배의 좌절과 죽음 • 615
쓰레기 신문을 자초하다 • 618
독자로부터 외면당하다 • 624

글을 끝맺으며 • 627

1

지원입대, 군재판소 서기병으로

전쟁과 홍역, 나의 유년기

    나는 1946년 음력 4월 28일(양력 5월 28일) 경남 진주시 본성동에서 아버지 노동식(盧東植)과 어머니 전장수(田長秀)의 4남4녀 가운데 셋째로 태어났다. 위로 두 살, 네 살 터울의 두 누나가 있었지만 6·25전쟁을 전후해 모두 잃었다. 아들로는 첫째로 태어나 조부모를 비롯, 집안의 귀여움을 독차지했다고 한다. 내가 태어났을 때 아버지는 30세였고, 어머니는 26세였다.

    내가 태어난 곳은 진주경찰서 바로 건너편 2층 자가였는데 6·25 전까지 지리산 공비들의 잦은 경찰서 습격으로 총격전을 벌이는 날이 많아 위험했다고 한다.

    아버지는 5남1녀 중 차남이다. 도일(渡日)한 형을 찾아 일본에 갔다가 3년 만에 귀국했다. 백부(盧相根)는 일본에서 유학하다가 일본 여성과 결혼, 귀화했다. 성도 아내 성을 따라 사사하라(笹原)로 개명하고 2남3녀를 두었다. 장남을 뺏긴 조부모는 둘째마저 잃을까 봐 불호령해 부친을 불러들였다고 한다. 아버지는 일본에서 고교를 마치고 18세에 귀국, 진주 대동공업사 전신인 '개문사' 인쇄소에 취업했다. 지금은 농기구 최대 메이커가 된 (株)대동공업은 원래 모체가 일본인 다케모토(竹本) 소유의 개문사였다.

개문사는 경남 일대에서 유일무이한 인쇄소였다. 경남지역의 모든 인쇄물을 독점함으로써 진주지역에서는 손꼽히는 큰 기업이었다. 다케모토는 진주에 거대한 기업군(群)을 소유한 기업인이었다. 내가 나온 천전(川前) 초등학교도 광복 후 그의 소유 정미소 터에서 개교했다. 개항 후 부산이 신흥도시로 발돋움하는 동안 진주는 경남도청 소재지로서 행정중심 도시였다. 일본의 패망으로 귀국한 다케모토는 곧 되돌아올 것을 전제로 고 김삼만(金三萬) 회장과 아버지 등 한국인 종업원에게 회사를 일시 맡겼다고 한다.

김 회장과 아버지는 도청의 부산 이전 후 수요가 크게 준 인쇄소를 접는 대신 농기구 생산에 착안, 현재의 (株)대동공업을 창립했다. 아버지는 5살이 많았던 김 회장과 6·25전쟁 직후 결별하고 퇴직청산금으로 화물차 몇 대를 사서 운수업을 하시기도 했다. 집은 위험한 경찰서와 떨어진 칠암동으로 옮겼다가 나중에 망경남동에 정착했다. 배영초등학교 4學년이던 큰누나가 1950년 여름 미군기의 저공 기총소사로 숨지는 끔찍한 일이 일어났다.

당시 진주 시가지 전체가 북한군에게 함락되었다. 연합군은 진동고개를 중심으로 낙동강 방어선에서 최후의 결전을 벌였다. 우리 가족은 어머니 친정인 경남 의령과 친족이 있는 함양 등으로 피란했는데 아버지와는 행동을 함께할 수 없었다. 북한군이 젊은이들은 눈에 띄는 대로 의용군으로 잡아갔기 때문이다.

만 네 살하고 몇 달 지났던 나는 지금도 큰누나가 숨지던 참혹한 현장을 생생히 기억한다. 그날 아군기의 저공 기총소사가 하도 심해 할머니, 어머니는 무더위 속에서도 솜이불을 겹겹이 뒤집어쓴 채 몸을 포개어 나를 이중, 삼중으로 보호했다. 그때 큰누나가 소변이 마렵다고 했다.

할머니와 어머니는 그냥 옷 입은 채로 해결하라고 했다. 그러나 초등학교 4학년인 누나는 마당을 가로질러 있는 화장실로 갔다. 연신 비행기 소리와 '드르륵, 드르륵' 하는 기총소사 소리가 요란했다. 잠시 후 대청마루에 의자를 펼치고 앉아 계시던 할아버지의 고함소리와 통곡소리가 들렸다. 화장실을 가던 누나가 하늘에서 저공비행으로 쏘아대는 총탄에 맞아 즉사했다. 반팔셔츠에 '부루마'라는 반바지 차림의 누나는 옆구리에서 피를 쏟으며 마당에 쓰러져 있었다. 곁에서는 혼절하다시피 한 할아버지가 누나의 시신을 흔들고 있었다.

조선조 말 고종 3년에 과거에 급제해 의금부 도사를 지낸 증조부의 막내아들(넷째)이던 조부는 젊은 아내를 두고 18세에 서양 의학을 공부하러 서울유학을 떠났다. 할머니 말씀으로는 1년 몇 개월간 서울의 서양 선교사 병원에서 의학을 공부하다 귀향했다. 할아버지는 서울에서 배운 서양 의술로 고향 함양에서 더러 환자를 고치기도 했다고 한다. 진주 칠암동에 살 때는 하동 출신의 소설가 이병주 씨가 이웃에 살았다. 그분은 부모의 정혼으로 얼굴도 안 보고 혼인한 첫 부인이 심한 사시(斜視)였다고 한다. 할아버지가 그분의 눈 진료도 하셨다는 얘기를 들은 기억이 난다.

나보다 두 살 많은 둘째 누나도 그 무렵 병치레 끝에 세상을 떴다. 화불단행(禍不單行)이라는 말처럼 악재가 잇따르자 할아버지가 충격으로 화병을 얻었다. 특히 눈에 넣어도 아프지 않았던 초등학교 4학년 큰손녀의 손실은 할아버지에게서 생의 의미를 빼앗았다. 수면제에 의지하지 않고는 단 하루도 잠을 이루지 못했다. 급기야 자신의 손으로 직접 아편 주사를 맞으며 버텼지만 환갑을 며칠 앞두고 큰손녀 이름을 부르며 세상을 떴다. 집안 꼴이 말이 아니었다.

전쟁이 38도선을 두고 치열하게 전개되던 1952년 4월 나는 초등학교(천전)에 입학했다. 만 6세에서 한 달여가 모자랐지만 교무주임이 할머니 친정조카뻘이어서 1년 일찍 입학할 수 있었다. 입학하자마자 홍역에 걸렸다. 몸에 열꽃이 돋는 홍역은 몸을 따뜻하게 잘 관리해야 한다. 변덕 심한 초봄 날씨도 아랑곳 않고 어머니 몰래 친구들과 온 동네를 싸돌아다녔다. 그 바람에 홍역 후폭풍에 시달려야 했다.

그때 걸린 몸살감기는 평생 고질병이 된 기관지 천식으로 전이됐다. 사람들은 홍역 열을 잘 풀지 못한 결과라고 했다. 70이 된 지금도 환절기엔 마치 통과의례인 양 한 차례 이상 심한 몸살감기에 이은 천식 증세에 시달린다. 꼬박 두 달을 결석한 채 심하게 앓다가 숫제 다음 해 다시 1학년에 입학했다. 1년을 앞당겨 입학했다가 도로 제자리로 돌아온 셈이다.

6·25전쟁 통에 나라가 온통 살벌한 시기였다. 놀이도 전쟁놀이요, 더러는 불발 유탄에서 화약을 빼내려다 터져 죽는 경우를 목격하기도 했다. 전쟁 끝이라 모두가 가난할 때였기에 그럭저럭 진주에서 중·고교(진주중·진주고)를 마칠 수 있었다. 이상하게도 초등학교 때부터 반장, 회장 등 감투가 나에게서 떠나지 않았고, 학업성적은 중상 정도는 되었다.

1965년 3월 고려대 정치외교학과에 진학했다. 대학 1학년, 그해는 강의 듣는 날보다 시위로 휴강하는 일이 더 많았다. 신생 박정희 정부가 한일 수교회담을 졸속으로 밀어붙였기 때문이다. 야당, 재야단체,

학원가 등은 굴욕적인 한일회담의 즉각 중단을 요구했다. '대학이 이런 곳이구나' 하고 깨닫는 데 그리 오랜 시간이 걸리지 않았다. 그해 겨울 방학을 맞아 입대를 결심했다. 하수상한 세월, 시간이나 벌고 보자는 생각에서다. 다음 해인 1966년 1월 겨우 만 19세에 불과한 나는 논산훈 련소로 가는 입영열차에 몸을 실었다.

사포로 항문을 문지른 장정들

　일생에서 가장 현명했던 결단이나 선택을 꼽으라면 나는 주저치 않고 군 지원입대라 할 것이다. 대학 1학년 겨울방학 중이던 1966년 1월 27일 나는 무작정 부산의 경남병무청을 찾아갔다. 육군 지원입대에 대해 알아보기 위해서다. 당시 경남도청 소재지는 부산이었다. 경남도의 주요 기관 사무실이 도청사를 중심으로 몰려 있었다. 경남병무청도 도청사 인근이었다. 고려대 교복차림의 나는 수위가 가르쳐준 대로 징모과(徵募課)를 찾았다.

　과장인 듯한 사람이 몇 학년이냐고 물었다. 방학이 끝나면 2학년이 된다고 했더니 "왜 어린 나이에 입대하려 하느냐?"고 다소 시큰둥하게 물었다. "네! 시간이 아까워 세월이나 벌려고 합니다." 당당한 쪽은 나였다. 1학년 때인 1965년은 시위로 한 해를 보냈다 해도 과언이 아니다. 굴욕적인 한일회담 반대시위였다. 캠퍼스엔 단 하루도 영일(寧日)이 없었다. 스스로 내린 결론은 "이참에 군복무나 빨리 마치자"였다. 경남병무청을 찾은 까닭이다.

　요즘 어느 신인 정치인은 연구에 몰두하다가 가족에게 알릴 틈도 없이 입대했다고 했다가 거짓말 파문에 휘말리기도 했지만 나야말로 논산을 내 뜻에 따라 내 발로 찾았다. 세상의 모든 굴레에서 벗어나고 싶었다. 아니, 모든 제약에서 해방되고 싶었다. 나에겐 병역의무가 거추장스러운 제약이자 나를 옥죄는 굴레로 인식됐다. 그래서 하루빨리 이 제약, 이 굴레에서 벗어나고 싶었다.

입대 가능성을 확인한 후 바로 서울 집의 동생에게 엽서를 띄웠다. 그것도 가족이 모두 볼 수 있게 개봉엽서였다. 엽서를 받은 가족들은 뜬금없이 마음대로 입대를 결정한 내 정신상태를 의심했다고 한다. 특히 어머니는 왜 하필 엄동설한에 입대하려 하느냐고 걱정이 태산 같았다고 한다. 설마 하고 있다가 내가 입고 나간 교복과 신발이 논산에서 우편배달돼 오자 어머니는 대성통곡하셨다고 한다.

1월 29일 오후 1시 집합장소인 진주 해인고등학교 운동장으로 갔다. 이미 그곳은 입대 장정과 환송객이 뒤섞여 북새통을 이루었다. 표정이나 차림새 등으로는 누가 장정이고 누가 환송객인지 쉽게 구분이 안 됐다. 잠시 후 환송객과 분리해 입영 장정이 정렬할 때 내가 받은 첫인상은 '왜 이렇게 늙은 사람들이 입대를 할까?'였다. 장정 가운데는 꽤나 장성한 아들, 딸의 환송을 받는 사람도 있었다.

그동안 이런저런 이유로 징집을 연기해 왔던 보충역을 집중적으로 징집했기 때문이라는 사실을 나중에 알게 되었다. 연령대가 20대 말 아니면 30대를 훌쩍 넘긴 늙수그레한 사람이 대부분이었다. 징모과장이 일러준 대로 찾아가 만난 현장 책임자는 명단에 나를 추가한 후 그날 밤 논산훈련소행 열차에 태워주었다. 다음 날 새벽 연무읍에 도착했다.

손에는 환송 친구들이 싸준 약간의 먹을거리와 책 몇 권이 전부인 작은 보따리가 들려 있었다. 새벽녘 연무역에 도착하자마자 떼강도 기습

을 받았다. 손에 든 보따리를 탈취하려는 사람들이 어둠 속에서 주먹세
례를 퍼부었다. 다짜고짜 보자기를 빼앗기 위해서였다. 나는 저항 않고
'영양가 없는' 보따리를 쉽게 포기했다. 깜깜해서 정확한 식별은 불가능
했지만 인근지역 병사들임이 분명했다. 새벽에 장정들이 들어오면 어
둠 속에서 소지품을 탈취하는 일이 빈번하게 이뤄지고 있다고 했다.

훈련소 수용연대에서 입영생활과 관련한 최종 신체검사를 받았다.
그곳에서 만난 사람들에겐 갖가지 사연이 있었다. 특히 나와 함께 온
서부경남지역 보충역 장정 가운데는 안타까운 사연이 많았다. 한 번만
더 소집연기 조치를 받으면 징집연령 초과로 군복무를 영구히 면제받
는 나이배기들도 있었다. 사위와 손자를 본 장정까지 섞여 있었다.

입대를 자원한 나는 좌고우면할 이유가 없었다. 단 하루, 단 한 시간
이라도 빨리 교육연대로 가서 국방부의 시곗바늘을 전진시키고픈 생각
뿐이었다. 나의 소망과 달리, 이번만 귀향 조치되면 연령초과로 징집을
면제받는 사람들 입장은 달랐다. 또 입영생활에 극도의 두려움을 가진
사람들은 어떻게든 되돌아가려고 귀향 방법을 찾고 있었다.

피 맺힌 귀향

어디서 어떻게 구했는지 모르나 수용연대에는 사포(샌드페이퍼)가 나
돌았다. 귀향 판정을 받는 데 이 물건이 유용한 수단이라고 했다. 귀향
을 바라는 사람들은 화장실에서 엉덩이를 까고 항문을 사포로 문질렀
다. 피가 나도록 문지른 항문 주위에 핏자국이 맺히면 치질환자로 둔갑
하게 된다. 수용연대는 신성한 병역의무를 다하려는 애국심의 현장이

아니라 병역 기피를 위한 사술과 기만, 야만의 현장이었다.

치질 증상의 장정은 대부분 귀향 조치를 받는다고 했다. 합천에서 왔다는 한 나이배기 장정은 그렇게 해서 귀향했다. 사위까지 보았다는 그분은 고맙게도 먹다 남은 인절미 봉지를 나에게 주고 떠났다. 대부분 귀향을 부러운 눈으로 바라봤지만 나는 그저 무덤덤했다. 나흘째인 2월 2일 입소 판정을 받았다. 제25연대 6중대에서 본격적인 훈련병 생활을 시작했다.

당시 25연대는 논산훈련소 본부 옆에 위치했다. 옛날엔 30연대 훈련병 생활이 가장 고달팠다고 했다. 그때 생겨난 말이 '30연대 훈련병은 밥 먹으나 마나, 잠자나 마나'였다고 한다. 내가 입소했을 때는 25연대가 바로 그 30연대와 닮은꼴이었다. 물이 바로 꽝꽝 얼어붙는 엄동설한임에도 허구한 날 내무반 바닥 등을 물걸레질해야만 했다.

한겨울 바닥 물청소는 여간 힘든 일이 아니다. 또 바닥이 금방 얼어붙어 자칫하면 엉덩방아를 찧기 십상이다. 웬 놈의 훈련소 방문 외빈이 그렇게 많은지, 자유중국 육군참모총장이 다녀가면 다음 날은 베트남 국방장관이, 이튿날은 태국 육군참모총장 등 고위사절단이 훈련소를 찾는 식이다. 그러고는 훈련소 본부 옆 25연대 사병 내무반만 살펴보고 갔다. 매일 내무반 바닥을 물청소해야 하는 이유다.

수용연대에 머문 사흘 동안 나는 '향도'란 직책을 맡아 심한 마음고생을 했다. "대학 재학생이나 졸업자는 손을 들라"는 지시에 따랐다가 향도 역할을 맡았다. 수용연대 향도는 주로 장정들의 호주머니를 털어 기간병사 주머니를 채워주는 일을 하도록 강요받았다. 지금이야 개선됐겠지만 50여 년 전 논산훈련소는 그랬다. 본격적인 훈련이 시작되는 교육연대로 넘어가 중대편성이 끝나자 또 대학 재학생과 졸업자를 파악했다.

수용연대에서의 악몽 같았던 일이 생각나 이번엔 손을 들지 않았다.

웬일인지 손드는 사람이 한 사람도 없었다. 아마도 수용연대에서의 마음고생이 자신을 숨도록 하지 않았나 생각된다. 화가 난 중대 구대장 하사는 "여기 전부 고문관들만 모였단 말이냐? 기록카드 대조해 거짓말 한 놈은 가만두지 않겠다"고 씩씩거리며 중대본부로 갔다. 잠시 후 돌아온 구대장 하사는 나와 또 한 명을 불러 세우더니 다짜고짜 접힌 미제 야전삽으로 엉덩이를 10대씩이나 힘껏 내리쳤다. 나의 입소 신고식은 거짓말을 했다는 이유로 그렇게 가혹했다.

당대의 명사들, 정훈학교 강사진

2월 초 논산벌 추위는 혹독했다. 하늘에 손바닥만 한 구름이라도 걸리는 날이면 어김없이 폭설이나 진눈깨비가 퍼부었다. 사람들은 이런 현상을 두고 "논산엔 외상구름이 없다"고 했다. 그럭저럭 6주간의 훈련을 마치고 배치를 앞둔 어느 날, 훈련소 본부 친지 장교가 내가 서울 쪽에 배치될 것 같다고 알려 주었다. 그분 말대로 나는 훈련소 졸업과 동시에 정훈학교 법무서기반 교육생으로 명령받았다.

법무서기병은 1년에 단 한 차례 선발했다. 법대 출신 병사 위주로 뽑아 8주간의 집중교육을 통해 각급 군법회의에서 일할 서기병을 양성한다. 군법회의 최소 단위부대가 전투사단 사령부다. 따라서 법무서기병은 교육을 마치면 전투사단 사령부 이상의 군법회의에 배치된다.

법무서기반 교육생으로 선발된 것은 큰 행운이었다. 내가 훈련을 마칠 무렵 법무서기반 교육생을 법대 출신만으로 채우기는 사실상 불가능했다. 대졸 혹은 재학중 병력자원이 많지 않았던 시절이다. 실제로 교육장소인 정훈학교로 가는 피교육생 일행 중엔 법대 외에 나 같은 정치학도는 물론 상대 등 사회계열 출신이 많았다. 나는 가끔 사람의 운이라는 게 참 절묘한 타이밍의 조화라는 생각을 하곤 한다.

1년에 단 한 차례 법무서기 피교육생을 선발할 무렵 내가 훈련을 마친 것이 첫 번째 행운이다. 다음 법대 출신이 수요를 채우지 못한 것도 기회가 아닐 수 없다. 당시 군이 법무병과 사병 선발에 각별히 신경을 쓰게 된 사연이 있다. 약 2년 전인 법무서기병 3기생의 경우 상당수가 학력 미달이었다고 한다. 서기병 교육에 상당한 지장을 초래했다.

나를 비롯한 5기생 중엔 대학 문턱을 넘지 않은 사람은 단 1명도 없었다. 모두가 재학생이거나 졸업자였다. 그렇게 모인 사람들이 서울 용산의 정훈학교에 도착하니 모두 27명이다. 미리 도착해 있던 해군 하사관 2명 등을 포함 30여 명이 8주간 교육에 들어갔다. 정훈학교는 정훈병과 요원을 양성하기 위한 전문교육기관이다. 그러나 나를 비롯, 30여 명도 여기서 위탁교육을 받았다. 법무서기병 교육은 장소만 빌린 형국이라 정훈학교는 법무서기반 교육생들을 데면데면하게 바라보곤 했다.

8주간의 교육은 기본법인 헌법을 비롯, 일반사회의 형사소송법에 해당하는 군법회의법, 형법에 해당하는 군형법 등을 위주로 국가배상과 관련한 각종 송무 업무 등이 주를 이뤘다. 또 서기병 업무 가운데 가장 중요한 공판조서, 피의자 심문조서 작성 요령 등 서기 실무도 함께 교육받았다. 강의는 고시 사법과에 합격한 후 2년간의 사법연수원(당시는 사법대학원이라고 불렀던 것 같다) 과정을 마치고 초임계급 중위를 달고 입대한 법무관 장교들이 담당했다.

공판조서나 검찰 피의자 심문조서 작성 등의 실무교육은 일반 법무행정 장교인 대위, 소령급 서기과장 등이 담당했다.

육본 보통군법회의 심판부 서기병으로

교육과정은 상당히 체계적이면서도 집중적으로 실시됐다. 강사진은 누구라고 하면 금방 알 수 있는 당대의 명사들이었다. 최연소 사법·행정 양 과 합격 기록으로 유명한 고 장기욱 대위, 노무현 정부 때 대법원장을 지낸 이용훈 대위, 이 대법원장과 광주일고 동기동창인 박영식 대위(판사로 근무하며 뒤에 언론중재위원장 역임), 고광하 대위 등이 기억난다.

장기욱 대위를 제외한 나머지 분들은 모두 광주일고와 서울법대 동기동창으로 사법시험(고등고시 사법과 15회)까지 동기인 것으로 알고 있다. 이분들이 고시에 합격하던 해는 광주일고가 전국 고교 가운데 사법고시 최다합격에다 수석까지 배출했던 것으로 기억된다. 명문 경기고의 아성을 그해만은 지방의 명문고인 광주일고가 허물었다고 환호하던 모습이 기억에 생생하다. 박영식 대위가 고시 수석을 했다. 또 이분들과 함께 해군 법무관으로 국방부 군법회의에 파견근무 중이던 김찬진 대위 역시 광주일고 출신이었던 것으로 기억한다.

서기병 주제에 별걸 다 기억한다고 할지 모르겠으나 고교 동기생 이분들의 교유하는 모습에 자주 시선을 빼앗겼던 기억이 새롭다. 이런 재사들로부터 8주간의 교육을 이수한 우리는 '법무서기병 5기생'이란 이름으로 전후방 전투사단급 이상 군법회의에 분산 배치됐다.

필기도구가 발달하지 못해 펜촉에 잉크를 콕콕 찍어 쓰던 시대다. 당시론 드물게 나는 '파커 61'이란 고급 외제 만년필을 갖고 있었다. 숙부가 대학입학을 축하하며 준 선물인데 펜촉이 순금이라고 했다. 이 만년필로 강의 내용을 노트했다. 강의가 끝나면 시험도 실시했는데 내가 만년필로 정성스럽게 작성한 답안지가 교관들의 눈길을 끌었던 것 같다.

특히 육본 보통군법회의 심판부 서기과장(김귀현 대위로 기억)은 내가 답안 작성하는 모습을 뚫어지게 지켜보기도 했다.

그분은 광주 출신의 법무행정 장교였다. 나중에 안 사실이지만 그분은 글씨를 예쁘게 쓰고 동기생 가운데 가장 어린 나를 일찌감치 자기 부대로 데려가려고 점찍었다고 했다. 그렇게 해서 나는 육본 보통군법회의 심판부 서기병이 됐다. 나는 이때 정자로 빨리 쓰는 습관이 몸에 배었다. 후일 기자생활 동안 나의 취재수첩이 동료들의 교본이 되다시피 했다. 심지어 함께 브리핑을 받았음에도 나의 취재노트를 빌려가는 사람도 있었다. 한국일보 선배의 눈총도 있었지만, 나는 주저치 않고 빌려 주었다. 내 주위에 사람들이 끓었던 까닭이 아닌가 싶다.

당시 보통군법회의 심판부장과 법무감실 법무과장은 함경도 출신의 고 윤의준 대령이 겸직하고 있었다. 내가 일시 법무과에서 일한 이유도 지휘관이 같았기 때문이다. 우선 일손이 부족한 곳부터 숨통을 트려고 했다. 그분은 원로 희극배우 '합죽이' 고 김희갑 씨와 함경도 장진의 초등학교 동기동창이다. 합죽이 김 씨가 이따금씩 "윤 대령 있나?" 하고 필동 심판부장실로 찾아오던 모습이 눈에 선하다.

군 사법개혁 공염불 안 되려면

일반인이 죄를 짓거나 다툼이 있을 때는 법원에서 시비를 가린다. 군인이 같은 죄를 저지르면 소속부대를 관할하는 군법회의로부터 소추를 당한다. 군법회의는 군사법원이다. 1심 법원이 보통군법회의이고 항소심인 고등법원은 고등군법회의라고 한다. 군법회의의 특징은 일반법원과 달리 심판관이란 제도가 있다는 것이다. 또 재판이 끝나면 소속부대 지휘관의 관할관 확인조치 과정을 거친다.

군법회의는 재판장, 법무사(판사), 검찰관(검사), 심판관이 재판을 진행한다. 재판장이나 심판관은 꼭 법관 자격을 갖지 않아도 된다. 재판장은 대개 피고인과 동 계급 이상의 일반장교로 보임한다. 하지만 심판관이 피고인보다 꼭 상위 계급이어야 한다는 규정은 없다. 예비역 육군 중장인 김재규 전 중정부장 재판의 계엄군법회의 재판장은 김재규와 동 계급자였던 고 김영선 육군 중장(국회 국방위원장 역임)이었다. 재판은 주로 위관급인 법무사와 검찰관 주도로 진행된다.

내가 서기병으로 복무할 때 주요 업무 가운데 하나가 재판장과 심판관을 선정하는 일이었다. 나는 주로 육군본부 부국감실 장교 가운데서 선정했다. 재판장은 법원의 경우 법관 가운데서 선정되는 것과 달리 군법회의는 법관 자격을 요구치 않는다. 대체로 피고인보다 상위 계급자 가운데서 선정했다.

군법회의의 가장 특징적인 점은 '관할관 확인조치' 과정이다. 재판 결과를 관할 부대장이 확인하는 과정을 거치게 된다. 예컨대 육본 군법회의의 경우는 재판 결과를 참모총장에게 보고해 추인을 받는다. 사단 보통군법회의라면 사단장이 관할관이다. 관할관(참모총장이나 사단장)은 군법회의가 선고한 형을 감형 또는 면제할 수 있는 권한이 있다. 군조직의 특성 탓이라 해도 이 관할관 확인조치는 두고두고 시비 대상이 되고 있다. 지금 군 개혁의 핵심대상으로 뜨거운 쟁점이 되고 있다. 얼마 전 임 병장 총기난사와 윤 일병 구타치사 사건 등을 통해 군 사법제도 개선문제가 활발히 논의되고 있다. 이 병영문화 개선에도 관할관 확인조치 개선이 포함돼 있다.

반세기 전 내가 서기병일 때 있었던 관할관 확인조치에 얽힌 에피소드를 하나 소개할까 한다. 당시 일반고시 출신의 Y모 심의관이 있었다. 검사로 근무하다 다시 군문을 두드린 특이한 분이다. 그는 법무감을 대신해 재판 결과를 참모총장실에 보고하는 일을 담당했다. 대체로 총장실은 군법회의가 판결한 대로 추인한다. 그러나 더러는 형량이 대폭 감형되거나 숫제 형을 면제하는 조치가 취해지기도 한다. '냄새'가 나는 경우도 더러 있었다. Y모 심의관이 "감님(법무감)이 용돈이나 조금 얻어 쓰라고 나를 이 자리(심의관)에 보내셨다"고 실토하는 것을 들은 적이 있다. 눈치 빠른 피고인 가운데는 숫제 심의관을 찾아 로비하는 경우까지 있었다.

제왕적 '관할관 확인' 개선해야

임 모 병장의 총기난사와 윤 모 일병 구타사망 사건 등으로 병영문화 개선의 목소리가 드세다. 병영생활이 어떠했기에 제대를 목전에 둔 병장이 총탄을 난사해 동료병사 여럿을 죽거나 다치게 했단 말인가? 또 사람이 얼마나 잔인하면 영양주사까지 놓아 가면서 후임병을 구타, 숨지게 할 수 있단 말인가? 이런 군대라면 적과 싸워 보기도 전에 필패소지가 있는 오합지졸에 다름 아니다.

사건이 터질 때마다 병영문화 개선을 다짐하곤 한다. 그러다 시간이 지나면 '언제 그런 일이 있었느냐'는 듯 평상으로 되돌아간다. 군은 특수조직이고 그 특성을 이해해야 한다는 데는 이론이 있을 수 없다. 하지만 진급이나 영전에 목을 매는 지휘관들이 사건을 축소·은폐하는 한 대형사건의 재발은 불을 보듯 뻔하다. 그래서 각종 범법 행위를 적발한 지휘관에게는 문책 대신 포상을 해야 한다는 목소리가 설득력을 얻는다.

획기적인 병영문화 개선을 위해서는 군의 문민통제 강화가 시급하다. 국방장관부터 민간인 기용 필요성이 있다는 지적에 귀를 기울일 필요가 있다. 5공 군사정권이 들어선 후 한때 문민통치 전통이 크게 후퇴한 적이 있다. 민관군이 군관민이 되는가 하면, 심지어 해외공관에서는 참사관이 무관 아래로 밀리는 웃지 못할 일도 있었다(졸저《외교가의 사람들》, p. 119). 대령은 원래 서기관급이다. 군사정권은 이들을 이사관으로 대우, 공직사회를 크게 흔들어 놓기도 했다.

1차 세계대전을 승리로 이끈 프랑스 총리 겸 전쟁장관 클레망소 (Georges Clemenceau)는 "전쟁은 너무도 중요하기에 장군들에게만 맡길 수 없다"고 했다. 군의 문민통제를 강조한 말이다. 미국이 왜 "국방장관은 과거 10년간 군문에 있지 않았던 사람을 보임한다"고 했는지 음미해 볼 필요가 있다. 국방장관은 군부 대변자라기보다는 대통령을 보좌해 군을 통제하는 국방비서(Secretary of Defense)이기 때문이다.

사건·사고에 책임이 있는 사단장이나 군단장 등 지휘관이 수사와 재판을 지휘하는 모순이 언제까지 지속돼야 할 것인가? 프랑스나 독일 같은 선진국은 평시엔 군사법원을 두지 않는다고 한다. 일반검찰과 법원이 수사권과 재판권을 행사한다는 의미다. 군사법정을 운영하려면 환골탈태의 혁신을 해야 한다. 현재 각급 지휘관들에게 부여된 재판관할권을 대폭 개편해야 한다. 재판은 군사작전이 아니다. 평시 군 관련 사건의 수사와 재판권을 민간에 넘기는 것도 검토해 봐야 할 사안이다.

관할관 확인조치라는 옥상옥의 제왕적 조치는 당장 폐지돼야 마땅하다. 재판 결과를 왜곡할 우려가 있기 때문이다. 만부득이한 경우라면 최소한 지휘관 1인의 독단적 결정 과정 대신 다수의 사람이 참여하는 '위원회' 성격의 결사체에서 형의 감면이나 면제를 결정토록 해야 할 것이다. 현재와 같은 제도하에서 어느 누가 군사재판의 공평성과 정당성을 인정하겠는가?

나의 상관 법무사들

내가 복무했던 육본 보통군법회의 법무사(판사)로는 이보헌, 정지형 (서울고등법원장 등 역임), 현홍주(안전기획부 차장, 법제처장, 주미대사 등 역임), 송종의(서울지검장, 대검차장 역임), 김현철(광주 고검장 역임) 씨 등이 기억난다. 이 가운데 이보헌, 정지형 법무사는 경기고와 서울법대 동기 동창이고 그 1년 아래가 현홍주 법무사여서 마치 경기고, 서울법대 동문회 같은 분위기였다. 나는 이분들의 서기병으로 복무했다.

겸손한 인품의 이보헌 법무사

충북 진천 출신의 이보헌 법무사는 후덕한 인품과 겸손한 몸가짐으로 동료 법무사는 물론 서기병들로부터 큰 존경을 받았다. 경기고 1년 후배인 현홍주 법무사가 "보헌 형! 보헌 형!" 하던 모습이 눈에 선하다. 이보헌 법무사는 판사로 근무하다 한때 사직하고 잠시 변호사를 개업했다. 그후 복직해 청주지법원장을 지낸 것으로 알고 있다. 내가 신문에서 읽은 기억으로는 그분의 사직 이유가 월급으론 아이들 교육비 충당이 안 돼 일시 개업하게 됐다고 할 만큼 청빈한 분이기도 했다.

세월이 수십 년 흐른 후 하루는 한국일보 주필이던 고 정달영 선배가 나를 찾았다. 그분 아래서 논설위원을 할 때가 아닌가 싶다. 정 주필은 충북 진천 출신으로 위당 정인보 선생 가계 손으로 알고 있다. 정 주필이 나를 찾은 이유는 동향인 이보헌 판사와 저녁을 하기로 했는데 합석하자는 것이었다. 나와 정 주필 사이에 이미 이 판사가 충북 진천 출신이라는 점을 두고 얘기가 있었던 것 같다.

그날 저녁모임은 정 주필이 동향인 이 판사에게 회사 동료의 민원을 부탁하기 위해 마련됐다. 당시 한국일보 판매국 한 간부의 고교생 아들이 문제를 일으켜 재판 중인데 재판장이 바로 이 판사였다. 자식을 구하려는 아비가 재판장의 고향을 찾게 됐고, 또 동향인 정 주필을 찾아 자식의 구원을 간구하게 되었던 것. 신문사 생활을 하다 보면 일반직원들 민원을 해결해야 하는 경우도 종종 있다. 그래야만 조직이 돌아갈 수 있기 때문일 터다. 나는 존경했던 이 판사를 다시 만난다는 설렘 속에 그분과 저녁을 함께 했다.

그분은 예나 그때나 자세가 조금도 변함이 없었다. '이런 분이 법조계에 한 분이라도 더 계셨으면…' 하는 생각이 들었다. 이 판사는 우리의 구명 호소에 "기록을 잘 검토해 보지요"라고만 했다. 그러면서도 철없는 고 1년생을 무작정 소년원에 보내는 것보다는 가정과 사회가 관심을 갖고 훈화하는 게 더 효과적이라는 데는 생각이 같았다. 이 판사와 정 주필 두 분은 같은 학령이었고 진천에서 알아주는 수재였다. 서로의 존재는 알았지만 직접 만날 기회는 없었다고 했다. 뒤에 안 사실이지만 그 고교생은 소년원 대신 부모의 품으로 돌아와 교화에 성공했다고 한다.

후에 대검차장과 법제처장을 지낸 송종의 법무사는 작은 체구에서 내뿜는 우렁찬 목소리가 지금도 생생하다. 그분이 법제처장 때 당한 참척의 아픔을 신문에서 읽었다. 아들을 먼저 보내는 '고유문'은 많은 국민을 울렸다. 그분은 법무사로 나 같은 서기병들에게 형처럼 자상했다. 내가 서울신문사 사장 때 '어떻게 지내십니까' 코너를 마련, 원로들의 근황을 취재해 소개토록 한 적이 있다. 아마 첫 번째 대상이 그분이었던 것으로 기억한다. 그분은 세상사를 잊고 논산에서 밤농사를 하고 있었다. 밤농사 지어 모은 돈으로 '천고법치문화재단'을 만들어 해마다 법치주의 확립에 기여한 기관과 공직자를 시상하는 것으로 안다.

정의감과 신사의 리더십, 현홍주 법무사

매사에 맺고 끊는 것이 분명했던 신사의 리더십을 보인 현홍주 법무사는 닮고 싶은 우리의 우상이었다. 우리 사무실엔 서기병 3명에, 육본 직할 7헌병중대에서 파견 나온 헌병이 1명 있었다. 이 헌병은 각종 문서 송달업무를 담당했다. 쾌활하기 짝이 없는 이 친구는 현홍주 법무사의 열렬한 팬이었다. "만약 현 중위님이 여자로서 그런 매력을 지녔다면 아마 납치라도 했을 것"이라고 할 정도로 현 법무사를 좋아하고 존경했다. 한편 나는 그분 때문에 고생했던 추억담도 갖고 있다.

박정희 정부 초기, 어찌된 일인지 고시 사법과 합격자가 군이 법무관으로 충원해야 하는 숫자에 턱없이 모자랐다. 국방부는 궁여지책으로 법무관 복무기간을 6개월 연장키로 했다. 결과적으로 3년이던 고시 출신 법무관 복무 기간이 3년 6개월로 늘어나게 됐다. 기간이 연장된 만큼 법무관 인원의 순증효과가 나타나는 점을 노린 것이다.

고시 출신 법무관들이 들고일어났다. 국방부의 일방적 조치를 비난하고 반대하는 의사표시를 분명히 했다. 복무기간이 늘어난 만큼 사회 진출이 지연되므로 이들의 반발은 그들 입장에서 보면 이해할 수 있었다. 이들은 일방적인 국방부 조치의 부당함을 국회의원들에게 성명서를 돌리는 등 직접 호소했다. 문제는 이들의 행위가 엄중한 상명하복의 군대 사회에서는 있을 수 없는 일탈이었다는 것이다.

국방부는 주동자로 현홍주, 송상현(전 국제형사재판소 소장), 김찬진 씨 등을 지목하고 형사처벌하려 했다. 혼란스러운 사이 송상현은 미국으로 유학을 떠났고, 그의 신병 송환문제가 한때 사회문제화하기도 했다. 하지만 송 씨 송환 문제는 동아일보 고 김상만 회장의 거중조정으로 일단락됐다. 송 씨는 김상만 회장 선친이자 동아일보를 창간한 인촌 김성수 선생의 절친, 고하 송진우 선생 손자다. 고하는 한때 동아일보사 사장을 지냈다. 송 씨는 뒤에 김상만 회장의 사촌동생 고 김상협 전 고려대 총장의 사위가 됐다. 인촌에게도 손녀사위가 되는 셈이다.

얘기가 잠시 옆길로 빠졌지만 내가 입대하기 직전 일어난 법무관 항명파동은 국방부와 법무부 간 정면대결 양상이 됐다. 당시 법무부 장관은 다소 저돌적이라 소문난 권오병 씨가 아니었나 기억된다. 그분은 문교부 장관도 지낸 것으로 알고 있다. 국방부 장관은 5·16쿠데타에 참여해 소위 주체세력으로 분류되던 김성은 전 해병대 사령관이다.

주동자 처벌을 둘러싸고 두 부처 간 대립은 다소 감정적이었다. 국방부가 엄정한 군기 유지를 위해 강력한 처벌을 주장한 데 반해 법무부는 반대했다. 이들은 병역의무를 마치면 법원 혹은 검찰로 돌아가 판사,

검사로 활동할 국가적 동량지재다. 군 기율을 위반한 건 사실이지만 그렇다고 이들을 형사 처벌해 장래를 망치게 해선 더 큰 손실이라는 것.

국방부와 법무부가 곧 타협점을 찾았다. 복무기간 연장은 없던 일로 주동자도 전원 구제했다. 대신 항구적 대책으로 군법무관을 뽑기로 했다. 이로써 법무관 항명파동은 '찻잔 속의 태풍'으로 끝났다. 현홍주, 김찬진 등은 대위로 진급한 다른 동기생들과 달리 원래 계급인 중위로 복귀했다.

나는 육본 보통군법회의 법무사로 복귀한 현홍주 중위를 모시게 됐다. 매사가 반듯한 현 중위는 많은 사람들의 주목을 받았다.

서기병으로 현 중위를 모시고 있던 어느 날, 현 중위와 나의 직속상관인 심판부장 김용국 대령이 "노 상병!" 하고 나를 자신의 방으로 호출했다. 그가 내민 판결문 서류 표지 하단엔 이 판결에 참여한 재판장과 법무사, 심판관의 자필 서명이 기재돼 있었다. 만면에 웃음을 띤 김 대령은 법무사 계급란을 지우개로 지우는 몸짓을 하며 고치라고 했다. 그가 가리킨 곳엔 '법무사 대위 현홍주'라고 쓰여 있었다. 대위를 중위로 고치라는 지시다. 현 법무사 계급은 동기생들과는 달리 중위였다.

한동안 나는 법무사 현 중위가 자필 서명한 '대위'를 면도칼로 조심스럽게 긁어내고 '중위'로 고치는 작업을 해야 했다. 육본 보통군법회의 사건 가운데는 사선 변호인이 붙은 경우가 많다. 피고인이 장교인 경우도 많았다. 상당수는 판결에 불복, 상급심으로 가는 경우가 많다. 항소심을 거쳐 최종심인 대법원에 상고하는 경우도 허다했다.

법무사 계급 오기로 상급심(대법원)에서 파기된 사례는 없었지만 판결서류는 정확해야 한다. 만약 상고심에서 1심 법무사 계급의 오기를 트집 잡으면 문제될 수도 있지 않겠느냐는 게 심판부장의 생각이었다.

나는 판결문이 나오면 면도칼로 '법무사 대위 현홍주'를 '중위 현홍주'로 고치는 작업을 귀찮지만 해야 했다.

현 중위가 자신의 계급을 몰라서 대위라 기재하지는 않았을 것이다. 군법무관 항명파동 과정에서 자신에 대한 당국의 조치를 수용하지 않겠다는 일종의 저항이었다. 현 중위의 저항 모습조차도 나를 비롯한 서기병들에게는 큰 매력요인으로 다가왔다. 심판부장이 만면에 미소를 띠며 당부했듯이 나도 불평 없이 그 일을 계속했다.

제대 후 검찰로 간 현 씨는 중정 국장에 이어 차장, 법제처장, 민정당 전국구 국회의원, 또 주미대사로 화려한 스펙을 쌓아갔다. 제대로 된 정부나 권력자라면 현홍주 같은 사람을 그냥 놔둘 리 만무하다.

당신 고정간첩 아니야?

제대 후 내가 현홍주 씨와 재회한 것은 12대 국회에서다. 그는 안기부 차장을 거쳐 민정당 전국구 의원으로 정치권에 화려하게 입성했다. 민정당 쪽 국회를 출입할 때다. 그는 이미 차기권력이 유력해 보인 노태우 대표의 핵심 브레인이었다. 우리 서기병들처럼 민정당 출입기자들 역시 현 의원을 선호했다. 깨끗한 매너하며 명쾌한 정세 분석이 전 조등과도 같았다. 그의 사무실은 항상 문전성시였다.

나는 자주 가진 않았지만 그래도 듬성듬성 그의 방을 찾았다. 현 의원에게 그의 개인사도 들었다. 법조인이 된 사연을 호구지책 때문이라고 했던 것으로 기억한다. 형편이 허락했다면 미술을 공부하고 싶었다고 얘기해 놀랐던 일이 있다. 여러 기자들과 담소하는 가운데 또 다른 '현홍주'를 발견하고는 소스라치게 놀란 적도 있다.

하루는 D일보 이 모 기자가 현 의원 비위를 건드렸다. 이 기자가 무슨 얘기 끝에 뜬금없이 "현 선배도 중정 계실 때 사람을 거꾸로 매달고 고문했어요?"라고 했다. 분위기가 어색해졌다. 재야인사 고 김근태 씨의 고문 사실이 회자될 무렵이었던 것으로 기억된다. 현 의원도, 고문의 피해자 김 씨도, 또 힐문을 한 이 기자도 모두 경기고 동문 사이다.

이날 이 기자의 '도발'에 현 의원은 순간 표정이 일그러지며 불쾌한 표정이 역력했다. 평소 매사가 반듯하고 균형감 있는 자세가 돋보였던 그의 또 다른 모습에 오히려 내가 당황했던 기억이 생생하다. 그는 상기된 표정으로 "이 기자! 나 아직도 한두 명쯤은 거꾸로 매달 수 있어"라고 했다. 순간 나는 내 귀를 의심했다. 후배기자가 자존심 상하게 했다고 어떻게 그런 얘기를 할 수 있을까? 그의 그 한마디가 내 심장에 비수를 꽂듯이 다가왔다.

나도 안기부에서 당했던 고초로 심각한 트라우마에 시달리고 있을 때다. 불과 1년여 전인 1984년 1월, 3자회담 보도문제로 남산 안기부 지하실에 붙들려간 적이 있다. 나는 처음 그곳이 안기부 지하실이란 사실도 몰랐다. 머리를 아래로 처박힌 채 뒤통수를 가격당하며 끌려갔기 때문이다. 그들은 붙잡혀 온 나를 처음부터 주먹질하면서 고정간첩 아니냐고 다그쳤다. 한국일보 정치부에서 외무부를 출입하던 기자를 잡아다 '고첩' 운운하던, 그야말로 야만의 시대 얘기다.

수사관들은 국가기밀을 함부로 보도하는 것은 간첩이 아니고는 할 수 없는 일이라고 했다. 3자회담 보도 사실이 왜 중대한 국가기밀인지 반론의 기회가 없었다. 미국대사로부터 불평을 들은 청와대가 보도 경위의 철저한 조사를 지시했다고 한다. 외무차관과 차관보, 미주국장 등이 나와 함께 남산 지하실로 붙잡혀 가 조사받은 전무후무한 사건이다. 그 뒤 나는 한동안 지하실과 협소 공포증에 시달려야 했다.

"이 새끼, 우리(대공수사) 국장께서 후배라고 좀 봐주라고 해서 살살 대했더니 형편없는 빨갱이 새끼구먼!" 주먹이 날아들었다. 나는 수사국장이 나에게 어떤 선배인지 아무것도 아는 것이 없었다. 말대로 봐주라고 했다면 손찌검은 하지 않았어야지. 안기부 지하실에서 당한 고초는 평생 잊지 못할 아픈 상처로 남아 있다. 한참 뒤에 안 사실이지만 수사국장이라는 사람은 나의 고교 10년 선배였다. 그러나 당시 그 사람과 일면식도 없었음은 물론이다. 그분의 존재 자체를 전혀 몰랐다.

그 후 나는 그와 몇 번 얼굴을 마주할 기회가 있었지만 의식적으로 피했다. 만나야 할 까닭도 없었고, 솔직히 말해 상종하기가 싫었다. 수사관들은 원하는 대로 말하지 않는다고 진술서를 찢고 두들겨 팼다. 수사국장이라는 사람이 일면식도 없는 고교 후배가 붙잡혀 왔다고 봐주라고 했다고? 소가 웃을 일 아닌가. 시어머니보다 시누이가 더 얄미운 꼴이었다고나 할까.

한번은 노신영 국무총리 방에서 조우할 기회가 있었다. 나는 외무부와 총리실을 겹치기로 커버하고 있었다. 가끔 노 총리를 찾아뵙거나 혹은 부름을 받아 방문하기도 했다. 그날도 노 총리 집무실에서 단둘이 담소하고 있는데 반기문 의전비서관이 "감사원 사무총장께서 신임인사 오셨습니다" 했다. 문제의 그분이 안기부를 나와 감사원으로 자리를 옮긴 것이다. 나는 "종씨 그냥 있어!"라는 노 총리의 만류도 뿌리친 채 그 방을 박차고 나왔다. 그와의 대면이 내키지 않았기 때문이다.

전대미문의 천재, 장기욱 대위

　한번은 이런 일도 있었다. 고 장기욱 대위에 관한 얘기다. 내 기억이
정확하다면 그는 사법대학원(요즘의 사법연수원) 2년 과정을 마쳤어도
징집연령에 미달돼 일단 만 19세에 검사로 발령받을 때 도하 신문에 크
게 소개된 기사를 읽은 기억이 있다. 내가 서기병 교육을 마치고 육본
법무감실 법무과에서 잠시 복무할 때 그분은 제대가 몇 달 남지 않은
고참 대위였다.

　법무감실 야간 주번사령 장기욱 대위가 어느 날 기상천외한 방법으
로 근무지를 무단이탈해 일으킨 사건이다. 지금 생각하면 호랑이 담배
피우던 시절의 해프닝이다. 일과가 종료된 후 야간의 육본 지휘체계는
본부 총주번사령 중심으로 이뤄졌다. 본부 총주번사령은 대개 부국감
실의 장이 맡았다. 총장의 참모들이 돌아가며 총주번사령을 맡는 꼴이
나 실제는 주로 한 단계 아래 사람이 맡았다. 법무감실의 경우 법무감
보다는 복수의 차감이 돌아가면서 맡았다. 계급대는 준장 혹은 대령이
주를 이뤘다. 그러나 일선 부국감실 야간사령의 경우는 대체로 소령 혹
은 대위급이었다. 야간 근무지 이탈로 말썽을 일으켰던 법무과 장기욱

대위도 그날 법무감실 주번사령이었다.

그날 장 대위는 일과 후 피하기 어려운 약속이 있었던 게 아닌가 싶다. 당시 법무과엔 나 이외에 나보다 입대가 4~5개월 빠른 이○○라는 상등병이 있었다. 다소 구부정한 체형하며 풍기는 인상이 장기욱 대위를 카피한 듯 빼닮은 병사였다. 장 대위는 그날 저녁 이 상병에게 대위 계급장이 그려진 파이버 군모에 명찰과 대위 계급장이 부착된 자신의 군복을 입히고 권총까지 채워 놓고는 무단외출을 했다. 일반부대라면 상상도 할 수 없는 일이 일어났다.

이 사달은 장 대위 자신이 스스로를 과소평가한 데서 기인했다고 할 수 있다. 당시 육본 내에서 장기욱 대위 하면 스타 중의 스타였다. 경기고를 월반해서 서울법대에 입학 후 만 18세에 졸업한 전대미문의 천재로 소문이 자자했다. 더구나 대학 졸업반에 고시 사법·행정 양 과를 패스했으니 무슨 다른 설명이 더 필요하겠는가? 호기심 많은 장병은 장 대위가 어떻게 생겼는지 보기 위해 일부러 법무감실 법무과 사무실을 기웃거리기까지 하는 진풍경이 벌어지기도 했다.

그날 총주번사령도 각 부국감실 주번사령 명단을 받아 보고 법무감실의 그 유명한 장기욱 대위를 만나 악수하는 영광을 머리에 그렸을지도 모른다. '세상에 다시없을 천재를 만나는 기회를 갖게 되다니' 하고 다소간 흥분했을 수도 있다. 그날 밤 순찰차 법무감실에 들른 총주번사령은 가짜 장 대위에게 낯익은 사람처럼 손을 내밀고 악수를 청했다.

장기욱 대위로 위장한 이 상병은 "장 대위, 이렇게 만나게 돼서 영광입니다"란 총사령의 인사를 "네" 하고 짧게 받아넘겼다. 문제는 이 총주번사령이 그 유명한 장 대위를 이미 관심 있게 살핀 바 있었다는 데 있었다. 적어도 장 대위의 얼굴을 알아볼 정도는 됐다고 한다. 자신이 알고 있던 장 대위가 아닌 것 같다고 의심한 총주번사령이 "장 대위가 맞아요? 장 대위가 맞습니까?"라고 몇 차례 다그쳤다.

잇단 추궁에 마음이 흔들린 이 상병이 "사실은…" 하며 실토하고 말았다. 이 사건은 해프닝 정도로 조용히 수습되었다. 만약 일반 병과 장교가 이런 일을 벌였다면 어떻게 됐을까? 천재 검사의 군법무관 복무 중 일어난 이 사건은 조용히 매듭지어졌다. 군 수뇌부가 천재 법무관의 일탈을 경위서와 시말서를 받는 선에서 조용히 매듭짓기로 한 것이다. 지금 생각해도 웃음이 나는 이 사건은 자신을 너무 과소평가한 천재가 자초한 망신살에 다름 아니었다.

사고현장의 '앰뷸런스 로이어'

　교통사고가 발생하면 사고현장에 경찰이나 의료진 등이 먼저 도착하는 것이 순리다. 2차, 3차 추가사고를 방지하고 부상자에 대한 응급조치가 필요하기 때문이다. 그러나 언제부터인가 보험회사 관계자나 변호사가 사고현장에 가장 먼저 도착하는 세태가 되었다. 소위 '앰뷸런스 로이어(Ambulance Lawyer, 구급차 변호사)'라는 얘기가 생기게 되었다. 군대 사회에서 일어나는 각종 사건·사고도 마찬가지였다.

　1960년대 중반 내가 군법회의 서기병으로 복무하던 시절, 시중엔 군 국가배상사건의 60~70%를 소수의 전문변호사가 독식한다는 소문이 파다했다. 이 소수의 사람이 수백억 원에 달하는 국방예산을 쥐락펴락한다는 얘기였다. 당시 국배상 사건을 독식한다고 소문난 대표 변호사는 황 모와 주 모 변호사 등이다. 사고가 발생하면 구급차보다 변호사와 변호사 측 사람들이 먼저 현장에 출동한다는 것이다. 그래서 이들을 '앰뷸런스 로이어'라고 불렀다.

　국방부는 비등한 여론에 따라 두 변호사를 강제징집했다. 황 모 변호사는 육군소령으로 육본 보통군법회의 검찰관으로, 주 모 변호사는 내

가 있던 육본 보통군법회의 법무사로 배치했다. 주 변호사의 부여 계급
은 대위였다. 말하자면 그동안 국가배상소송을 독식해 국방예산을 떡
주무르듯 했던 당신들도 군 법무관으로서 역지사지해 보라는 뜻이 징
집의 함의가 아닐까 싶다. 국가가 강제로 '국배상' 사건의 공수 교대를
시킨 형국이다.

그러나 국방부의 시도는 기대만큼의 효과를 거두지 못했다. 내가 서
기병으로 보좌했던 주 변호사의 경우, 엄연히 군복무 중임에도 자신의
개인 사무실을 그대로 운영했다. 나는 을지로 입구 구 반도호텔 부근의
주 변호사 사무실을 수시로 찾아야 했다. 보통 1주일에 한 번 있는 재
판일이나 판결문을 제출하는 날을 제외하고는 그가 주로 자신의 개인
사무실에 있었기 때문이다.

그분의 사무실에는 고용된 변호사도 몇 있었다. 그분들 가운데는 김
대중 정부 사정최고위직에 있었던 분도 있다. 내가 그의 사무실을 수시
로 찾아야 했던 까닭은 구속영장에 법무사의 동의 여부를 묻는 제도 때
문이다. 군검찰이나 수사기관이 인신을 구속할 때 법무사의 의견(동의
여부)을 묻도록 돼 있다. 구속영장이 올 때마다 나는 그의 개인 사무실
로 가서 동의 여부를 물어야 했다.

국방부의 서슬이 퍼런 이 시도도 이내 용두사미가 되었다. 그들은 하
는 둥 마는 둥 1년을 보낸 후 제대하고 현업으로 돌아갔기 때문이다.

군사재판의 사형수들

우리나라는 사실상 사형제도 폐지국가로 분류된다. 보도에 의하면 김영삼 정부 말기인 1997년 12월 30일 사형수 23명을 한꺼번에 처형한 후로는 사실상 집행하지 않고 있다고 한다. 앰네스티 인터내셔널 등 관련 국제기관들은 이런 한국을 실질적인 사형제도 폐지국가로 분류하고 있다. 현재 우리 사회에는 인간이 인간의 생명을 강제로 빼앗는다는 게 말이 되느냐는 사형제도 폐지론이 대세를 이룬 듯하다.

하지만 흉악범이 늘고 갈수록 죄질이 흉포화하면서 극형의 선고와 함께 집행이 불가피하다는 사형제도 부활론 역시 만만치 않다. 그럼 군대에서는 사형수가 어떻게 관리되고, 사형제도가 어떻게 운영되고 있을까? 나는 군법회의 서기병으로 복무하면서 실제로 사형집행 현장을 참관하기도 했다. 그때 보고 느낀 사실을 통해 이를 설명해 보면 이렇다.

군사재판도 3심제를 시행하고 있다. 예외적으로 전시 등 비상시에는 단심으로 단죄한 경우도 있다. 가까운 예로 김재규 전 중정부장이 박정희 대통령을 살해한 10·26사건 때도 단심의 경우가 있었다. 비록 비상계엄 상태였지만 김재규, 박선호 등 민간인 피고인은 대법원 판결과정까지 거쳤다. 하지만 현역으로 김재규 중앙정보부장 비서실장이었던 박흥주 대령만은 군법회의에서 단심으로 종결됐다.

박 대령은 김재규의 대법원 상고심이 끝나기도 전인 1980년 3월 6일 먼저 총살형이 집행됐다. 박정희 전 대통령의 사거로 정부가 전국에 비상계엄령을 선포했기 때문이다. 비상계엄하에서 군 형사범은 단심이다. 그보다 더한 즉결처분이라는 제도도 군대 내에서 더러 있었다고 한다. 6·25 같은 전시에 지휘관의 독단적 판단에 의해 현장에서 대부분 권총으로 즉결처분한 사례가 있었음을 전사는 전하고 있다.

군형법엔 1심인 보통군법회의가 사형을 선고하면 자동으로 항소하게 돼 있다. 설사 피고인이 원치 않는다 해도 생명을 빼앗는 극형인 사형의 경우는 자동 항소되도록 돼 있다. 오심의 위험을 덜려는 생명 중시의 뜻이 담긴 것 아닐까 생각된다. 내가 군복무 때 군 사형수는 서대문구치소로 이감했다. 이 구치소가 사형수를 수감할 수 있는 여건이 돼 있었기 때문이 아닐까 생각된다. 사형수는 독실 수감이 원칙이라 했다. 까닭은 불안한 상황에서 어떤 일을 저지를지 모르기 때문이다.

가령 사형수를 다른 죄수와 합방시켰다고 치자. 생명 연장을 위해 사형수가 다른 범죄의 유혹에 빠질 수 있다. 이를테면 한 방 동료에게 위해를 가했을 경우 그는 새로운 범죄행위에 대해 3심까지 또 상당기간 재판을 받아야 한다. 재판이 진행될 동안은 생명을 부지할 수 있다. 그래서 사형수는 가급적 독실에 수용하는 것이 아닌가 싶다.

나는 군복무 중 3~4차례 사형집행을 참관한 적이 있다. 군 사형수에 대한 집행은 고등군법회의 검찰부가 지휘했다. 당시 사형집행은 주로 수색의 야트막한 야산과 주변에 복숭아밭이 널려 있는 부천 소사 인근 야산에서 이뤄졌다. 총살형이 집행됐다. 수색의 야산은 지금 도심의 한

복판이 되어 있다. 소사의 복숭아밭도 흔적 없이 사라지고 신도심의 주
거지로 변모하는 등 상전벽해의 변화가 이뤄졌다.

대법원에서 사형이 확정돼 서울구치소 특별감방으로 이송된 군 사
형수들은 대개 원심인 보통군법회의에 재심을 신청한다. 원래 재심은
기존 판결을 번복할 만한 새 증거나 원심 형량이 과중할 때 1심 법원에
신청토록 돼 있다. 그러나 대부분의 사형수는 대법원 확정판결문 사본
을 전달받는 순간 마치 기다렸다는 듯 재심부터 신청하고 본다.

언제 집행장에 끌려 나갈지 모를 불안한 심리 탓이다. 사형수들은 재
심 여부를 심리하는 동안은 집행을 면하지 않겠느냐는 자위심리를 가
진 듯하다. 기각 결정에도 그들은 같거나 비슷한 이유로 일단 재심 신
청을 했다. 통상 이렇게 3~4차례 신청과 기각을 반복한다. 그러다 집행
의 필요성이 제기되면 기각과 거의 동시에 사형이 집행됐다.

사형수의 발버둥: 재심 신청

사형수 재심 신청과 관련해 나는 아주 특별한 사건을 또렷이 기억하
고 있다. 사형확정수의 이름은 이관영, 이명주다. 이들은 남파간첩을
호송하고 돌아가는 무장호송원이었다. 내 기억으로 이들은 경기도 파
주에 남파간첩을 무사히 내려놓고 북으로 돌아가다 붙들렸다.

무장호송원인 이들을 국가보안법 위반으로 기소한 군사법정은 단호
했다. 두 사람에게도 극형인 사형을 선고했다. 1960년대 초라 남북한
이 치열하게 대결하던 시기다. 이런 시대적 대결상황이 이들에게 불리
하게 작용했으리라 생각된다. 대법원도 두 피고인의 살려달라는 상고를

기각, 사형을 확정했다. 내가 이들을 알게 된 것은 이들의 재심청구를 접수하면서부터다. 3~4차례 재심 요청이 기각됐던 것으로 기억한다.

이들은 우리 땅에 간첩을 몰래 호송한 죄다. 하지만 요즘 기준에서 판단하면 이들에게까지 과연 극형을 선고할 가치가 있을까 고개가 갸우뚱해진다. 대체로 양형은 시대적 흐름의 산물이라는 생각이 든다. 지금을 기준해서는 별것 아닐 수 있지만 엄혹한 냉전대결시대엔 불구대천의 중죄였다. 일반적으로 원심법원인 보통군법회의가 사형수로부터 재심 신청을 받게 되면 피고인을 직접 소환해서 심리하는 경우는 극히 드물었다. 대부분의 경우 서류상으로 심리한 후 결정하고 결정문 사본을 신청인에게 보냈다.

그러나 무슨 까닭인지 모르나 이들이 우리 사무실에 소환돼 온 일이 있다. 나는 이들을 직접 만났고 대화도 나누었다. 내가 50년이 됐는데도 이 두 사람의 이름을 뚜렷이 기억하는 이유다. 그들은 잊을 만하면 재심을 신청했다. 그것은 재심이 기각됐기 때문일 것이다.

나는 이들에게 북쪽 실상에 관해 물었다. 이들은 우리 쪽이 선전하는 북의 실상에 대해서는 조용하면서도 단호하게 고개를 가로저었다. 특히 먹고사는 문제는 자신들이 남쪽보다 더 낫다고 우겼다. 1960년대 중반까지만 해도 북한의 형편이 우리보다 나았다는 사실의 방증이기도 하다. 당시 우리 사회도 춘궁기엔 아사자가 있었다. 하지만 나는 이들이 거짓말을 하는 줄 알았다. 비록 포승줄에 묶인 채였지만 고개를 가로젓던 모습이 생생하다. 그 후 두 사람의 생사가 어떻게 됐는지 나는 지금도 궁금증을 갖고 있다.

사형수 이송은 앰블런스로

군은 수용능력을 초과하거나 그럴 우려가 생기면 사형을 집행했다. 또 흉악범죄에 대한 경각심 고취가 필요할 때도 마찬가지 아니었나 싶다. 집행 업무는 고등군법회의 검찰부(고검) 소관이다. 고검은 집행의 필요성이 생기면 즉각 국방부 장관의 재가를 받았다. 장관실은 주로 유선으로 가부를 알려왔다. 그러나 한 번도 불허한 적은 없었다. 이미 사형수에 대한 상황을 국방부가 정확하게 파악하고 있었기 때문이다.

집행 허가가 나면 고검은 사형수 인적사항과 집행 장소를 서울구치소에 즉각 통보했다. 또 집행에 동원될 부대에도 알렸다. 총격병은 재경 6관구의 헌병이 동원됐다. 시신을 수습할 요원도 관구 영현중대에서 차출했다. 서울구치소 요원들에 의하면 사형수는 신병을 옮길 때 가급적 외부와 차단시킨다고 한다. 이들을 수송할 앰블런스는 사방 유리창이 커튼으로 가려져 바깥세상을 일절 보지 못한다. 수색과 소사에서 집행할 때 이들 사형수들은 군 앰블런스 차량을 타고 왔다.

사형수는 뒤로 수갑이 차인 채 포승줄에 묶여 형장에 도착했다. 형장이라야 앰블런스 차량이 겨우 비집고 들어간, 야산 입구로부터 100m 남짓 떨어진 골짜기에 마련돼 있다. 이미 한 사람을 묶어 지탱할 만한 나무 말뚝이 그날 처형자 숫자만큼 2~3m 간격으로 설치돼 있다. 뒤로 묶인 사형수는 차에서 내리자마자 하사관 두 사람이 양쪽으로 팔짱을 낀 부축을 받으며 말뚝을 향해 100m 남짓을 걷는다.

서울구치소 요원들에 따르면 사형수들은 자신이 그날 집행되리라는 사실을 전혀 모른 채 온다고 했다. 대개 구치소를 옮긴다거나, 신청한 재심사건 심리를 위해 법정에 간다거나, 더러는 병원 진료 등의 이유를 대며 앰뷸런스에 태운다고 했다. 앰뷸런스에 커튼이 쳐진 이유가 설명될 것이다. 이들은 차에 오르자마자 깊은 잠에 빠져든다고 했다.

집행절차에 대한 준비과정이 모두 마무리되면 고검은 상당한 시간적 여유를 두고 서울구치소에 이 사실을 통보한다. 사형수의 경우 대개 전담 교도관이 있다고 했다. 디데이를 통보받은 교도관은 고도의 심리전을 편다고 했다. 짧은 여생이지만 죽음의 공포로부터 벗어나도록 하는 데 초점이 맞춰진다. 가급적 숙면을 못 하도록 분위기를 조성한다고 한다. 자신이 형 집행장에 왔다는 사실은 단잠에서 깨어난 후 앰뷸런스에서 내려 전방에 설치된 말뚝을 발견하는 순간 깨닫게 된다.

사형수, 하늘과 땅을 번갈아 보다

사형수의 최후 모습을 묘사한 출판물 가운데 《하늘을 보고 땅을 보고》라는 저서가 생각난다. 5·16 직후 3·15부정선거 사범과 폭력배, 좌성향 및 혁신계 인사 등을 처형했을 때의 일화다. 민족일보 편집국장으로 서대문구치소에 수감됐던 고 양수정 씨가 형장의 이슬로 사라진 최인규, 곽영주, 이정재, 임화수 등의 마지막 모습을 증언했다. 양 씨는 이 책에서 이들 사형수가 형틀에 다가가면서 연신 하늘과 땅을 번갈아 보던 마지막 모습을 기술한 바 있다.

양 씨 증언에 따르면 최인규의 최후나 이정재의 마지막은 다르지 않았다. 곽영주나 임화수의 세상과 별리(別離) 역시 두 사람과 비슷했다. 형틀로 다가가는 동안 하늘을 한 번 올려다보고 땅을 한 번 내려다보고를 반복했다. 그러다 보면 어느새 저승으로 데려갈 형틀 앞에 다가선 자신을 발견하고는 대개 넋을 잃은 창백한 모습이었다고 했다.

민족일보는 진주 출신(대곡면 단목리) 조용수라는 사람이 5·16 직전 창간한 중도 성향의 일간지다. 조 씨는 진주에서 초등학교(봉래)와 진주 중학교를 마치고 일본으로 가 메이지(明治) 대학을 졸업한 지식인이다. 일본 체류 중엔 재일거류민단(민단)에서 활동하다 귀국해 민단의 자금 지원으로 민족일보를 창간했다고 한다. 민족일보는 사시를 통해 양단된 조국의 비원을 호소하며 남북한의 동질성 유지, 평화통일 등을 주창했다. 5·16세력은 조용수가 북한을 찬양 고무했다며 사형을 선고하고 목숨까지 빼앗았다. 그러나 2008년 1월 원심 판결 47년 만에 대법원이 무죄를 선고하고 유족에게 형사보상토록 했다. 얼마 전 우연히 남한산성 건너편 야산에 있는 그의 묘소를 확인할 수 있었다.

나는 군 사형집행 현장을 목격하면서 양 씨 기술에 놀랐다. '인간의 마지막 모습을 어쩌면 이렇게 잘 묘사했을까' 감탄하지 않을 수 없었다. 앰뷸런스에서 내린 사형수들 행동에서 확인할 수 있었다. 종말을 맞게 될 말뚝 앞으로 가면서 그들은 연신 하늘과 땅바닥을 번갈아 보았다. 마치 병아리가 물 한 모금 먹고 하늘 한 번 쳐다보듯. 더러는 알아듣지 못할 말을 중얼거리기도 했다. 모두 넋이 나간 모습이다.

말뚝 앞에 다다른 사형수는 몸을 3~4등분해 말뚝에 묶였다. 두터운 흰 광목천을 접어 만든 띠로 머리 부분만 남겨놓은 채 발목, 허벅지, 배 혹은 가슴 등을 휘감아 묶었다. 이어 사형집행 예식이 거행된다. 보통 1인당 20~30분씩 소요되는 이 집행 예식은 고등군법회의 소속 검찰관이 말뚝에 묶여 있는 사형수 면전에서 진행한다. 사형수가 왜 죽어야 하는지에 대한 이유를 설명하는 절차다.

맨 먼저 사형수의 인적사항을 확인한다. 이어 그가 저지른 죄상을 기술한 기소장과 이를 심판한 1, 2심 판결문, 대법원에서 사형이 확정된 판결문 등을 낭독해 준다. 사형수에게 당신이 이런 죄를 저질렀기 때문에 사형에 처하게 됐다는 이유를 설명하는 과정이다. 검찰관은 사형수와 눈길이 마주침을 피하려 짙은 선글라스를 착용하기도 한다.

서기병, 사형수 유언청취 후 무인(拇印) 받아

마지막으로 사형수에게 이승에서의 마지막 권리이기도 한 유언을 청취한다. 유언은 사형수가 원하는 장소, 사람에게 가급적 이른 시일 내에 전달하도록 규정돼 있다. 사형수에게서 유언을 청취해 기록하는 것이 참관 서기병의 그날 임무다. 청취한 유언이 사형수 본인 것임을 확인하기 위해 묶여 있는 말뚝 뒤편으로 돌아가 사형수 엄지에 인주를 발라 무인을 받아야 한다.

다음은 종교예식의 순서다. 종교가 없는 불신자나 이 예식을 원치 않는 사람은 본인 뜻에 의해 생략되기도 한다. 믿는 사람은 종교별로 군목이나 군종신부, 군승(군종승려) 등으로부터 위로설교와 설법, 구원의 기도를 받는다. 내가 복무하던 당시는 불교의 군승제도가 실시되기 전이다. 요즘은 승려도 군종장교로 복무하는 것으로 알고 있다.

이 절차가 끝나면 흰 광목천으로 사형수의 눈과 목, 이마를 감싼다. 사형수의 눈이 가려지게 된 것이다. 이어 사형수와 눈을 마주치지 않으려 반대방향에서 앉아 대기하고 있던 4~5명의 사격수가 "사격수, 뒤로 돌아!"는 구령에 따라 사형수를 향해 '서서 쏴' 자세를 취한다. 이들에게는 우리 체형에 맞지 않는 M-1소총이 들려 있다. 집행 장교 혹은 하사관이 사격병들의 소총에 실탄 한 발씩을 밀어넣어 준다.

실탄 가운데는 공탄(소리만 나고 탄두는 날아가지 않는)이 한 발 섞여 있다는 얘기가 있었다. 이는 사격병들에게 자신이 쏜 총탄이 공탄이기를 바라는 요행심을 주기 위해서라고 했다. 그러나 이것은 빈말, 사실은 모두 다 실탄이라는 얘기가 대체적이다. 이미 사형수의 가슴팍에는 검은색 둥근 모양의 과녁이 매달렸고 "사격 개시!" 명령에 따라 총구가 일제히 불을 뿜는다.

산골짜기에 요란한 총성이 들린 후 주변에 잠시 정적이 흐른다. 생과 사, 이승과 저승이 종이 한 장 차이라고 느껴지는 순간이다. 10m도 안 되는 지척에서의 사격이기에 이변이 없는 한 총탄은 대개 심장 주변을 관통하게 돼 있다. 신음소리도 낼 겨를 없이 즉사하는 경우가 대부분이다. 그러나 말뚝에 결박된 채 마지막까지 세상을 저주하며 발악하는 사형수도 있었다. 이럴 땐 M-1 총구가 아래위로 춤추듯 출렁이며 심하게 요동친다.

사형수의 마지막 말

실탄이 목표물을 맞히지 못한 채 빗나간 경우를 목격한 적도 있다. 김○○ 상병의 경우다. 그는 사단 사령부에서 장병 월급과 보급품을 수령해 오던 1/4톤 트럭을 습격해 금품을 털려다 수명의 사상자를 내고 붙들렸다. 이 사형수는 앰뷸런스에서 내리자마자 넋이 나간 채 고래고래 고함을 지르기 시작했다. 주로 재판에 대한 불평과 불만이다. 그는 "그래, 돈 있고 빽 있는 놈은 살고, 나같이 가난하고 불쌍한 놈만 죽는구나"라며 미친 듯 날뛰었다. 이럴 경우 사형장 분위기는 흥분 모드가 되기 십상이다. 총격병들이 심리적으로 불안해지면 목표물 맞히기가 쉽지 않다. 예상했던 대로 1차 사격에서 실패했다. 총성이 들린 후 잠시 혼절했던 사형수가 더욱 고함을 질러댔다. 2차 사격도 마찬가지여서 3차 사격까지 해야만 했던 끔찍한 기억도 있다.

행형제도를 비난하고 마지막까지 발악하는 사형수는 대개 강도, 살인 등 흉악범죄를 저지른 사람이다. 하지만 남파간첩 등 확신범들은 종교적 예식 절차마저 거부한 채 "빨리 집행해 달라"고 했다. 이승에서의 마지막 정신적 고통에서 벗어나고 싶어 하는 것 같았다. 1963년 세상을 떠들썩하게 한 '이득주 중령 일가족 살해사건'이 있었다. 범인 고재봉이 자신을 군용물 절도죄로 고발해 7개월간 영창을 살게 한 대대장 집을 찾아가 복수극을 벌인 사건이다. 그는 이 중령 내외와 3명의 아이들, 가정부 등 모두 6명을 도끼로 잔인하게 살해한 희대의 살인극을 벌였다.

그러나 살인마 고재봉이 자신의 대대장이라고 믿었던 사람은 범행 당시 이미 다른 곳으로 전출 가고 없어 화를 면했다. 대신 그 집에 살다 봉변을 당한 이 중령 일가족은 그야말로 날벼락을 맞은 셈이다. 세월이 얼마간 지난 뒤 내가 육본 군법회의에 갔을 때 흉악한 살인마 고재봉에 관한 얘기가 전설처럼 회자되고 있었다. 주로 서울구치소 교도관들로부터 전해진 얘기였다.

전설 같은 얘기란 다름 아닌 '성현 고재봉'에 관한 일화들이다. 나 같은 서기병들은 서울구치소 교도관들과 만날 기회가 더러 있었다. 예컨대 동일한 사건을 군법회의와 일반법원이 각각 재판할 경우다. 군법회의가 서울교도소에 수감 중인 사람을 증인으로 신청해 신병을 데려오는 경우가 더러 있다. 통일혁명당 사건의 고 신영복 중위에 대한 군법회의 재판 때 김질락, 이문규 씨 등을 증인으로 부를 때 등이다. 교도관들이 군법회의까지 이들 민간 피고인 증인을 호송해 온다. 혹은 군 사형수를 집행장으로 호송해 올 경우 우리는 하루 혹은 반나절 이상 민간인 교도관들과 함께 지내는 경우가 있다.

서울교도소에서 군법회의로 증인을 호송해 온 교도관 가운데 고재봉 담당 교도관도 있었다. 그 교도관으로부터 사형수 고재봉의 생전 교도소 생활을 전해 들을 수 있었다. 그 교도관은 고재봉을 살릴 수만 있었다면 그가 우리 사회의 훌륭한 이웃이 됐을 것이라고 했다. 그가 죗값을 치르느라 세상을 떠나긴 했지만 천당이 있다면 그는 틀림없이 천당에 갔을 것이라고도 했다.

사형수 고재봉은 기독교에 귀의해 독실한 크리스천이 되었다. 그는 하루 일과 중 수시로 자신에 의해 억울한 죽임을 당한 이 중령 일가족을 위해 눈물로 회개 기도를 하곤 했다. 그의 사형집행에 입회했던 내 고참병은 고재봉의 최후를 자주 들려주었다. 그가 내린 결론은 희대의 살인마와 선량한 이웃은 종이 한 장 차이도 나지 않더라는 것이다.

고재봉은 죽어 저승에 가면 억울한 피해자 이 중령을 상관으로 잘 모시겠다고 했다. 마지막 유언까지도 자신의 잘못으로 억울하게 죽은 피해자 이 중령 가족의 명복을 비는 참회의 말을 남겼다고 했다. 그리고는 찬송가 337장 '인애하신 구세주여'를 부르며 최후를 맞았다. 찬송가 1절에 이어 2절 "자비하신 보좌 앞에 꿇어 엎드려 자복하고 회개하니…"를 노래할 때 사격수의 총구가 불을 뿜었다. 담당 교도관을 비롯, 그의 마지막을 목격한 사람들 모두가 눈시울을 적셨다고 한다.

목회자들이 사형수 상태 살펴

사격이 완료되고 나면 몇 분간 정적이 감돈다. 사형수들은 대체로 단단히 묶였던 머리가 앞으로 빠지면서 고개가 숙여졌다. 이제 입회했던 군의관이 말뚝으로 다가가 사형수의 사망 여부를 판단해야 한다. 만약 총격을 받았음에도 죽지 않고 고통받고 있다면 즉시 안락사 조치를 취해야 하기 때문이다. 군에서 안락사 조치란 사형수가 고통을 덜 받고 빨리 생을 마감할 수 있도록 대개 권총으로 두부를 가격해 즉사시키는 형식이다.

내가 몇 차례 참관했던 바로는 군의관이 직접 사형수의 사망 여부를 확인한 경우는 거의 없었던 것 같다. 입회 군의관이란 대개 의과대학 6년 과정을 마치고 군에서 인턴이란 수련의 과정을 시작하는 중위들이다. 불과 몇 분 전까지만 해도 살아 있던 멀쩡한 생명에게 총격을 가하고는 다가가 생사를 확인하기란 쉬운 일이 아니다. 어떤 군의관은 도저히 못하겠다고 울면서 손을 내밀어 비는 사람까지 있었다.

나는 그때 종교의 위대함, 초연함 같은 것을 느낄 수 있었다. 사형수의 마지막 종교의식을 위해 입회했던 신부, 목사들이 자발적으로 나서는 경우가 있었다. 군의관을 대신해 금방 총격받은 사형수 앞으로 다가갔다. 그들은 사형수 앞에서 숨소리를 관찰하거나 또 심장의 움직임을 살펴 상황을 파악했다. 자신에게 이승에서 마지막 축도를 받은 사형수에 대한 연민이랄까. 그분들의 판단과 신호에 따라 시신을 수습했다. 시신을 수습하는 일은 당시 6관구 사령부 안에 편성되어 있는 영현중대 사병들이 맡았다.

이들은 주로 사건·사고로 인해 발생한 군인들의 시신을 수습하는 일

을 했다. 사형집행장에 동원된 이들도 마찬가지다. 이들은 미리부터 낚
싯대만 한 기다란 대나무 막대기를 지참하고 있다. 끝에 날카로운 면도
칼이 노란 고무줄에 칭칭 감겨 있는 이 대나무 막대기는 형틀에 묶여
있는 사형수 몸통의 흰 광목천을 겨냥했다. 정면을 응시하지 못한 대막
대기가 때로 시신의 얼굴을 면도라도 하듯 비벼대 얼굴에 생채기를 내
는 경우도 있었다. 가끔 "똑바로 해!"라는 집행 장교의 고함소리가 들렸
다. 이들 시신을 수습하는 사병들은 한 달에 절반이 휴가라고 했다. 험
한 일을 하는 데 대해 휴가로 보상을 받는 셈이다.

　사형장의 히어로는 단연 군종신부였다. 목사들이 다소 주춤거리는
데 비해 신부들은 비교적 거침이 없었다. 처자식이 있는 목사보다는 독
신의 신부가 아마도 행동하는 데 훨씬 담대했던 것 같다. 특히 당시 조
소령으로 알려진 군종신부의 행동은 두고두고 회자되었다. 자신이 천
주교로 인도한 사형수 시신에 다가가 얼굴을 부비며 통곡의 기도를 하
는 경우도 있었다. 나중에 알고 보니 그 신부는 한국일보 시애틀 지사
장이었던 조병우 선배의 친형이라고 조 선배가 직접 나에게 확인시켜
주었다. 조 선배의 가문은 그 자신을 빼고 나머지 형제가 모두 신부와
수녀로 헌신하는 유명한 '천주학쟁이' 집안으로 잘 알려져 있다.

행사 후엔 대취한 채 뒤엉켜 자다

　사형집행에 입회하는 일은 가급적 선임병보다는 후임병에게 맡겨졌
다. 처음엔 호기심으로 갔다가 후임병이 들어오면 차츰 졸병에게 미루
는 경향이 생겼다. 멀쩡한 사람의 생명을 빼앗는 험하고 쇼킹한 일을

어느 누가 다시 보려고 하겠는가? 이미 언급했듯이 입회한 서기병의 임무란 사형수의 유언을 받아 적는 일이다. 그러고는 사형수의 엄지에 인주를 발라 유언장에 무인을 받는 일이다. 이 유언이 사형수 본인의 것임을 확인하는 절차다. 비록 사형수는 묶여 있지만 무인을 찍을 땐 사지가 떨리게 마련이다.

아무리 담력이 센 사람이라도 그 일을 하기란 쉽지 않다. 그래서 사형집행이 결정되면 고등군법회의 검찰부가 법무감실 내 서기병을 대상으로 입회 희망자를 모집하기도 했다. 보통군법회의 심판부에서 복무했던 나는 일병, 상병 때 멋모르고 3~4차례 참관한 후로는 더 이상 가지 않았다. 또 단 한 번도 사형수 엄지에 인주를 발라 무인 받는 일을 하지 않았다. 사형장에 입회한 사실을 안 어머니, 아버지가 질급하셨기 때문이다.

사형장에 나간 군법회의 소속 병사들에겐 소정의 법정수당이 지급됐다. 당시 형편으로는 꽤 상당한 금액이었던 것으로 기억한다. 우리는 일이 끝난 후 주로 서울 청진동으로 와서 밤새껏 막걸리와 소주를 대취하도록 마셨는데 그렇게 해도 부족함이 없는 금액이었다. 잠은 인근 여관에서 모두 뒤엉켜 잤던 기억이 난다. 함께 잠을 자게 된 것도 까닭이 있다.

1962년 자신에게 온 이대생 애인의 편지를 무단으로 개봉해 놀리는 고참병 2명을 총으로 사살한 소위 서울대 천문기상학과생 최○○ 일병 사건이 있었다. 최 일병 사건은 사회에 큰 파장을 일으켰다. 당시 천주교 최고위 성직자 노기남 대주교를 비롯한 종교계, 학계 등 우리 사회 지도자들이 발 벗고 나서 구명을 탄원했다. 하지만 이런 호소도 엄격한 군율의 벽을 넘지 못하고 결국 사형이 집행되었다. 이 사건은 묘하게도 여러 사람의 연쇄 희생을 불러왔다.

사형이 집행된다는 소식을 들은 그의 편모가 사형장 인근까지 달려왔다. 집행이 끝났다는 청천벽력 같은 소식에 그는 그 길로 부근 한강에 투신해 한 많은 생을 접었다. 그뿐만 아니었다. 그날 사형장에서 입회 업무를 보았던 선배 서기병이 사무실에서 자다가 심장마비로 사망하는 일까지 발생했다. 그 일 이후 참관 서기병들은 가급적 혼자 자지 않고 술을 마시고 한데 뒤엉켜 자는 전통이 생겼다. 나도 동료 병사들과 청진동 해장국집 부근 여관에서 만취한 채 뒤엉켜 잔 기억이 있다.

이산가족의 대부, 이재운 변호사

1966년 말쯤이 아닐까 생각된다. 법무감실 송무과에서 검사 출신 이재운 변호사라는 분이 소령 계급을 달고 다시 군복무를 시작했다. 6·25전쟁 전만 해도 남한 땅이었던 황해도 연백 출신이라고 뒤에 들었다. 서울에서 양정중학을 다니던 중 전쟁이 시작되자 고향을 찾았다가 1·4후퇴 때 혼자만 겨우 빠져나왔다고 한다. 남한에서 고아 아닌 고아가 된 그는 구두닦이, 신문배달 등 닥치는 대로 일하며 고학을 했다. 고시 10회에 합격해 대전·대구·제주지검에서 검사생활을 했다.

그가 왜 다시 군복무를 지원했는지는 알 길이 없다. 당시 의사 아내와 사이가 원만치 않다는 얘기가 나돌기도 했다. 하루는 송무과 동기생이 나를 불렀다. 자신이 모시게 된 이 소령에 관한 흥미로운 얘기를 들려주기 위해서였다. 지금 생각하면 그분의 사생활을 엿본 것 같아 죄송한 마음이 앞선다. 우렁찬 목소리의 그분이 고아 아닌 고아로 인간승리를 이룬 사실을 당시엔 우리 모두가 몰랐다.

그분의 책상에 있는 어떤 책 표지엔 자신을 채찍질하는 좌우명 같은 글귀가 적혀 있었다. 아마도 내 기억이 정확하다면 이랬다. "거룩한 입지(立志)와 피눈물 나는 실천을 할 때 오인(吾人)의 두상(頭上)에 무한한 영광이 있으리라." 고학하면서 자신을 다잡는 경구가 아니었을까 생각된다. 50년도 더 지났음에도 내가 이 글귀를 기억하는 것은 당시 어린 병사의 마음에도 상당한 공감을 불러일으켰기 때문이지 않았나 싶다.

무엇보다 우리 호기심을 자극한 것은 그분의 일정표에 기재된 남녀 간 잠자리를 의미하는 방사(房事)라는 글귀였다. 부부관계를 일정표에 따라 하는 사람이 어디 있겠는가? 그분의 가정사에 말 못 할 사연이 있음을 암시하는 것 같았다.

그분은 서글서글한 성품으로 상하관계가 원만했다. 무슨 사유인지는 모르나 일시적인 현실도피책으로 군문을 다시 두드리지 않았을까 하는 추측이 있었다. 그분의 말 못 할 사연이 무엇이었는지는 지금도 궁금증으로 남아 있다.

당시 법무감실에는 이 소령과 같은 일반 사법고시 출신이 몇 분 더 있었다. 이진우 소령은 고등군법회의 법무사로 근무했고, 이미 언급한 바 있는 Y모 씨가 대위로 심사관실에서 관할관 확인 작업을 담당했다. 이 두 분도 사법시험에 합격, 판검사로 임용됐다가 무슨 사연인지는 모르나 군으로 되돌아왔다.

이재운 소령은 얼마 안 있어 제대, 다시 변호사로 활발하게 활동한 것으로 안다. 그 후 1985년 제1차 고향방문단으로 방북, 72세였던 아버지(이병규 옹)와 감격적인 상봉을 한 것으로 널리 보도된 바 있다. 이 변호사는 평양방문 후 재회추진위를 만들어 이산가족 재회사업에 열심인 것으로 안다. 아버지를 다시 찾겠다고 다짐했으나 남북관계 경색으로 그 약속을 지키지 못한 채 아버지 이 옹이 돌아가셨다는 가슴 아픈 사연을 얼마 전 보도를 통해 알게 되었다.

야성의 한신 참모차장

1968년 1·21사태 이전의 우리 사회는 태평성대를 구가하고 있었다. 누가 100만이 훨씬 넘는 중무장 병력이 마주 보며 서로를 겨누고 있는 휴전상태의 국가라고 할 수 있었을까? 김계원 참모총장 직전 총장 김용배 대장의 지휘구호는 일일일선(一日一善)이었다. 글자 그대로 '하루에 착한 일 한 가지를 행하라'였다. 육군본부 광장을 중심으로 곳곳에 큰 붓글씨로 쓴 일일일선 구호가 적힌 플래카드가 나부꼈다. 누가 불과 10여 년 전 피비린내 나는 동족상잔의 전쟁을 치른 나라의 전쟁 총지휘부라고 생각했겠는가?

우리는 참모총장 지휘통솔 방침에 따라 가끔 저녁 외출을 했다. 자의로 나간 것이 아니라 억지로(?) 내보내졌다는 게 맞을 것 같다. 까닭은 다음 날 아침 육군본부 주변 삼각지 일대 거리청소를 하기 위해서다. 집에 가서 대빗자루를 구해 오라는 것이다. 삼각지 재래시장에 가면 흔해 빠진 대빗자루 가지러 집에까지 왜 가? 우리는 주로 술집으로 가 막걸리 잔을 기울이다가 귀대시간에 맞춰 삼각지 시장에서 대빗자루를 샀다. 짜고 한 일은 아니지만 삼각지 시장엔 우리가 구입하기에 충분한 대빗자루가 이미 비치돼 있었다. 지금 생각해도 참 한가한 시절의 한가한 얘기라 아니 할 수 없다.

전대미문의 1·21사태를 기점으로 우리 군도 환골탈태의 큰 변화를 겪었다. 육군본부의 변화만 해도 놀라웠다. 덕장으로 소문난 김계원 참모총장을 보좌할 참모차장에 야전군의 표상이라던 한신 중장이 기용됐다. 한신 차장은 부임하자마자 소문대로 야성을 발휘했다. 김신조를 따라잡기 위해서는 똑같은 훈련과 정신자세를 가져야 한다고 다그쳤다. 육본 사병에게는 3보 이상은 구보를 명령했다. 그리고 김신조 일당이 훈련했다는 방식대로 육본 전 사병도 다리에 모래주머니를 차게 했다.

군법회의 심판부가 재판정 때문에 필동 수도경비사 영내로 파견 나가 있어 우리에게 직접적인 압박요소는 되지 않았다. 하지만 우리 심판부 사병들의 육군본부 나들이 횟수는 점점 줄어들었다. 참모차장 한신 장군의 지휘통솔 방침은 많은 사람들에게 공명을 일으킨 것으로 기억된다. 함경도 사람의 억센 기질 탓인지 때론 많은 사람과 부딪치기도 했던 것으로 알고 있다.

주로 나온 불평은 "그래, 너만 청렴하고 너만 결백하냐?"였다. 회고해보면 당시 육본 내에는 이북 출신 장성, 장교가 많았다. 법무감실만 해도 검찰, 심판부장급인 대령 4명 가운데 3명이 이북 출신이었다. 내가 직접 모셨던 보통심판부장 윤의준 대령, 고등심판부장 김인덕 대령, 윤 대령 후임으로 또 모셨던 김용국 대령 등은 사투리 하나까지도 고향 말씨를 그대로 쓰는 전형적인 '3·8 따라지'였다.

한신 장군과 관련된 일화 가운데 다음과 같은 것도 있다. 그는 병사가 뒤축이 닳은 군화(워커)를 신고 다니는 모습을 질색했다. 뒤축만 갈면 얼마든지 오래 신을 수 있는데 뒤축이 닳은 채 끌고 다니다가 구두

전체를 망가뜨린다는 논리였다. 당시만 해도 모든 군수물자가 미국 원조에 크게 의존할 때다. 한신 장군은 뒤축 닳은 군화 착용 사병을 발견하면 중대장을 영창 보내는 등 엄중히 문책했다. 외국의 원조로 지탱하는 나라의 군대가 고가의 군화를 허술하게 사용해서는 안 된다는 지휘 통솔 철학이었다.

이런 일도 있었다. 야간 대학원생인 대위와 독신장교 숙소(BOQ)를 지키는 의장병에 대한 구속영장 사건이다. 영장이 청구된 두 사람에 대한 피의 사실을 읽으니 웃음이 절로 났다. 야간 일반대학원에서 수학하던 대위가 늦은 저녁 술을 거나하게 들고 평소와 다름없이 BOQ 숙소로 들어왔다. 1·21사태 이후 뒤바뀐 매뉴얼에 따라 보초 의장병이 집총자세로 수하를 했다. "정지! 누구야? 보초 전 10보 앞으로!" 당연히 보초 손에 들린 총탄이 장전된 M-1 총구는 대위를 향했다. 다른 때와 확연히 다른 수하에 기분이 상한 대위는 "뭐야 인마! 그래, 내가 김신조다! 어쩔래?"라며 총구를 옆으로 밀치면서 가볍게 초병의 뺨을 때린 일이 있었다. 대위는 낯익은 자신에게 총구를 들이대며 수하하는 보초가 다소 못마땅했던 게 분명했다.

대학원생 대위와 보초 의장병 간의 마찰은 다음 날 크게 문제되었다. 보고를 받은 한신 차장은 당장 두 사람을 함께 구속토록 명령했다. 초병의 정당한 수하에 불응하고 싸대기까지 올린 대위의 구속은 당연했다. 하지만 보초병을 직무태만으로 구속하라는 지시는 의외였다. 보초병은 취기가 오른 대위가 "그래, 나 김신조다! 어쩔래?"라고 했을 때 '갈기지 않은 것'이 명령 위반이라는 것이다. 시쳇말로 총은 필요할 때 갈기라고 지급했다는 점을 상기시켰다.

1·21사태를 계기로 이처럼 우리 군은 엄청난 변화를 경험하게 되었

다. 사소하게는 육본 정문을 지키는 의장병의 자세에서부터 적과 대치 중인 야전군 경계태도에 이르기까지 군은 격변의 자세를 요구받았다. 김신조 일당 기습이 우리 군을 다시 태어나게 했다는 말이 실감났다. 북한의 노농적위대에 맞서 예비군이 창설, 운용되기 시작한 것도 그 무렵이다. 사람들은 휴전상태가 결코 평화와 안전을 담보하지 않는다는 경각심을 갖게 됐다.

이날 청구된 두 장병의 구속영장 표지엔 한신 차장이 열람했음을 나타내는 부전지가 붙었던 기억이 생생하다. 아무리 상급자라도 초병에 위해를 가하면 엄벌에 처해지게 돼 있다. 설사 민간인의 행동이라 할지라도 초병에 대한 폭력행위만큼은 군형법을 적용받도록 되어 있다. 비록 계엄령하가 아니라도 가해 민간인에 대한 재판관할권을 군사법원이 갖도록 되어 있다.

인권변호사 박한상 의원

육본 보통군법회의에서 복무할 때 나보다 4~5개월 늦게 군복무를 시작한 사병 1명이 충원되었다. 박윤근 일병이다. 내가 일병 때 일병을 달고 왔던 것 같다. 성균관대에서 1학년 과정을 마치고 입대했다. 박씨는 초창기 인권운동을 주도한 고 박한상 전 의원의 장남이다. 거의 반백년이 되는 요즘도 우리는 박 씨를 비롯, 당시 군법회의에서 함께 복무했던 전우들이 안부를 주고받는 모임을 지속하고 있다.

이북 피란민 출신인 박 전 의원은 서울대 정치학과를 졸업하고 법무관 시험을 거쳐 군법무관으로 근무했다. 제대 후 변호사가 되어 주로 인권불모지 우리나라의 인권신장을 위해 헌신했다. 특히 '한국인권옹호협회'라는 단체를 조직해 가난한 사람과 정치적으로 탄압받는 사람들의 법률구조에 일생을 바쳤다. 이를 발판으로 국회에도 진출, 5선 의원을 지낸 야당의 거물급 정치인이기도 하다.

특히 고 박 전 의원은 박정희 전 대통령이 3선 개헌을 추진할 때 이를 저지하기 위해 발군의 투쟁을 했던 분이다. 김대중 전 대통령과 함께 박 전 의원의 필리버스터(합법적 의사진행 방해) 기록은 우리 헌정사에

진기록으로 남아 있는 것으로 안다. 이분은 국회의원이면서도 권력으로부터 혹은 가진 자로부터 인권이 부당하게 침해받는 경우가 생기면 항상 무료변론 등으로 전면에 나섰다.

정치적으로 탄압받는 야당인사에 대한 재판에도 빠짐없이 얼굴을 들이미는 분이기도 했다. 군법회의에도 무료변론을 위해 출입이 잦았다. 생각나는 사건으로는 서울대 문리대의 '민족주의 비교연구회'(속칭 민비연) 사건이 있다. 박정희 장군은 약속과 달리 원대복귀를 거부하고 제3공화국을 출범시켰다. 국가적 어젠다로 '조국 근대화'를 내세우며 부족한 산업화 자금원으로 35년 식민통치 배상금, 청구권에 눈독을 들였다.

한일수교회담을 강하게 밀어붙였다. 재야 시민단체나 대학가는 졸속적인 수교협상을 문제 삼았다. 굴욕적인 수교협상의 즉각 중단을 요구했다. 이 반대시위 전면에 서울대 민비연 소속 학생들이 주동자로 다수 참가했다. 이들 학생은 군사정부가 이념적 좌표로 내세웠던 민족적 민주주의에도 강하게 저항했다. 군사정부는 사사건건 시비를 거는 이 이념서클을 손보기로 했다. 지도교수인 황성모 교수와 간부급 학생들을 잡아들였다.

이종률, 박범진, 현승일, 김중태, 조봉계 씨 등이 내란선동 등의 혐의로 구속됐다. 육군본부 보통군법회의는 군복무 중인 민비연 전 회장인 조봉계 씨를 같은 혐의로 재판했다. 조 씨는 내 기억으로 15사단 소속 병장으로 그곳 군법회의에 구속기소됐다가 육본으로 이첩돼 왔다. 관련 피고들이 모두 서울에서 재판을 받기 때문이다. 이 사건도 박한상 의원을 비롯한 인권변호사들이 무료변론을 했다. 나중에 법원은 이들에게 무죄를 선고해 석방한 것으로 알고 있다. 군법회의도 조 씨를 범죄 혐의가 없는 것으로 해서 공소기각 판결을 했던 것으로 기억한다.

15사단 조봉계 병장을 재판하는 동안 나를 비롯, 서기병들이 조 씨에게 많은 편의를 제공했다. 재학 중 입대한 우리는 일종의 동료의식을 느꼈다. 재판이 열리기까지 지하 1층 영창에 수감돼 있던 조 씨를 헌병을 시켜 2층 서기과 사무실로 불러서는 하루 종일 쉬도록 했다. 지하영창에서 웅크리고 있는 것보다 트인 공간에서 자유롭게 지낼 수 있도록 한 것이다. 조 씨는 당시 우리의 선의를 크게 고맙게 생각했던 것 같다.

세월이 흐른 뒤 우연한 기회에 조 씨와 재회한 일이 있다. 정확한 만남의 자리는 기억나지 않지만 그분이 나를 일행에게 나의 은인이라고 소개해 겸연쩍었던 적도 있다. 내가 그분에게 고마운 사람으로 각인돼 있었던 것 같다. 박한상 변호사 역시 동료 박윤근 씨의 부친이자 정의를 위해 애쓰는 분으로 우리가 할 수 있는 모든 편의를 봐드리며 존경을 표했다.

베트남 파병 지원했다가 혼쭐

내가 군법회의에서 복무 중일 때는 우리나라가 베트남전 수렁에 깊이 빠져들 무렵이다. 나와 같은 법무병과 사병들이 베트남 복무를 희망하기도 했다. 만약 내가 베트남 복무를 지원한다면 주월 통합사령부나 맹호부대 군법회의 요원으로 가게 된다. 나도 주위 권유로 베트남에 가는 문제를 몇 차례 고민하기도 했다. 특히 심판부장으로 모셨던 윤의준 대령이 통합사령부 법무참모로 파월됐을 때다. 윤 대령은 갈 수 있으면 함께 가자고 했다. 젊은 나이에 큰 위험 없이 해외 경험을 할 수 있으리라는 점을 설명드렸지만 아버지, 어머니는 펄쩍 뛰셨다.

아버지는 "군대는 네 마음대로 갔지만 베트남 가는 것만은 네 마음대로 못 한다"고 단호히 반대하셨다. 주변에 전투병으로 참전했다가 재가 되어 돌아온 친척이 더러 있었다. 전투요원이 아니라 재판소 서기병이라 안전에 전혀 문제가 없다고 설득해도 부모님은 막무가내였다. 아마도 장남이라는 게 큰 걸림돌이 지 않나 싶었다.

주월 한국군엔 3개의 군법회의가 운영됐다. 통합사령부에, 전투사단 맹호부대에, 또 해병 전투사단인 청룡부대에 보통군법회의가 있었다.

베트남에서 1심이 끝난 항소심 사건은 무조건 서울로 와야 했다. 내가 있는 보통군법회의 복도 건너편에 육본 고등군법회의 심판부가 있었다. 또 국방부에도 고등군법회의가 운영되었다. 이들 고등군법회의 심판부는 베트남에서 올라온 항소심 사건으로 바쁜 나날을 보내야 했다.

우리 군이 일으킨 사건 가운데는 작전 중 현지 여성을 강간한 사건도 더러 있었다. 당시 군형법엔 전시강간은 무조건 사형을 선고토록 양형이 고정돼 있었다. 베트남 보통군법회의에서 사형을 선고받은 피고인은 무조건 본국으로 이송된다. 본인이 원하든, 원치 않든 사형은 자동 항소가 된다. 베트남의 우리 보통군법회의는 전시강간범에 대해서는 무조건 사형을 선고했다. 베트남 사람들은 한국군의 단호한 기율에 크게 놀랐다. 베트남 언론도 용맹스런 '따이한'(한국군)의 추상같은 군기를 칭송했다.

본국으로 자동 이송된 전시강간범의 항소심은 어땠을까? 많은 경우 집행유예 등으로 거의 풀려나갔다. 심지어 힘 있는 자제는 공소기각 결정으로 처벌받지 않은 경우도 있었던 것으로 안다. 남의 나라를 돕겠다고 간 전쟁터에서 일시적 충동을 절제 못 한 젊은이들의 일탈에 대해 정부는 관대했다. 베트남에서는 추상같았으나 귀국 후에는 집행유예 등으로 풀어준 것이다.

베트남전이 한창일 때 『뉴욕타임스』가 소위 '밀라이촌 학살' 사건을 보도해 미 정부를 난처하게 한 적이 있다. 윌리엄 캘리(William Laws Calley Jr.) 중위라는 장교 주도로 미군은 전쟁과 상관없이 밀라이촌 사람들을 몰살했다. 증거를 인멸하기 위해 촌락 전체에 기름을 뿌려 불태우는 만행을 저질렀다. 비록 전쟁 중이라고 해도 미국 언론은 비인도적인 문제에서만은 자국군의 치부를 용서하지 않았다.

정부의 고위급 사절단의 일원으로 베트남을 방문한
김태지 대사(단장)와 저자(2001년)

2001년 7월 나는 이른바 고위급 사절단의 일원으로 베트남을 방문한 적이 있다. 동남아, 특히 베트남에서 발생한 무역흑자는 우리 경제의 큰 버팀목이었다. 정부는 김태지 전 주일대사를 단장으로 고위급 사절단을 파견해 양국 간 친선교류를 도모토록 했다. 베트남 정부는 과거 우리 군에 의해 양민이 학살되는 등 큰 피해를 당한 몇 개 마을을 안내하며 당시의 피해상황 등을 설명하기도 했다.

'밀라이촌'과 같은 상흔이 곳곳에 있었다. 베트남 사람들은 한국군이 저지른 범행 내용을 아로새긴 기념비를 통해 자신들이 당한 상처를 기억하려고 했다. 우리 대표단이 전쟁 중 있었던 불행한 일에 대해 유감을 표했지만 그들은 손사래를 쳤다. 이구동성으로 '과거는 뒤로 제쳐놓고'(put aside the past), '미래를 위해 협력하자'(cooperate for the future)고 했다. 활발해진 양국관계가 한때의 과거사로 인해 지장받는 상황을 경계하는 듯했다. 역시 베트남은 대국다운 면모를 지니고 있었다.

제대 직전 터진 통일혁명당 사건

1966년 2월 2일 논산훈련소에서 받은 나의 군번은 흔히 '와르바시(젓
가락) 군번'이라는 11561XXX였다. 일본말 '와르바시'란 젓가락을 의미
한다. 나의 군번 첫 두 숫자가 '11'이라 젓가락과 같다는 뜻에서 그렇게
말하곤 한다. 군복무를 마치고 온 사람이라면 아마 눈을 감기 전까지는
자신의 군번을 자랑스럽게 기억할 것이다. 주민등록번호와 함께 군번
이 자신을 상징하는 정체성이기 때문이다.

만기제대한 후 복학한 나를 경찰이 기피자라 붙잡으러 온 일도 종종
있다. 요즘처럼 전산망이 갖춰지지 않아 병적 정리를 제대로 하지 못했
기 때문이다. 어쨌든 나는 훈련소에 입소하는 날부터 좌고우면하지 않
고 단 한 시간이라도 빨리 군복무를 마치려는 심정으로 충실하게 복무
했다. 수용연대에서 신체검사를 받을 때도 가장 앞줄에 서서 맨 먼저
받았다. 그런 부지런을 떤 덕에 같은 날 입소한 동료 가운데 제대도 가
장 빨리 했다.

입소일이 같으면서도 신체검사 동안 화장실 한 번 더 다녀온 탓에 제
대가 한 달이나 더 늦어진 경우도 있었다. 김신조 일당 기습사태 후유

중이다. 같은 날 입대해 군번을 받았지만 뒤편에 늦게 받은 사람은 한 달을 더 복무해야만 하는 일이 생긴 것이다. 예를 들면 내 군번은 11561XXX다. 앞 숫자 1156은 대체로 같은 날 군번을 받은 경우다.

나처럼 다음 숫자가 1XXX로 빠른 사람은 뒤 숫자가 예컨대 8777이나 9876 등 늦은 사람보다 한 달 일찍 제대했다. 나는 그런 친구들에게 군번 받을 때 화장실 한 번 더 갔다 오는 등 꾸물대다가 한 달을 손해 봤다고 놀리곤 한다. 더 황당한 일도 있었다. 1월 21일을 전후해 제대 명령을 받고 예비사단에서 대기 중이던 사람들 가운데 명령이 취소돼 원소속부대로 되돌아온 사람도 있었다.

김신조 일당이 한바탕 소동을 벌인 그해 봄. 이번엔 우리 사회 최고의 인텔리라 할 수 있는 사람들이 대거 연루된 이른바 '통일혁명당 사건'이 터졌다. 김질락, 김상도, 이문규 씨 등 서울대 정치학과 출신이 대거 관련됐다. 이 가운데는 서울대 상대와 대학원을 졸업하고 육군사관학교에서 경제학을 강의하던 고 신영복 중위도 있었다. 성공회대 명예교수이자 주옥같은 저서로 많은 독자층을 갖고 있는 그 신영복 교수다.

신 교수의 군법회의 재판에 내가 관여할 입장이 아니었다. 제대를 불과 두 달여밖에 남겨놓지 않았다. 흔히 말하는 '제대 말 병장'이었다. 나는 전방사단의 서기병 동기생들을 찾아 전방 구경을 다녔다. 군법회의는 이문규 씨 등을 증인으로 소환해 심문했다고 한다. 내 후임병들이 뒤에 나에게 신 중위의 모습을 얘기했다. 수사기관에서 얼마나 혹독한 조사를 받았는지 거의 초죽음 상태였다고 했다. 민간인 선배 증인들과 얼굴을 마주하는 순간 "○○○ 선배! 왜 나를?" 하고 외마디 지르고는 거의 혼절했다고 한다.

나는 이 사건의 자세한 전모는 알지 못한다. 그도 다른 사람처럼 평양을 다녀 왔는지 모르는 일이다. 신 중위 기소장은 읽어 보았을 것이 분명한데도 전혀 기억이 없다. 다만 당시 신문지상의 보도내용은 어렴풋이나마 기억에 남아 있다. 이들 주범격인 사람들은 남파간첩에게 포섭되어 그들 주선으로 비밀리에 평양에 가서 김일성을 직접 만나기도 했다. 이들 지식인들의 탈법적인 북한 잠입 목적 가운데는 김일성과 통일을 담판 지어 보려는 치기어린 생각도 있었던 것 같다.

결국 이들 서울대 출신 젊은 지식인들은 북한의 적화통일 계략에 철저히 이용된 나머지 형장의 이슬로 사라지게 됐다. 특히 해안선 등을 따라 도주 중이던 이문규 씨를 구출하기 위해 김일성이 서귀포 해안 등으로 무장공비를 실은 간첩선을 내려보내기도 했다. 그러나 남파된 무장간첩선과 호송원들은 우리 군의 합동작전에 일망타진된 것으로 알고 있다.

나는 고 이문규 씨와는 이상한 인연이 있다. 내가 군복무 중이던 1966년 연말 아니면 이듬해인 1967년 초가 아닐까 싶다. 날씨가 몹시 추웠던 때로 기억한다. 저녁 외출은 부대에 갖다놓은 사복으로 갈아입고 나오는 경우가 많았다. 그날도 외출길에 친구 몇 사람과 광화문 교육회관 인근 학사주점이라는 곳을 찾았다. 원래는 명동에 있었으나 오래지 않아 교육회관 옆으로 이사 왔다고 했다. 그 주점에서는 주로 2리터짜리 양은 주전자에 담은 막걸리에 파전, 두부 부침, 계란찜, 도토리묵 무침, 마른 북어 등이 안주로 나왔던 것으로 기억한다.

자정이 되면 야간 통행금지가 엄격할 때다. 보통 밤 10시가 넘으면 취기가 오른 테이블 곳곳에서 젓가락 장단에 맞춰 노랫소리가 흘러나오기도 했다. 나와 일행도 그날 술이 거나해지자 노래 몇 곡을 불렀던 것 같다. 나는 라디오에서 듣고 배운 고향 선배 위키 리(이한필)의 '눈물을 감추고'라는 노래를 젓가락 장단에 맞춰 불렀다. 잠시 후 웬 젊은 신사 두 사람이 우리 테이블로 오더니 "몇 학년이냐?"고 심문하듯 물었다. 분위기가 어째 좀 심상치 않아 나는 "군인입니다"라고 다소 엉뚱하게 되받았다.

그러자 이 젊은 신사는 "나라의 장래를 짊어지고 나갈 젊은이가 이런 왜색조 노래를 불러서야 되겠는가?" 하고 아주 근엄하게 꾸짖었다. 주위 테이블로부터 "그래, 오늘은 너냐?" 하는 표정의 '썩소'가 날아들었다. 이 집에서는 술을 마시다가 가끔 주인에게 야단맞는 일이 있는 것 같았다. 알고 보니 우리를 야단친 사람은 이 술집 주인이었다. 한 사람은 세무서엔가 다닌다고 어렴풋이 들었던 기억이 난다. 당시 내가 받은 느낌은 천방지축 후배들에게 "네 이놈들!" 하고 훈계하는 선배 같은 인상이었다.

그 사람이 바로 유명한 이문규 씨라고 했다. 그는 서울대 정치학과를 졸업한 인텔리 청년이었다고 들었다. 고인이 된 그를 내가 짧은 만남을 통해 회고해 보자면 그는 혁명을 꿈꾸는 사람이었거나 사상가였다는 생각을 지울 수 없다. 또한 그는 왜색조에 질색하고 이를 배척하려는 민족주의자가 아니면 통일 지상주의자가 아니었을까 하는 생각을 해본다.

그래, 기자야!

나는 1968년 9월 23일 창원의 예비사단 정문을 나섬으로써 만기제대했다. 곧장 종로의 한 영어학원에 등록하고 영어 공부를 시작했다. 낮 시간엔 SIS라는 『타임』을 읽고 토론하는 고려대 모임에도 나갔다. 지금도 존속하리라 믿는 이 SIS(Students Intellectual Society) 모임은 근착 『타임』 기사를 학생들끼리 나누어 읽고 해석하는 모임, 다시 말해 자발적 『타임』 독서 클럽이었다. 한때 국무총리를 지낸 현승종 교수가 이 서클의 지도교수를 하기도 한 것으로 기억된다.

조금만 서둘렀으면 1968년 가을학기에 등록해 한 학기를 앞당길 방법도 있었지만 그럴 필요성을 느끼지 않았다. 차라리 덤으로 얻은 한 학기를 진로를 선택하는 데 유용하게 사용하기로 했다. 영어 공부에 몰입하는 한편 군대생활을 통해 익숙해진 법률 공부에도 나름대로 공을 들였다. 나는 1969년도 1학기 정외과 65학번의 첫 복학생이 되었다. 뒤이어 이종화(공정거래위원회 독점국장, 삼성전자 감사 역임) 군이 복학했다.

이 군은 복학하자마자 작심한 듯 곧장 행시 공부를 시작했다. 나는 향후 진로를 놓고 1년을 좌고우면하다 결국 언론계 쪽으로 방향을 잡았다. 부모님은 가급적 내가 사시나 행시를 준비해 관리가 되었으면 하는 눈치였다. 결과적으로 나는 부모의 기대를 저버린 셈이 됐다. 나는 군법회의에서 군복무 동안 언론과 접할 기회가 많았다. 육군본부 보통 군법회의 재판 가운데는 언론의 주목을 받는 사건도 많았다. 예컨대 '민비연' 사건이나 '통혁당' 사건 등의 재판에는 취재기자들이 엄청 드나들었다.

서기병 생활을 하는 동안 나는 한국일보의 고 박승탁 기자, 경향신문 손주환 기자, 조선일보 이도형 기자 등의 이름을 외울 정도였다. 이들 국방부 출입기자들의 취재활동은 꽤 인상적이었다. 그들은 내가 하늘 같이 생각하는 법무감과도 친구처럼 스스럼없었다. 한번은 이런 일도 있었다. 내가 일등병 때이던 1966년 초가을쯤이다. 국방위 국정감사 자료를 준비하는 과정에 일어난 해프닝이다. 한글 타자기에 먹지를 깔고 타이핑을 하는데 어찌된 일인지 '박정희 대통령'을 '박정희 대령통'이라 오타를 했다.

국감 타이핑 자료를 흠칫 훑어보던 어느 기자가 "'박정희 대령통'이라고 하지 말고 숫제 '박정희 대령'이라고 하지"라며 오타를 빈정댔다. 그날 내가 고통스러운 하루를 보내야만 했음은 불문가지다. 특히 손주환 기자(청와대 정무수석, 서울신문 사장 등 역임)는 고등군법회의 법무사로 있던 김기수 중위(검찰총장 역임)와 고려대 법대 동기동창으로 "야, 기수야!" 하며 우리 사무실을 드나들던 모습이 눈에 선하다. 출입기자 가운데 가장 나이가 지긋해 보이던 고 박승탁 한국일보 기자는 내가 한국일보에 입사했을 때도 역시 국방부가 출입처였다.

내가 진로를 언론계 쪽으로 결정한 데는 당시 군법회의를 출입하던 그분들의 당당함이 많은 영향을 미친 것 같다. 내 눈에 비친 그분들의 자유분방함은 내가 갈망하던 자유로운 영혼과 그렇게 멀지 않은 거리였다. 또 어떤 틀 속에 갇힌 듯하고 규격이나 제도 속에 엮인 듯한 공무원과는 체적이나 질량 면에서 확연히 달라 보였다. "그래, 기자야!" 나는 별로 어렵지 않게 진로에 대한 결론에 도달했다.

신문기자가 돼야겠다는 방향이 설정되고 난 후 나의 일상은 퍽 단조로웠다. 군대복무를 통해 형성된 친법률적 마인드를 사장하는 일이 다소 가슴 아렸다. 선친 역시 고시에 대한 미련을 쉽게 버리시지 못하는 것 같았다. 이따금 헛기침하듯 "고시란 남자로서 한번 도전해볼 만한 가치가 있는데…"라고 에둘러 아쉬움을 표시하시곤 했다.

YS의 특보, 김정원 박사

    내가 신문기자를 꿈꾸면서 주로 영어 공부에 치중하고 있던 어느 날이다. 선친은 당신 친구의 조카라며 미국에서 일시 귀국한 분을 만나볼 것을 권유하셨다. 아버지의 친구분이나 그분을 통해 내가 만나기로 한 분 역시 낭산 김준연 선생의 집안사람들이다. 아버지 설명에 의하면 낭산 선생은 일제하 동경대학을 졸업한 수재였다고 했다. 아버지 친구분은 그 낭산 선생의 집안 동생 되는 분이었고 그분을 통해 아버지도 낭산 선생을 뵙고 가끔 식사도 함께 하셨다고 했다.

    내 기억이 정확하다면 아버지께 전해 들은 낭산 선생은 그때 동아일보 구사옥 도서관에 자주 들러 노년을 독서로 소일하고 계신다고 했다. 동아일보 구사옥 입구 수송부 땅이 원래 낭산 선생 소유였으나 이를 동아일보에 무상 기증했다고 아버지께서 말씀하신 것이 생각난다. 나는 낭산 선생을 직접 만나 뵌 적은 없다. 다만 그분이 자기 조카라고 아버지를 통해 나에게 만나 보라고 권유한 분이 김정원(金正源) 박사다.

    그분의 영어 이름은 알렉산더 김(Alexsander Kim)이다. 경기고를 나와 서울법대에 진학한 후 바로 도미 유학길에 올랐다고 한다. 내가 한국일보 논설위원일 때 주필로 모셨던 고 이문희 주필과 경기고 동기였다. 내가 "왜 하필 퍼스트 네임을 알렉산더라고 했느냐?"고 직접 물은 적이 있다. 김 박사는 '알렉산더'가 크리스천 네임으로 '정의(justice)'를 의미하기에 자신의 이름 가운데 정(正)자를 나타내기 위해서였다고 작명의 경위를 설명해준 바 있다.

내가 김 박사를 처음 만나러 간 곳은 그가 일시 귀국해 묵고 있던 조선호텔 객실이었다. 1971년 여름으로 기억하는데 조선호텔은 신축개관한 지 얼마 안 되는 새 시설이었다. 김 박사는 뉴욕 변호사에다 미국 어느 대학 교수로 재직 중이라고 들었다. 나는 첫 만남에서 그가 무척 젊어 보이고, 꼭 성악가를 만나는 기분이 들 정도로 목소리가 아주 낭랑하고 청아했던 것으로 기억한다.

아버지 친구분이자 그분의 당숙이 되는 분에게서 무슨 얘기를 들었는지 김 박사는 대뜸 나에게 미국 유학을 권했다. 사실 나는 그해 초 토플시험에서 600점을 간신히 넘긴 바 있다. 그분은 자신의 미국인 동창이 가르치는 대학 두 곳을 추천해 주었다. 한 곳은 지금도 기억이 생생한데 워싱턴 인근의 메릴랜드 대학이다. 또 한 군데는 기억이 나지 않는다.

나와 김 박사가 대화하는 중에 어느 분이 불쑥 들어왔다. 김 박사와 선약이 되어 있는 듯했다. 나이가 지긋해 보이고 대머리 풍인 그분은 나를 별로 의식하지 않고 김 박사와 스스럼없이 무언가 상의했다. 알고 보니 경향신문의 고 최치환 사장이었다. 후일 새누리당 김무성 전 대표의 장인이 되는 분이다. 당시 경향신문은 조선호텔 바로 건너편 소공동에 자리하고 있었다.

두 분의 대화를 엿들어 알게 된 사실이지만 두 분은 경기고 선후배 사이였다. 최 사장이 마치 이웃집 나들이하듯 찾아와 나눈 대화는 경향신문 창간특집에 관한 것이었다. 최 사장은 창간특집에 미국 정치학자의 기고를 받는 문제에 대해 자문을 구했다. 최 사장이 창간특집에서 기고를 받았으면 하고 희망하며 거론한 이름은 정치학을 공부하던 내 귀에도 별로 낯설지 않았다. 즈비그뉴 브레진스키 교수와 헨리 키신저 교수였다.

두 사람은 미국 명문사학 컬럼비아와 하버드 대학을 대표하는 국제 정치학자로 명성이 있었다. 두 사람 모두 후일 민주당, 공화당 정부에서 대통령 안보보좌관을 지낸 공통점도 있다. 최 사장은 그분들에게서 경향신문 창간특집 원고를 기고받는 문제를 상의했다. 최 사장은 또 그 석학들에게 지불할 원고료가 얼마쯤이 적정할지에 대해서도 김 박사에게 조언을 구했던 것으로 기억된다. 나는 15~16년이 지난 후 한국일보 야당(신민당) 출입기자 시절에 김 박사와 반갑게 재회했다.

재회한 김 박사와 멕시코 포럼 창설 대표로

당시 신민당은 직선제 개헌을 쟁취하기 위해 전두환 군사정권과 사생결단의 투쟁을 벌였다. 시기적으로는 1986~1987년이다. 김영삼, 김대중 양 김씨가 이민우(李敏雨)라는 '심지가 굳어 보이던' 동지를 '바지사장'으로 내세워 장외에서 야당을 원격조종하고 있을 때다. 제도권 밖의 양 김씨가 공동지분을 가진 신민당을 공동으로 지배하고 있을 무렵이다.

신민당은 2·12총선 돌풍으로 관제 제1야당 민한당을 하루아침에 와해시켰고, 이 기세를 몰아 직선제 개헌투쟁에 나섰다. YS, DJ 양 김씨는 장외의 반군사정부 모임인 민주화추진협의회(약칭 민추협)를 직영하며 군사정부에 대항하기도 했다. 민추협은 신민당의 장외 후원 내지 배후세력이자 직선제 개헌을 추진하는 신민당의 지주회사 격이었다.

그 무렵 김 박사는 YS의 국제정치담당 특별보좌관(특보)으로 상도동 캠프에 합류했다. 말이 특보였지 하는 일은 사실상 외신통역이었다. YS가 외국의 주요 신문, 방송, 통신과의 회견 때 배석해서 YS의 뜻을 영어로 전했다. 직선제 개헌을 촉구하는 시위에 나설 때도 그는 항상 YS 곁을 경호원처럼 지켰다. 전두환 정권이 시위를 제지할 때 YS라고 배려하지 않았다. 오히려 최루탄을 집중해서 퍼부었다. YS 곁에서 최루탄 가스를 가장 많이 마신 사람을 꼽으라면 단연 김 박사다.

그는 YS와 사돈지간이다. YS의 막내 여동생이 김 박사 바로 아래 동생 재미 김창원 박사의 아내다. 이를 연고로 1980년대 후기 민주화투쟁 때 김 박사가 미국에서의 생업(재미 변호사와 교수직)을 버리고 YS를 적극 돕기 위해 귀국한 것으로 알고 있다. 나는 그때 상도동 혹은 야당 당사, 민추협 등에서 그를 자주 만날 수 있었다. 그렇게 그와 재회하게 된 것이다.

13대 전국구 후보를 짤 때 나는 김 박사의 뜻을 YS께 전하기도 했다. 하지만 야당 헤게모니를 놓고 DJ와 혈전을 해야 하는 YS에겐 잘 먹히지 않았다. 그 무렵 김 박사는 개인적인 아픔도 겪은 것으로 안다. 김 박사는 하버드 법대 다닐 때 백인 여성과 사랑에 빠져 결혼한 후 부부 변호사가 됐다. 두 분 사이에는 역시 미국 변호사 맥을 이은 딸이 하나 있고, 그 변호사 딸은 백인 의사와 결혼해 미국에서 살고 있다. 사진으로 본 아내와 딸은 굉장한 미인이었다. 김 박사 부인이 혼인생활에 관한 마지막 담판을 하러 1988년 총선 무렵 한국을 찾았다. 두 사람은 접

점을 찾지 못하고 결국 이혼한 것으로 안다.

김 박사는 그 뒤 한국 여성과 재혼했고, 재혼한 여성은 나의 아파트에도 놀러와 집사람과 교유했다. 아내가 "사모님이 퍽 점잖으시고 품위 있더라"고 한 말이 생각난다. 하지만 최근 YS 별세 때 상가에서 만난 김 박사는 그분과도 헤어졌다고 했다. 김 박사는 YS 집권 후 안기부 해외담당 차장에 기용됐으나 국적문제로 취소되기도 했다. 그러나 뒤에 한국국제교류재단(코리아 파운데이션) 이사장에 선임돼 다소나마 '보상'을 받았다.

'저팬 파운데이션'을 벤치마킹한 '코리아 파운데이션'은 해외에 한국을 알리는 첨병이다. 정부가 드러내놓고 할 수 없는 일을 민간단체 성격의 이 기관이 대신해서 수행한다. 예컨대 국익을 위해 미국의 저명한 학자나 고위인사 등의 방한을 초청하기도 한다. 외교를 측면에서 지원하는 전위부대 성격이다. 여권을 발급받을 때 부담하는 수수료 가운데 일정액이 이 단체를 위한 자금원으로 지원되는 것으로 알고 있다.

1997년 10월이니까 IMF사태가 발생하기 직전이다. 멕시코 수도 멕시코시티에서 한-멕시코 포럼 창설회의가 열렸다. 한국 측은 김정원 국제교류재단 이사장이 인솔하는 대표단을 파견했다. 한국일보 정치외교담당 논설위원이던 나도 한국대표단의 일원으로 참석했다. 대표단엔 나웅배 전 부총리, 정대철 의원, 안충영 중앙대 경제학과 교수, 중남미를 전공한 김현창 서울대 문리대 교수, 나원찬 전 멕시코 대사 등도 있었다. 한-멕시코는 양국 정상이 이미 합의한 '한-멕시코 포럼' 제1차 회의를 현지에서 개최했다.

회의를 마치고 귀국 후 바로 IMF 구제금융사태를 맞았다. 불과 며칠 전 멕시코 갈 때의 환율은 1달러에 800원이 채 안 됐는데 IMF사태로 달러환율이 1달러에 2000원까지 천정부지로 치솟아 우리 경제에 일대 혼란이 빚어지기도 했다. 멕시코에 함께 갔던 우리 일행은 그 뒤에 만나면 우리가 선진국 행세를 한 마지막 한국대표단이었다고 씁쓸한 농담을 주고받기도 했다.

수도경비사의 고려대 도서관 난입

　대학졸업반이었던 1971년에 우리 사회는 경제적으로 매우 궁핍했다. 정치적으로는 뭔가 터질 것만 같은 불안한 격동의 시기였다. 그해 4월 실시된 제7대 대통령선거에서 김대중을 누르고 당선된 박정희는 강공 모드로 나왔다. 캠퍼스에 교련교육을 강제하는 강공책이 뭔가 불길한 예감을 시사했다. 이미 언론계로 생각을 굳힌 나는 바깥일엔 신경 쓰지 않고 집과 학교, 도서관을 쳇바퀴 돌듯 오갔다. 10월 15일 그날도 여느 날과 마찬가지로 사실상 고정석이 된 중앙도서관 내 자리에서 책을 읽고 있었다.

　수도경비사 시위진압병력이 개머리판으로 도서관 문을 부수고 난입했다. 나는 시위대가 도서관까지 밀려온 것을 몰랐다. 도서관으로 피신한 시위대를 붙잡으러 수경사 병력이 난입한 것이다. 모두가 숨을 곳을 찾기 위해 허둥댔고, 시위대가 아닌 나도 피신처를 찾아야 했다. 열람석이 텅 비었다. 2층 서가 구석의 좁은 공간으로 일단 피신했다. 군은 도서관 안을 이 잡듯 샅샅이 뒤져 모두를 연행했고, 서가 모퉁이 좁은 공간에 잠시 몸을 숨겼던 나는 맨 마지막에 붙들렸다. 그들은 나를 주

모자란 영예(?)를 씌워 다른 사람과 달리 포승줄에 묶어 연행했다.

박정희가 동원한 무기는 위수령(衛戍令)이다. 외신에 요란하게 보도된 바와 같이 우리는 마치 패잔병 포로처럼 두 손을 머리 뒤로 깍지 긴 채 몽둥이와 구둣발 세례를 받으며 군 트럭에 실렸다. 연행돼 간 곳은 서울 필동의 수도경비사 5헌병대대 콘세트 강당이었다. 내가 만 3년 전 2년 수개월을 군법회의에서 서기병으로 복무한 곳과 지척이었다. 연행된 사람들은 넓은 5대대 콘세트 강당에서 소위 '원산폭격'이라는 체벌을 강요받았다. 두 손을 허리 뒤로 올린 채 머리를 땅에 거꾸로 박는 형벌이다. 균형을 잡기 어려워 대오가 쉽게 무너졌고, 그러면 군홧발이 연신 날아들었다.

체형이 흐트러지지 않기 위해 끙끙대고 있는데 장교인 듯한 어떤 친구가 "사령관님 들어오신다. 모두 눈 감아!"라고 명령했다. 가뜩이나 균형유지가 어려운데 거기다 눈까지 감으라면 이건 해안 절벽 낭떠러지 끝에서 한 팔로 물구나무를 서라는 거나 다름없었다. 곳곳에서 대오가 무너지고 날아드는 발길질에 터져 나온 신음소리가 진동했다. 이윽고 사령관이라는 자가 들어와서 한마디 했다. 박정희 정부 아래서 사조직화한 정치군인들을 지휘해 나는 새도 떨어뜨린다는 윤 모 소장이다.

목소리는 괜찮았으나 훈시(?) 내용은 별로였다. 그는 "철없는 친구들, 나라가 어떤 누란의 위기에 처해 있는데 교련을 반대해? 이 친구들 내일 당장 논산훈련소로 보내!"라고 했다. 참 한심한 사람이다. 내가 벌떡 일어나 사령관 윤 소장에게 대들었다. "여보시오! 여기 상당수가 만기제대 후 복학한 사람들이오. 만 3년 전에 제대한 사람에게 무슨 얼어죽을 놈의 논산은 논산이요!"라고 울부짖으며 항의했다. 그는 못 들은 척 나가 버렸으나 "야, 이 새끼!" 하면서 날아드는 군홧발에 나는 실신했고 한동안 의식을 잃었다.

깨어나 보니 허리를 얼마나 차였던지 몸을 일으킬 수 없다. 허리가 크게 상한 것이다. 주위의 부축으로 겨우 수경사사령부를 나와 택시에 업혀 귀가했다. 며칠간 등교도 못 한 채 침술 치료와 어머니가 마장동에서 사 오신 복싱 글러브만 한 소 쓸개를 데운 소주에 타서 마시며 어혈(瘀血)을 풀었다. 이후로 나는 허리에 큰 콤플렉스를 갖게 됐고, 서울신문사 사장 때 결국 생사를 넘나들 정도의 대수술을 받아야 했다.

윤 모 사령관도 그 뒤 박 대통령으로부터 내침을 당해 한동안 굴곡진 삶을 살았다. 오월동주라 했던가? 내가 국회를 출입할 때 그는 자신이 길러낸 후배 정치군인들에 의해 도로공사 사장으로 밥을 벌고 있었다. 소관 상임위이기도 한 건설위에도 가끔 출석했다. 내 오랜 친구인 야당의 김 모 의원은 그와 나의 구원을 잘 알고 있었다. 하루는 건교위에도 꼭 한번 들러 보라고 재촉했다. 갔더니 도로공사 사장이던 윤 사장을 몰아세웠다. 김 의원은 "윤 사장, 당신은 대통령이야 어렵겠지만 총리쯤은 해야 하는 것 아니요?"라고 과거 부하들 아래서 밥자리를 얻고 있던 그를 비아냥댔다. 그러자 "주어진 위치에서 최선을 다하고 있다"고 비켜 가는 그의 모습이 측은해 보이기도 했다.

DJ의 '4대국 안전보장론'에 매료돼

1971년 4월 18일 나는 DJ의 장충단공원 유세장을 찾았다. 졸업반이라 몇 달 후 닥칠 취업수험에 대비하면서도 틈틈이 정치현장도 찾았다. DJ 등단에 앞서 분위기를 띄우려 찬조연사들이 열변을 토하고 있었다. 이윽고 꽃다발을 목에 건 DJ가 무개차를 타고 연단으로 다가왔다. 젊은 후농 김상현도 역시 꽃다발을 목에 건 채 앞자리 조수석에 서서 손을 흔들던 모습이 확연히 떠오른다. 그날 DJ의 연설은 글자 그대로 사자후였다. 그의 논리적인 달변은 청중을 사로잡았다. 그는 이번 대통령 선거에서 정권교체를 못 하면 앞으로는 선거가 없는 총통제의 길로 간다고 공화당의 영구집권 음모를 주장했다.

그는 박정희 씨의 영구집권 음모에 관한 확실한 증거가 있다고 했다. 자신이 1967년 목포 국회의원선거 때도 3선 개헌음모를 폭로했음을 상기시켰다. 박정희 대통령은 부인했지만 결국 개헌을 강행하지 않았느냐고 반문했다. DJ의 그날 연설은 청중들의 열렬한 호응을 이끌어냈고, 정확히 1주일 후 선거에서 무슨 이변이라도 일어날 것만 같은 열띤 분위기가 조성되었다.

다급해진 박정희도 선거 이틀 전인 4월 25일 역시 같은 장소에서 맞불 유세전을 펼쳤다. DJ의 영구집권 음모 주장은 터무니없는 모략이라고 일축했다. 또 이번 선거가 표를 달라는 마지막 선거라고 했다. 박정희의 이 다짐을 사람들은 더 이상의 대선 불출마 약속으로 받아들였다. 그러나 DJ 예언은 이번에도 적중했다. 1년 반 뒤인 1972년 10월 17일, 박정희는 '유신'을 선포했다. 비상계엄령 발동과 함께 국회를 해산하고 개헌을 통해 영구집권의 길로 들어섰다. 세월이 지나 사람들은 박정희 발언의 의미를 놓고 설왕설래했다. 그의 '표를 달라는 마지막 선거' 얘기가 논리상으로 틀리지는 않았다. '유신'은 대통령을 직선 대신 소위 통일주체국민회의 대의원들이 선출하는 간선방식을 택했기 때문이다.

　무엇보다 이날 DJ 유세의 하이라이트는 한반도 사태 해법이었다. 그는 지금까지 내가 듣지 못했던 '4대 강국 안전보장론'을 주창했다. 남북한이 무장대치하고 있는 한반도를 미국, 소련, 중국, 일본 등 주변 4강이 안전을 보장해 화해의 길로 나아가도록 한다는 것이다. 학계에서는 이미 활발한 논의가 있었다고 했다. DJ의 '4대 강국 안전보장론'은 실현 가능성은 차치하고 한반도 문제 해결의 진일보한 대안이라는 점에서 나는 큰 감명을 받았다.

　지금까지 대통령후보 DJ를 위해 나는 두 번 지지표를 던졌다. 1971년 4월의 제7대 대통령선거 때 처음 그를 지지했다. 앞서 얘기한 바와 같이 탁월한 정견에 매료돼 가족으로부터 미친놈 소리 들으며 그에게 투표했다. 다음이 1997년 12월의 제15대 대통령선거 때다. 1997년 대선 때 이야기는 다음 파트에서 얘기할 기회가 있을 것이다. 두 번 가운데 첫 번째는 사표(死票)가 됐지만 두 번째는 그의 지론대로 수평적 정권교체를 이룩하는 데 기여하게 돼 지금도 뿌듯함을 느낀다.

한국일보 견습기자로

1971년 11월 초 한국일보에 '견습기자' 채용공고가 났다. 그 무렵 경향신문에도 같은 공고가 났다. 하지만 '수습기자' 모집이라고 했다. 두 신문 공고의 차이란 '견습'과 '수습'이었으나 어느 쪽 표현이 더 정확한지는 알 수 없다. 나중에 보니 '견습'보다는 '수습'이 더 많았다. 그러나 유독 한국일보만 '견습기자'를 고집하는 것 같았다. 경제사정이 좋지 않아서인지 그해 언론사 채용공고는 그 두 곳뿐이었다.

나 같은 정외과 졸업예정자에게 수험자격을 인정하는 일반직장은 눈을 씻고 봐도 찾을 수가 없었다. 유일한 예외가 언론사이나 그해엔 뽑는 곳이 크게 제한적이었다. 그래도 경향신문과 한국일보에 비록 같은 날, 같은 시간이긴 해도 채용시험을 치른다는 공고가 났다. 동아, 조선 등 다른 유력지들은 아무런 기척이 없었다. 우리 가운데는 '떨어질 기회'마저 갖지 못한 불행한 세대라는 푸념을 하는 사람도 있었다.

두 곳에 모두 지원서를 냈다. 어느 쪽을 택할까 고민에 빠졌다. 같은 날, 같은 시간대에 시험을 치르는 두 신문사의 수험장은 이화여고(경향신문)와 수송전기공고(한국일보)였던 것으로 기억한다. 시험 당일 아침까지 행선지를 결정 못 했다. 경향신문에 갈까, 아니 한국일보를 택할까? 시험날 아침 일찍 중앙청 부근으로 가자며 미아리 집에서 택시를 탔다. 택시 속에서도 가까운 한국일보에 내려? 아니, 조금은 편할 것 같은 경향으로 가? 이럴까 저럴까 궁리하던 중 중앙청 부근에 도달한 기사가 어디에 내릴 거냐고 물었다.

차가 중앙청을 비껴 돌아 시민회관(현 세종문화회관) 앞에 섰다. 아마도 이화여고와 수송전기공고 중간쯤 되지 않을까 생각했다. 일단 차에서 내려 몇 걸음 걷다 보니 광화문 지하도 앞에 다다랐다. 무엇이 나를 이끌었는지 지하도로 내려갔다. 그렇게 내 발걸음은 수송전기공고의 한국일보 수험장으로 향했다. 실패하더라도 한국일보가 평계 대기 더 나을 것 같은 생각이 들었다. 필기시험 후 10여 일 만에 1차 발표가 났고, 이어 면접시험을 치렀다. 최종합격자는 나를 비롯, 11명이었다.

한국일보는 당시 고졸 이상에게 응시자격이 주어졌다. 다른 신문사들은 한결같이 대졸 혹은 졸업예정자로 했다. 하지만 한국일보만 고졸 이상을 고집했다. 이유는 장기영 창업주의 최종학력이 선린상고였기 때문이라고 했던 것 같다. 지원자 가운데 상당수가 '허수'였다. 내가 시험 볼 때도 고졸 지원자로 보이는 상당수가 시험지를 받자마자 시험장을 나가 버리는 광경을 볼 수 있었다.

시험이 고졸 수준에서 출제되지는 않았다. 시험지를 받고 실망하고 나가는 많은 고졸 출신 지원자를 보면서 '이건 아니다'라는 생각이 들었다. 공채제도가 가장 먼저 도입된 곳이 한국일보라는 사실은 틀림없다. 그런데 공채 기자 가운데 고졸이 몇 명이나 되는가. 창업주를 빌미로 '고졸 이상'이라는 얘기는 결국 말장난에 불과했다. 실망하고 원망하는 눈망울로 우르르 몰려 나가는 사람들에게 죄를 짓는 일이라고 생각했다.

나는 입사 후 처음 편집부에서 일했다. 1977년 10월엔 결혼도 했다. 신문사 선배 주선으로 불과 넉 달 간의 뜨거운 연애 끝에 결혼했다. 아내는 4남2녀의 막내다. 이화여대 음대에서 피아노를 전공했다. 아내는 봉원동 언덕배기 이화여대 교수 사택을 사서 살던 나의 선배 집에 자주 놀러 갔다고 한다. 음대 동기 친구가 그 집에서 대학원을 다니면서 선배의 세 아들에게 피아노를 가르치고 있었기 때문이다.

아내 친구는 당시 내 모교인 진주고 교장의 딸이었다. 인연이 되려니까 희한한 일도 생기는 모양이다. 6월 6일 현충일에 만나 10월 25일 결혼했으니 꽤나 서두른 셈이다. 장인, 장모가 모두 연로하셨고, 특히 장모께선 중풍으로 기동을 잘 못 하셨다. 귀여운 막내둥이 딸의 결혼엔 조건이 있었다. 막내사위는 대학에서 가르치는 사람이었으면 하는 바람이 그것이었다. 큰오빠가 재벌회사 중역이고, 둘째 오빠가 검사였지만 '사자 돌림'을 피하는 것 같았다.

기자는 더더욱 기피대상이었다. 서울대 정치학과를 나온 큰처남의 친구, 선후배 중에 언론 종사자가 많았다. 한국일보에만 정치학과 동기생이 세 사람이나 되었다. 큰처남 역시 잠시 신문기자를 했다고 한다. 나와는 너무도 다른 환경에서 곱게 자란 아내와의 결혼은 언감생심이었다. 그러나 인연이 되려는지 서로가 호감을 가졌던 것 같다. 하루는 아내가 남원의 오빠한테 갈 일이 있다고 했다. 나는 오빠가 검사인 줄 몰랐다.

오빠가 구해놓은 어머니 간병인을 데리러 간다는 것이다. 함께 가면 안 되겠느냐고 마음에도 없는 객기를 부렸다. 아내도 나를 시험해 볼 요량이었는지, 가려면 가자고 역시 마음에 없는 객기를 부렸다. 그날은 토요일로 근무라 갈 수 없었다. 아내가 떠난다고 전화를 해와 그럼 저녁 늦게 남원역에서 만나자고 했다. 말이 씨가 된다고, 나는 서둘러 일을 끝내고 열차편으로 밤 10시께 남원역에 도착했다.

아내는 내가 오리라고는 꿈에도 생각지 못했다고 했다. 아내는 혹시나 하고 조카들과 역 광장에서 놀이를 하고 있다가 뜻밖에 내가 도착하자 반가워하면서도 황당해했다. 그렇게 나는 둘째 처남 김태정 검사를 만났다. 나중에 들은 사실이지만 태정 형은 젊은 혈기로 위를 치받고 남원지청까지 왔다. 처남 김 검사가 "기자면 어떠냐"고 적극적인 결혼 지지자가 되었고, 그해 10월 25일 코리아나 호텔에서 은사인 조동필 교수를 주례로 결혼식을 올렸다.

신혼생활은 서대문구 역삼동에서 시작했으나 곧 안양 비산동의 주공아파트로 옮겼다. 이듬해 11월 큰딸 소연이가 태어났다. 한국일보 월급으로는 입에 풀칠하기도 바빴다. 아내가 아파트에서 피아노 레슨을 시작했다. 가사도우미를 두고도 여유가 생길 정도로 피아노 레슨이 잘되었다. 결혼으로 다소 지체되었지만 미국 유학의 꿈은 여전히 유효했다. 한국일보도 마침 자체 연수생을 선발했고, 나는 1980년 1월 미국 남가주대학(University of Southern California, USC)에 입학할 수 있었다.

한국일보는 장기영 사주 별세 후 해마다 1~2명을 선발해 미국으로 연수를 보냈다. 내가 두 번째 연수생이 아닐까 생각한다. 대부분 1년간 어학연수 후 LA 미주지사에서 일손을 돕다가 귀국하는 것이 관례였다. 하지만 함께 간 정일화 선배와 나는 달랐다. 정 형이 첫 학기부터 국제정치학 석사과정을 시작했다. 뒤질세라 나도 다음 학기부터 정치학 석사과정을 시작했다. 내가 욕심을 낸 것은 고학하는 사람도 있는데 한번 부딪쳐 보자는 오기 덕이다. 미국에서 피아노 레슨으로 생활이 안정된 아내의 격려도 큰 자극제가 됐다.

94

2

연수 장학생으로 미국에

USC 개교 백주년에 입학

　1980년 1월 나는 한국일보 연수 장학생으로 미국 남가주대학에 입학했다. 아카데미 남우주연상을 수상한 더스틴 호프먼(Dustin Hoffman)이 주인공으로 인기를 끈 영화 『졸업』에 소개된 아름다운 캠퍼스는 LA 명소 가운데 하나다. LA 중심가에서 그리 멀지 않은 휘궈로아가 주변의 메인 캠퍼스 동쪽으로는 두 차례의 LA올림픽 주경기장이던 '메모리얼 콜리세움'이 있다. 또 길 건너 서쪽엔 아카데미 영화상 시상식장으로 유명한 슈라인 오디토리엄이 자리하고 있다.

　USC는 내가 입학한 해인 1980년으로부터 정확히 100년 전인 1880년에 개교했다. 당시 LA지역 판사 세 사람으로부터 기증받은 토지에서 53명의 학생으로 출발했다. 100년 전 미국 사회는 백인이 주류였기에 이 학교는 개교 당시 백인 중심이었다. LA지역에는 캘리포니아 주립 UCLA(Univ. of California at LA)와 사립대학인 USC가 쌍벽을 이룬다.

　양 교를 비교하자면 서울에서 연세대와 고려대 관계만큼이나 치열한 경쟁관계를 이룬다. 콜리세움 경기장에서 벌어지는 양 교의 정규 풋볼 시합은 연고전(고연전) 경기만큼이나 열기를 띤다. 지금이야 차이가 별로라지만 원래 등록금이 비싸기로 소문난 USC엔 주로 여유로운 백인들이 다녔다. 반면 주정부의 재정 보조로 상대적으로 등록금이 저렴했던 UCLA에는 흑인 등 소수민족 계통의 학생이 많았다.

내가 유학할 때도 그런 경향이 있었다. 그래서 우리는 USC를 연세대에, UCLA를 고려대에 비유했다. 미국의 경제사정이 어려워지면서 사립대학들이 재정난에 직면하였다. 학교 재정의 절대다수를 차지한 기부금이 메말라가고 있기 때문이었다. 경제사정이나 경기가 좋지 않을수록 기업이나 사람들은 기부금 내는 데 주머니를 잘 열지 않는다.

내가 USC에 다니던 1980년대 양 교의 풋볼 시합 응원전은 격렬하면서도 다채로웠다. 5선 연임으로 한때 민주당의 유력 대선후보 반열에도 올랐던 흑인 톰 브래들리(Tom Bradley) 시장은 UCLA 출신이다. 한편 브래들리 시장에 맞설 수 있는 고위공직자인 LA경찰 총수(chief of LAPD)는 USC 출신 백인 데릴 게이츠(Daryl Gates)였다. 브래들리 시장이 모교인 UCLA 응원을 위해 LA 시청 브라스밴드와 차량을 동원하면 게이츠 LAPD 국장은 모교 USC 응원을 위해 LAPD의 위엄 있는 기마경찰대와 모터케이드 부대를 동원하기도 했다. 브래들리 시장은 1943년 USC에 입학하려 했으나 흑인이라는 이유로 입학이 거부된 것으로 알려져 있을 정도로 USC는 백인 부유층 중심의 대학이었다.

나는 이 학교 개교 100주년에 입학했다. 적어도 몇 주일은 지속됐을 것으로 생각되는 100주년 기념행사는 다채로웠고 나 같은 유학생에게 자긍심을 심어 주기에 충분했다. 용광로(melting pot) 같은 미국 사회가 그러하듯이 USC 역시 다인종, 다문화 사회였다. 누구 하나 피부색을 탓하거나 종교, 인종, 이념 등을 시비하지도 않았다.

고학하는 친구 보고 코스워크 시작

캠퍼스 내 화장실 벽면엔 '알리 부토를 살리자'(save Ali Bhutto)거나 축출된 팔레비 전 이란 왕에 대한 지지와 비난 글이 말끔히 지워지지 않은 채 군데군데 낙서의 흔적으로 남아 있었다. 잘 알려진 바와 같이 알리 부토 전 파키스탄 수상은 우익 군부 쿠데타로 실각한 좌파정권의 수장이다. 그는 쿠데타군에 의해 부패와 야당인사 살해 등의 혐의로 국제사회의 강력한 반대에도 1979년 4월 무참히 교수형에 처해졌다.

'부토를 살리자'는 낙서는 파키스탄 반정부 성향의 유학생들 소행임이 분명해 보였다. 팔레비 전 이란 국왕에 대한 낙서 역시 이 학교에 많은 이란 유학생이 머물고 있음을 증명했다. 팔레비 왕은 몰락하기 전까지 USC에 상당한 오일 머니를 지원한 것으로 알려져 있다. 등록금이 오르자 캠퍼스 곳곳엔 중동 지원이 끊긴 탓이라고 수군거리는 얘기가 나돌 정도였다. 내가 다닌 대학원 정치학과에도 이란, 이라크, 사우디아라비아, 레바논, 요르단 등 중동계 학생들이 유달리 눈에 띄었다.

정치학과엔 한국 학생도 여러 명 있었다. 귀국 후 얼마 안 돼 유명을 달리한 송휘칠 교수(경북대)가 박사학위 후보생(Ph. D. candidate)으로 학위 논문을 준비 중에 있었다. 바로 뒤이어 내 대학동기 박병원 교수(인하대 명예교수, 전 법정대학장)가 우수한 성적으로 박사과정을 마치고 역시 논문을 준비 중에 있었다. 박 교수도 암으로 투병하다 2013년 8월 아깝게 우리 곁을 떠났다.

송휘칠, 박병원 두 사람 모두 고학으로 학업을 계속하고 있었다. 송 교수는 틈틈이 멕시코 사람 몇 명을 데리고 페인트 도색작업으로 학비와 생활비를 버는 작은 기업주였다. 1주일에 2~3일 정도 일하면 생활비와 학비를 벌 수 있다고 했다. 나의 동기동창 박 교수는 주말과 공휴일에만 여는 유명한 LA지역 중고품 교환시장(swap meet)에서 장사하면서 학업을 이어가고 있었다. 내가 석사과정을 시작하게 된 동기는 이 두 사람의 고학하는 모습을 보면서 생겨난 오기 덕이다.

특히 친구 박 교수는 처음 벨기에로 유학을 떠났다가 미국으로 방향을 바꾸었는데 미국에 도착해서 주유소 아르바이트를 하다가 죽을 고비를 넘겼다고 했다. 기름값 안 내고 도망치는 흑인 차에 깔려 중환자실에서 힘든 고비를 넘기고 기적적으로 살아났다. 그와 처음 만난 날 그의 가슴에 선명하게 남아 있는 타이어 바퀴 자국을 보고 부둥켜안고 울었다. 너무 고생을 해서일까? 천수를 다하지 못하고 송휘칠 교수에 이어 박병원도 그렇게 우리 곁을 떠났다.

정치학을 공부하는 유학생의 박사학위논문 상당수가 우리 문제를 주제로 했다. 예컨대 동학란, 청일전쟁, 러일전쟁, 3·1독립운동과 일본의 대한 식민지정책 등이 단골메뉴다. 외국어의 어려움과 논문심사가 우리 문제에 대해서는 다소 너그럽기 때문 아닐까 싶다. 미국사람들 관심 밖의 문제에 천착한 전공자에게 자기네 교단을 내줄 리 만무하다. 그렇다면 그들이 요구하는 기간 동안 등록금 꼬박꼬박 내고 별 탈 없이 요구 학점을 취득하면 학위를 안 줄 이유가 없을 것이다.

그러나 친구 박병원은 달랐다. 첫 수업시간에 자신을 "나는 마르크스주의자!"라고 자랑스럽게 소개하던 젊은 마크 E. 칸(Mark E. Kann) 교수가 그의 지도교수였다. 마르크스주의자인 칸 박사는 입에 침이 마르도록 한국인 제자 박병원을 칭찬했다. 내가 그의 절친이라는 사실을 알고부터는 나에게도 퍽 친절했을 정도로 박병원을 아끼고 평가했다. 박병원은 우리 학계에 드러나지는 않았지만 마르크스 전문 학자였다. 그는 칸 교수의 지도로 「마르크스, 마르크시즘 & 휴먼 라이츠(Marx, Marxism & Human Rights)」라는 논문으로 박사학위를 받았다. 마르크스를 정치적으로 접근했던 그는 귀국해서 보수적 입장의 학자가 되었다.

USC에서 만난 인사 가운데는 김영래 전 동덕여대 총장도 있었다. 그는 내가 입학할 무렵 석사과정이 끝나가는 우수한 정치학도였다. 연세대 정외과 출신(64년도 입학)으로 유학 온 김 전 총장은 우리 선거문화를 바꾼 매니페스토 운동을 우리나라에 처음 소개한 학자다. 매사에 신중, 침착하고 남의 얘기를 끝까지 경청해서 종국엔 자신의 의도대로 결론을 이끌어내는 설득력이 돋보이는 학자다.

박병원, 김영래, 나, 이렇게 '46년생 개띠 동갑' 세 사람은 USC 정치학과의 한국인 3인방이었다. 내 바로 뒤로 지금 부산 인제대 교수로 있는 이행 박사(연세대 정외과 졸업)가 한국인의 맥을 이은 것으로 안다. 김영래 전 총장은 1990년대 말 한국정치학회 회장직을 맡아 탁월한 지도력을 발휘한 바 있다.

학생이 교수를 평가하다

　1980년 1월부터 시작된 나의 유학생활은 가시밭길이나 다름없었다. 한국일보에서 그럭저럭 8년간 직장생활을 마치고 시작한 늦깎이 유학생활은 우선 어학(영어)의 벽에 부딪쳤다. 처음 1학기는 ALI(American Language Institute)라는 곳에서 영어수업만 들었다. 학부건, 대학원 과정이건 ALI 코스를 통과해야만 본격적으로 학업을 계속할 수 있다. 다행히 1학기 수업으로 이 코스를 마칠 수 있었고, 2학기부터 대학원 정치학과에서 정식으로 수업받게 되었다.

　친구 고 박병원 군으로부터 많은 도움을 받았고, 용기를 얻을 수 있었다. 스스로 돈을 벌어 고학하는 친구도 있는데 학자금 걱정 없는 내가 주저할 이유가 무엇인가 하는 오기도 생겼다. 친구들은 그들의 교수 인맥을 나에게 고스란히 연결해 주었다. 아내의 피아노 레슨 수입이 경제적으로 큰 도움이 됐다. 『LA타임스』에 낸 안내광고란의 효과를 톡톡히 보았다. 나중 미주한국일보가 무료광고를 게재해 주었다.

　교수들과 저녁을 함께 할 수 있을 정도의 여유도 생겼다. 종신 재직권(tenure) 취득과정의 젊은 교수 가운데는 학생인 나보다 어린 사람도 있었다. 한 살이라도 연장자가 호주머니를 터는 습관이 몸에 밴 나는 그들과 어울릴 때는 항상 내가 호주머니를 열었다. 그들은 코리아타운 한국식당의 갈비, 불고기에 넋을 잃을 정도로 감탄했다. 간혹 요리가 취미인 아내의 손을 빌려 집에서 이들과 한국요리를 즐기기도 했다. 요즘도 아내는 "당신 학점 따는 데 나도 기여를 했다"고 생색을 낸다.

대학원 정치학과에서 첫 학기 수업을 마칠 때다. 종강시간에 교수 대신 낯선 사람이 들어왔다. 그러고는 이 시간은 '평가(evaluation) 시간'이라고 했다. 사전에 이런 제도를 몰랐던 나는 적이 당황했다. 30명이 채 안 되는 대학원생들에게 뭔가 빼곡히 인쇄된 종이를 나누어 주었다. 20여 문항의 짧은 질문이 인쇄된 내용을 읽고는 문화적 충격을 느끼지 않을 수 없었다. 대충 이런 내용들이었다.

'네가 이 수업을 받는 동안 교수가 친절히 가르쳐 주더냐' '수업준비는 잘돼 있더냐' '제시간에 맞춰 들어오더냐' '네 질문에 만족한 대답을 해주더냐' 등등 시시콜콜한 문항이 기재되어 있었다. 그러면서 '교수에게 강의를 위해 충고해줄 사항이 있으면 기술하라' 등 내 상식으로는 도저히 이해할 수 없는 문항들이 나열돼 있었다. 그러고는 ABCDE 5등급으로 표시하도록 요구했다.

1960년대 중반 대학을 다녔던 내 경험에서 보면 굉장한 문화적 충격이었다. 스승의 그림자도 밟아서는 안 된다는 소위 '군사부(君師父) 일체(一體)' 교육을 받아 온 나에게는 청천벽력의 상황이었다. 얼굴이 화끈거림을 뒤로하고 주저함 없이 모두 A를 기재하고 교실을 나왔다. 나를 더욱 당황케 한 것은 외국친구들, 주로 미국학생들은 마치 시험답안 작성하듯 고개를 갸우뚱거리며 꼼꼼하게 기표하는 모습이었다. 학생의 교수평가 제도는 얼마 안 있어 우리나라에도 도입되었다.

김우중에게 해외도피 도움 청한 김일성

나와 같은 아파트에 살던 송휘칠 박사는 1980년 여름방학 때 자신의 지도교수인 조지 타튼(George O. Totten III) 박사를 나에게 소개했다. 스웨덴계 미국인인 그는 비교정치학자로 중국, 일본, 한국 등에 관심이 많은 USC 정치학과 과장이었다. 재혼한 중국인 아내 영향 때문인지 한문에도 이해가 깊었다. 그는 아내가 마오쩌뚱이 주도한 항일독립운동에 참여했음을 가끔 자랑했다. 송 박사는 내가 한국의 유수한 신문사 기자로 가을학기부터 정치학과에서 수학할 예정이라고 소개했다.

타튼 박사는 서울도 몇 차례 방문해 김대중, 김영삼 씨 등 양 김씨를 비롯, 우리 정계의 지인들을 만났다고 했다. 한번은 인제대 이행 박사가 학위를 마치고 귀국해 인천에 있는 대학을 알아볼 때 최기선 인천시장을 함께 만난 적이 있다. 이행 박사가 USC에서 정치학과장인 타튼 박사 아래서 학업을 마쳤다고 하자 최 시장도 그를 만난 적이 있다고 했다. 최 시장은 내가 야당 출입할 때 YS 비서로 친하게 지냈다. 최 시장은 타튼 박사가 YS를 만날 때 배석해 아는 사이라고 했다.

대부분의 미국 교수들과 마찬가지로 타튼 박사도 외국인 학생인 나

에게 퍽 친절했다. 어느 날 그의 연구실을 찾은 나에게 뜬금없이 "제너
럴 강(강 장군)을 아느냐"고 물었다. "제너럴 강?" 하고 내가 고개를 갸우
뚱거리자 '신문기자라면서 강 장군을 모르다니' 하는 표정 같았다. 내가
강 씨 성은 한국에서 흔한 성씨라고 어물거리자 '강영훈'이라고 풀 네임
을 댔다. 하지만 나는 들어보지 못한 생소한 이름이었다.

　나중에 안 일이지만 고 강 장군은 육군중장에서 예편하고 USC에 유
학 와 타튼 박사 지도로 정치학 박사학위를 취득했다. 강 장군은 5·16쿠
데타를 반대해 쿠데타 세력으로부터 한동안 구속됐다가 강제전역당해
만학의 길에 들어섰다고 한다. 그가 퇴역 직전 육사 교장일 때 전두환,
노태우 전 대통령 등이 그의 휘하 생도대에서 대위로 복무했다고 한다.

　내가 한국에서 기자였다는 송 박사의 설명에 타튼 박사는 자신의 자
랑스러운 제자 강영훈 장군을 물었던 것 같다. 하지만 제대로 대답을
못 해 실망하지 않았는지 모르겠다. 강 장군은 잘 알다시피 내가 한국
일보 정치부에서 외무부를 출입할 때는 영국대사였다. 직전엔 외교안
보연구원장의 중책을 맡기도 했다. 육사 교장 시절의 인연 때문인지
'강 장군'은 노태우 정부가 출범하자 국무총리에 발탁되기도 했다. 나는
타튼 박사와의 이 일화를 몇 차례 강 전 총리에게 전하고 함께 USC 시
절을 회고하기도 했다.

5·16쿠데타 항거한 강영훈 장군

　잘 알려진 바와 같이 고 강 전 총리는 강직하고 청렴한 분으로 후배
들의 존경을 받았다. 최근 보도를 보니 그분은 5·16쿠데타는 물론 유

신도 반대했을 정도로 강골 소신파였다. 그는 5·16 쿠데타군이 자신을 육사 교장직에서 축출하자 바로 미국유학길에 올랐다고 한다. USC에서 조지 타튼 교수를 만나 이모작 인생을 개척할 수 있었던 것 같다.

1984년 7월 초순 나는 그분을 벨기에 우리 대사관저에서 우연히 뵀다. 이원경 외무장관 유럽순방 수행취재기자로 브뤼셀의 주벨기에 대사관저에서였다. 당시 신정섭 대사가 강영훈 주영대사가 이 장관께 긴급한 보고사항이 있어 오셨다고 안내했다. 대사관저에서의 만찬 도중이었던 것으로 기억된다. 우리 외교 사령탑인 이 장관과 강 대사는 꽤나 긴 시간 동안 독대 시간을 가졌다.

그 무렵 영국대사관에는 공금을 관리하던 직원의 공금횡령 도주 사건이 발생했다. 문교부에서 외무부로 옮겨와 영국대사관에서 공금을 관리하던 대구 출신의 총무담당 행정직원이 공금을 갖고 미국으로 튄 사건이다. 당시 외무부는 '비보도 조건'으로 사건 전모를 출입기자단에게 브리핑한 것으로 기억된다. 강 대사와 얘기를 마치고 나온 이 장관은 들릴 듯 말 듯한 혼잣말로 "듣던 대로 강 장군이 참 강직한 분이구먼"이라고 했다. 그날도 내가 타튼 교수의 '제너럴 강' 얘기를 꺼내 분위기가 매우 화기애애해진 후였다. 이 장관도 "두 분이 동문수학하신 셈이군요"라고 거들었다.

이 장관에게 독대 보고를 마친 강 대사는 곧바로 임지인 런던으로 되돌아갔다. 유럽이 단일국가라는 사실을 체감할 수 있었다. 나중에 안 사실이지만 강 대사는 이 장관에게 자신이 이번 사건의 모든 책임을 지겠으니 부하직원들이 다치지 않도록 배려해 달라고 청원했다고 한다. 특히 앞길이 창창한 최동진 공사 등에게 일절 불이익이 없도록 간곡히 선처를 요청했다고 한다.

이원경 외무부 장관의 유럽순방외교 때 수행취재기자로 벨기에 대사 관저를 방문했을 때 주영대사인 강영훈 대사(전 국무총리)를 만났다. 오른쪽은 이지철 전 서울신문기자.

이번 사건이 감독을 소홀히 한 자신 탓이라며 부하를 감싸는 강 대사의 모습이 이 장관을 감동시킨 것 같았다. 강 대사의 희망대로 최 공사를 비롯, 직원들이 크게 문책당하는 일 없이 조용히 넘어간 것으로 안다. 작년 서울대병원에서 휠체어에 앉은 채 진료 받으러 오신 것을 뵌 것이 마지막이다. 그분은 지난 5월 10일 별세했다. 강 전 총리는 공직에서 물러난 뒤 한동안 USC한국동창회 회장으로 동창회 발전에도 헌신하셨다. 나와 박병원, 김영래 전 총장 등 세 사람은 그분 밑에서 번갈아가며 동창회 이사를 맡은 바 있다.

"외국에 나갈 수 있게 도와주시오."

강 전 총리와 관련된 중요한 일화 하나가 생각난다. 2001년 12월 여의도 63빌딩의 유명한 중국집에서 있은 부부동반 송년회식 모임에서 들은 얘기다.

내가 사외이사로 있던 종근당제약 이장한 회장이 주재한 송년만찬 모임이었다. 대법관과 대한변협회장을 지낸 원로 법조인, 서울대 총장과 문교부 장관을 지낸 분 등 쟁쟁한 분들과 함께 부부동반으로 참석한 모임이다. 강영훈 전 총리와 가까운 한 분이 그분으로부터 직접 들은 얘기를 들려주었다. 나는 숨소리만 빼고 은밀히 모두 기록해 두었다.

그분 말씀에 따르면 강 전 총리가 대우그룹 김우중 회장에게 직접 들은 얘기라고 했다. 김 회장이 김일성이 죽기 직전 평양을 방문, 김일성을 만났다. 김 회장을 만난 김일성은 부속실 직원이 나가자마자 "여보, 김 회장! 내가 외국에 나갈 수 있도록 좀 도와주시오"라고 했다. 김 회장을 안내했던 직원이 갑자기 다시 들어와 김 회장을 잠시 내보낸 뒤 "수령님, 이게 무슨 망발입니까" 하고 김일성을 책망하는 소리가 밖의 김 회장에게 들리더라고 했다. 이미 북한은 김정일이 실권을 쥐었고, 김일성은 껍데기 권력에 불과했다는 해석이 가능하다. 더구나 김일성이 아들 정일에게 철저히 감시당하고 있다는 방증이기도 하다.

김우중 회장에게 직접 들었다는 강영훈 전 총리나 송년회 석상에서 이를 전해준 그분 역시 조금도 빈말하실 분이 아니다. 나는 이 엄청난 내용을 한 구절도 놓치지 않고 메모했다. 그럭저럭 10여 년이 지난 2011년 9월 26일, 조선일보에 내가 10년 전 송년회 모임에서 기록해 놓았던 바와 단 한 자도 틀리지 않은 내용이 그대로 보도됐다. '최보식이 만난 사람' 칼럼 '남북경협의 막후' 장치혁 전 고려합섬 회장 인터뷰 기사가 바로 10년 전 내 메모 내용과 똑같았다.

내 생각으로는 장치혁 회장이 김 회장에게서 직접 들었거나 아니면 나에게 그 사실을 전해준 그분처럼 강영훈 전 총리에게 전해 들었을 가능성이 크다. 다만 거듭 분명한 사실은 조선일보 기사와 10년 전 내가 기록해 놓은 사실이 자구 하나도 틀리지 않았다는 사실이다. 김일성을 직접 만난 김우중 회장을 제외하고는 강영훈 전 총리(평북 청산), 장치혁 전 고합 회장(평북 영변), 나에게 그 사실을 얘기해준 그분(황해도 재령) 등 세 사람 모두 이북 출신 실향민이라는 공통점도 흥미롭다.

당시 북한문제 전문가는 내치를 둘러싼 김일성-정일 부자간의 갈등을 지적하기도 했다. 부자간의 권력암투설에, 심지어 김일성 사망에 아들 정일의 관여설까지 제기하는 사람도 있었다. 조선일보 최보식 기자의 장치혁 회장 인터뷰 가운데는 이런 얘기도 나온다.

문: 김일성의 죽음에 다른 요인이 있었다는 뜻인가?
답: 그런 판단은 전적으로 당신 소관이다.

장 회장의 답변에는 김일성 죽음에 석연치 않은 사정이 있고, 또 그들(김우중, 장치혁, 강영훈) 간에 말 못 할 깊은 얘기들이 오가고 있음이 암시되어 있다. 인터뷰 기사는 장 회장이 김일성을 직접 만나 파악한 내용으로 진행된 것이 아니라 김우중 회장의 전언이 바탕이 되었음은 물론이다.

김일성을 직접 만난 김우중 회장으로부터 전해 들은 사실이 이들 간에 공유되고 있었다. 김일성은 70세가 되던 1982년을 전후해 실질적인 내치권한을 아들 정일에게 전부 넘겨주었다. 따라서 김일성은 상징적인 국가원수였을 뿐 인사권 등 실권은 아들 정일이 행사했다. 북한의 경제상황은 정일이 권력을 승계한 후 더욱 피폐해졌다.

우선 대외적으로는 북한의 전통 우방이던 동구권이 몰락했다. 이들 국가에 의지했던 북한의 각종 생산시설이 부품조달 등의 어려움으로 가동중단 사태를 맞았다. 설상가상으로 종주국으로 믿었던 소련까지 붕괴하는 최악의 상황이 일어났다. 북한도 체제존립 문제가 발등의 불이 되었다. 유일한 혈맹이던 중국 역시 개혁·개방 등 실용화 정책 추진으로 한국과 정식 수교하는 등 북한은 고립무원 상태에 빠졌다. 더구나 철옹성 같았던 루마니아 차우셰스쿠가 국민의 손에 처참하게 살해된 일은 김일성에게 큰 충격이었다.

실권을 쥔 김정일은 주민들의 극심한 생활고에도 아랑곳 않고 젊은 여자들과 방탕한 생활을 계속했다. 보다 못한 김일성이 반격의 카드를 꺼내지 않았을까 싶다. 그것이 1994년 7월 김영삼 대통령과의 남북정상회담 카드다. 김일성이 김우중 회장에게 "외국에 나갈 수 있게 김 회장이 손 좀 써 달라"고 한 말은 자신이 사실상 아들 정일에 의해 유폐되고 있다는 사실의 실토였던 셈이다. 김일성의 구원 요청, 뒤이어 발표된 남북정상회담 소식 등은 전후 사정을 연결해 보면 풀리지 않을 수 없는 역사의 퍼즐이 아닐까 싶다.

존경을 받은 사회부 기자, 황승일 선배

USC에서의 유학생활 가운데 가장 기억에 남는 일은 황승일 선배와의 만남이다. 황 선배는 조선일보 사회부 기자로 명성을 날린 분으로 많은 후배들은 기억하고 있다. 그분은 1934년생으로 나보다 12살 많은 '개띠 띠동갑' 선배다. 한국일보 편집국장, 사장을 거쳐 김영삼 정부 때 방송위원장을 역임한 고 김창열 선배와는 대광고, 서울대 동기동창 친구 사이다. 두 분 모두 평양에서 6·25 때 월남한 실향민이기도 하다.

사회부 기자를 오래 한 동료들에 따르면 그분은 후배들로부터 존경받는 몇 안 되는 사회부 선배였다. 구질구질하지 않았고 지사적 풍모를 지녔다. 어느 분은 우리 시대 사회부 기자의 표상이라고 했다. 권력에, 또 가진 자에게 결코 비굴하지 않았다. 출입처에서 만나는 후배들에게 조선일보, 한국일보 가리지 않았고, 특히 경쟁관계인 한국일보 후배들 가운데도 그분을 따르고 존경하는 사람이 많았다.

그분과 나는 사회과학을 공부하는 학생들이 주로 이용하는 VKC(Von KlienSmid Center) 도서관을 중심으로 거의 매일 저녁 만났다. 우린 이 도서관에서 가장 늦게 자리를 뜨는 학생이었다. 도서관은 주말을 빼곤 거의 자정까지 운영되었고, 특히 한국 학생들이 이 도서관을 많이 이용했다. 야간엔 한국말로 소곤소곤 떠드는 어린 학부생들이 있어 나나 황 선배 등이 주의를 환기시키기도 했다.

지금도 황 선배를 만났던 때를 회상하면 웃음이 난다. 황 선배는 나보다 먼저 USC에서 저널리즘을 공부하고 계셨다. 입학 후 얼마 안 돼서다. 학교가 개교 100주년을 기념하는 각종 축하행사를 개최했다. 이미 얘기한 대로 USC는 다민족·다문화가 융합된 전형적인 미국 사회다. 학교 오리엔테이션 프로그램 가운데 'multi-cultural conversation'이란 프로가 있었다. 따로 경비를 내는 모임이 아니어서 나가 보았다. 중강당 규모의 큰 교실에 100명은 족히 될 것 같은 각양각색의 학생들이 둥그렇게 서서 자신을 소개하며 친교하는 모임이었다. 주로 자신의 출신국가, 소속학과, 가족관계, 장래희망 등을 소개하며 친구를 사귀는 모임이었다.

시간이 얼마나 흘렀을까, "My name is Sung-il Hwang, I'm from Seoul, Korea" 하는 나지막한 목소리에 나는 반사적으로 그쪽을 응시하였다. 나처럼 크지 않은 체구에 "나는 이곳에 오기 전에 한국에서 기자를 했노라"고도 했다. 서울에서는 가깝게 뵙지 못했지만 나는 황 선배가 USC에 다니고 있다는 얘기는 들어 알고 있었다. 얘기로만 듣던 황 선배가 분명했다.

그러나 잠시 뒤 나는 혼란에 빠졌다. 황 선배가 자신을 소개하며 자신의 나이를 "I'm twenty-five years old"라고 했기 때문이다. 당황하여 그를 뚫어지게 쳐다보았더니 그도 내 쪽을 바라보며 가벼운 미소를 지었다. '저 친구가 노 아무개란 자가 틀림없구나' 하는 의미 같았다. 황 선배도 내가 USC로 수학차 왔다는 사실을 이미 알고 계셨다고 했다.

내 차례가 점점 다가오자 나는 깊은 고민에 빠졌다. 우리 나이로 47세이던 황 선배가 25세라고 했는데 그보다 12살 적은 나는 그럼 도대체 몇 살이라고 해야 할까? 황 선배가 낮춘 나이에서 12년을 빼면 13세라고 해야 한다. 그렇게 되면 아무리 외국사람들이지만 누가 믿겠는가? 차례가 다가오는 동안 생각지도 않던 고민을 하지 않을 수 없었다.

이래저래 궁리하던 차에 드디어 내 차례가 왔다. 나는 황 선배를 응시하면서 "I'm twenty-four years old"라고 했다. '25세'라고 한 황 선배의 나이에서 단 한 살을 뺀 '24세'로 한 것이다. 황 선배와 내가 서로의 존재를 확인하는 순간이었다. 황 선배가 나를 바라보면서 환한 미소를 보냈다. 우리는 그렇게 마주 보며 웃는 얼굴로 첫 상면을 하였다.

황 선배는 불의와 강자에겐 추상같았지만 약자나 후배에겐 한없이 따뜻한 분이었다. 특히 아랫사람, 후배들에게도 꼭 존칭과 존대를 했다. 나를 항상 "노 형!"이라고 불렀다. 그분의 목소리가 느린 말투여서 당황할 때도 많았다. 마치 "노(老) 형!"으로 들렸기 때문이다. 제발 그냥 '노진환'이라고 이름을 부르시라고 했지만 황 선배는 변함없이 "노 형!"이라고 불렀다. 황 선배에게 "왜 25세라고 하셨느냐"고 물었더니 "미국 X들에게 나이 많은 게 무슨 내세울 게 되겠어요?" 하고 냉소적이었다.

엄하면서도 자상했던 황 선배

황 선배와 나는 코리아타운 근처 반 블록 떨어진 곳에서 각각 살았다. 윌튼 가에 황 선배가, 그 반 블록 동쪽 사우스 그래머시 가에 내가 살았다. 그러나 황 선배는 어쩐 일인지 가족을 동반하지 못했다. 나중에 안 사실이지만 유신정부가 황 선배 가족의 출국을 막고 있다고 했다. 하루는 한국일보 미주본사(서울본사 입장에서는 LA지사)에 근무하는 최재웅 선배가 나더러 황 선배 가족의 출국을 간청하는 탄원서를 작성하도록 권했다.

최 선배는 자매지 '주간한국' 등에서 연예부 기자로 활동한 분이다. 외대를 졸업한 최 선배는 LA 동포사회에서는 마당발로 통하는 마음 넉넉한 분이었다. 아웅산 폭탄테러 때 희생된 고 최재호 대통령 공보비서관의 친형이기도 하다. 이들 형제들은 '재'자 항렬에 다음 자는 '영웅호걸' 한 글자를 차례로 따서 '재영, 재웅, 재호, 재걸' 등으로 이름 지었다고 했다.

최 선배가 황 선배의 아픔을 돕자고 팔을 걷고 나선 것이다. 박정희 사후의 틈새를 노려 가족 없이 고생하는 황 선배를 위해 가족을 미국 땅으로 모셔오기 위한 시도였다. 나는 흔쾌히 그 작업을 맡아 '존경하는 최규하 대통령 각하께'로 시작하는 꽤 장문의 탄원서를 작성했다. 최 선배는 김태준 씨 등 당시 LA 지역에 거주하던 전직 조선일보 사우 등을 중심으로 전·현직 언론인들의 서명까지 받아 왔고, 나는 이를 첨부한 탄원서를 청와대에 등기우편으로 보냈다.

다행히 황 선배는 얼마 안 있어 가족들과 재회할 수 있었다. 내 기억이 정확하다면 사모님은 제주도 출신으로 생활력이 강한 분이라고 했다. 중학생 또래의 아들, 딸 등 온 가족이 재회하는 모습을 내 일만큼이나 기뻐했던 기억이 새롭다.

가족과 재회하기 전 황 선배는 차가 없었다. LA 같은 광활한 지역에서 차 없이 유학생활을 한다는 것은 거의 상상도 할 수 없는 일이다. 당시 LA에는 지하철도 없었고 가뭄에 콩 나듯 다니는 시내버스도 노선이 크게 제한적이었다. LA 시내를 운행하는 'RTD 버스'는 주로 가난한 흑인이나 히스패닉 계통의 불량해 보이고 우락부락한 사람들이 이용했다. 특히 야간에 우리같이 체격이 왜소한 동양인은 버스 타기가 두려울 정도였다. 그런데도 황 선배는 그 버스를 이용해 용케 통학했다. 사모님이 오시기 전 한동안 내가 등하굣길에 황 선배를 모시고 다니기도 했다.

황 선배와 나는 도서관 앞 잔디밭에서 집에서 싸온 도시락으로 요기하며 도서관이 문을 닫는 자정 무렵까지 숙제를 하거나 책을 읽고 귀가하곤 했다. 식사 후 몰려오는 식곤증을 쫓기 위해 우리는 자주 잔디밭에 앉아 담소했다. 당시 중앙 종합일간지 가운데 조간신문은 조선일보와 한국일보 단 두 신문뿐이었다. 그래서 두 신문은 죽기 살기 식의 치열한 기사 경쟁 못지않게 가장 미덥고 친근한 관계를 유지했다.

식사 후 몰려오는 졸음을 쫓기 위한 '잔디밭 담소'로 나는 언론계, 특히 조선일보에서 있었던 일화를 흥미롭게 들을 수 있었다. 황 선배로부터 전해 들은 얘기 가운데는 이미 한국일보 선배들로부터 들어 알고 있는 얘기도 있었다. 황 선배에게 들은 얘기 가운데 기억나는 몇 토막은 이렇다. 황 선배가 조선일보 사회부에서 내무부를 출입할 때였다고 한다.

하루는 기자실 안락의자를 뒤로 제치고 누운 채 책상 위에 다리를 올려놓고 편히 쉬고 있었다고 한다. 나 역시 출입처에서 쉬기 위해 종종 그런 자세를 취하기도 했다. 내무부 공보실 직원이 허겁지겁 달려오더니 다짜고짜 황 선배의 두 다리를 책상 아래로 잡아끌어 내린 후 "장관님 오십니다"고 했다. 직원의 무례한 행동에 화가 난 황 선배가 다시 책상 위로 두 다리를 올렸다. 당황한 직원이 다시 다리를 잡아 내렸다. 황 선배와 직원 간에 다소 감정적인 실랑이가 반복되었다.

황 선배가 "야, 이놈아! 이 방은 오치성이 방이 아니라 내 방이고 기자 방이야!"라고 고함을 치는 순간 오치성 내무부 장관이 기자실에 들어섰다. 직원의 무례에 잔뜩 화가 난 황 선배가 오 장관을 마뜩찮게 쳐다보게 되었고, 급기야 가벼운 말다툼으로 이어졌다고 한다. "당신이 장관이라고 해도 이 방은 기자들 방이야!" 한 직원의 무례한 행동이 장관과 출입기자 간의 돌이킬 수 없는 다툼으로 확전되었다.

오 장관은 황 선배와 기자실에서 다툰 사실을 조선일보 고위층에게 토로했다고 한다. 황 선배가 한때 난처한 입장이 되기도 했다. 오치성 장관이나 황 선배, 조선일보 고위층 모두 이북 출신이다. 이 사건을 계기로 황 선배가 조선일보판 '불령선인'이 되지 않았을까 하는 생각이 든다. 오 장관의 일방적인 얘기를 들은 경영진 측에서 황 선배를 마뜩찮게 보게 되지 않았을까 짐작해볼 수 있다.

당신, 그런다고 편집국장 될 줄 알아?

잔디밭 환담에서 황 선배로부터 들은 얘기 가운데 이런 일화도 생각난다. 황 선배가 조선일보 베트남 종군특파원을 마치고 귀국했을 때다. 특파원 생활을 하는 동안 자신이 보낸 기사를 처리하느라고 고생한 외신부 동료들과 한잔한 후에 일어난 일이다. 밤 12시가 되면 통금이 엄격히 시행되던 때다. 술을 마시다 보면 집이 먼 사람은 숫제 귀가할 엄두를 못 냈다. 그래서 더러는 새벽신문 발송 차량에 편승, 귀가하기 위해 술을 마시면 회사로 자주 몰려가던 시절이다. 조선일보, 한국일보 두 조간신문사에서는 흔했던 야간 풍속도다.

오랜 조간신문사 생활에서 경험한 일이지만 이렇게 한잔 걸치고 회사에 들어온 사람의 말투가 고운 경우는 매우 드물다. "야! 오늘 야간국장이 누구야!" 정도면 양반이다. 심지어 자신보다 훨씬 연조 높은 선배가 야간국장을 하고 있으리라는 사실을 빤히 알면서도 술기운을 빌려 "야! 오늘 야간국장이 어느 놈이야?" 하고 호기를 부리는 사람도 더러 있었다. 모두 술이 빚어낸 소극일 따름이다.

이럴 땐 대개 "또 술 취한 친구가 하나 들어왔구나" 하고 시선을 피해버리는 게 슬기로운 자세다. 하지만 그날 저녁은 달랐다. 그날 야간국장은 무슨 언짢은 일이 있었던지 "그래 내다! 어쩔래?" 하고 공격적인 모드로 들이댔다. 분위기가 일순간 사나워질 수밖에 없었다. 대개의 경우 그냥 넘어갈 수도 있는 문제를 그날 야간국장은 무엇 때문인지 다소 민감하게 반응했던 것 같다.

별것도 아닌 일에 "그래 내다! 어쩔래?" 하고 후배를 윽박지르며 과민하게 반응하는 야간국장의 태도를 그냥 묵과하고 넘어갈 황 선배가 아니다. 약자나 후배에겐 한없이 부드럽고 겸손하지만 가진 자, 힘 있는 자의 횡포나 군림엔 결코 외면하지 않는 선배였다. 황 선배는 이내 "야! 젊은 친구들 술 한잔하고 그럴 수도 있는 거지, 뭘 그런 걸 갖고 소리 지르고 그래! 그런다고 당신, 조선일보에서 편집국장 될 줄 알아?" 하고 그분의 아킬레스건을 건드리고 말았다.

야간국장은 황 선배와는 달리 조선 수습 출신이 아니다. 지방신문에서 전직해온 사람이다. 같은 조간신문 한국일보도 마찬가지지만 조선일보도 부족한 인력을 외부, 특히 지방신문사로부터 충원하고 있었다. 외부에서 이주해온 사람들이 정통 수습보다 대우 면에서나 경력관리 면에서 유리했던 게 사실이다. 지방지에 근무하던 사람은 자신의 경력을 상당부분 부풀려서 오는 경우가 많았기 때문이다. 또 지방지가 중앙지보다 승진 혹은 승급 면에서 유리한 경우가 허다했다.

이날 야간국장이나 황 선배는 직급 차이는 났지만 동년배나 다름없었다. 오히려 황 선배가 나이나 대학 입학연도는 1년 정도 빠르지 않았을까 짐작된다. 왜냐하면 그분이 황 선배와 동향에 동기동창인 한국일보의 고 김창열 전 사장에게는 대학 1년 후배였기 때문이다. 그러나 회사 내 직급은 그분이 부국장으로 조선일보 수습 출신인 황 선배보다 몇 단계 앞섰던 것으로 안다.

황 선배가 "당신이 그런다고 조선일보 편집국장 될 줄 알아?"라는 힐난은 하극상의 빌미가 될 수도 있었다. 야간국장은 이튿날 회사 고위층에게 간밤의 상황을 보고하고 엄중한 처벌을 요구했다. 황 선배 입장이 난처해지지 않을 수 없었던 것 같다. 그러나 황 선배의 심성과 캐릭터를 잘 알고 있던 선우휘 주필을 비롯한 이북 출신 선배들이 회사 고위층에 구명운동을 벌여주었다고 한다.

USC 잔디밭에서 식곤증을 쫓으려고 한 담소 가운데는 재미있는 에피소드가 많았다. 하지만 황 선배가 '노진환이 30수 년이 지났는데도 쓸데없는 얘기 오래도 기억하고 있구나' 하고 나무라실 것 같아 이만 줄여야겠다.

황 선배의 저널리즘 스쿨에는 사회 저명인사들의 야간 강의가 인기였다. 인기강사 중엔 LA타임스 정치부장도 있었다. LA타임스는 서부 지방신문이긴 하지만 발행부수나 영향력 면에서는 동부의 뉴욕타임스나 워싱턴포스트에 결코 뒤지지 않는 큰 신문이었다.

황 선배가 정부의 방해로 가족과 재회를 못 하는 딱한 사정이 한때 저널리즘 스쿨에서 화제가 되기도 했다. LA타임스 정치부장이 황 선배 문제를 정치적으로 풀어 보려는 시도를 한 적도 있는 것으로 안다. 캘리포니아 출신 연방 상원의원 등을 움직여 한국 정부를 압박해 보려는 것이다. 다소간 우여곡절은 있었지만 다행히 황 선배 가족에게 출국이 허가돼 이 시도는 불발됐다.

한번은 이런 일도 있었다. USC 바로 건너편, 버몬트 30가에 흥사단 명의의 도산 안창호 선생이 기거했던 낡은 건물이 있다. 이 건물을 USC 대학원생에게 무상으로 임대할 용의가 있다는 광고가 났다. 무엇보다 학교 인근이라 안성맞춤의 면학 환경이었다. 나는 광고를 보고 찾아가 시설을 살펴봤다. 실내 카펫만 바꾸면 기거하는 데 지장이 없을 것 같았다. 건물 지하창고엔 도산의 유품이 다수 보관돼 있었다. 내가 대학원 정치학과 학생이라는 것을 알고 그분들도 크게 반기는 모습이었다.

내가 황 선배께 점심시간에 가 봤노라고 했더니 손사래를 쳤다. "노형! 그곳 근처에도 안 가는 게 좋을게요. 나중에 자세히 말하리다" 하며 극구 말렸다. 나중에 들으니 그 건물 관리책임자는 평양을 무시로 드나드는 골수 친북인사였다. LA 한인사회에서는 김일성으로부터 직접 지령을 받는다는 소문이 나 있었다. 황 선배가 말리지 않았더라면 함정에 빠졌을지도 모를 일이었다. 지금 생각해도 등골이 오싹해진다. 황 선배를 생각하면 많은 고마움이 느껴진다.

사모님을 비롯한 가족과 재회한 후 황 선배는 여러 면에서 여유를 찾으셨다. 나도 미국에 간 지 어느덧 3년째 되었다. 그럭저럭 수학과정을 무사히 끝내고 서울로 돌아오게 됐다. 관례에 따라 한국일보 미주 본사가 주선한 여행일정을 마치고 귀국길에 올랐다. 가족과 함께 100명은 족히 넘었을 많은 지인들로부터 작별의 환송을 받았다. LA국제공항 출국장으로 막 들어가려는 순간이다.

얼굴에 술기운이 가득한 황 선배가 가쁜 숨을 몰아쉬며 나타나셨다.

대뜸 큰 소리로 "노진환이! 그래 꼭 가야 한다 이거지?"라고 소리 질렀다. 그간 정들었던 후배를 떠나보낸다고 생각하셨는지 그의 촉촉한 눈가가 매우 붉어 보였다. 나를 부르는 호칭이 처음으로 "노 형!"이 아니라 "노진환이!"였다. 나도 왈칵 눈물이 쏟아졌다. 마무리 인사는 아내가 대신할 수밖에 없었다. 아내는 "황 선배님! 좋은 추억 안고 갑니다. 부디 사모님과 건강하세요"라고 했고, 황 선배는 "그래, 미세스 노도 잘가요. 우리 자주 연락하고 다시 만나도록 합시다"라며 작별했다.

LA 유학생 사회의 맏형, 이영철 형

USC에서의 유학생활 동안 또 하나의 소중한 만남을 꼽으라면 이영
철 형과의 만남이다. 형은 1961년 연세대에 입학했으니까 입학연도로
보면 4년 선배가 된다. 자세히는 알지 못하지만 형은 6·25를 전후하여
북에서 내려온 피난민 출신이다. 지금도 형은 북한사람처럼 고향 사투
리를 쓰고 있다. 우리 당대에 이북 말을 억양 그대로 완벽하게 하는 사
람은 형이 유일하지 않을까 싶을 정도다. 형과 대화하다 보면 마치 북
한사람을 만나고 있는 착각에 빠질 정도로 형은 고향 말을 조금도 잊지
않았다.

형을 만난 건 1980년 봄이다. 형은 LA 유학생 사회에서는 '큰형'으로
통했다. 유학 왔다가 미국에서 살게 된 전형적인 코메리칸이다. 다운타
운에서 큰 가게를 하며 특히 고학하는 유학생들에게 정신적, 물질적 길
잡이 역할을 하고 있었다. 연세대 후배인 김영래 전 총장이나 나의 절
친 고 박병원 박사 등을 친동생처럼 아끼고 보살폈다. 나도 이 시점을
계기로 '이영철 사단'의 말단 문하생이 된 셈이다.

형은 서울에서 결혼한 형수와 두 아들을 두었다. 형 못지않게 형수와

아이들도 우리를 시동생, 삼촌으로 대했다. 주말이나 방학 때면 우리를 가족과 함께 집으로 불러 자주 파티를 열었다. 때론 화투놀이로 즐거운 시간을 보내기도 했다. 새 학기가 시작될 무렵엔 후배 유학생들에게 교과서 사는 데 보태라며 호주머니에 몇백 달러씩 찔러 주던 자상한 선배다.

형은 연세대 재학 중엔 교내 운동권 서클로 유명한 한국사회문제연구소(한사회) 회장을 맡기도 했다. 당시 서클 지도교수가 나의 중고교 선배인 고 이규호 전 문교부 장관(청와대 비서실장, 주일대사 역임)이었다. 이것이 또 나와 형의 관계를 더 가까워지게 한 촉매제가 됐다. 언젠가 미국 출장 중 형을 만났더니 이 전 장관의 어린 자녀들에게 선물할 옷 꾸러미를 맡겨 이를 전해준 적이 있다. 형이 잠시 귀국했을 때는 청와대 비서실장이던 이 선배 등과 저녁식사를 하기도 했다.

당시 한국일보에서 외무부와 국무총리실을 출입하던 나는 그 뒤 몇 차례 세검정 인근 이 실장 댁으로 호출받은 적이 있었다. 깐깐한 성격의 이 실장은 나를 집으로 부를 땐 당신이 직접 전화를 했다. 예컨대 "노 군! 내일 아침 우리 집에서 조반을 같이 하세"라고 일방적으로 통고했다. 도승지의 호출 앞엔 변명이 통하지 않았고, 선약도 소용없었다. 어느 안전이라고, 설령 선약이 있다 해도 "네, 알겠습니다!" 하고 달려간 기억이 난다.

인촌의 아들, 고 김남 의원

박근혜 대통령의 유엔총회 참석차 방미 때 저질 욕설과 플래카드 시위로 말썽이 된 노길남 씨도 내가 LA에서 만난 사람 가운데 하나다. 그는 1964년 연세대 행정학과에 입학한 우리 세대다. 내가 USC에 유학하고 있을 때 그는 이미 LA지역 반체제·반정부 운동의 선봉에 있었다. 그는 한때 동아일보 LA지사에서 로컬 채용기자로 일한 적도 있다. 선발주자인 한국일보와 달리 동아일보는 경영상 큰 어려움을 겪었는데 직원들 봉급으로 나간 페이롤 체크(봉급수표)가 부도나는 경우도 종종 있었다.

노 씨가 부도난 봉급수표를 경영주 얼굴에다 침을 발라 붙였다는 일화는 유명했다. 그는 불의라고 생각하면 참지 못하는 다혈질 성격의 소유자였다. 유학생의 맏형이자 그의 연세대 선배인 이영철 형이나 그와 동기동창이기도 한 김영래 박사, 동아일보 LA지사에서 같이 근무한 바 있는 박병원 박사 등은 그의 이념적 사시 탓인지 자리를 같이하는 것을 꺼렸다. LA지역 사람들은 노 씨를 자본주의 사회에서는 실패하고 김일성에게 가 생계를 구걸하는 사람이라고 했다.

당시 LA 동아일보 경영주는 인촌 김성수 선생의 아들이자 고 김상만 동아일보 전 회장의 이복동생인 김남 씨였다. 이분도 오래전 작고했는데 1988년 제13대 통일민주당 전국구 의원을 지내기도 했다. 성질이 괄괄하고 술을 좋아하는 편이라 나하고도 몇 차례 술자리를 같이한 바 있다. 3당 통합으로 집권에 성공한 YS정부는 김 씨에게 국립공원관리공단 이사장 자리를 할애했다.

내가 그분과 가까워진 것은 LA에서의 연고뿐만이 아니다. 동아일보에서 당시 통일민주당을 출입했던 김충근 씨(중국 대련 삼양화학 법인대표) 때문이다. 김 씨는 내가 친동생처럼 아끼는 대학 5년 직계후배다. 통일민주당 공천작업이 한창이던 1988년 1월 하순 어느 일요일로 기억한다. 김충근이 숨이 넘어갈 듯한 목소리로 전화를 걸어왔다. "형님, 저하고 상도동엘 좀 가주셔야겠습니다."

회사로부터 "김남 씨가 전국구 의원이 되도록 최선을 다하라"는 지시를 받은 김충근이 나에게 긴급지원을 호소해온 것이다. 당시 야당은 전국구 의원이 되려면 상당액의 정치헌금을 해야 했다. 그러나 김 씨가 마련한 헌금액은 턱없는 액수였다. 아끼는 후배의 하소연을 외면할 수 없어 그와 김영삼 총재를 찾아갔다. "총재님, 어려움이 많으시겠지만 이번 국회에 인촌의 혈육이 총재님 수하로 들어온다면 총재님께 큰 자산이 되지 않겠습니까?" YS의 대인다운 대답이 나왔다. "그래, 고민을 해보자."

김남 의원은 이런 전후 사정을 잘 알고 있었다. 김충근으로부터 얘기를 들어 알고 있는 듯했다. 술자리에서 내가 "김 의원 배지 다는 데 많은 기여를 했어요"라고 농담하자 "야, 인마! 친구 좋은 게 뭐냐"고 했다. LA에서의 안면을 친구라고 했다.

국립공원관리공단 이사장이 된 후 어느 날 한잔하자는 연락을 받고 약속장소로 갔더니 지역구 의원 2명도 있었다. 술잔이 오가고 취기가 어느 정도 올랐을 무렵이다. 지역구 의원의 가벼운 농담에 술병이 벽을 향해 날아가 아수라장이 되었다. 나는 조용히 현장을 나왔고, 그 뒤로는 뵙지 못했다.

딸아이를 찾아준 백년설 부부

   초기 LA 교민사회는 교회를 중심으로 한 공동체 생활이었다고 해도 과언이 아니다. 내가 유학생활을 하던 1980년엔 한인교회가 주일 꼴로 한 곳이 생겨나고, 10일 꼴로 한 곳이 문을 닫았다. 주로 작은 미국인 교회를 시간제로 세 얻어 예배를 보았다. 교회별로 교인 유치활동이 치열했다. 길거리에서 한국인 모습이면 무조건 팔을 잡아당겼다. 그때까지 교회를 다니지 않았던 나는 그 덕에 잃었던 딸아이를 찾을 수 있었다.

   1980년 6월 어느 일요일 이른 아침이었다. 아내가 세탁기(동전을 넣는 대형 세탁기)에서 이불 등을 세탁하고 있었다. 만 세 살을 갓 넘은 큰딸과 나는 아파트 마당에서 공놀이를 하고 있었다. 전화벨이 울려 아파트 내실로 달려가 통화를 하고 내려왔는데 딸아이가 없었다. 나는 세탁하고 있는 아내에게 간 줄 알았다. 20여 분 지났을까, 세탁을 마치고 온 아내는 혼자였고 딸아이는 행방이 묘연했다.

   머릿속이 새하얘지는 느낌이었다. 당황하니까 시간 개념이 없어졌다. 우선 아이가 사라진 지 몇 분이 지났는지 가늠할 수 없었다. 방금이라고 생각하면 2~3분 된 것 같고, 어쩌면 1시간도 더 됐을 것 같은 막막

함이 밀려오기도 했다. 발걸음이 떨어지지 않아 멍청히 서서 아이 이름만 크게 부르기도 했다. 아내와 나는 우선 방향을 정해 서로 반대방향을 향해 뛰기 시작했다.

일요일 아침이라 거리엔 통행객이 별로 없었다. 딸아이 이름을 목청껏 부르며 거리를 헤맸지만 흔적을 찾을 길이 없다. 지나가는 사람에게 물어도 딱하다는 표정만 지을 뿐 아무런 도움이 되지 않았다. 이렇게 넋 빠진 사람마냥 한 2시간 정도 길거리를 헤맸을까? 우리 아파트에서 700~800m 떨어진 '마켓 바스켓'이란 대형 슈퍼마켓 부근에서 아이를 안고 오는 노부부가 보였다. 혹시나 하고 달려갔더니 딸아이였다.

딸아이는 어느새 바뀐 환경에 적응해 노부부 품에 안겨 있다 "아빠!" 하고 웃으며 내 팔에 안기는 게 아닌가. 노부부는 원로가수 백년설, 심연옥 부부였다. 얼굴은 익었으나 이름은 몰랐는데 백 선생 내외가 자신들을 소개했다. 「나그네 설움」과 「한강」으로 한 시대를 풍미했던 원로가수다. 딸아이를 3가 부근에서 발견했다고 했다. 우리 아파트에서 1km쯤 떨어진 거리다. 백 선생 부부는 '여호와의 증인' 신도였다. 전도를 위해 주일 아침 교민이 밀집한 올림픽 가를 향하고 있었다.

백 선생 말씀에 따르면 한국 아이 같은 꼬마가 보호자도 없이 두리번거리며 무작정 걷고 있더라고 했다. 안아서 이름을 물었더니 우리말로 이름을 대더라고 했다. 그러고는 대화가 안 되더라고 했다. 백 선생이 아이를 안고 교민이 많은 올림픽 가로 오던 길에 나를 만나게 됐다. 내외가 얼마나 고마웠는지…. 정신을 가다듬고 백 선생이 아이를 찾은 지점에서 역산해 보니 아이를 놓친 시간이 30여 분이라는 계산이 나왔다. 아이들은 목적 없이 종종걸음으로 내달리기 일쑤다. 교회 덕에 잃었던 아이를 찾은 유쾌한 추억을 갖고 있다.

캠퍼스에서 본 광주사태

USC에서의 유학생활이 본격적으로 궤도에 오른 1980년 겨울쯤으로 기억된다. 남가주 유학생 사회에 대학원생을 중심으로 유학생회 조직 결성 움직임이 일었다. UCLA와 USC가 중심이 됐음은 물론이다. 몇 달 전 일어난 5월 광주유혈사태가 이 움직임의 기폭제가 됐음이 확실하다. '재남가주 한국유학생회'라고 명명한 유학생회가 탄생했다. 코리아타운이 밀집한 올림픽 가에 있는 영빈관이란 한국음식점에서 최초로 유학생 회장을 뽑는 선거가 있었다. 여기서도 USC와 UCLA 출신 후보 간 각축전이 치열했다. 결과는 USC 후보가 근소한 표차로 당선됐다. USC에서 기계공학을 전공하는 송대관 씨가 회장으로 당선된 것이다. 송 회장은 유명 인기가수 송대관 씨와는 동명이인이다.

한국에서는 전두환 장군이 정권을 장악했다. 박정희 사후 실권을 장악한 전 장군은 1980년 9월 마지막 장애물인 최규하 대통령을 밀어내고 스스로 대통령이 됐다. 박정희의 정치적 유산인 통일주체국민회의 대의원들을 장충체육관에 불러놓고 벌인 소위 '체육관 선거'를 통해서다. 그는 정권을 장악하는 과정에서 피비린내 나는 하극상을 저질렀다.

특히 5월 광주에서 수백 명의 무고한 시민에게 살상극을 벌여 세계의 지탄을 받았다.

나는 미국에서 광주 일원에서 벌어진 무자비한 살상극을 TV를 통해 생생하게 지켜보며 경악했다. 미국 CBS, ABC, NBC 등 주요 TV방송이 이를 연일 주요 뉴스로 여과 없이 보도했다. 도대체 신군부는 누구이며 진압군은 어떤 사람들이기에 시위대를 저렇게 '복날 개 패듯' 할 수 있단 말인가? 불과 반년 전 내가 떠날 때 서울은 비록 계엄 상태였지만 그래도 평온했다. 뉴스 화면을 보면서 나오는 것은 한숨뿐이었다.

간간이 수업시간에 한국이 도마에 올랐다. 미국 사람들은 한국문제가 나오면 짓궂게 꼭 나에게 코멘트를 요청했다. 가뜩이나 영어에 주눅이 든 나는 서울 상황을 잘 모르는 상태에서 나름대로 의견을 말하느라 진땀을 흘려야 했다. 고도성장 신화로 세계의 주목을 받아온 한국이 갑작스레 조롱의 대상이 됐다는 점이 참기 어려웠다. 전 씨(미국 사람들은 General Chun이라고 부르기도 했다)는 리비아의 가다피(Muammar al-Gaddafi), 서전트 도우(Samual Kanyon Doe, 라이베리아 쿠데타 주역 도우 상사), 심지어 우간다의 이디 아민(Idi Amin) 등과 비교돼 웃음거리가 되기도 했다.

1981년 1월말 전두환 대통령은 레이건(Ronald Reagan) 미 대통령 초청으로 미국을 방문했다. 뒤에 안 사실이지만 내란선동 혐의 등으로 사형이 선고된 DJ 구명을 조건으로 한 방미였다. 전 씨는 워싱턴에 앞서 동포들이 밀집한 LA부터 찾았다. 한글 간판이 즐비한 코리아타운 거리엔 태극기를 든 환영인파가 몰렸다. 이들 가운데는 통일교도로 알려진 태권도 수련자들과 LA총영사관이 동원한 상당수 노인회 회원들도 있었다.

전두환 차량행렬에 피켓 시위

나를 비롯한 일단의 유학생들도 전 씨 일행 카퍼레이드 행렬을 기다렸다. 환영인파 속엔 시위용 피켓을 감춘 채 전 씨 일행과의 한판을 작심한 시위대도 섞여 있었다. 피켓엔 '살인마 전두환' '전두환을 XXX이자' 등 과격한 구호에서부터 민주 회복을 요구하는 점잖은 내용에 이르기까지 다양했다.

캐딜락 방탄 리무진에 탑승한 전 씨 일행이 도착했다. 환영객 일색으로 착각한 전 씨가 호기를 부렸다. 잠시 리무진에서 내려 태극기를 흔드는 환영객에게 다가가 악수하려는 순간 환영객 틈에 있던 일단의 시위대가 과격한 구호와 함께 일제히 달려들었다. 피켓이 방탄 리무진 차체를 내리 찍었다. 전 씨 일행은 순간 움찔했고, 전 씨는 서둘러 다시 차에 올라 쏜살같이 내달렸다.

숙소는 레이건 대통령이 고향 캘리포니아를 찾을 때면 으레 묵었던 '센추리 플라자(Century Plaza Hotel)'라는 특급호텔이었다. 그날 저녁 나는 센추리 플라자로 가 당시 한국일보 청와대 출입기자로 전 씨 순방을 수행취재 중이던 윤국병 형을 만났다. 잠시 회포를 풀며 그간의 사정 등 본국의 상황을 단편적으로나마 귀동냥할 수 있었다.

서울 사정이 뒤숭숭하게 굴러가자 희한한 일도 많았다. 하루는 고교 1년 후배인 박종묵이라는 친구가 물어물어 나를 찾아왔다. 고교 시절엔 별로 가깝게 지내지 않았지만 그가 한때 서울에서 잘나간다는 얘기는 여러 곳에서 듣고 있었던 터다. 그는 김재규 중앙정보부장의 인척이 된다고 했다. 그가 약관 30세에 가장 큰 방위산업체 임원이 될 수 있었던 것도 김재규가 뒷배경이 되지 않았을까 싶다. 그렇게 잘나가던 그가

10·26 몇 달 후 돌연 USC 캠퍼스로 나를 찾아온 것이다.

그로부터 염량세태에 관한 얘기를 듣고 씁쓸해했던 기억이 새롭다. 시간만 가면 곧 최고경영진을 시킬 듯 호들갑 떨던 사람들이 김재규가 대역죄인이 되자 태도가 돌변하더라고 했다. 한직으로 발령하며 노골적으로 나가주길 압박하더라는 것이다. 나는 그를 내가 살던 한인타운 아파트로 안내해 이웃에 살도록 했다. 그로부터는 서울의 기상도를 많이 전해 들을 수 있었다.

정치 성향이 짙은 신군부와 정치 개입을 반대하던 정승화 장군 세력 간에 맞붙은 12·12사태 등의 해석은 나의 시국인식에 큰 도움이 됐다. 어느 날 그에게 배달된 우편물 겉봉에 쓰인 주소가 동부이촌동(동빙고동?)으로 기억되는데 발신인이 허○○였다. 문제의 허 모 대령이다. 이 친구가 말하길 "형님, 이 사람이 그 유명한 허 아무개 대령이에요"라며 편지를 들어 보였다. 김재규가 사령관일 때 허 씨는 보안사에서 부하로 함께 근무했다고 한다. 그는 김재규를 통해 허 씨와도 친하게 지냈다고 했다.

하버드 옌칭연구소의 사서 김성하 씨

여름방학 때 가족과 함께 뉴욕, 워싱턴, 보스턴, 필라델피아 등 동부 지역을 여행했다. 특히 하버드, 예일, MIT 등 동부의 유명 대학교 방문은 주로 그 학교에 유학 중인 친구, 선후배 들의 도움을 받았다. 특히 하버드대 옌칭연구소 동양학센터에서 사서로 근무하던 고 김성하 선생은 잊지 못할 분 가운데 한 분이다.

그는 6·25 무렵 어수선한 시기에 누나 내외 초청으로 유학을 왔다고 했다. LA USC에서 도서관학과를 졸업하고(석사) 사서 자격을 얻었다. 그분의 매형은 당시 우리 나이로 80이 훨씬 넘었는데도 LA에서 여전히 보험 세일즈맨으로 활동하고 있었다. 최고령 보험 세일즈맨인 그 매형을 내가 한국일보 지상에 소개하는 기사를 쓴 적도 있다.

하버드에 머무는 동안 그분의 사무실을 찾아 흥미로운 얘기를 꽤나 들을 수 있었다. 내가 그분의 USC 후배인 데다 또 그의 미국유학을 주선한 매형 내외와 친하다는 게 우리 둘 사이를 더욱 가깝게 했다. 우리는 하버드 광장 호프집에 앉아 담소를 나누었다. 하버드대학을 졸업한 유명인사 가운데 누구는 정말 열심히 공부했으나 누구누구는 건달이나

하버드대학교의 옌칭도서관의 김성하 사서.
필자가 하버드대학교를 찾을 때마다
USC후배라며 친절히 안내를 해주었다.

다름없었다 등의 얘기는 신문기자인 나에게 퍽 흥미로웠다.

지금 기억해 보니 김 씨는 미얀마(구 버마) 아웅산 장군 묘소 폭파사건 때 유명을 달리한 고 함병춘 전 대통령비서실장(주미대사 역임)과 몇년 전 신병으로 작고한 김경원 전 고려대 교수(주미·주유엔 대사, 대통령비서실장 역임)를 열심히 공부한 사람으로 꼽았던 것으로 기억한다. 하버드대학을 찾은 한국사람 가운데 김 선생 도움을 받지 않은 사람은 드물었다. 하버드 한국인 사회의 상징적인 인물이었다.

주미특파원들 역시 그분 도움을 받지 않은 사람이 없었을 정도다. 특파원들에게도 훌륭한 길잡이 역할을 했다. 20여 년 전 그분이 타계했을 때 동아일보 한 곳에만 게재된 부고기사를 읽을 수 있었다. 세상은 김성하 씨를 잊고 있었던 것은 아닌지 모르겠다. 동아일보 워싱턴특파원을 지낸 문명호 선배가 유일하게(?) 쓴 추모기사를 인상 깊게 읽었던 기억이 새롭다.

내가 하버드에 머무는 동안 유명한 국제문제연구센터(Center for International Affairs, CFIA) 방문은 오랫동안 기억에 남았다. 방문한 날 마침 광주민주화운동 관련 세미나가 열려 활발한 토론이 벌어지고 있었다. 패널로는 고 박권상 전 KBS 사장과 고 채명신 전 주월 한국군사령관, 글라이스틴 전 주한 미대사 등이 보였고, 객석엔 한국학을 전공한 와그너(Edward Wagner) 교수 등이 눈에 띄었다. 한국말이 유창한 와그너 교수는 재혼한 부인이 고 최병우 선배의 미망인이다. 패널 대부분은 시위대를 무자비하게 유혈진압한 전두환 장군을 비롯한 신군부의 야만성을 비난했다.

박권상 전 사장은 당시 거의 망명 상태였다고 했다. 채명신 전 사령관 역시 신군부 측으로부터 부패한 선배군인으로 지목돼 유랑생활을 하고 있다고 누가 귀띔했다. 채 장군은 베트남전에서 만난 전 주월 미군사령관 웨스트모어랜드(William Westmoreland, 애칭 웨스티) 장군의 신원보증으로 체류 중이라는 소문이었다. 그는 하버드에서의 체류시한이 만료돼 웨스티의 보증으로 곧 서부 UC버클리로 옮겨 갈 계획이라고 했다.

동병상련의 아픔일까? 그날 세미나장에는 한국인들과 비슷한 상황에 처한 칠레의 전직 장관, 국회의원, 대사 등이 많이 자리했다. 칠레 역시 피노체트(Augusto Pincochet) 장군의 우익 군사쿠데타로 좌파정권인 아옌데 수상 정부가 전복되었다. 더구나 쿠데타 과정에서 군부는 숫제 아옌데(Salvador Allende) 수상을 처형했다. 잠깐의 휴식시간에 칠레 사람들은 큰 소리로 서로를 '미스터 앰배서더'라거나 '미스터 미니스터'라고 불러 칠레 망명정부 회의 분위기를 연출하기도 했다. 당시 CFIA 소장은 후에 『문명의 충돌』을 출간해 더욱 유명해진 새뮤얼 헌팅턴(Samuel P. Huntington) 박사였던 것으로 기억한다.

나를 실망시킨 김상돈 옹

전두환 군사통치 반대집회가 LA지역에서 종종 열렸다. 주동자는 당시 아들 초청으로 미국에 이민 와서 살고 있던 전 서울시장 김상돈 옹이었다. 그의 트레이드마크이기도 한 카이저수염은 당시도 역시 빛났다. 김 씨는 어릴 때 나에게 깊은 인상을 심어준 정치인이다. 초등학교 5~6학년 때로 기억된다. 이승만 자유당 정권의 부정부패상을 고발하는 민주당의 순회 시국강연회가 고향 진주공원에서 있었다.

막내삼촌을 따라 놀러가듯 강연회장을 찾았다. 연사 중에 카이저수염의 김 씨가 있었다. 내가 그를 기억한 것은 그의 독특한 차림새 때문이었다. 그는 일제하 군복이라는 국방색 '당꼬바지'(바지 하단에 단추가 여러 개 달려 잠겨 있는)를 입고 있었다. 그리고 손을 휘두르며 사자후를 토할 때마다 드러나는 손목시계가 내 눈길을 사로잡았다. 시곗줄이 당시 일반 가정에서 흔히 사용하던 검정 고무줄 두 가닥이었다. 초등학생인 나에게도 검정 고무줄로 된 시곗줄은 꽤 충격이었다. 손목시계가 귀하던 시절이긴 했지만 고무줄로 시계를 손목에 매단 모습은 나에게 깊은 인상을 주었다.

LA지역에서의 반전두환 시위는 주로 교민이 밀집한 올림픽 가를 중심으로 있었다. 내가 살던 아파트가 바로 이웃해 가끔 아이와 함께 참관하기도 했다. 고령이라 사자후는 아니지만 고국을 걱정하는 그의 연설 속엔 귀담아들을 내용도 있었다. 하지만 '고무줄 시계'의 환상은 오래지 않아 무참히 깨지고 말았다.

　김 옹을 미국으로 초청한 아들은 시카고에서 성공적인 자동차 딜러가 되었다고 한다. 그는 경기고 재학 중 6·25가 일어나자 바로 유학 왔다고 한다. 아파트에 같이 살던 이웃 교민이 전해주었다. 말이 유학이지 힘 있는 국회의원이던 김 옹이 피신시킨 것이라고 했다. 전쟁터엔 농사짓거나 남의 집 머슴 살던 무지렁이들이 나갔다. 그들이 나라를 지킨 것이다. 돈 있고 권력 가진 자의 자식들은 미국으로, 일본으로 도피성 유학을 떠났다. '고무줄 시계'를 보고 '정치인 = 애국자'라 환호했던 나의 어린 시절 우상은 이렇게 사라졌다.

　그 후 카이저수염만 봐도 심한 배신감을 느끼게 됐다. 우리 아파트 부근 시위 장소에 그가 나타나면 나는 뒤에서 야유를 보내는 훼방꾼이 되었다. "사이비 애국자, 당신부터 물러가라!"고 고함을 지르면 속 모르는 아내가 극구 말렸다. 19살 대학 1년생이던 내가 국방의무부터 마치겠다고 자원입대해 엄동설한 황산벌을 기던 때를 생각하면 울화가 치밀기도 했다. 사이비 애국자 한 사람과의 이별은 이렇게 이뤄졌다.

정래혁 의장의 운전기사 된 사연

대학원생을 중심으로 한 남가주 유학생회가 결성돼 자리를 잡자 LA 총영사관 측도 유학생회를 대화 파트너로 해 자주 만남의 자리를 가졌다고 한다. 미국의 관문이기도 한 LA는 본국 저명인사들의 내왕이 잦았다. 총영사관 측은 유학생 손길이 절실할 때가 많다. 가령 한국에서 국회의원들이 집단으로 온다든지, 정부 고관들이 들이닥칠 경우 총영사관 가용인력만으로 이들을 돌보기가 쉽지 않다. 그래서 유학생들 지원을 받아 이를 해결하는 경우가 종종 있다. 물론 동원된 유학생들에게는 소정의 사례비를 지불했다.

1981년 6월 하순 어느 날, 친구 박병원 군에게 전화가 왔다. 박 군은 남가주 유학생회로부터 연락을 받고 자신과 내가 총영사관 일을 좀 도왔으면 했다. 무슨 일이냐고 물었더니 시간제 기사 노릇인 것 같다고 했다.

정부 고위인사들이 LA를 방문하는데 그 일행을 위해 기사 노릇을 하는 아르바이트라고 했다. 총영사관 측이 유학생회에 미국 사정과 지리를 잘 아는 대학원생 2명을 추천해 달라고 했단다. USC출신의 유학생회 송대관 회장은 이 좋은 아르바이트를 남 주느니 두 형님께서 하시는 게 어떠냐고 적극 추천했다. USC에서 유학생활을 하던 송 회장은 우리보다 4~5년 후배였다.

나와 박 군이 LA총영사관으로부터 들은 설명에 의하면 고위인사란 다름 아닌 정래혁 국회의장 일행이었다. 국회의장이 의원외교 일환으로 교섭단체 대표(각 당 원내총무단)들을 수행원으로 하여 남미제국을 순방한다는 것이다. 나는 정 의장을 잘 알지 못했다. 박병원 군 역시 그 사람이 뭐 하던 사람이냐고 물을 정도였다. 내가 아는 바로 그분은 5·16쿠데타 후 군사정부에서 군복을 입은 채 상공부 장관과 한국전력 사장 등을 지낸 것으로 어렴풋이 기억났다.

총영사관 측은 박병원 군에게 정래혁 의장 내외를 모시는 캐딜락을, 나에겐 수행기자단을 실어 나르는 미니버스를 배정했다. 그런데 수행기자단 명단을 보니 거의 내가 아는 동료들이었다. 굳이 피할 일은 아닐지라도 얼굴 마주하기가 썩 내키지 않았다. 그래서 실무책임자인 부총영사에게 내가 큰 차를 몰아본 경험이 없다는 핑계로 차량을 바꾸어 줄 것을 요청했더니 쉽게 허락했다. 그래서 내가 정 의장 내외를 모시는 캐딜락을, 박병원 군이 기자단 미니버스를 몰게 됐다.

요즘 고위층 스캔들 불씨는 대개 그들 기사 입을 통해서 일어난다. 정 의장 내외를 태우고 2~3일 캐딜락을 모는 동안 꽤나 많은 가정사를 엿듣게 되었다. 내가 듣고 싶어 귀를 곤추세운 게 아니라 그들 내외가 하는 얘기가 운전하는 내 귀에까지 저절로 들려왔다. 30수 년 전 일이라 일일이 기억하지는 못하지만 상당부분은 소유 부동산에 관한 얘기였다. 나는 속으로 이분들이 요즘 말로 '부동산 재테크를 잘하시는구나' 생각했다.

이후 미국유학에서 돌아와 외무부를 출입할 때다. 종합청사 8층 외무부 기자실 바로 옆에 '태평양특별대책반'이란 TF(태스크포스)팀이 있었다. 5공 정부는 한국을 구심점으로 아·태지역 협의체 구성을 기도했다. 이남기 대사(기획관리실장, 이탈리아 대사 등 역임)를 반장으로 한 TF팀이 꾸려졌다. 이 대사 바로 아래 차석이 정창 대사라는 분이다. 고시 13회였던 정 대사는 내가 정래혁 의장 운전기사 아르바이트를 했을 때 바로 의장 일행의 접대를 총지휘했던 LA총영사관 부총영사다. 뒤늦게 내가 정 의장 내외의 유학생 캐딜락 기사였다는 사실을 알고는 "노 형, 왜 그때 신분을 밝히지 않았어요?"라고 해 마주 보고 한바탕 웃은 일이 있다.

정 의장 일행의 LA 체류는 남미로 가기 위한 경유지 성격의 일시기착이었다. 2~3일 LA에 체류하는 동안 일행은 유니버설 스튜디오와 디즈니랜드 등 관광지도 둘러봤다. 그들이 남미로 떠난 후 LA총영사관 측은 나와 박병원 군에게 수고비 조로 370~380달러씩 주었다. 당시 미국의 시급이 5달러 선이었는 데 비해 우리 두 사람은 시간당 13~14달러 정도로 꽤 후하게 받은 것으로 기억된다.

3

정치부 기자로

단합대회 비판했다가 혼쭐

미국유학에서 돌아오자 회사는 나를 정치부에 발령했다. 한동안 출입처를 받지 않고 내근을 했다. 청와대와 국회, 총리실을 비롯한 외교부, 통일부, 문공부 등의 출입처에서 동료들이 전화로 부르는 기사를 받아 데스크에 넘기는 일이다. 그러다 집권당인 민정당을 출입하게 되었다. 한국일보 민정당 출입기자 3명 가운데 가장 막내인 3진 기자가 된 것이다. 약 3년간의 공백 탓인지 민정당을 공화당으로 잘못 표기하는 실수가 잦았다. 나에게 민정당은 확실히 생소했다.

당직자 가운데 대표 한 사람 빼고는 모두 엊그제까지만 해도 군복을 입었던 예비역 군인들이었다. 정당구조가 무슨 예비역 장교집단 같았다. 당 대표라는 분은 구 신민당에서 작은 계파를 이끌었던 고 이재형 씨였다. 나머지 주역들은 하나같이 군 출신이었다.

출입한 지 얼마 되지 않아 덕유산에서 전국당원대회가 열렸다. 언론사들은 각각 복수의 취재기자를 현장에 파견했다. 나도 그 가운데 한 사람이었다. 정당 행사라는 점에서 일사불란보다는 자유롭고 다양한 모습을 기대했다. 그러나 기대는 크게 빗나갔다. 전두환 총재가 참석하면서 행사는 마치 군 검열 행사 같았다. '오야붕'에게 잘 보이기 위한 '꼬붕들의 경연장' 같기도 했다. 나를 더욱 실망시킨 대목은 근접취재를 다녀온 어느 선배가 전한 VIP 어록이었다. 물론 대통령도 삼시 세끼 챙겨먹고 화장실 가는 평범한 인간일 것이다. 대통령이 말했다고는 도저히 믿기지 않는 얘기들이 나를 크게 실망시켰다.

1981년 1월 말 나는 미국을 방문한 전 대통령을 LA 한인타운에서 조우한 적이 있다. 환영교민 틈에서 누군가가 건넨 피켓을 들고 나는 졸지에 그의 방미를 항의하는 시위대 일원이 되었다. 불과 2~3년 뒤 민정당 당원수련대회를 찾아 취재기자로서 비교적 가까운 거리에서 그를 다시 만나게 됐다. 나는 이런저런 얘기를 담아 한국일보의 작은 고정란 '기자의 눈'에 그곳에서 보고 느낀 나름의 소회를 밝혔다.

칼럼에서 나는 다양함이 생명이어야 할 정당 행사가 획일성이 강조된 군 행사 같았다고 했다. 제목부터가 '덕유산 유감'으로 상당히 비판적이었다. 이튿날 민정당사에 나갔더니 분위기가 싸늘했다. 몇몇 타사 기자들이 대부분 군 출신 간부들 방을 다니며 나의 졸문을 화제로 약을 올렸다고 한다. 당 운영의 실질적 주역이라 할 수 있는 이상재 사무차장 방에서 못마땅해하는 코멘트가 나왔다. "그 친구 미국에서 온 지 며칠이나 됐다고…"라며 불쾌한 반응을 보였다. 우리 실정을 모르는 철없는 기자의 일탈로 간주했다고 한다.

상황이 꼬이자 민정당 반장인 황소웅 선배가 나섰다. 며칠 후 퇴근 무렵 그가 이끄는 대로 이상재 사무차장 집을 찾아갔다. 말진 기자의 일탈을 사과하기 위해서다. 나는 새도 떨어뜨릴 수 있다고 할 만큼 위세가 있는 이 차장의 집은 뜻밖에도 용산 철도변이었다. 판잣집들이 다닥다닥 붙은 단선 철도변의 허름한 근린시설 3층이었다.

이상재 사무차장댁 찾았다가 충격

나는 이 차장 자택을 찾고 큰 충격을 받았다. 그분의 지위나 위세로 보아 고대광실이나 호화주택은 아니더라도 어느 정도의 수준은 되리라 생각했다. 하지만 예상은 크게 빗나갔다. 초라한 닭장 같은 판자촌 내 자택은 민정당 내에서의 그의 위상과 판이하게 달랐다. 전두환 총재로부터 사실상 당 중심으로 기용됐다는 세간의 소문이 무색할 정도였다. 나는 이를 어떻게 받아들여야 할지 다소 혼란스러웠다.

당시 민정당은 사무총장 아래 차장이 2명 있었다. 한 분은 전국구 배지를 단 윤석순 차장이고, 이 차장은 원외 사무차장이었다. 충분히 배지를 달 수 있었음에도 다른 사람을 위해 사양했다고 한다. 그럼에도 소속의원들이 외유라도 할라치면 배지도 없는 이 차장 방을 찾아 고개를 숙여 출국인사하는 모습을 종종 볼 수 있었다. 이 차장 댁을 찾은 후부터 나는 솔직히 그를 경외하게 되었다.

5공 정권은 후일 부패문제로 큰 홍역을 치렀다. 특히 전 씨 형제와 친족, 처족 등의 부패상은 물론 전 씨의 천문학적인 은닉 비자금 등이 정의사회 구현이라는 구호를 무색케 했다. 하지만 초기엔 이 차장같이 사명감 투철한 인사들이 정권을 뒷받침했다. 나를 비롯한 기자들은 그분의 단정한 몸가짐에서 위엄을 느꼈고, 겸손함에 고개를 숙여야 했다.

그는 골프는 사치라고 손사래 치며 관심을 두지 않았다. 뒤늦게 주위의 강권으로 골프채를 잡았는데 1년이 안 돼 싱글 수준에 이르렀다고 했다. 필드에 나가기 전 연습장에서 비가 오나 눈이 오나 하루도 거르지 않고 스윙 연습을 했을 정도로 무서운 집념의 소유자였다. 내가 민정당을 출입하며 가장 기억에 남는 사람이 이상재 차장이다.

분위기 메이커 심상우 의원

당시 민정당에는 거의 모두가 정치를 처음 시작한 사람들이다. 원내 총무, 사무총장, 정책위 의장 등 당 3역이 모두 초선이었다. 마치 초선 의원 동우회 같았다. 당의 간판이라 할 수 있는 당 대표최고위원이 창당 때 운경 이재형 의원을 비롯, 뒤에 채문식, 진의종, 윤길중 제씨 등 구 정치인이 맡을 때만 초선이 아니었다. 뒤이은 노태우, 권익현 대표 등도 5공 출범과 함께 정치를 시작한 초선이다.

한번은 지구당 개편대회 행사장에서 일어난 일로 알고 있다. 중앙당 에서 대표와 사무총장 등이 참석했고, 기자들도 회사별로 개별취재를 했다. 행사를 끝내고 저녁 술자리가 있었다.

출장온 의원들과 기자들이 함께 어울렸다. 평소엔 샌님같이 점잖은 선배기자 한 분이 폭탄주에 많이 취했다. 취중에 잠재돼 있던 야성이 되살아났다. 몸을 가누기 어려운 자세로 "군바리 XX들, 정치를 하려거든 똑바로 하라"는 등 쓴소리를 했다. 그는 호주머니에 양손을 찔러 넣은 채 몸을 가누기 어려운 듯 앞뒤로 흔들렸다. 분위기가 일순간 급랭했다.

비록 초선이긴 하지만 그 자리엔 육사 11기 출신의 대통령급 의원까지 있었다. 동료기자들이 얼른 취한 기자를 말리기는 했지만 군 출신 의원들은 크게 상처받았다. 그때 육사 출신의 막내 사무국 요원이 나섰다. 이분은 뒤에 다선의원이 되었고, 후일 국회 고위직을 맡기도 했다. 이 사무국 요원은 "기자면 다야! 어른들 앞에서 뭐 하는 짓이야! 손이나 빼고 말해!" 하고 고함을 질렀다.

일촉즉발의 상태로 분위기가 얼어붙었다. 마치 군 출신 정치인과 기자 간 대립양상으로 비치게 됐다. 바로 이때 험악한 분위기를 반전시킨 사람이 있었다. 평소 '와이당〔淫談〕'으로 민정당을 비롯, 정치판을 쥐락펴락하던 고 심상우 의원이다. 이분은 심성도 착하고 고운 분으로 11대에 광주에서 민한당 임재정 의원과 동반 당선된 초선의원이다.

기자의 주정으로 야기된 군 출신 의원과 기자 간의 어색한 대치상황을 본 심 의원이 "워매, 주머니에서 손을 쑥 빼불면 앞으로 톡 튀어나오게"라고 고함을 질렀다. 취기가 오른 기자나 쓴소리에 마음이 상한 군 출신 의원이나 양측의 대립을 조마조마해하던 주위 사람들 모두 심 의원의 한마디에 박장대소했다. 일촉즉발의 험악한 분위기가 말끔히 수습됐다. 심 의원의 적재적소 와이당은 특히 정치가 교착 상황일수록 자주 위력을 발했던 것으로 기억한다. 상황에 딱 들어맞는 유머를 구사해 어려운 국면을 타개하던 그는 가히 천재였다.

아웅산서 잃은 아까운 재목

보석과도 같았던 심상우 의원은 불행하게도 1983년 10월 9일 전두환 대통령의 미얀마(구 버마) 방문길에 북한 폭탄테러의 희생자가 되었다. 그분이 정상외교 수행원이 된 것은 당 총재 비서실장을 맡고 있었기 때문이다. 민정당 총재는 전두환 대통령이었다. 당 쪽에서 당청관계를 보다 부드럽게 하기 위해 심 의원을 총재 비서실장에 기용한 것이 아닌가 싶다. 심 의원이 참석하는 회의면 대통령을 비롯, 모두가 그에게 와이당을 주문했다. 그의 포복절도할 와이당에 웃지 않을 수 없었고, 회의는 항상 폭소 속에 끝나기 일쑤였다.

내가 외무부를 출입하면서 총리실 2진 기자로 일할 때의 일로 생각한다. 당청은 수시로 소위 당정협의회라는 모임을 갖고 정책을 조율했다. 고 김상협 국무총리 때 일어난 일화로 기억한다. 종합청사 지하 후생관에서 열린 그날 당정회의에도 심상우 의원이 참석했다. 당 총재 비서실장은 당연직 참석 멤버다. 심 의원의 출석을 확인한 참석자들은 그날도 어김없이 회의 벽두 심 의원에게 '한마디'를 해주도록 강하게 요청했다.

분위기가 심 의원 '한 말씀'에 집중되자 점잖기로 소문난 김 총리까지 "모두가 원하시는데 심 의원 한 말씀 하시구려" 하고 가세했다. 그래도 심 의원은 "점잖은 총리도 계시는 자리에서 뭘…" 하고 손사래를 치며 고사했다. 그러나 성화가 계속되자 심 의원이 "총리께서 먼저 하시면…" 하고 물러섰다. 화살이 김 총리에게 향했다. 학자 출신 김 총리가 마지못해 한마디 한 것 같으나 전혀 기억이 안 난다. 대신 심 의원이 한 얘기는 지금도 생생하다.

그의 와이당은 천부적이다. 분위기에 딱 어울리는 얘기를 즉석에서 끄집어내는 순발력은 가히 천재적이었다. 그날 그가 거부의 손사래를 치다가 마지못해 즉석에서 한 얘기를 되새겨보면 이렇다.

하루는 엉덩이(궁뎅이)가 앞에 있는 성기(性器)를 향해 불평을 늘어놓았다. "야, 인마! 재미는 항상 니가 보고, 일(성병을 지칭)이 생기면 (주사 맞는) 고통은 항상 내가 당하지 않는가!" 그러자 성기가 뒤돌아보며 엉덩이(심 의원은 구수한 사투리로 똥구멍이라고도 했다)한테 즉각 항변했다. "야, 이놈아! 나를 항상 그곳에 들어가도록 뒤에서 앞으로 밀어넣은 놈은 바로 너 아니냐!" 좌중은 이미 폭소의 장이 되었다. 심 의원은 이어 "우리 당정관계만큼은 이와 같이 똥구멍(엉덩이)과 성기가 다투는 (멍지) 관계가 되지 맙시다"라고 결론을 맺었다. 얼마나 적재적소의 예화(例話)인가.

당정관계는 어느 시대, 어느 때를 막론하고 상호 대립적이다. 당은 항상 선거와 표를 의식해 다소간 리버럴한 모습을 띤다. 반면 현실 여건을 감안하지 않을 수 없는 정부는 언제나 보수적이고 안정을 추구하는 입장이다. 문제는 어느 선에서 절충하고 조화점을 찾아내느냐가 관건이다. 당과 정(政)이 대립각을 세우고 다투는 경우도 허다하다. 이날 심 의원이 말한 '멍지(똥구멍과 X지) 관계'는 상황을 꿰뚫은 '와이담'이었다.

이날 당정회의도 심 의원의 이 한마디에 웃다가 끝났다. 심 의원의 유머는 이처럼 항상 적시적소에서 위력을 발휘했다. 그는 출입기자들을 부를 때 '아무개 기자'라고 하지 않았다. 대신 '아무개 삼촌'이라고 불렀다. 이를테면 나를 부를 때는 '진환이 삼촌'이라고 했다. 어느 누가 그분에게 친근감을 느끼지 않을 수 있겠는가? 점심시간이면 그분 주변에 항상 사람들이 들끓었다. 한번은 점심시간 불과 1시간 남짓한 시간에 와이담 40여 가지를 차례로 들은 적도 있다.

수첩을 꺼낸 것도 아니요, 메모를 보는 것은 더더욱 아니다. 그런 수첩, 메모가 아예 없었다. 그냥 필요하다고 생각할 때 그의 머리에서 튀어(?)나왔다. 마치 누에고치가 명주실을 뽑아내듯 자연스레 엮어 가는 그의 유머는 항상 좌중을 폭소의 도가니로 몰아넣었다. 항상 겸손하고 자신을 낮추면서 쏟아내는 그의 유머는 음담패설이 아니었다. 심중 깊은 곳에서 분출하는 위트와 해학, 유머와 철학이었다.

동료 야당의원 몰래 돕기도

심 의원은 기업(호남전기)을 하는 유복한 집안에서 성장했다고 한다. 그래서인지 표정이 밝았고 구김살이라고는 찾아볼 수 없었다. 자신과 지역구에서 동반 당선된 민한당 고 임재정 의원에게도 배려를 아끼지 않았다. "귀향활동 슬슬 해"라며 불러 몇백만 원씩 쥐어주었다고 한다. 아웅산 참변 후 임 의원은 심 의원을 회고하며 이 같은 미담을 공개해 더욱 그를 추모케 했다. 넉넉한 성품에다 남을 배려하는 마음씨는 당대 정치인에게서 좀체 찾아보기 어려운 모습이었다.

임 의원은 성격이 괄괄하기로 소문난 분이었다. 세칭 국회 문공위 '돗자리 사건' 파동을 일으킨 장본인이다. 자기주장이 너무 강해 자기 당 (유치송) 총재마저도 장악이 어렵다고 할 정도로 개성이 강한 사람이었다. 유일한 예외가 동반 당선된 심 의원이라고 알려졌다. 심 의원은 가끔 임 의원을 이렇게 놀렸다.

"임재정이 목숨은 내 손안에 있어. 나한테 찍히는 날이면 다음 번 선거에서 추풍낙엽 신세가 될 수밖에 없지. 내 선거구(광주 동북구로 기억된다.)에 가면 변두리가 온통 농촌지역이야. 귀향활동하러 가 보면 대낮 마을 구판장 앞에서 사탕 물고 노는 아이들이 있어. 젊은 부부가 아이

밖에 내보내고 집에서 뭐 하겠어? 그 집을 물어물어 찾아가 짓궂게 '계십니까?'하고 대문을 두드리는 거지. 갑작스러운 방문객에 놀란 부부가 하던 일(?) 멈추고는 짜증스럽게 '거 누구요' 할 것 아닌가? 그때 내가 '아, 임재정 의원 귀향활동 왔다가 바쁘신 것 같아 그냥 돌아갑니다' 하고 가면 다음 번 선거에 임재정이 표 나오겠어? 보나 마나 낙선이지."

와이당은 우선 구수한 사투리여야 제맛이 난다. 사투리도 그냥 사투리여선 안 된다. 반드시 남도 사투리여야 한다. 심 의원에게 들은 얘기를 나 같은 일반인이 옮기기는 불가능하다. 전혀 감흥이 나지 않기 때문이다. 시쳇말로 싱크로율 10%도 안 된다. 그분이 그렇게 허망하게 갈 줄 알았더라면 녹취라도 해둘 걸 하는 아쉬움이 남는다.

5공 군사정권은 광주 유혈진압 등 무리수로 착근이 쉽지 않았다. 하지만 이상재 같은 사명감 있는 숨은 일꾼과 심상우 같은 재사들이 정권의 주춧돌이 되어 이내 안정을 찾았다고 생각한다. 더불어 어느 정치학자는 노신영 같은 잘 훈련되고 능력 있는 관료와 임종기 같은 두뇌회전이 빠른 정치인을 카운터파트로 동원할 수 있었던 점이 그들 정권의 착근 요인이라고 했다. 이 분석 역시 공감이 된다.

외무부 출입기자로

"외무부는 내 기자생활의 친정"

한국일보 정치부 기자로 나는 여러 곳의 출입처를 전전했다. 가장 애착이 가는 곳을 꼽으라면 망설이지 않고 외무부라고 즉답할 수 있다. 외무부는 나의 기자생활 중 친정과 같은 곳이다. 친정이란 시집에 지친 자신을 보듬어줄 어머니가 있고 평화와 안식이 있는 곳이다. 하지만 외무부는 나에게 위로나 평화, 안식을 준 곳은 결코 아니다. 오히려 치열하게 부딪친 곳이다. 국회를 출입하던 나는 1983년 5월 5일 어린이날 공중납치되어 뜬금없이 날아든 중공(당시 중국을 그렇게 불렀다.) 민항기 불시착 사건을 계기로 외무부와 본격적인 인연을 맺었다. 외무부 출입기자를 돕는 보조요원으로 투입된 것이다.

나를 외교협상 무대에 투입키로 한 데스크의 뜻은 미국에서 몇 년간 머물다 왔으니 협상 취재가 다소 용이하지 않겠느냐는 판단인 듯했다. 하지만 한-중 협상은 영어가 전혀 필요치 않았다. 한국말이 유창한 한족(더러는 조선족)이 있어 협상과 소통에 전혀 문제가 없었다. 국가 간

이렇게 영어가 쓸모없는 협상은 드물지 않았나 싶을 정도였다. 중국의 대표나 우리 대표는 얼굴 생김새까지 비슷했다. 우리 측 수석대표인 공노명 외무부 제1차관보가 오히려 더 중국사람 같아 보인다는 우스갯소리까지 나왔다.

한-중 양국은 항공기와 피랍승객 송환을 놓고 사상 처음으로 무릎을 맞댔다. 협상무대가 신라호텔 영빈관이란 한식 건물에 차려졌다. 피랍 불시착한 민항기에는 승객 96명(납치범 6명 제외)과 승무원 9명이 타고 있었다. 이 여객기는 그날 오전 11시(한국 시간) 랴오닝성 선양을 출발해 상하이 국제공항으로 가던 중이었다. 권총 등으로 무장한 탁장인(卓長仁) 등 중국인 남녀 납치범 6명은 이륙 직후 승무원들을 위협, 기수를 한국으로 돌리게 했다.

중국은 항공기와 승무원, 승객 등의 송환을 위해 사건발생 3일 만에 대규모 협상단을 서울로 급파했다. 당시 한국과 중국은 국제사회에서 서로를 적대시하는 관계였다. 그러나 중국은 그들 민항총국장 선투(沈圖)를 수석대표로 하는 33명의 협상단을 급거 서울에 보냈다. 한-중 양국은 5일간의 마라톤협상 끝에 한국 요구가 대부분 수용된 9개 항의 외교 각서에 서명했다. 양국은 한국전 이후 최초의 직접협상을 통해 처음으로 '대한민국(Republic of Korea)'과 '중화인민공화국(People's Republic of China)'이라는 정식국호가 표기된 공식 외교문서를 주고받았다.

공노명 차관보를 수석대표로 한 우리 대표단엔 박희태 법무부 출입국관리국장이 있었다. 현재는 일반직이 담당하는 출입국관리국장을 당시엔 초임 검사장급 검사가 맡았다. 박 국장 역시 검사장 승진하고 첫 보직이 이곳이 아니었나 생각된다. 춘천·대전지검장을 거쳐 부산고검장을 끝으로 정치에 입문한 박 국장은 뒤에 국회의장도 지낸 거물 정객 박희태 바로 그분이다. 둘째 처남 김태정 전 법무부 장관을 통해 나와 친분을 유지하고 있었다.

납치 민항기 협상 지켜본 행운도

한-중 간 협상이 치열하게 진행되고 있을 때다. 신라호텔 화장실에서 협상대표단 일원인 박희태 국장을 우연히 만났다. 박 국장이 툭 던지듯 한마디 했다. "어이, 노 기자! 이러다 세상이 확 바뀌는 것 아닌지 모르겠어." 간밤에 고 조중훈 대한항공 회장이 롯데호텔에서 양국 대표단과 중국 측 승무원을 위해 만찬을 베풀었다.

우리 측이 양국관계 증진 필요성을 강조하자 취기가 오른 선투 대표가 "너무 서두르지 마시오. 멀지 않은 장래에 양국이 좋은 관계를 이루지 않겠어요"라고 화답했다는 것이다. 지금 생각하면 '공자가 배갈 마시는 얘기'라고 흘려버릴 수 있을지 몰라도 선투의 이 한마디는 퍽 시사적이었다.

박 국장으로부터 들은 얘기를 기사화해 넘겼더니 우리 신문은 1면에 1단으로 얌전하게 나갔다. 같은 날 석간 J일보가 1면 톱기사로 확대재생산했다. 이튿날 협상장에서 다시 만난 박 국장이 오히려 "노 기자, 등신(바보)같이 1단이 뭐꼬?"라고 안타까움을 표시했다. 그분도 석간신문의 1면 톱기사를 본 모양이다. 보조요원 입장에서 기사의 가치를 파악하고 이해시킬 능력이 없었던 나는 1단짜리 특종에 만족해야 했다.

'비보도' 조건 등 국가비밀 많아

중국 민항기 사건을 계기로 외무부와 연을 맺은 나는 그해 7월 숫제 국회에서 외무부로 출입처를 옮겼다. 외무부를 출입하는 기자는 정치부의 사건기자로 통한다. 국회를 출입하면서 굵직굵직한 정치현안을 취급하다가 자질구레한 외교현안을 취재해야 하는 다소 따분한 생활이었으나 그래도 흥미와 보람을 느꼈다. 머리기사가 없는 날이면 데스크로부터 1면 톱을 만들어내라는 압력도 수시로 받았다. 외교업무의 중요성 때문이겠지만 정치 가십난에도 외무부 기사는 단 하루도 빠지지 않았다. 당시는 모든 신문이 정치 가십난을 운영하고 있을 때다.

이 가십난은 가독성이 무척 높았다. 청와대, 총리실, 국회에 이어 외무부 가십 기사는 하루도 거르지 않았다. 청와대가 대통령의 동정을, 총리실이 국무총리를 중심으로 가십이 만들어진다. 또 정당도 대표나 3역 등의 동정이 거론되는 데 비해 외무부 가십엔 장차관은 물론 실무 국장 이름까지 자주 등장했다. 그만큼 외무부의 기사 비중이 높았던 시절이기도 하다. 또 외무부에는 국가기밀과 관련한 무수한 '비보도 조건'이나 '엠바고'가 걸린 사안이 많았다.

당국은 국익을 핑계로 기자단에게 상황을 설명한 후 사안 자체를 숫제 '비보도'로 묶어 버린다. 또 협상의 성공을 위해 원만한 결과가 나올 때까지 시한을 정해 역시 보도를 자제토록 한다(엠바고의 경우). 그래서 기사가 고갈되면 데스크는 '지뢰밭같이 만질 수 없는 이 '조건이 걸린' 내용들에 강한 유혹을 받는다. 더러는 유치하게 취재원을 돌려서 '약속'을 깨는 경우가 종종 있었다. 결국 '비보도' 요건이 깨지면 출입기자는 기자단 총회 의결을 통해 출입정지 등 불이익을 감수하지 않으면 안 된다. 나도 몇 차례 징계를 받았다.

나는 외무부 출입기자로는 정확하게 2년 7~8개월간 출입했다. 소위 '보조지원' 기간까지 합치면 3년이 훨씬 넘는다. 정치부 기자가 한 출입처에 이렇게 긴 시간 머물기란 쉽지 않다. 흔히 '물먹은 경우'가 아니면 정치부에 '있으나 마나' 한 존재일 경우로 인식되는 경향마저 있었다. 그러나 나는 별로 개의치 않았다. 오히려 국내외 순환근무가 잦은 외교관들과의 생활에서 귀동냥할 일이 많았다.

정치부 기자 가운데는 외무부 출입을 꺼리는 경향도 있었다. 더구나 장기출입은 모두 손사래를 쳤다. 외무부 출입 명령을 받으면 더러는 '물먹은 것'으로 인식하기도 했다. 하지만 나는 외무부 출입이 그렇게 나쁘지 않았다. 오히려 적성에도 맞는 듯했다. 특히 해외근무에서 돌아온 이들과의 교유에서 많은 것을 깨닫게 됐다. 젊은 외교관 가운데는 우리 집에까지 와서 2차나 3차로 양주를 마신 사람도 적지 않다. 내가 가진 양주가 이들과의 사교에 촉매제가 된 셈이다.

술 욕심이 많았던 나는 젊을 때는 작은 양주병(미니어처) 수집이 취미였다. 그러다 숫제 양주 수집으로 격상했다. 3년여의 미국생활을 마치고 귀국할 때 리쿼스토어(양주 판매상)를 운영하던 선배 몇 분은 이삿짐 속에 커다란 양주 박스 몇 개를 귀국선물로 채워 주었다. 이것을 무기로 나는 집에서 수시로 양주파티를 벌였다. 나이가 들고서는 가급적 독한 스카치를 삼가고 있지만 지금도 평화로운 수면을 위해 한두 잔 마실 때가 있다.

007기 참사에 이어 아웅산 참변까지

외무부를 출입한 지 얼마 되지 않아 경천동지할 사건이 잇달아 터졌다. 겨우 두 달째에 KAL 007기 피격사건이 발생했다. 그해(1983년) 8월 31일 오후(한국 시간) 승객 240명과 승무원 29명을 태우고 뉴욕 존에프케네디 공항을 떠나 김포로 오던 이 비행기(보잉747 점보기)가 이튿날 새벽 시베리아 상공에서 소련 전투기가 발사한 미사일에 격추된 대참사가 발생했다. 승객, 승무원 등 269명이 몰사한 전대미문의 참사가 그것이다. 흔히 'KAL 007기 피격사건'으로 불리는 이 사건은 세계 민항사상 초유의 대참사였다.

외무부에 즉각 대책반이 구성됐고, 나를 비롯한 출입기자들의 고행이 시작됐다. 정부는 모든 외교력을 소련의 야만적인 민항기 공격행위 규탄에 집중했다. 당장 9월 하순 장(場)이 선 유엔총회는 물론 긴급하게 소집된 국제민간항공기구(ICAO) 총회 등에서 소련 규탄에 나섰다. 외무부 기자실은 그야말로 장터와 다름없었다. 각 TV방송국의 생방송용 ENG카메라와 마이크가 기자실 중앙에 고정으로 자리 잡았고, 구석구석엔 기자들이 밤을 새우기 위해 가져다 놓은 가벼운 침구류가 쌓여 갔다.

KAL기 피격사건이 발생한 지 40일이 되지 않아 이번엔 미얀마(구 버마)를 방문 중이던 전두환 대통령 일행이 테러공격을 받았다. 서석준 부총리, 이범석 외무장관, 함병춘 대통령비서실장 등 수행원 17명이 북한 공작원이 설치한 폭탄에 폭사하는 참극이 발생했다. 불과 한 달여 사이를 두고 일어난 전대미문의 참사는 정부는 물론 외무부 기자실을 패닉 상태에 몰아넣었다. 기자들 침구류도 점차 두터운 것으로 월동 채비를 해야만 했다.

한반도 사태가 불안하게 전개되자 미국이 한국을 위무하지 않을 수 없게 됐다. 레이건 미 대통령이 11월 12일 갑자기 한국을 찾아왔다. 한미상호방위조약에 따라 미국이 한국의 철통방위를 다짐하기 위해서다. 미국 대통령으로서는 처음으로 국회연설을 했고, 특히 고령의 미 대통령이 비무장지대를 찾기도 했다. 이래저래 외무부 출입기자들은 정신 차리기 어려울 정도로 바쁜 한 해를 보내야 했다. 간혹 출입기자들이 외무부를 떠나면서 앞으로 외무부 쪽을 보고는 오줌도 누지 않겠다고 할 정도로 고달팠다.

평시라면 10년치가 되고도 남을 엄청난 사건·사고를 1983년 한 해에 맞닥뜨린 셈이다. 지금도 나는 이들 사건 수습현장을 지켜볼 수 있었던 것을 개인적으로 퍽 소중한 경험이라 생각한다. 큰 사건 와중에 기자와 외무부 직원 사이에 때론 팽팽한 긴장감이 감돌기도 했지만 일체감과 유대감을 느끼기도 했다. 지금은 거의 은퇴했지만 당시 외무부에서 함께 날밤을 지새웠던 사람들과는 요즘도 더러 안부를 주고받는다.

외교정책 자문위원으로

  이렇게 치열하게 생활해야만 했던 일을 10년 뒤인 1993년 늦게 한 권의 책으로 엮어낼 수 있었다. 출판사의 고집으로 표제는《외교가의 사람들》이었으나 부제는 '비록(秘錄) 5공(共) 외교'였다. 내가 외무부를 출입하던 기간이 소위 '5공화국' 시점이었고, 대부분 이 기간 중 일어난 사건·사고를 망라했다. 졸저의 집필 동기는 한국일보 자매지『주간한국』에 연재하기 위해서였다. 나는 우연한 기회에『주간한국』부장을 약 1년간 맡은 적이 있다. 1주일에 꽤나 두터운 책자 타입의 주간지를 만드는데 취재기자는 부장인 나를 빼고 달랑 1명 혹은 2명이었다.

  부장이라고 후배기자가 써 온 원고만 살피고 있을 수는 없었다. 외신도 찢어 직접 번역해야 했고, 기사 발주하는 일에도 신경 써야 했다. 나와 함께 근무했던 기자가 정재룡, 신재민, 이창민, 정진석 기자(현 새누리당 대표) 등이다. 이들은 대부분 몇 달도 안 돼 해외연수나 외근부서 혹은 특파원으로 옮겼다. 법조를 오래 출입한 신 기자에게 '5공 법조'란 타이틀로 법조 일화를 연재하도록 했으나 이내 정치부로 옮겼다. 이어 동경 연수에서 돌아온 이창민 기자를 맞아 연재를 계속, 한 권의 책으로 엮은 게 호평받은 『서소문에서 서초동까지』다.

『주간한국』의 지면을 메우기 위해 시작한 나의 '5공 외교'도 연재가 계속될수록 반응이 뜨거웠다. 특히 외교관들로부터 많은 관심을 끌었고, 더러는 제보와 함께 잘못된 부분을 교정까지 해주었다. 이 졸저로 인해 어느새 나는 외교전문기자라는 꼬리표를 달게 되었다. 특히 한국일보 정치부장을 끝으로 취재현장을 떠나 논설위원이 되자 외교현장으로부터의 부름이 잦았다. 외교업무에 작은 도움이라도 된다면 어디든 달려갔다. 일종의 재능 기부를 한다는 자세로 각종 외교단체 자문모임에 이름을 얹었다. 가장 먼저 외교부(김대중 정부에서 외무부가 통상교섭본부를 흡수해 외교통상부가 됐다.) 정책자문위원이 됐다.

외교통상부는 DJ의 혜안

'국민의 정부'가 한 일 가운데 가장 잘한 일을 꼽으라면 나는 외교통상부를 발족시킨 일이라고 생각한다. 기존 외무부에 구 상공부의 통상교섭 기능을 떼어내 외교통상부를 발족시킨 일은 DJ의 혜안이라고 생각한다. 한국은 대표적인 자원부족 국가다. 석유 한 방울 나지 않고 금, 은, 구리, 석탄 등 지하자원이 빈약하다. 모든 자원을 수입해야 한다. 그걸 가공해서 다시 해외에 되팔아 결국 인건비 정도 챙기는 취약한 경제구조다. 우리 경제의 대외의존도는 거의 절대적이라 할 수 있다.

DJ가 구 상공부의 강력한 반발을 누르고 통상교섭 기능을 외무부에 합친 함의는 명백하다. 대외교섭 능력을 가진 외교통상부로 하여금 수출경제의 견인차가 되라는 의미다. 오늘날 외교업무의 대부분이 사실상 통상교섭 업무라는 사실에서 이를 되새길 수 있을 것이다. 해외에 우리 물품을 내다파는 일에 외교력이 집중돼야 한다는 의미다. 박근혜 정부가 이 업무를 다시 외교부에서 떼어낸 것은 안타깝다.

나는 DJ정부가 조직개편에서 통상교섭 기능을 외무부에 합치도록 한 결정에 대해 사설, 칼럼 등으로 지지했다. 단순히 정무 기능에 머문 외무부를 미 국무성 같은 초실세 부서(super ministry)로 만들어 오늘날 대부분의 외교현안이기도 한 통상업무를 원활하게 하는 것이 국익에 도움이 되리라는 판단에서다. 당시 통상외교 업무 등은 재정경제부, 산업자원부, 농림수산부 등 모든 경제부서에 그 기능이 찢어진 채 방만하게 위임되고 있었다.

박근혜 정부 인수위가 다시 외교통상부로부터 통상업무를 떼어내려 할 때 나는 반대하는 견해를 한국일보에 기고한 바 있다(한국일보 2013년 1월 24일자 특별기고 '외교와 통상교섭업무 분리 재검토해야' 참고). 회고록 집필을 위해 지리산에 머물고 있던 나는 이래서는 안 되겠다 싶어 어느 날 새벽 급히 작성한 원고를 한국일보에 보냈더니 게재해 주었다. 거듭 말하지만 오늘날 외교업무의 대종인 통상업무를 분산해서는 효과적인 결과를 얻기 어렵다. 지금처럼 곳곳에 찢겨 나눠지면 시너지 효과는커녕 어느 누구에게 외교 실패의 책임을 묻기도 어렵다.

5공의 외교현대화 계획

5공 정권 초기에도 '외교현대화 계획'이란 이름으로 외무부의 권한확대 방안이 농밀하게 논의된 적이 있다. 이 계획 역시 외무부에 통상 등

모든 대외교섭 업무를 전담시켜 다가올 세계 경제전쟁에 대비하려고
한 선견지명이 아니었나 생각된다. 개혁성이 강한 것으로 알려진 허화
평 정무수석 휘하에서였다. 그러나 얼마 되지 않아 허 수석이 정치적
소용돌이에 휘말린 끝에 경질되자 그 계획 자체가 무산된 바 있다.

당시 '외교현대화 계획'의 요체도 모든 대외업무 창구의 외무부로의
단일화였다. 달리 말하면 '모든 외교업무의 외무부 귀속화'다. 다음은
당시 대통령 직속 '외교현대화를 위한 대통령위원회' 위원으로 활동한
바 있는 김달중 연세대 정외과 명예교수의 증언이다(졸저『외교가의 사람
들: 秘錄 5공 외교』, p. 138).

"1982년 초로 기억해요. 청와대 쪽으로부터 '외교현대화를 위한 대통령
위원회'에 나를 학계 대표위원으로 위촉할까 하는데 동의해 달라는 요청이
왔어요. 대학에서 국제법과 외교학을 전공한 후 외무부(외교연구원 교수)에
서 5년간 외교업무를 연구해온 터라 흔쾌히 수락했지요. 외교학을 공부하
는 학도 입장에서 볼 때 당시 한국 외교는 이런저런 이유로 역량이 분산돼
엄청난 국력 낭비를 초래하고 있는 실정이었어요. 예컨대 대외업무를 총괄
하는 외무부는 고작 전통적인 업무, 즉 정무 기능뿐인, 좀 심한 비유가 될
지 모르나 미 국무성 의전국 정도의 기능밖에 하지 못하고 있었다고 봅니
다. 1980년대 들어 세계교역량 폭증과 함께 각국은 국가경제에 사활이 걸
린 통상외교에 모든 역량을 쏟게 되었습니다. 하지만 우리는 상공부, 경제
기획원, 농수산부 등이 외무부 역할을 쪼개 사실상 대행하고 있었어요. (중
략) 따라서 외교현대화 작업이란 각 부처별로 분산 가동되고 있던 대외업
무를 외무부로 통합 조정하자는 내용이지요."

외무부에서 파견된 이장춘 비서관을 비롯한 외교현대화추진 핵심실무팀은 허화평 수석 등 핵심 개혁세력의 전폭적인 지지 속에 외무부가 모든 대외업무의 단일창구가 되도록 성안했다. 이들은 "우리 외무부도 모든 대외업무를 총괄조정하는 미 국무성처럼 돼야 한다"는 확신에 찬 신념을 갖고 있었다. 이런 관점에서 보면 외교현대화란 궁극적으로 '외무부의 미 국무성화'라고도 할 수 있었다.

고위급 개방직 심사위원 맡기도

나는 외교부에서 현안이 생겨 자문위원회를 구성하면 약방의 감초마냥 부름을 받았다. 일본의 역사교과서 왜곡사태가 큰 정치·사회적 이슈가 됐을 때나 외규장각 반환문제가 쟁점이 됐을 때도 자문위원으로 발품을 보탰다. 북한핵 해결책으로 북한에 경수로발전소를 건설하기 위해 한반도경수로사업단(KEDO)이 발족한 후에도 자문위원이 됐다. 무엇보다 기억에 남는 것은 외교부가 고위직 몇 자리를 개방키로 하고 이들을 채용하려 할 때 선발전형위원으로 참여한 일이다.

개방직 공채란 외교부에 외부의 신선한 바람을 도입해 보자는 취지였다. 다시 말해 외시 출신만의 천편일률적 조직에 새 바람을 넣어보자는 시도다. 외교부는 부단하게 안팎으로부터 조직의 무사안일을 질타받는 경우가 잦다. 특히 해외공관의 기강 해이는 일이 터질 때마다 여론의 뭇매를 맞았다. 예컨대 중국에서 우리 국민이 마약 밀거래 혐의로 극형인 사형을 선고받고 복역 중 형이 집행되는 일이 발생했다. 그럼에도 해당 공관은 이를 까마득히 모르는 일까지 있었다(한국일보 2001년 11

월 13일자 메아리, '동네북'을 위한 변명 칼럼 참고).

외교부로서는 입이 열 개라도 할 말이 없는 경우도 많았다. 왜 이런 사태가 발생했을까? 원인을 다각도로 챙겨 보았다. 결론은 외교인력의 태부족 현상을 먼저 지적하지 않을 수 없었다. 다음으로 기강 해이라고 보았다. 해외근무를 나가면 본부의 감시망에서 벗어났다는 해방감이 생기게 마련이다. 본국의 공휴일은 물론 주재국 휴일까지 공관을 열 필요가 없다. 어쩌면 휴일천지의 세상에서 사는 꼴이다.

휴일에 골프장 가는 것을 누가 시비할 수 있겠는가? 더구나 해외근무 중 휴일골프를 탓할 수는 없을 것이다. 하지만 정도의 문제다. 많은 경우 문제될 만큼 요란하지는 않지만 더러는 정도가 심한 경우도 있었다. 특히 문제가 터질 때마다 마가 끼듯 골프문제가 끼어들었다. 그렇다고 해외근무자에게 골프금지령을 내릴 수는 없는 일이다.

정부는 해외공관원의 근무기강을 다잡을 목적으로 해마다 연초에 공관장 회의를 개최하고 있다. 공관장 부부를 초청, 1주일여에 걸쳐 정신교육 등을 하고 있다. 특급호텔에 투숙토록 해 국내 정치상황은 물론 중점시책 등을 설명하고 산업시찰도 주선한다. 해외근무 중 야기될지 모를 기강 해이를 방지하기 위해 공관장부터 챙기는 행사다. 대통령 훈시를 듣기도 하고 마지막에는 장관과의 1대 1 면담과정도 있다. 자신의 신상문제를 비롯, 해당 공관의 숙원사항 등에 대해 허심탄회하게 보고하고 해결책을 모색한다.

정부는 이와 함께 외부의 신선한 바람을 주입하기 위해 몇 개의 외교부 고위직을 개방하기에 이르렀다. 극히 배타적 순혈주의에 '바람'을 넣자는 시도다. 문화외교국장, 공보관 등 2급 이상 고위직 개방이 첫 시험대였다. 두 차례 심사위원으로 참여했지만 두 번 모두 외교부 집안잔치로 끝나고 만 아쉬움이 있다. 외교관의 필요충분조건이기도 한 언어문제가 큰 걸림돌이었다. 언어문제에 관한 한 외교관급 유자격 인재가 드물다. 결국 유감스럽게도 외교부 내 경쟁, 집안잔치로 끝날 수밖에 없었다.

서울대 윤영관 교수(노무현 정부 때 외교부 장관 역임)와 연세대 문정인 교수(노무현 정부 때 장관급 국제안보대사) 등과 함께 선발전형위원으로 참여했지만 만족할 만한 결과는 얻지 못한 것 같다. 기억에 남는 일은 문화외교국장에 지원한 전직 언론인을 내가 주도적으로 천거한 것이다. 그는 언론인 출신으론 드물게 영어에 능통했고 워싱턴에서 공보공사로 근무한 적도 있다. 마지막까지 경쟁자였던 여성을 제치고 그를 천거했다.

마지막까지 경합했던 여성은 공채 출신으론 최고위직이었다. 그분은 첫 여성대사가 될 가능성이 컸다. 대사 발령받을 때 스포트라이트를 받으리라 보고 '개방'의 의미를 살려 언론계 인사를 결정했다. 그러나 청와대 재가과정에서 거부됐다. 사유는 그분의 한나라당 소속 총선출마 전력 탓이다.

그 일로 반기문 차관이 DJ정부로부터 미운 털이 하나 더 추가돼 외무부를 떠나야 하는 일이 일어났다. 반 차관은 후에 한승수 유엔총회의장 비서실장으로 기용돼 유엔사무총장이 되는 토대를 쌓는 전화위복의 계기가 되지 않았나 생각된다.

나는 그 밖에도 외교부 산하기관인 각종 단체의 자문위원을 맡기도 했다. 국제협력단(KOICA)과 한반도경수로사업단(KEDO) 자문위원에 이어 재외동포재단에서는 자문위원장을 맡기도 했다. 내가 특히 외교부 산하단체 자문위원으로 참여하게 된 것은 아무래도 기관장들이 본부와

의 소통을 중시했기 때문 아닐까 싶다. 외교부 출입을 통해 쌓은 고위
직과의 원활한 관계를 아는 단체에서 나를 필요로 하지 않았나 생각된
다. 나는 보잘것없는 재능이지만 나라를 위해 기부한다는 심정으로 기
꺼이 참여했다.

노진환 의원과 정인숙

김영래 총장이 회장일 때 한국정치학회는 워싱턴에서 북미정치학회와 공동으로 북한핵 문제를 주제로 국제학술회의를 개최했다. 김 회장, 박병원, 나, 왕년의 '세 사람'은 약 1주일간 워싱턴 여행을 함께했다. 정치학회 회장인 김 총장과 박병원 박사는 정치학회 부회장으로, 한국일보 정치외교담당 논설위원이던 나는 언론계 몫의 토론자로 초청받았다. 당시 나는 외무부, 통일부와 함께 한반도경수로사업단(KEDO), 국제협력단(KOICA), 재외동포재단 등의 자문위원으로 활동하고 있었다.

워싱턴 세미나 과정에서 취재했던 일화다. 이 회의에는 펜실베이니아대학 이정식 교수 등 재미 정치학자들이 다수 참석했다. VOA(Voice of America) 소속 김영호 선생도 미국 쪽 참석자 가운데 한 분이었다. 김 선생은 한국에 계실 때는 KBS, 동아방송, 기독교방송 등 여러 방송에서 큰 활약을 해 유명한 전직 아나운서였다.

그분은 나를 만나자 고 이만섭 전 국회의장의 안부부터 물었다. 이 전 의장과는 연세대 정외과 동기동창이라고 했다. 그 외에도 그분과 연세대 정외과 동문인 안세훈 대사(전 쿠웨이트 대사)와 고 김옥진 전 총무

USC대학원 정치학과에서 함께 수학했던 세 사람이 워싱턴에서 열린 북한핵토론회에 참석한 후 기념촬영을 하였다.(왼쪽이 김영래 한국정치학회회장·전 동덕여대 총장, 저자, 고 박병원 부회장·인하대 법정대학장 역임)

처 차관, 오세응 전 국회부의장 등을 화제로 오랫동안 대화를 나눴다. 안 전 대사는 내가 외무부 출입할 때 감사관이어서 나와도 친했다. 이 분은 외교관 초년병 시절부터 해외근무를 나가면 지역구민(경기도 안성 으로 기억)에게 우편엽서 보내는 게 중요 일과였다고 외무부 내에 소문 이 자자했다. 고향에서 국회의원 되는 게 소망이자 목표였기 때문이다. 불행히도 이분의 꿈은 이뤄지지 못했다.

뒤에 이만섭 국회의장은 안세훈 군이 가장 먼저 배지를 달 줄 알았는 데 '내가 먼저 의원이 됐다'고 술회하기도 했다.

내가 워싱턴 세미나장에서 김영호 선생을 만나 가까워진 사연이 있 다. 가슴에 단 명찰 때문이다. '노진환'이란 내 한글 이름이 워싱턴 사회 에 계신 분들에겐 고 '노진환(魯璡煥)' 전 의원(유정회 소속, 워싱턴교민회장 역임)을 연상시켰다고 한다. 또 김 선생과 나는 그분의 연세대 동문들, 이를테면 이만섭 전 의장, 안세훈 전 대사, 오세응 전 부의장, 김옥진 전 차관, 박정수 전 의원 등에 관해서도 많은 얘기를 나눌 수 있었다. 앞서 도 얘기했듯이 그분의 친구들이 대부분 나와도 이런저런 연유로 지근 거리였기 때문이다.

워싱턴 교민회장, 정인숙 관리 맡아

세미나 일정 가운데는 워싱턴 교외를 버스로 관광하는 기회도 있었 는데, 이 버스투어 동안 김 선생은 시종 내 곁에 자리를 잡았다. 이때 김 선생이 들려준 얘기는 작고한 노 전 의원이 워싱턴교민회장 때의 일 화였다. 그분은 광주 출신으로 고려대 정외과를 졸업하고 유학길에 올 랐다가 미국에 눌러앉게 됐다고 했다. 워싱턴교민회장 때 그는 유명한 월도프 아스토리아 호텔에 근무했다. 김 선생의 설명에 따르면 노 전 의원은 일반에 알려진 대로 호텔 총지배인(General Manage)이 아니라 주방담당 지배인(Kitchen Manager)이었다.

노 전 의원은 워싱턴교민회장 때 의문의 총격으로 사망한 정인숙 여 인과 인연을 맺게 됐다고 한다. 정인숙은 당시 우리나라 최고급 요정에 서 미모와 늘씬한 몸매로 고위 정치인들과 염문을 뿌리다가 죽음에 이 른 비운의 여인이다. 김 선생의 설명에 의하면 정인숙이 서울에서 누군 가의 아이를 출산한 후 기고만장해지자 정부기관이 이 여인을 워싱턴 으로 빼돌렸다고 한다. 정부기관의 부탁으로 워싱턴에서 정인숙을 보 살핀 사람이 바로 교민회장인 노 전 의원이었다고 한다.

166

워싱턴에 온 정인숙은 노 교민회장의 주선으로 유학생과 결혼했다. 정 여인을 이곳에 정착시키려는 공작(?)의 냄새가 진했던 이 결혼은 얼마 못 가 파탄 났다. 김 선생의 설명에 의하면 이 결혼은 애초 오래 가리라 생각할 수 없었다는 것이다. 이미 화류계에서 손 큰 씀씀이를 경험한 사치스러운 여인이 가난한 유학생의 생활수준을 만족해하고 살기란 당초 기대 밖이었다.

정인숙은 무엇 때문인지는 모르나 워싱턴 우리 대사관에 찾아가서도 당당했다. 간혹 대사의 책상을 내리치며 거칠게 항의하는 일도 있었다. 당시 김동조 대사도 속깨나 썩었을 것이라고 했다. 정인숙이 대사관에 찾아가 위세를 부리며 책상을 치고 항의한 까닭은 무엇일까? 많은 사람들은 아마도 정 여인의 여권을 어떤 이유인지는 모르나 우리 대사관이 보관·관리하지 않았을까 추측한다. 그럼으로써 정 여인의 귀국을 통제하는 형식이 되지 않았을까 유추하기도 한다.

노 전 회장은 1972년 유신 선포 이후 생긴 유정회 국회의원이 되었다. 정계 진출의 꿈을 이룬 것이다. 많은 사람들은 노 전 회장의 발탁이 워싱턴교민회장 때 해외동포로서 유신지지 선언을 선도했기 때문이라고 알고 있다. 물론 노 전 회장이 워싱턴교민회장으로 유신지지 성명을 가장 먼저 낸 것은 사실이다. 하지만 더 큰 발탁의 공로는 정인숙 여인을 보살폈기 때문이었을 것으로 생각하는 사람도 많다. 노 전 의원은 대학(고려대 정외과)을 졸업하고 광주서중에서 잠시 영어교사로 근무한 적이 있다고 한다. 한국일보 경제부장을 역임하고 자매지 서울경제 임원으로 근무한 바 있는 고 최상태 선배가 광주서중 다닐 때 노 전 의원으로부터 영어를 배웠다고 한 얘기가 생각난다.

JP, 정 여인 아들의 아버지를 확인해주다

정인숙 여인이 낳은 아이의 아버지가 누구냐를 놓고 세간에 말이 많았다. 수사과정에 나온 사망한 정 여인의 수첩에 고관대작의 이름과 연락처가 빼곡했기 때문이다. 시중엔 이 수첩에 있는 이름들이 마치 '정여인의 남자'인 양 간주하는 유언비어가 많았다. 50수 년이 지난 지금 그 아이는 정(丁) 모 씨로 알려졌다. 얼굴 생김새 등 이목구비가 정일권 전 국회의장과 흡사해 그의 아들임이 분명해진 것이다.

후에 아이 아버지가 누구일까로 설왕설래할 때 JP(김종필 전 총리)가 정일권 전 의장이라고 증언한 바 있다. JP는 나를 비롯한 언론인 몇 사람과의 식사자리에서 '정 여인의 남자'가 정일권 전 의장임을 확인해 주었다. 그날 JP가 전한 얘기는 이렇다. 하루는 박정희 대통령을 만나러 청와대를 방문했다. 대통령 집무실에서는 선약 인사가 이미 박 대통령을 만나고 있었다. 의전비서관에게 물었더니 정일권 국회의장이었다. 그날따라 면담시간이 길어져 부속실에서 한참을 기다렸다고 했다.

얼마 후 정 전 의장이 손수건으로 눈물을 훔치며 나오더라는 것. 당시 정 전 의장은 정 여인 사망사건으로 큰 물의를 일으킨 책임을 지고 박 대통령에게 사의를 표했다고 한다. 그러나 여자문제에만은 관대했던(?) 박 대통령이 즉석에서 사표를 반려했다. 박 대통령이 "뭐 그런 문제로 사표까지 내려고 하느냐"고 사의를 만류하는 목소리가 문밖의 JP에게까지 들렸다고 했다. 박 대통령이 말한 '그런 문제' 속에는 외도 외에 정 여인이 사망한 사안까지 포함되는지 여부는 확인할 길이 없다.

정 전 의장에게는 당시 부인과의 사이에 딸만 있었다고 한다. 정 여인의 의문스러운 죽음으로 이 사건은 뒤에 정치·사회적 문제로 크게 비화되었다. 하지만 정치권에서는 대를 이을 아들이 없다고 아쉬워하던 정 전 의장에게 아들이 생겼다고 반기는 분위기도 있었다. 특히 오매불망 손자를 기다렸던 정 전 의장의 모친이 가장 기뻐했다는 얘기가 나돌기도 했다.

세계적 석학, 김경원 박사

　은사인 고 김경원 박사와 함께 KEDO 자문위원으로 일한 것이 기억에 남는다. 대학에서 김 박사로부터 가르침 받은 것을 나는 행운이라 생각한다. 김 박사는 내가 대학 4학년 때인 1971년 초에 귀국, 고려대 교수로 부임해 오셨다. 김 박사가 고려대로 오게 된 것은 다소 극적인 계기가 있었다고 한다. 고대 정치학과 명예교수인 강성학 박사에게 오래전 들은 얘기다. 강 박사는 나의 대학 3년 후배다. 그는 김 박사의 국내 첫 대학원 제자다. 풀브라이트 장학생으로 미국에서 박사과정을 마치고 1982년부터 모교에서 가르치다 몇 년 전 정년퇴직했다.

　그분의 전언에 의하면 박정희 최고회의 의장이 케네디 대통령 초청으로 미국을 방문했을 때라고 한다. 김 박사는 하버드대학 박사학위 후보생이었다. 하버드대 한인 유학생 대표였던 김 박사가 동료들과 함께 박 의장에게 청문회하듯 쿠데타의 지향점, 민정이양 계획을 비롯한 향후 정치일정 등을 매섭게 따졌다. 강한 인상을 받은 박 의장이 대통령이 되고 난 후 그에게 귀국을 종용했다고 한다.

　그는 미국에서 전임교수가 돼 안정적인 삶을 유지하고 있었음에도 청와대의 부름에 응해 기꺼이 귀국했다. 그런데 당시 사회분위기가 그분의 발목을 잡았다. 1968년 김신조 일당의 청와대 기습사태 이후 우리 사회는 부쩍 국가안보를 강조하는 분위기가 되었다. 그 한 예로 어떤 이유로든 현역으로 병역을 마치지 않은 사람은 청와대 근무가 불가능한 때가 있었다.

요즘이야 군대를 안 간 사람도 대통령이 되는 세상이다. 천안함 사태 때로 기억한다. 대통령이 긴급소집한 안보장관회의가 청와대 지하벙커에서 열렸다. 야전점퍼까지 갖춰 입어 제법 긴장감을 불러일으켰지만 참석자 가운데 국방장관을 빼고는 거의가 병역 미필자였다. 대통령은 말할 것도 없고 국무총리도, 국정원장도, 청와대 비서실장도 하나같이 미필자였다. 집권당 대표는 절에서 고시공부하다 글을 모르는 어머니가 소집영장을 전하지 않아 입대를 못 했다는 해괴한 해명을 하기도 했다. 자신의 병역기피 의혹에 '문맹 어머니'까지 동원한 일이 이명박 정부에서 있었다.

어쨌든 일찍 유학길에 올랐던 김 박사는 군복무 기회를 갖지 못했다고 한다. 박 대통령의 요청으로 귀국은 했지만 이런 사회적 분위기 탓에 청와대나 주요 관직에 등용되기 어려웠다. 김 박사의 청와대행이 주춤거리는 사이 당시 김상협 고려대 총장이 '이삭 줍듯' 얼른 고려대로 스카우트하게 됐다고 한다. 그래서 우리는 김 박사 같은 국제적으로 저명한 석학으로부터 배울 행운을 갖게 됐다.

하버드 옌칭도서관 사서로 오래 근무했던 고 김성하 선생이 생전에 김 박사의 하버드 생활을 나에게 증언한 바 있다. 그분 말씀이 함병춘 박사와 김경원 박사는 하버드에서 한국인의 우수성을 알리는 존재였다고 했다. 강성학 박사와 나를 비롯, 함께 대학을 다닌 사람들은 김 박사의 가르침 받은 것을 퍽 행운으로 생각한다. 김 박사의 박식함은 우리를 놀라게 했고, 체계적인 지식은 늘 우릴 감탄케했다.

KEDO에서 함께 자문위원으로 일할 때 선생님은 퍽 대견해하셨다. 다소 냉정한 분이라 표현은 잘 안 하셨지만 자신이 가르친 제자라는 마음을 은연중 비치시기도 했다. 언젠가 선생님과 함께 제주로 출장 간 적이 있다. 해변 횟집에서 소주 마실 기회가 있었다. 당시 심한 파킨슨병 증상을 치료받고 있다고 했던 것 같다. 손을 심하게 떨고 계셨다. 안타까워 일부러 잔을 권하지 않았다. 그랬더니 떨리는 손으로 나에게 잔을 내밀며 술을 부어 달라고 하셨다. 선생님과 나는 잠시나마 병마에 대한 시름을 잊은 채 꽤나 많은 양의 소주를 생선회와 함께 들었던 기억이 새롭다.

김 박사는 한국일보 지면 제작에도 많은 도움을 주셨다. 다른 유력신문들이 이미 장기계약 등으로 고정 필진에 묶어 두었지만 내가 부탁드리면 어떻게든 도와주려 했다. 예컨대 긴급대담을 해야 할 경우가 있었다. 다른 유력지와의 계약이 장애가 될 법도 했지만 내 요청엔 응해 주셨다. 한국일보 형편상 다른 신문의 절반에도 못 미치는 수고비에도 흔쾌히 응하셨다. 진남포가 고향인 선생님이 평소 입버릇처럼 "김일성이가 나 같은 사람에게 손을 내밀면 내가 북한을 위해 큰일을 도모할 수 있을 텐데…" 하고 점차 고립무원 상태에 빠져드는 고향 북한을 안타깝게 바라보던 모습이 눈에 선하다.

외로웠던 재외동포법 폐지 운동

한국일보 정치·외교담당 논설위원으로 직책은 논설실장과 주필 직을 맡고 있을 때다. 시기적으로는 '국민의 정부' 시절이다. 김대중 대통령이 법무부에 재외동포에게 이중국적 등의 편의를 제공토록 하는 소위 '재외동포의 출입국과 법적지위에 관한 특례법'(약칭 재외동포법) 성안을 지시했다. 법 형식 논리로는 모든 재외동포가 수혜대상이다. 그러나 실익은 재미동포에게만 돌아가게 하기 위함이 분명했다.

DJ는 과거 군사독재로부터 혹독한 탄압을 받았을 때 특히 미주동포로부터 많은 지지와 성원을 받았다. 그가 유신정권에 의해 동경에서 납치돼 수장 직전 미국 기관의 도움으로 목숨을 건진 얘기는 널리 알려진 바다. 5공 군사정권으로부터는 내란선동 등의 혐의로 군사법정에서 사형을 선고받고 출국, 한동안 미국에서 망명생활을 하기도 했다. 신민당 돌풍으로 그가 귀국을 단행했을 때 그의 신변안전을 위해 미 하원의원 일행과 브루스 커밍스(Bruce Cumings) 같은 미국 내 지한파 인사 등이 동반입국한 일도 잘 알려진 얘기다.

레이니 총장, 한완상 구명에 진력

내가 미국에 체류 중일 때 듣고 목격한 사례다. 5공 군사정권은 비상
계엄을 확대하면서 DJ를 내란선동 등의 혐의로 군사법정에 세우면서
한완상 서울대 교수도 함께 구속기소했다. 1981년인지 1982년인지 정
확지 않다. 애틀랜타로 출장 갔다가 김학규 한국일보 지사장을 만났는
데 제임스 레이니(James T. Laney) 에모리대학 총장을 한번 만나지 않겠
느냐고 했다. 나중에 주한 미국대사로 부임한 그 레이니 총장이다.

레이니 총장은 한완상 교수 구명을 위해 온갖 노력을 하고 있다고 했
다. 한 교수가 에모리대 출신이라는 사실을 그곳에서 듣고 알았다. 레
이니 총장은 애틀랜타 출신의 연방 상원의원인 샘 넌(Sam Nunn) 의원
을 통해 한국정부를 압박하고 있다고 했다. 샘 넌 의원은 대외군사원
조 칼자루를 쥔 연방 상원국방위원장으로 5공 정권에 한 교수 석방을
압박했다. 얼마 안 있어 DJ를 비롯, 내란을 음모했다는 사람들이 거의
모두 풀려났다. 그들이 억지로 엮었던 혐의들이 근거 없음이 드러난
셈이다.

레이니 총장은 밥상에 꼭 김치를 올리는 미국인으로 소문 나 있다.
일찍이 주한미군으로 복무한 바 있는 레이니 총장은 워싱턴 주미 한국
대사관 정보공사를 지낸 동갑의 손장래 장군과 특히 두터운 친교를 하
고 있는 것으로 알려졌다. 레이니 총장은 방학 때면 자녀들을 한국에
보낼 정도로 지한파로 소문났다. 손 장군이 사단장 시절 방학을 맞아
한국을 찾은 레이니 총장의 자녀들을 돌본 일은 잘 알려져 있다.

커밍스 연구실 벽에 "김대중을 살리자"

한국전쟁 발발 이론으로 한때 각광받았던 브루스 커밍스 교수에 관한 기억이다. 1981년 여름방학에 시애틀을 방문했을 때다. 지금은 연락이 끊겼으나 얼마 전까지 콜로라도주립대 경영학 교수로 있던 조강래 박사가 워싱턴주립대에서 박사학위 후보생으로 있을 때 가족과 함께 그를 방문, 1주일여를 머물렀다. 그는 나의 대학동기이자 동향 친구다. 그와 함께 커밍스 교수를 만났다. 커밍스도 그 대학에서 종신 재직권을 얻기 위해 동북아 문제를 열심히 연구하고 있다고 했다.

그를 만났을 때가 유명한 그의 저서 『한국전쟁의 기원』을 막 출간했을 때였던 것으로 기억한다. 시애틀의 워싱턴주립대는 당시 커밍스, 제임스 펠레 교수 등이 활발하게 활동해 한국학의 메카처럼 보였다. 커밍스는 '평화봉사단' 일원으로 방한, 주로 전라도지역 중고교에서 영어교사로 일했다고 한다. 그의 연구실을 찾았더니 벽면에 '김대중을 살리자(save Kim Dae-Jung)'는 격문을 붙여놓았다. 그는 나중에 DJ가 미국망명에서 돌아올 때 일부 연방 하원의원들과 함께 DJ 신변보호인단 일원으로 내한했다. 롯데호텔 창밖을 내다보는 그와 손을 흔들어 인사를 교환했던 일이 엊그제 같다.

DJ에게 미국 그리고 미주동포는 그의 든든한 후견배경이다. 그가 천신만고 끝에 대통령이 되자 이 고마운 미주동포를 위해 뭔가 보은을 생각한 것이 아닌가 싶다. 그래서 들고나온 것이 재외동포법이다. 이 법으로 미주동포들이 이중국적을 갖고 마음대로 고국을 드나들며 각종 혜택을 누릴 수 있도록 하려는 것이다. 또 가능하면 교민들이 바라는 교민청을 신설해 그들의 민원도 수월하게 들어주려 했다.

시애틀 소재 워싱턴주립대학 브루스 커밍스 교수 연구실 벽면에
"김대중을 살리자"라는 구호가 걸려 있었다(1981년).

나라 안팎의 사정이 DJ가 생각했던 만큼 그렇게 간단하지 않았다.
교민청 신설은 당장 미국 등으로부터 교민을 과보호하려 한다는 비판
에 직면했다. 특히 미국정부가 이 법이 내정간섭 요인과 이민자 수를
의도적으로 확대하려는 저의가 있는 것으로 의심하기에 이르렀다. 교
민을 위하려는 교민청 신설안이 오히려 우리 국민의 미국 진출에 악영
향을 줄 가능성마저 제기되었다. 특히 조선족은 수혜대상이 아니라는
시그널에도 중국정부 역시 의심의 시선을 거두지 않았다. 혹시 한국이
조선족을 원격조종하지나 않을까 우려했다.

그럼에도 DJ는 법무부를 통해 이를 밀어붙이려 했다. 거듭 말하지만
교민정책은 재외동포가 거주국에서 뿌리내리는 데 주안점이 두어져야
한다. DJ가 이른바 '재외동포법'을 들고나와 세상을 어지럽힌 것은 정
말 잘못된 일이다. '서생적 문제의식'과 '상인적 현실감각'을 강조한 DJ
가 그런 오류를 범하리라고는 상상도 할 수 없었다. 미주동포를 위해
중국, 구소련 동포를 배제한다니 말이 되는가? 재외동포법 소동은 그래
서 비난받아 마땅하다.

민주화 과정에서 미주동포들의 지원이 고마웠다고 해도 보편성이

결여된 입법으로 보은한다는 것은 어불성설이다. 여론이 별 관심을 보이지 않는 사이 DJ정부는 이 입법안을 밀어붙이려 했다. 나는 수십 차례에 걸쳐 한국일보의 사설 혹은 지평선, 메아리 칼럼 등을 통해 이 특례입법의 부당성을 끈질기게 비판했다. 나에게는 집착하는 몹쓸 습관이 있다. 어떤 일에 필이 꽂히면 그 일이 완전히 끝날 때까지 매달리는 버릇이 그것이다. 특히 그 길이 옳다고 판단되면 끝까지 포기하지 않았다.

조선족은 동포가 아니라는 해괴한 논리

어찌된 일인지 나를 제외하고는 모든 언론이 이 문제에 전혀 관심을 두지 않았다. 비록 혼자였지만 나는 그들의 잘못을 끈질기게 시비하고 비판했다. 내가 이 문제에 천착해 연이어 비판하자 외교부에 원군이 생겨났다. 나의 고군분투를 지원한 사람은 당시 영사교민국 Y국장이다. Y국장은 내가 외무부를 출입할 때 장관 비서관이었다. 장관 비서관은 아무나 하는 자리가 아니다. 적어도 당대 같은 레벨에서 가장 똑똑한 사람이 발탁된다. 서울대 외교학과 출신의 Y국장은 장관 비서관 시절 나와 몇 차례 해외 나들이를 함께 한 바 있다.

함께 여행을 해보면 그 사람의 됨됨이를 파악하기 쉽다. 내가 보기에 그분은 담백하고 정의감도 충만한 분이었다. 외시가 나이에 비해 3~4년 정도 늦었다. 충남 천안 출신으로 알고 있다. 이원경 장관은 3년여 재임 중 세 사람의 비서관을 두었는데 모두가 충청도 출신이다. 이 장관에게 직접 물어보지는 못했지만 충청도 사람의 높은 충성심이 이유였다고 주변에서 얘기했다.

법무부가 1998년 8월 25일 입법을 예고한 다음 날 나는 사설로 이 법안이 문제투성이란 점을 지적하고 반대했다. 아무리 대통령 DJ의 의지라고는 해도 상식에 반하고 이치에 어긋난다면 아랫사람들이 DJ를 설득했어야 했다. DJ 집권 5년에서 가장 큰 패착을 들라고 한다면 나는 이 재외동포법 입법 소동이었다고 감히 말할 수 있다.

내가 때마다 사설, 칼럼 등에서 지적했지만, 그래 무슨 정부가 이 지역 동포는 동포고 저 지역 출신은 아니라고 획정할 수 있단 말인가? 그러면서 DJ는 취임사를 비롯, 공식자리에서는 국민의 정부는 상해 임정에 뿌리를 두고 있다고 천연덕스럽게 말했다. DJ가 왜 그렇게 무리수를 두면서까지 입법을 밀어붙이려 했는지 이해가 안 되는 대목이다. 내가 글 곳곳에서 지적했지만 법이란 누구에게나 공통으로 적용될 만큼의 보편성이 생명이어야 한다. 특히 재외동포법이 중국동포들을 제외하려 하자 참을 수 없었다.

논리적인 DJ의 비논리적 아집

김대중 정부의 충성스러운(?) 법무부는 1998년 8월 25일 '재외동포 법적지위에 관한 특례법'을 입법예고했다. 이 특례법 시안은 520만 해외동포에게 내국인과 동등한 법적 지위를 부여한다는 것이 골자다. 나는 8월 27일자 '문제 많은 재외동포법' 제하의 사설을 통해 비판의 포문을 열었다. 이 법이 불필요한 외교마찰 소지가 크고 관계부처 간 협의 과정도 전혀 없었다는 점 등을 지적하고 반대의사를 분명히 했다. 이어

9월 7일자 '지평선'란에 '특례입법 논란' 제하의 기명칼럼으로 재외동포법의 불필요성을 재차 강조했다.

중국정부가 각종 외교경로를 통해 이 법에 대해 강한 우려를 표명했다. 당장 그해 9월 하순 유엔총회에서 탕자쉬안(唐家璇) 중국 외교부장이 홍순영(洪淳瑛) 외교부 장관에게 직접 항의의 뜻을 밝혔다. 대내외 비판에 직면하자 법무부는 바로 수정안을 내고 중국정부를 달래려 했다. 수정안 5조는 재외동포 체류자격 취득요건과 활동범위를 대통령령으로 정하기로 했다. 정부가 대통령령 운용을 통해 조선족은 제외할 것이라고 중국을 설득했다. 법에는 '제외'를 명문화하지 않고 대통령령을 통해 조선족을 제외하려는 얄팍한 술수를 쓰려 했던 것이다.

나는 법무부의 이 수정안에 맞서 9월 30일자 '동포특례법 꼭 필요한가' 제하의 사설을 통해 정부의 꼼수를 비판하고 성안을 반대했다. 중국정부도 법안에 조선족 제외 규정이 없는 점을 들어 우리 정부의 진정성을 의심했다. 사실 김대중 정부가 그들이 신세 진 미주동포를 배려하려면 출입국관리법이나 건강보험법 등 개별법을 손질하면 얼마든지 효과를 볼 수 있었다. 그럼에도 군이 특례입법으로 밀어붙이려고 했다.

김대중 정부는 그해 12월 17일 재외동포법을 국무회의에서 의결했다. 예상대로 1948년 정부수립 이전에 중국 등지로 이주한 사람을 제외하기로 했다. 중국의 강력한 항의에 부딪치자 조선족을 제외키로 한 것이다. 누가 봐도 미주동포를 위한 위인설법임이 분명했다. 세상에 어느 지역 동포는 수혜를 보고, 어느 지역 동포는 제외한다니 말이 되는 일인가? 당장 보편성을 결여하고 있는 이 법을 누구에게 강제할 수 있겠는가?

나는 12월 20일자 '반쪽 법안' 제하의 지평선 칼럼을 통해 이 법안의 철회를 강력히 촉구했다. 이와 함께 박상천 법무장관에게도 이 법을 '박상천법'이라고 할 자신이 있느냐고 다그쳤다. 미국의 주요 입법은 발의자 이름을 넣어 부른다. 박 장관에게 이 법에 당신의 이름을 넣을 자신이 있느냐고 비꼰 것이다. 법무부 국제법규과장이라는 사람에게서 몇 차례 전화가 왔다. 찾아뵙고 설명을 드리겠다고 했다. 나는 법무부가 법안이 갖춰야 할 보편성을 회복할 생각이 있다면 만나겠지만 그렇지 않다면 만나지 않겠다고 사실상 거절했다.

"'박상천법'이라 부를 수 있겠나" 조롱

법무부는 다른 매체는 관심이 없는 이 문제에 유독 당신만 그렇게 물고 늘어지느냐고 불만인 듯했다. 이상하리만치 다른 신문이나 방송이 이 문제에 전혀 관심이 없었다. 한국일보가 계속 속보로 이 법안의 불합리성을 따지자 외교부도 다른 매체엔 신경 쓰지 않는 것 같았다. 독주가 힘겨운 마라토너가 동행주자를 찾듯 나도 동료를 찾게 되었다. 한국일보 이웃 연합뉴스 장영섭 논설위원에게 비판 대열에의 동조를 간청했다. 장 위원이 재외동포법 비판 대열에 한 차례 기꺼이 동참했다. 나에게는 큰 원군이 아닐 수 없었다.

내가 이 법이 조선족을 배제하고 미주동포를 위한 위인설법이라고 비판하자 미주동포 사회에서 항의가 빗발쳤다. 미국에서 유학생활의 혜택을 받고 간 사람이 왜 기를 쓰고 법 제정에 반대하느냐고 항의편지를 보내온 친지도 있었다. 심지어 미주지역에서 가장 영향력이 큰 한국일보가 "누구 덕에 장사하는데" 하고 협박하는 사람도 있었다. 그때마다 나는 미주동포 수혜를 반대하는 것이 아니라 중국동포 배제의 불합리를 시정하려 한다는 점을 강조했다. 조선족이 누군가? 대부분 일제하 독립운동을 위해 조국을 떠난 조상의 후예다. 지금 가난하다고 그들을 내치는 것은 독립된 정부의 할 짓이 아니라고 보았기 때문이다.

심지어 나의 칼럼 자구를 문제삼아 언론중재위에 제소하는 일까지 있었다. 예컨대 1998년 9월 8일자 '특례입법 논란' 제하의 지평선 기명 칼럼을 제소했다. "교민정책은 동포들이 현지사회 주류(主流)로 커가는 데 주안점이 두어져야 한다. 본국을 기웃거리는 '파리떼'가 교민의 주류는 아니다. 우리도 언젠가는 '한국판 후지모리'가 나와야 할 것 아닌가"에서 '파리떼'라는 표현이 미주동포의 명예를 훼손했다는 것이다. 중재위는 이 표현이 전체 동포를 폄하한 것이 아니라 비난 소지 있는 한정된 사람을 지칭한 것으로 보인다고 무혐의 처분을 하는 일도 있었다.

DJ는 매사가 논리적이고 합리적이라는 평을 듣는 정치인이다. 그런 사람이 터무니없는 이 법안을 밀어붙이려 하는 것이 도저히 이해가 안 되었다. 특히 당시 법무부 장관인 박상천 장관의 독일병정식 '추종'은 사태를 더욱 악화시켰다. 아무리 DJ 지시라 하더라도 논리적으로나 법체계상 문제가 있을 때 "아니 됩니다"라고 간언했어야 마땅하다. 현역 국회의원이긴 했어도 그의 검찰 경력은 그가 법무부 장관이 되기엔 터무니없었다.

박 장관의 재외동포법 밀어붙이기는 최소한의 이성도 없는 그야말로 '막가파식'이었다. 오죽했으면 내가 칼럼에서 시골지청장 출신을 장관으로 발탁해 주니 감읍해서 그러느냐고 힐난했겠는가. 이 법안은 몇 차례 관계부처 간 뜨거운 논의 끝에 수정에 수정을 거듭했다. 나는 고인이 된 홍순영 외무장관이 나에게 했던 말을 뚜렷이 기억하고 있다.

홍 장관은 당시 외교부 장관으로 박상천 법무장관과 이 법의 성안을 싸고 때론 험한 입씨름도 마다하지 않았다고 한다.

홍순영 "깡패와 멱살잡이 안 한 건 다행"

홍 장관이 물러나기 직전 즈음으로 기억된다. 하루는 홍 장관으로부터 전화가 걸려왔다. 홍 장관은 대뜸 "노 형! 그동안 정말 고마웠소. 그 깡패 같은 XX하고 멱살잡이하지 않고 독소 조항을 걸러낸 이 홍순영이의 협상력도 대단하지 않아요?"라고 했다. 그의 말이 이 법안을 둘러싸고 법무부와의 논의과정이 퍽 거칠었음을 시사했다. 그리고 그는 더 이상 그들과 다투고 싶지 않은 표정이었다. 나만 더 이상 이 문제를 거론하지 않으면 논란이 수습국면을 맞을 것 아니냐는 희망을 나타낸 것으로 나는 받아들였다.

나는 '재외동포법 폐지해야'라는 2002년 1월 15일자 메아리 칼럼에서는 홍 장관을 한 고위 외교관리라면서 이 통화 내용을 인용했다. 육두문자에 가까운 홍 장관의 말은 이 법안을 둘러싸고 그와 DJ정부 실세 법무부 장관과의 의견조율 과정이 얼마나 험난했는지를 웅변했다. 한 관계자는 자존심이 세기로 소문난 홍 장관이 대학후배인 이 독일병정 같은 법무장관과의 다툼과정에서 마음이 많이 상한 것 같다고 했다.

재외동포법 폐지 캠페인을 하는 동안 있었던 가슴 따뜻한 얘기를 남겨야겠다. 어느 날 해외근무를 마치고 귀국한 유태현 전 영사국장이 곧 외교부를 떠나야 한다는 얘기가 들렸다. 대전광역시 자문대사로 일하던 유 대사가 어려운 입장이라는 것이다. 평소 친형처럼 따랐던 김항경 차관에게 사정을 물었다. 김 차관은 정년은 아니나 명퇴를 해야 할 것 같다고 했다. 나는 김 차관에게 유 대사를 선처해 주도록 간청했다. 유 대사는 영사국장 때 허술한 재외동포법 폐지를 촉구하는 글을 쓰던 나를 많이 도왔다.

김 차관이 나의 뜻을 최성홍 장관께 전했다고 한다. 한번은 최 장관이 신정승 공보관만 대동한 채 나를 점심에 초대했다. 이미 김 차관으로부터 유 대사 문제를 전해 듣고 고민 중이라는 사실을 알고 있던 터라 더 이상 그 문제는 끄집어내지 않았다. 민원을 부탁한 나에게 최 장관은 "노 주필이 인정 있고 참 괜찮은 사람"이라고 했다고 한다. 출입 시 알던 사람이 곤경에 처했다고 발 벗고 나서니 인간미 있지 않으냐고 했다고 한다.

최 장관 같은 분을 만날 수 있었던 점이 퍽 다행한 일이다. 어찌 되었든 유 대사는 뒤에 많은 사람이 부러워하는 주베트남 대사로 부활했다. 나는 지금도 최 장관께 감사의 정을 느끼고 있다. 세상이 별건가? 일부에서는 인사 적체를 이유로 유 대사의 기용을 반대하는 목소리도 없지 않았다. 그러나 나로서는 그것이 최선이라고 믿었고, 최 장관의 배려가 너무 감사할 뿐이었다.

치열한 경쟁 끝에 이주일 회고록 유치

조선족, 중국동포와 나는 특이한 인연이 있다. 나는 논설위원이 된 1990년대 후반, 주말이면 자주 중국을 찾았다. '조선족언어문화진흥회'라는 단체의 일원으로 조선족이 밀집한 동북3성을 주로 찾았다. 요령성, 길림성, 흑룡강성 등은 소위 일제시대 만주라고 하던 우리의 옛 땅이다.

이 단체는 이한동 전 국무총리를 따랐던 인사들이 만든 친목모임이다. 주로 만주지역 동포들을 찾아가 사물놀이 악기 등을 전하며 민족적 일체감을 심어주는, 사단법인 형태의 결사체다. 내가 참여하기 전부터 이 단체는 이미 중국동포 조선족에게 많은 지원활동을 하고 있었다. 이전 총리를 평생 모신 여무남 역도연맹 명예회장과 권의효 사장 등이 고문으로 참가해 물심양면으로 조선족 지원활동을 하고 있었다.

여 회장은 술로 사람을 끄는 묘한 매력을 가진 사람이다. 우리나라에서 술에 얽힌 일화가 그분만큼 많은 사람은 많지 않으리라 본다. 한창 때는 스카치위스키를 맥주잔에 가득 부어 맹물처럼 마시던 분이다. 에피소드 하나를 소개할까 한다.

여 회장은 세관 공무원 출신이다. 부산세관에 근무할 때인 1970년대 초라고 한다. 극장쇼에서 임시 사회 등 허드렛일을 하던 이주일 씨(본명 정주일)가 공연단을 따라 부산에 왔다가 술집에서 여 회장을 만났다. 무명의 코미디언인 이 씨 친구 아내의 술집에서다. 그의 회고록『인생은 코미디가 아닙니다』에 두 사람의 첫 만남이 잘 기술돼 있다. 맥주잔에 부어 마신 양주 탓에 이주일은 '희한한 오야붕'을 만나 인사불성이 됐노라고 했다.

그로부터 두 사람은 형과 동생 사이가 됐다. 이주일이 국회의원 정주일이 되자 생년월일상으로 이주일이 한 살 많은 것으로 밝혀졌다. 여 회장이 "정 의원이 한 살 많으니 잘못된 형, 동생 대신 앞으로 친구처럼 지내자"고 했다. 그러자 이주일은 "한번 형님은 영원한 형님"이라며 '한 살 많은 동생'을 자처해 여 회장은 졸지에 '한 살 많은 동생'을 두게 됐다.

이주일 씨의 폐암 증상이 깊어지자 중앙일간지 사이엔 그의 회고록 쟁탈전이 벌어졌다. 이 씨 딸의 여고동창 친구가 근무 중인 J일보가 선점한 것으로 처음 알려졌다. 그러나 여 회장의 권유를 받은 이 씨가 회고록 연재신문으로 한국일보를 택함으로써 그의 회고록이 한국일보에서 연재되고 출간하기에 이르렀다. 이주일 씨 회고록 쟁탈전에 휩쓸리게 된 사연은 흥미롭다.

하루는 최규식 편집국장이 주필실로 나를 찾아왔다. 최 국장은 내가 동생같이 아끼는 후배다. "형님이 저를 좀 도와주셔야겠습니다." 무슨 일이 있느냐고 했더니 지금 신문사들 간에 이 씨 회고록 쟁탈전이 벌어지고 있는데 내가 좀 나서 주었으면 했다. 최 국장의 일이 곧 내 일이라고 생각한 나는 생각을 가다듬었다. 우선 그와 닿을 연을 찾아야 할 것 아닌가. 나는 이 씨와 몇 차례 술을 마신 것 외에는 별 연고가 없었다.

유명 코미디언 이 씨를 처음 만난 것은 고 장강재 회장 빈소가 차려진 유엔빌리지 고인의 자택에서다. 문상객으로 온 그와 정몽준 의원, 여무남 회장 등과 어울려 통음했다. 평소 고 장 회장과 친했던 여무남 회장이 이 씨를 나에게 소개했다. 두 사람의 관계가 보통 이상임을 알 수 있었다. 이어 다시 만난 건 내가 한국일보 정치부장 때다. 15대 총선에서 국회의원이 된 그를 정치부 부회를 할 때 후배들이 초청했다.

회사에서 그리 멀지 않은 술집에서 만난 그분은 한마디 한마디가 우리를 포복절도케 했다. 배꼽을 쥐게 한 그의 어눌한 말투 가운데는 국민당 창당 때의 일을 묘사하는 대목도 있었다. 정주영 회장이 '발기대회(발기인 대회를 그렇게 말했다.)' 하자고 해서 갔더니 맨 늙은 여자뿐이더라고 했다. 발기인으로 참석한 유명 여배우들 이름을 대며 "○○○ 갖고 발기가 되냐"고 해서 우린 배꼽을 쥐었다.

자신을 키워준 연예계 대부로 연예기획사를 운영하던 최○○ 회장에 얽힌 일을 말해 우리를 또 웃겼다. 이주일이 최 회장과 함께 미국을 방문했을 때라고 했다. 도착한 미국 공항에서 최 회장이 "야, 주일아! 미국에 온 김에 기념사진이나 좀 찍어 두자. 그런데 면세점에서 카메라를 하나 사야 할 텐데 카메라를 영어로 뭐라고 하느냐"고 하더라고 천연덕스럽게 웃기기도 했다. 그가 내뱉는 한마디 한마디가 개그요, 코미디였다.

궁하면 통한다고 최 국장의 SOS를 받고 문득 여 회장 생각이 났다. 여 회장과 이 씨가 형, 동생 하던 모습이 떠올랐다. 여 회장에게 도움을 요청했다. 이 씨(국회의원 정주일 의원)가 폐암 치료를 위해 일산 원자력 병원에서 입원치료 중일 때다. 한국일보 인근 인사동에서 여 회장과 점심을 하면서 이 씨의 회고록을 한국일보에서 연재하는 전략을 협의했다. 형(여 회장)이 일산병원의 이 씨를 문병했다.

유머와 해학이 풍부한 여 회장이 "주일아! 주치의를 만났더니 너 앞으로 많이 살아야 10년 정도라는데 유언장이나 미리 쓰자. 니 마누라와 재산은 모두 나한테로, 그리고 회고록은 한국일보에서 낸다고 써라"고 했다. 눈치 빠른 이 씨가 가족들에게 "회고록을 한국일보에 주라"고 결론을 냈다. 이 씨 회고록을 둘러싼 중앙지 간 치열했던 유치 경쟁이 단락을 짓는 순간이었다. 한국일보는 여 회장에게 큰 신세를 졌다.

이주일 씨가 생전에 동생처럼 의지했던 김도환 사장에게 몇 달 전 가슴 아픈 얘기를 들었다. 풍광 좋은 대청호 부근에서 은퇴생활 중인 김 사장이 개그맨 엄용수와 함께 이 씨 묘소를 찾았다고 한다. 이 씨는 투병 중일 때 김 사장 댁에서 요양을 하기도 했다. 어찌된 일인지 무연고 묘가 된 이 씨 묘소가 다른 곳으로 옮겨져 있었다. 두 분이 밀린 관리비를 지불하고서야 '국보급 코미디언'의 묘소를 원상회복했다고 한다. 고마운 일이다.

잊혀지지 않는 탈북 여의사

　나와 여 회장은 사물악기 전달을 위해 중국을 자주 찾았다. 1990년
대의 중국은 아직 산업화 이전이라 모든 면에서 열악하기 짝이 없었다.
특히 조선족이 밀집된 동북3성, 즉 구 만주지역은 더욱 낙후돼 있었다.
피리, 북, 징, 장구, 꽹과리, 소고 등 우리 민속악기 5~6개를 한 세트로
한 번에 수십 세트를 조선족 마을을 찾아다니며 전달하는 행사를 했다.
우리 고유 민속악기를 전달하는 행사가 열리는 날엔 그곳 조선족 마을
은 온통 잔치판을 벌이고 우리 일행을 환영했다.

　북한이 오랜 기근과 경제 실패로 아사자가 속출할 무렵이다. 내가 찾
았던 조선족 집단마을 곳곳에 탈북민이 숨어들고 있었다. 배고픔을 못
이겨 북한을 빠져나온 젊은 여성도 많았다. 더러는 그곳 한족과 결혼해
아이까지 낳았지만 공민권이 없어 언제 중국 공안에 붙잡혀 북한으로
송환될지 모르는 불안한 체류를 이어가고 있었다.

　연변에서 자동차로 약 3시간 거리에 H마을이란 조선족 집단거주지
역이 있다. 나는 그곳에서 한족과 불안한 동거 끝에 아이까지 낳은 탈
북 여의사를 만난 적이 있다. 그래도 조선족이 밀집된 지역은 사정이

좀 나왔다. 조선족이 가급적 탈북민을 감싸고 숨겨 주려 하기 때문이다. 한족마을로 스며든 사람 중 상당수는 불행하게도 장가 못 간 한족들의 성노리개가 되었다가 버림받기 일쑤였다. 한족마을에서 숨을 죽이고 있는 탈북민 가운데는 또 노동 착취만 당하다 말을 잘 듣지 않는다는 구실로 공안에 고발돼 북한에 강제송환되는 사례도 비일비재했다.

H마을에서 만난 탈북 여의사는 현지에서 낳은 아이와 함께 한국에 가는 것이 소원이라고 했다. 나는 긴요할 때 쓰라고 모택동이 그려진 붉은색 100위안짜리 지폐 5장, 500위안을 손에 쥐어주었다. 고맙다고 눈물을 흘리면서 허리춤에 돈을 쑤셔넣던 그 여인의 모습이 눈에 선하다.

그 여의사가 무사히 희망대로 서울에 왔는지 궁금하다. 나는 요즘 탈북 여인들이 자주 등장하는 종편방송을 유심히 지켜보는 버릇이 생겼다. 시간이 갈수록 그 여인의 겁에 질린 얼굴이 자꾸 잊혀 가지만 탈북 여의사 가족이 무사히 한국 땅을 밟게 되기를 마음속으로 빌고 있다. 내가 쥐어준 500위안이 종잣돈이 되어 부디 코리언 드림이 성사됐으면 하는 바람과 함께 말이다.

조선족은 대개 일제 때 할아버지, 아버지 손에 이끌려 정착한 그들의 후예다. 거개가 조국의 독립운동을 위해 압록강, 두만강을 건넜다. 2세까지는 조상이 물려준 우리말을 잊지 않고 거의 완벽하게 사용하고 있다. 만나본 사람 대부분은 자신들 조부모의 독립운동 역사를 자랑스럽게 기억하고 증언했다. 중국정부는 50여 소수민족 가운데 자신의 언어를 완벽하게 구사하는 조선족을 가장 두려워했다. 정부가 이런 동포들을 형편이 좋지 않다고 내팽개치려 한다면 역사에 큰 죄를 짓는 것이다. 내가 입에 거품을 물고 재중동포를 제외하려는 재외동포법을 비판하고 폐지운동을 벌이게 된 한 가지 동기이기도 하다.

송민순의 집념과 박명재의 결단

내가 서울신문 사장으로 일할 때다. 하루는 송민순 외교부 장관에게 전화가 왔다. 송 장관과 나는 동향(경남 진주) 선후배 사이이다. 송 장관과는 내가 외무부를 출입하던 일선기자 시절에 만나 친교를 시작했다. 이원경 장관 아래서 모든 실무를 총괄하던 이상옥 차관이 그를 비서관으로 발탁했기 때문이다.

이 차관은 '대형(大兄) 리더십'을 발휘하던 이원경 장관 아래서 인사 등 사실상 모든 업무를 총괄했다. 특히 이 차관은 나의 큰처남(고 김지주 전 LG그룹 기획조정실 사장)과는 서울대 정치학과 동기동창 친구였다. 나도 이 차관을 큰형님 대하듯 하는 자세로 그 방을 자주 찾았다. 지금도 기억에 생생한 1984년 1월 '3자회담'에 관한 한국일보 1단짜리 기사로 인해 외무부가 발칵 뒤집힌 사건도 이런 상황에서 일어났다.

송 장관과 나는 동향 선후배(내가 송 장관보다 2년 위다)로 각별한 관계를 유지하고 있다. 송 장관은 젊은 시절부터 매사가 분명했다. 출입기자들과의 격렬한 토론도 마다하지 않았고, 한번 옳다고 판단한 사항에 대해서는 강하게 밀어붙이는 소신파였다. 그가 북미국 과장 시절 미군

고향후배이기도 한 송민순 전 외교통상부 장관과 함께.
송 전 장관과는 저자가 외교부를 출입하면서 두터운 우정을 쌓았다.

과의 SOFA(주둔군지위협정) 협상에서 미군을 논리적으로 몰아붙인 일은 유명하다. 한국 측 수석대표가 반기문 북미국장(현 유엔사무총장)이었고, 송 장관은 반 수석을 보좌하는 대표단 일원이었다.

당시 송 장관은 실무과장으로 미군이 나토와 맺고 있는 수준으로 SOFA 개정을 강하게 요구했다. 그때 미군이 자신들에게 따지고 드는 송 장관에게 붙여준 별명이 '송 대령(Colonel Song)'이었다. 송 대표는 미군이 왜 한국사람과 독일사람의 가치를 다르게 판단하느냐고 뚝심 있게 따졌다. 논리적으로 따지고 드는 '커널 송'에게 미군 협상대표들은 고개를 절레절레 흔들었고, 심지어 송 대표 교체를 요구한 얘기가 전설처럼 전해지고 있다.

그날 송 장관은 나와의 통화에서 "노 선배! 박명재 행자부 장관 잘 아시죠? 시간 나시면 박 장관께 노 선배가 아시는 대로 상황을 좀 설명해주시고 증원문제가 조속히 해결되도록 측면지원을 부탁드립니다" 했다. 외교부가 FTA 체결 등 국제화 시대에 맞춰 공관 증설과 직원 증원이 긴요하게 요구되는 시점임을 나는 오래전부터 잘 알고 있었다.

앞서도 설명했지만 나는 외교부와 각 산하기관의 자문위원으로 외교부 실상을 너무도 잘 알고 있었다. 그래서 기회 있을 때마다 재외공관 증설과 외교관 증원을 정부 측에 강조하고 또 건의했다.

기회 있을 때마다 외교관 증원 역설

김태호 전 의원이 경남지사 시절이다. 당시 김 지사는 경남지역 출향 인사들과 '뉴 경남포럼'이라는 모임을 통해 교유하면서 자문도 얻고 있었다.

손병두 전 서강대 총장(진주), 어윤대 전 고려대 총장(진해), 김인호 전 청와대 경제수석(마산) 등과 함께 필자(서울신문 사장, 진주) 등 10여 명은 1년에 한두 번 저녁을 하면서 김 지사로부터 지역현안을 보고받고 자문하는 기회가 있었다.

한번은 이 모임의 발제 연설자로 임태희 당시 한나라당 정책위 의장이 초청됐다. 그의 발제 연설을 들은 후 자유토론 시간이 있었다. 참석자들이 자연스럽게 주제에 상관없이 경남지역 현안을 위주로 토론을 이어갔다. 내 차례가 되어 나는 질문 대신 정책적 건의를 했다. 그가 집권당 정책입안 책임자여서 지역현안과는 상관없는 재외공관 증설과 외교관의 대폭 증원을 강조했다. 외교관 증원문제를 놓고 관련부처 간 줄다리기를 할 무렵이다.

내가 평소 생각하던 외교관 대폭 증원과 해외공관 확대 논리는 간단하다. 금, 은, 석탄, 석유 등 부존자원이 없는 국가가 살아가기 위한 불가피한 선택이라는 점이다. 다시 말해 수입 원자재 가공해서 내다파는 수출경제에서 수출을 늘리기 위해서는 재외공관 확대나 외교관 증원은 불가피하다. 오늘날의 외교는 철저한 상호주의 형태다. 우리가 상대국가에 상주 공관을 두면 상대도 대부분 서울에 상주 공관을 두게 된다. 이것이 외교의 상호주의다.

웃지 않을 수 없는 예를 하나 들어본다. '서생적 문제의식과 상인적 현실감각'을 강조하는 DJ정부 때 일이다. DJ정부 행정개혁위는 1998년 2월 IMF사태 극복을 이유로 22개 재외공관(대사관 10개소, 총영사관 9개소 등) 폐쇄를 결정했다. 이들 공관 폐쇄로 1년에 약 600만 달러의 운영예산이 절감되었다. 하지만 이들 공관 폐쇄로 입은 그해 수출 손실액만 1억 3000만 달러로 집계됐다(한국일보 2001년 11월 13일자 메아리 칼럼 참고).

우리가 그때 주볼리비아, 주예멘 대사관 등을 폐쇄하자 이들 국가도 서울에 있던 주한 대사관 문을 동시에 닫았다. 외교가 철저한 상호주의에 근거하고 있음을 상징적으로 나타낸다. 여기서 손익을 한번 따져보자. 우리가 현지의 '3인 공관'을 유지하려면 1개소당 당시 금액으로 1년에 약 30만 달러의 비용이 들었다. 그러나 상대국은 서울에 자국의 3인 공관을 두려면 최소한 100만 달러 이상의 비용을 지불해야만 했다.

서울 물가가 살인적이라는 사실을 DJ 정부는 간과하고 있었다. 고작 30만 달러 절약하려고 100만 달러 소비처를 없애는 잘못을 저지른 셈이다. 나는 DJ정부의 비이성적 결정을 통렬히 비판했다. 내 칼럼을 읽은 DJ가 임성준 외교안보수석을 불러 사실 여부를 확인하더라고 임 수석이 뒤에 "고맙다"는 인사와 함께 전해 주었다. 외무부를 외교통상부로 확대개편한 조치를 환영하는 칼럼을 쓴 지 얼마 되지 않아서다.

박명재 장관의 통큰 지원

이야기가 다소 엉뚱한 방향으로 흘렀다. 송 장관의 측면지원 요청을 받고 나는 종합청사의 행자부 장관실로 박명재 장관을 찾아갔다. 예의 나의 논리대로 외교관의 대폭 증원 필요성을 설명하고 박 장관에게 지원을 요청했다. 박 장관과 송 장관 모두 자기부처에서 오래전부터 미래의 장관감으로 치부돼 온 재목이다. 두 사람은 자기부서를 대표해서 청와대 비서관으로 함께 근무했을 정도로 친한 사이이기도 했다.

이미 박 장관은 송 장관으로부터 200여 명에 달하는 외교관 증원 협조 요청을 받고 기획예산처와 조율 중이었다. 그릇이 큰 박 장관이 외교부 입장에 서자 예산처가 "그럼 돈은 행자부 예산으로 하라"고 빈정거릴 정도였다고 한다. 이런 박 장관에게 내가 외교부 입장을 편들어 지원을 요청했으니 그야말로 주마가편 격이었다고나 할까. 박 장관은 "노 사장까지 나서다니 송 장관은 참 복이 많은 사람"이라며 싫지 않은 표정이었다. 아마도 외교부 숙원을 들어주려는데 우군이 생겼다는 의미가 아니었는지 모르겠다.

지금 생각해 봐도 200여 명에 달하는 외교관 일시증원은 헌정사상 초유의 일이다. 부처이기주의가 판치는 상황에서 한 부처가 일거에 200명을 증원한다는 게 상상이나 되는 일인가? 박 장관같이 통 큰 소신과 이해력 있는 인사가 아니면 결단할 수 없는 일이다. 나는 박 장관의 결심을 촉구하면서 다음과 같은 약속을 했음을 기억한다. "박 장관! 언젠가 내가 회고록을 쓸 때 박 장관이야말로 우리 외교의 르네상스를 이루는데 크게 기여한 분으로 꼭 기술하리라." 이제야 나는 그 약속을 지키게 됨을 기쁘게 생각한다. 박 장관의 용단이 외교의 르네상스를 이루게 하는 데 큰 밑거름이 됐다고 확신한다. 외교부와 외교관들은 송민순의 집념과 박명재의 결단을 기억하고 감사해야 할 것이다.

한남동 공관에서 축하 술자리

외교부에 경사가 생긴 후 얼마간 우리는 이를 까마득하게 잊고 있었다. 어느 날 박 장관으로부터 전화가 왔다. 이런저런 얘기 끝에 박 장관이 "노 사장님! 일이 다 이뤄졌다고 송 장관이 입을 싹 씻어도 되는 겁니까?"라고 농담을 던졌다.

나는 바로 송 장관에게 전화로 "한남동 공관 가본 지 꽤 오래된 것 같소" 했다. 눈치 빠른 송 장관이 "한남동 공관은 언제나 열려 있습니다"라고 했다. 이렇게 해서 우리는 박명재 장관을 주빈으로 한남동 외교부장관공관에서 넉넉한 저녁 술자리를 가졌다.

나는 외무부 출입할 때 고 이범석 장관에 이어 이원경, 홍순영, 반기문 장관 등의 초청으로 때론 아내와 함께 한남동 외교부장관공관을 여러 차례 방문한 적이 있다.

한남동 외교부장관공관은 외교사절들과의 교환(交歡)을 위해 언제라도 파티를 열 수 있도록 준비된 곳이다. 노래방 시설도 어느 곳 못지않게 훌륭했다.

그날 한남동 공관 모임은 내가 외교관 증원 자축모임이라 명명했다. 송 장관은 초청자 선정을 "형이 알아서 하세요"라고 나에게 일임했다. 나는 연합뉴스 장영섭 사장과 김동진 현대자동차 부회장, 여무남 대한역도연맹 회장 등 5~6명을 초청자로 선정했던 것으로 기억한다.

장 전 연합뉴스 사장은 박명재 장관과 고교(중동고) 동기동창 친구였다. 김 현대차 부회장은 송 장관, 장영섭 사장 등과 서울대 입학연도가 비슷한 동년배다. 김 부회장은 또 나의 중학 후배이자 송 장관과 함께 동향(진주) 후배라 우리는 이런저런 인연으로 함께 어울렸다.

또 여 회장은 정·재계, 언론계에 지인이 많은 마당발로 여러 사람과 폭넓은 교유를 하는 분이다. 특히 이한동 전 국무총리 후원회장으로 그를 평생 모셔온 사람이다. 여 회장은 현대차 김 부회장과도 오랫동안 교유해 왔다. 여 회장의 사업체가 현대기아차 협력업체라는 점에서 나는 종종 "후배인 김 부회장이 '갑'이고 여 회장이 '을' 입장 아니냐"고 놀리기도 했다.

박 장관은 포항 출신으로 입지전적 인물로 알려져 있다. 비록 MB 형제가 이미지를 '독식'했지만 포항지역에서 박 장관만큼 형설의 공을 쌓은 사람도 드물다. 박 장관이 서울에서 주경야독한 얘기는 유명하다. 고교 동기인 장 사장도 처음엔 박 장관의 존재를 몰랐다고 한다. 박 장관이 중동고 다닐 때 낮에 일하면서 고학으로 야간부를 다녔기 때문이다. 야간고교를 졸업한 박 장관은 연세대 법대에 진학, 고학으로 행정고시 16회에 당당히 수석합격, 관리의 길에 들어섰다. 내가 외무부와 함께 국무총리실을 겹치기 출입할 때 박 장관은 총무처 장관(아마 정관용 장관이 아닐까 생각한다.)의 '똑소리 나는' 비서관으로 이름을 날리고 있었다.

우리는 그날 여 회장의 퍼붓기식 권주에 모두가 대취했다. 나는 취중에도 이날 모임이 우리 외교의 르네상스를 이루게 한 박 장관에게 고마움을 전하는 자리임을 여러 차례 강조했다. 돌이켜 생각해 보면 그간 외교부도 엄청난 발전이 있었다. 내가 한국일보 정치부 기자로 외무부(당시)를 출입했던 1983년엔 총 직원 수가 1000명이 채 안 됐다. 예산도

1000억 원 안팎이었던 것으로 기억한다. 직원 1인당 1억 원에 해당하는 꼴이라 그래도 "부처 가운데 머릿수당 값이 제일 비싸다"고 했던 기억이 난다. 그런 외교부가 한꺼번에 200여 명을 수혈받게 되었다니 실로 감개가 무량한 일이 아니겠는가.

나는 이를 계기로 우리 외교의 새 지평이 열릴 계기가 마련됐다고 확신했다. 나는 마음속으로 우리 외교부가 미 국무성 의전국 차원에서 벗어나 통상 경제외교를 견인하는 명실상부한 초실세 부서가 되기를 바라고 있다.

3자회담 보도 파문

1984년 1월 7일자 한국일보 1면에 '정부, 한반도문제 거론에 대응책 검토' 제하의 1단짜리 평범한 외교 기사가 실렸다. 작은 활자 두 줄 제목의 1단 기사는 1면 중간에서부터 마지막 단에 이르기까지 마치 미로를 찾아가듯 꾸불꾸불 이어졌다. 다음은 기사 전문이다.

"정부는 중공 수상 조자양의 방미로 이루어질 미-중공 수뇌회담에서 한반도 긴장완화 문제가 논의될 것으로 보고 다각적인 대응책을 검토 중인 것으로 알려졌다. 한 외교 소식통은 6일, 오는 10일 레이건-조자양 회담에서 한반도문제가 하나의 중요한 의제로 다뤄질 것이 명백하다고 전망하고 정부는 중공 측이 북한의 위장평화공세를 대변할 가능성에 대비, 북한의 술책에 말려들지 않도록 미국에 이미 우리 입장을 전달했다고 밝혔다. 이 소식통은 정부는 중공의 한반도 평화정착을 위한 능동적 역할은 환영하지만 북한의 입장만을 맹목적으로 전달해서는 안 된다고 못 박았다. 정부는 이 같은 입장을 미국을 통해 중공 측에도 전달했다고 했다. 정부는 또 미국은 최근 북한이 중공을 통해 제의한 3자회담안은 성실성이 결여된 위장평화공세라는 점에 한국과 견해를 같이했다고 덧붙였다."

이 기사가 전하는 메시지를 파악하기 위해 다음과 같이 몇 갈래로 가닥을 잡아볼 수 있다. 첫째, 정부가 중공 측에 일방적으로 북한 입장만 대변해서는 한반도문제 해결책이 나오기 어렵다는 점을 경고하는 의미다. 10일부터 중공 수상 조자양이 워싱턴에서 레이건 대통령 등과 고위급회담을 갖기로 한 시점이기 때문이다. 둘째, 또 미국에 한반도의 정확한 사실 인식을 촉구하는 우리 입장을 함축하고 있다. 즉, 미국이 북한의 위장평화공세를 대변할 것이 확실시되는 중공과의 협상에서 우리 입장이 배제되어서는 안 된다는 뜻을 담고 있다. 결론으로 이 기사는 북한이 중공을 통해 제의한 '3자회담'은 성실성이 없어 거부한다는 점을 밝히고 있다(정부는 중국을 중공으로 호칭할 때다.).

북한은 미얀마 '아웅산묘소 폭탄테러'를 자행하기 전날인 1983년 10월 8일 북경당국을 통해 미국에 '3자회담'을 전격 제의했다. 테러 책임에서 벗어나려 북한이 꾸민 위장평화 제스처임은 두말할 필요가 없다. 범행 직후 미얀마 당국에 붙들린 범인들의 자백과 각종 물증에도 북한이 끝까지 '남한당국의 자해행위'라고 우긴 것이 이를 잘 증명한다. 아웅산 폭탄테러가 북한의 행위임이 밝혀지자 미국은 한동안 이 제의를 없었던 것으로 덮어두었다.

3자회담 진원지는 지미 카터

카터 미 행정부는 1970년대 말 한반도문제 해법으로 3자회담을 제시했다. 즉, 미국과 남북한 3국이 모여 문제를 풀어 보자는 것이다. 미국의 제의에 김일성이 즉각 거부했다. 김일성은 말이 '3자회담'이지 미국과 한국이 '짜고 치는' 2대1 게임방식으로 자신들에게 불리하다는 게이유였다. 세월이 흐르면서 김일성의 전략에 변화가 일어났다. 말이 3자회담이지 이를 전술적으로 응용하면 사실상 미-북 직접회담이 가능하다는 결론에 도달한 것 같다.

즉, 북한은 남북한과 미국이 함께 하는 3자회담 형식을 빌려 장을 세운 뒤 한국은 '제쳐놓은 채' 미국과 직접 대화를 할 수 있다는 데 착안하게 된 것이다. 처음 거부당한 3자회담안을 북한으로부터 역제의받은 미국은 내심 검토 가치가 있는 것으로 판단했다. 다만 아웅산묘소 테러 사건으로 잠시 덮어둘 수밖에 없었다. 3자회담 발제자인 카터는 인권주의자답게 남북한을 동렬의 가치선상에 올려놓고 있었다. 유신을 명목으로 민주주의를 거부한 채 국민을 혹독하게 탄압하는 남쪽 정부나, 수령 독재로 인민을 못살게 구는 북쪽 정권 모두를 척결 대상으로 보았던 것 같다.

아웅산 사태가 진정국면이라 판단한 미국은 그해(1983년) 12월 워싱턴포스트를 비롯한 자국 언론에 3자회담 가능성을 흘리기 시작했다. 외교채널을 통해 우리 외교당국에도 통보했음은 불문가지다. 수장을 잃은 지 석 달이 채 안 된 시점이라 외무부가 발끈한 것은 당연했다. 그럼에도 미국은 한반도 해법의 실마리로 3자회담을 긍정적으로 검토해 보도록 요구했다.

정부가 대응책 마련에 골몰하는 사이 이 사실이 보도된 것이다. 북한이 중국을 통해 아웅산묘소 폭파테러 전날 미국에 3자회담 의사를 밝힌 것은 공공연한 비밀이었다. 당시 문화관광부는 그들이 발간하는 '해외언론동정'란에 엄연히 번역해 싣기도 했다. 외무부 관리들이 묻는 기자에게 '비보도'를 조건으로 배경설명을 해주었던 것도 사실이다.

한국일보가 사실상의 '비보도' 조건을 어기고 이 기사를 보도하게 된 이유가 있다. 상대지 C일보 후배기자가 데스크의 기사압력으로 3자회담 기사를 불렀다고 나에게 통보했다. 그렇다면 '비보도' 조건이 깨진 상황이라 나도 '면피용'으로 기사를 불렀던 것이다. 그런데 정작 먼저 부른 C일보는 어찌된 일인지 기사가 빠지고, 마지못해 면피용으로 부른 한국일보만 1면에 1단으로 보도된 것이다.

3자회담 검토 사실이 국내 언론에 보도되자 미국이 발끈했다. 한국 정부가 고의로 누설한 게 아니냐고 의심한 것이다. 내키지 않는 3자회담을 무산시키려 언론플레이를 하지 않았느냐는 오해를 했던 것 같다. 학자 출신 리처드 워커 주한 미대사가 고위층에게 직접 외교적으로 불쾌감을 표시했다고 한다. 외교 문외한인 고위층이 안기부에 즉각 '빨갱이 같은' 발설자 색출을 엄명했다고 한다.

발설자를 색출하라

외견상 1단짜리 기사가 일파만파 파문을 일으키리라고는 누구도 예상치 못했다. 그날(7일) 석간 D일보가 이를 1면 톱으로 확대재생산하면서 걷잡을 수 없을 정도로 확대되었다. 7일은 토요일이었다. 그날 오후 수사기관이 D일보 외무부 출입기자를 찾아 기사작성 경위를 따져 물었다고 한다. L기자는 "3자회담 뉴스는 외신을 통해 이미 공지의 사실이고, 그날 아침 한국일보에도 이미 보도됐다"고 설명해 책임을 회피할 수 있었다고 한다.

취재기자에게 있어 유사시 취재원 보호는 오랜 관행이자 직업윤리에 관한 문제다. 수사관들은 그날 한국일보 1면에 1단으로 '얌전하게' 보도된 사실을 까마득히 모르고 있었다. 그날 외무부에서 오전 취재를 마치고 귀사한 나는 안기부 수사관임을 밝히는 사람으로부터 전화를 받았다. 잠깐이면 된다며 가능하면 시내에서 만날 것을 요청했다. 용건이 무엇이냐는 물음에 기사의 보도경위를 알아보려 한다고 했다.

그들이 이미 D일보 기자를 통해 경위를 파악했음에도 나를 부르는 것은 다른 뜻이 숨겨져 있는 것 같았다. 그들은 나와 통화하면서 나의 현재 소재지를 꼬치꼬치 캐물었다. 잠시 후 통화하자며 서둘러 전화를 끊고 회사를 나와 출입처인 외무부로 다시 나갔다. 토요일 오후의 외무부는 여느 주말과 달리 납덩이가 짓누르듯 무거운 분위기였다. 이원경 장관을 비롯, 대부분의 간부는 물론 일반직원들까지 자리를 지키고 있었다.

나는 직감적으로 무슨 일이 일어나고 있음을 느낄 수 있었다. 노재원 차관과 이상옥 제1차관보, 박건우 미주국장 등이 어딘가로 '불려갔다'고 했다. 그러는 사이 외무부 기자실로 나를 찾는 전화가 연신 걸려왔다. 나는 일단 시간을 벌고 보자는 생각으로 누구에게도 행선지를 알리지 않은 채 무작정 서울 근교로 피신했다. 수사관들은 잠적한 나를 찾기 위해 집과 사무실 등에 전화로 애소와 협박을 번갈아 했다. 하룻밤을 시 외곽에서 본의 아니게 외박한 나는 이튿날인 8일 더 이상의 잠적이 사태해결에 도움이 될 것 같지 않다는 판단으로 수사관이 알려준 번호로 전화를 했다.

일요일인 그날 오후 나는 회사에 있음을 밝히고 근처 다방에서 만나기로 했다. 수사관들은 "경위 파악도 다 됐고 간단한 진술서에 자필로 서명만 하면 된다"고 안심시킨 후 회사 근처 다방에서 만나기로 했다. 약속된 장소로 가려고 회사 문을 나서 몇 발짝 걷는 순간 일본대사관 담벼락에 붙어 숨어 있던 정체불명의 세 사람이 나를 금방 낚아채 긴 안테나 2개가 매달린 검은색 소형 '브리사' 승용차 뒷좌석에 구겨 넣었다. 그들은 좁은 뒷좌석에서 샌드위치 신세가 된 나의 머리를 억지로 처박은 채 눈을 감도록 명령했다. 지금까지 상냥했던 태도와 달리 "이 새끼!" 하면서 뒤통수에 주먹질도 했다.

남산 지하실로 연행되다

내가 고분고분하지 않고 잠적한 데 대한 분풀이 같았다. 어딘지도 모르고 얼마간 달린 후 차가 멈추었다. 언덕배기 하얀 건물 앞에 내렸다. 머리를 앞으로 꿇리고 눈을 감았기 때문에 거기가 어디인지 전혀 분간이 안 됐다. 두 사람에게 양팔을 깍지 끼인 채 차에서 내려 건물 지하실로 내려갔다. 내가 지금 어디에 있는지도 모른 채 지하실로 내려가는데 갑자기 공포가 엄습해 왔다.

내가 연행된 곳이 남산의 그 유명한 안기부 지하 조사실이란 것을 안 것은 조사가 끝난 후 풀려나면서다. 나는 그곳에서 하루가 넘는 시간 동안 잠 한숨 못 잔 채 꼬박 조사를 받았다. 그들은 처음 혁대와 넥타이, 심지어 필기구 등 내 소지품을 모두 빼앗은 후 한참 동안 지하실 빈 방에 방치하듯 내버려두었다. 자해할 가능성이 있는 모든 물건을 수거했으니 아마도 기를 꺾기 위한 고도의 심리전 같았다.

얼마 후 수사관인 듯한 사람이 "당신 뭐야!" 하고 시비하듯 말을 걸었다. "한국일보 정치부 기자입니다." "기자 좋아하네. 너 '고첩' 아니야?" 고첩이란 고정간첩의 준말이 아닌가? 이 사람들이 이번 사건을 보는 시각을 어렴풋이 짐작할 수 있었다. 이어 세 사람이 한 조가 되어 번갈아 심문을 계속했다. 먼저 보도 경위에 대해 자술서를 쓰도록 했다.

그들은 자술서가 사실과 다르다며 찢어 버리기를 수차례, 그때마다 주먹이 날아들었다. 그러기를 몇 차례 반복하다가 나는 "그럼 부르는 대로 적을 테니 차라리 불러 달라"고 했다가 흠씬 얻어맞았다. 그들은 취재원을 밝히도록 요구했다. 다음은 수사관들과의 일문일답 취조 내용을 정리한 것이다(졸저 『외교가의 사람들』, pp. 105~106 참고).

수사관: 너 같은 기자 한 XX 때문에 우리나라의 외교기조를 전부 뜯어고쳐야 할 지경에 이르렀다. 결과적으로 너는 이적행위를 했다. 국가의 중대기밀을 그렇게 함부로 까발려 기사화할 수 있는가?

나: 그것이 어째서 국가의 중대기밀이 될 수가 있는가? 3자회담에 관해서는 지난해 말 이미 미국의 유력 일간지 워싱턴포스트에 상세히 보도된 바가 있다. 또 문공부에서 번역해서 서비스하는 해외 주요 언론논단 지면에도 나와 있다. 그리고 북한이 제의한 3자회담이란 것의 실체가 북한이 한국의 어깨너머로 미국과 직접 협상을 하겠다는 속셈이 잘 드러나 있어 우리 정부가 결코 수용해서는 안 될 협상카드라고 본다. 특히 아웅산 테러 하루 전에 북경을 경유, 미국 측에 제의했다는 사실만 보더라도 진실성이 결여되어 있다. 한반도 평화구축을 위해서라기보다 아웅산 테러의 책임을 우리 정부에 전가, 호도하기 위해 허겁지겁 제의한 것이 분명하다. 이를 중대기밀로 보호해야

한다는 논리는 어불성설이다.

수사관: 어쨌든 너 같은 몇 X들 때문에 우리 외교가 일대 혼란에 빠져 있다. 정부가 은밀히 검토 중에 있는 사항을 마음대로 보도할 수 있는가? 결과적으로 너는 빨갱이들을 이롭게 했다.

나: '이적행위'란 말은 천부당만부당하다.

수사관: 외무부 내 어떤 X으로부터 취재했는가?

나: 외무부의 어느 누구로부터 취재한 사실이 없다. 아까 얘기했듯이 '3자회담'은 워싱턴포스트 등 주요 외신들이 이미 보도해 공지의 사실이 되었다.

수사관: 그렇지 않은 것으로 안다. 외무부 관리 가운데 언급한 사람이 있다던데?

나: 결코 그런 사실이 없다.(같은 시간 다른 방에선 외무부에서 불려온 고위관리 두 사람, 즉 이상옥 제1차관보와 박건우 미주국장이 각각 수사관들과 입씨름을 하고 있었다. 나중에 그분들로부터 들은 얘기를 종합한 것이다.)

수사관: 노진환 기자에게 3자회담에 관해 설명해준 적이 있지 않은가?

관리: 출입기자들이 외신보도를 통해 이미 3자회담의 실상을 잘 알고 있었다고 알고 있다. 누구인지 정확하게 기억할 수는 없으나 3자회담에 관해 당국자 입장을 묻기에 '오프더레코드'(비보도 조건)로 배경설명을 해준 적은 있다.

수사관: 국가의 주요 기밀사항을 그런 식(오프더레코드)으로 무책임하게 까발릴 수 있는가?

관리: 민주사회에서 '비도도 조건'의 설명은 흔한 일이다. 예컨대 외

교협상이 진행 중일 경우에는 취재진의 올바른 상황인식을 돕기 위해 '보도를 안 하는 조건'으로 배경설명을 해주는 것이 관행이다.

차관, 차관보, 미주국장도 연행 곤욕

이상 '취조하는 자'와 '취조당하는 자'의 대화를 통해 취조자의 관심이 어디에 있었는지 명확해진다. 그들은 외무부 관리 가운데 발설자를 찾고 있었다. 향후 비밀관리를 위해 '본보기'를 찾는 모습이었다. 그들은 "우리 외교기조를 흔들어 결과적으로 적을 이롭게 한 행위"라고 단정하는 말투에서 발설자는 곧 이적행위자로 등식화되었다.

젊은 기자야 그렇다 치더라도, 국가를 위해 평생을 헌신한 고위관리를 잡범 취급한 수사관들 태도는 두고두고 뒷말을 남겼다. 관리도, 나도 함께 풀려난 10일 아침 나의 작은 기사로 인해 지하실서 고통받은 관리들을 찾아 머리 숙여 죄송함을 전했다. 한 관리는 "나에게 하는 태도로 볼 때 노 기자가 심하게 당했을 것"이라며 고개를 창가로 돌렸다.

이상이 '3자회담' 보도에 대한 당국의 조사와 관련한 내용의 대강이다. 우리 외교사에 전무후무한 치욕으로 기록될 사안이다. 차관, 1차관보, 미주국장 등 고위직 3명이 기자와 함께 안기부 지하실에서 거친 조사를 받은 것은 일찍이 없었던 일이다. 1988년 '5공 청문회' 과정에서 야당의원이던 이철 의원에 의해 기자의 연행 및 가혹행위 사실이 폭로됐다. 하지만 고위관리들이 조사받은 사실은 묻히고 말았다.

나는 지금도 당시를 뚜렷하게 기억하고 있다. 자술서가 엉터리라고 주먹이 날아들었다. 소위 '원산폭격'이란 기합으로 굴욕감을 주기도 했다. "이 새끼! 여기가 어딘지 알고 허튼 수작이야? 이곳서 불지 않은 놈이 없어. 숱한 놈들이 죽어 간 곳이야" 등의 언어폭력은 암울했던 5공 군사통치 시절의 일탈이라고 치자. 지금까지 머리에 생생한 기억은 꼬박 밤을 새우며 못 자도록 괴롭히다가 새벽녘에 청진기를 목에 건 흰 가운의 의사가 혈압을 체크하며 문진하던 모습이다.

저 사람도 의사일까 하는 물음이 생겼다. 아마도 혈압이 높게 채중된 것 같았다. "평소에 혈압이 높았느냐"고 물었다. 정상인 사람이라도 얻어터지고 모욕 당하면 오르지 않겠는가? 마음속으로 나는 "너도 히포크라테스 선서를 한 의사가 맞느냐"고 묻고 있었다. 알약 몇 개를 주며 지켜 서서 물과 함께 삼키도록 했다. 나가면서 취조 중인 수사관 귀에다 속삭였다. 아마도 그만 패는 게 좋겠다든가, 아직 더 패도 될 것 같다는 신호가 아닐까 생각됐다. 그 의사가 나간 후 손찌검은 좀 완화됐다.

외무부가 생긴 이래 차관, 차관보, 주요 지역 국장 등 고위관리가 한꺼번에 붙잡혀 가 혹독한 조사를 받은 일은 처음이라고 한다. 야만의 시대가 낳은 산물 아니겠는가? "교섭 중인 사항을 이렇게 언론에 까발릴 수 있느냐"는 미 대사의 한마디가 그렇게 엄청난 파문을 낳은 것이다. 수모를 당한 이들 고위관리들이 모두 출근한 10일 점심시간 후 청와대 정무비서관실에서 잠시 소란이 있었다. 식사 후 석간신문을 읽던 정순덕 정무수석도 옆방의 악쓰는 소란스러운 소리에 귀를 기울였다.

홍순영, 고의 음주 후 안기부장 비난

외무부에서 파견 나온 고 홍순영 비서관(외교담당, 뒤에 장관 역임)이

문제의 장본인이었다. 아침에 친정인 외무부에 들렀다가 납덩이처럼 얼어붙은 분위기를 보았다. 특히 절친한 동료 고 박건우 미주국장(뒤에 차관·주미대사 역임)이 엄지발가락이 곪아터져 신발도 신지 못한 채 혹독하게 조사를 받았다는 사실을 듣고 크게 분개했다. 종합청사 부근 잘 가던 B설렁탕집에서 점심에 소주를 3병이나 마셨다고 한다. 뭔가를 도모하기 위한 의도적인 음주였음이 분명했다.

사무실로 돌아오자마자 "노신영! 마르고 닳도록 안기부장 해먹으라고 그래!" 그의 울분에 찬 목소리가 잠시 자제력을 잃고 있었다. 홍 비서관의 '의도된 분노'는 금방 소출이 있었다. 노 부장의 귀에 홍 비서관의 대갈일성이 그대로 전해졌다. 노 부장이 당장 이들 세 사람을 조찬에 불러 등을 두드리며 사실상 이 사건을 매듭지었다. 생전에 홍 비서관은 자신의 그날 오찬 음주가 의도된 것이었음을 나에게 얘기했다. "노 형, 청와대에 노 부장 꼬붕이 좀 많겠소. 내가 미친 짓 하면 금방 노 부장 귀에 들어갈 것 아니겠어요? 난 바로 그 점을 노린 거지, 하하!"

아무튼 홍 비서관의 계산된 소란은 사태를 쉽게 해결하는 실마리가 됐다. 뒤에 정순덕 당시 정무수석도 나에게 "그 미친갱이가 소주 마시고 고함지른 게 어디 한두 번이라야지"라며 홍 비서관의 계산된 '기행'을 증언했다. 그러나 별로 개의치 않아했다. 오히려 홍 비서관의 그런 의도된 돌출행동을 아랫사람의 귀여운 투정 정도로 이해하는 듯했다. 홍 비서관은 외무부 내에 따르는 후배가 많기로 소문나 있었다.

졸저(拙著)『외교가의 사람들』에서 홍 비서관을 '장래의 거목'이라고 표현한 대목이 있다. 홍 비서관은 "노 형이 나를 장래 거목이 될 것이라고 예언했으니 적어도 장관은 돼야 할 것 아니겠소"라는 농담을 자주 했다. 말이 씨 되듯, 홍 비서관은 외무부 차관을 거쳐 김대중 정부에서 드디어 장관이 되었다. 전임 박정수 장관이 5개월여 만에 단명으로 끝나자 후임으로 기용된 것이다. 나는 홍 장관과 비교적 자주 만나 교유한 기자 가운데 한 사람이다. 그분이 외교부 장관일 때 나는 한국일보 주필로 정치·외교문제에 대한 칼럼을 썼고 또 외교부 정책자문위원으로도 활동했다.

DJ의 파격적인 대사 인선

일반적으로 대사의 인사는 외교부가 하는 것으로 알지만 천만의 말씀이다. DJ도 주요국 대사만큼은 자신이 직접 인선한 것으로 알려졌다. 물론 인사권자는 대통령이며 대사란 대통령 특명전권대사다. 그러나 대개의 경우 외교부가 인선을 해 대통령의 재가를 받는 게 일반적인 관행이다. 외교만큼은 자신을 능가할 사람이 없다는 자신감 탓인지 DJ는 대사 인선만큼은 자신의 의도대로 밀어붙였다. DJ는 집권하자마자 통상교섭 기능을 외무부에 귀속시켜 외교통상부로 확대개편했다. 그리고 초대 외교통상부 장관에 국회의원 박정수를 기용했다. 또 초대 통상교섭본부장에는 한덕수 전 경제수석을 임명했다. 그러면서 4대 강국 대사도 임명했는데 주미에 이홍구 전 한나라당 대표, 주일에 김석규 전 외교안보연구원장, 주러시아에 이인호 전 핀란드 대사, 주중국에 권병현 전 호주대사를 각각 기용했다.

이홍구 주미대사 기용은 파격이었다. 이 대사는 DJ정권과는 대척점에 있던 한나라당 대표를 지냈다. 또 한때는 DJ에 맞선 한나라당 유력 대권후보 반열에까지 오른 소위 '잠룡' 가운데 한 사람이다. 인사권이

210

외교부에 있었다면 박정수 장관은 주미대사에 당연히 김석규를 임명했을 것이다. 김 대사는 외교부 내에서 알아주는 미국통이다. 기능면으로 따진다면 단연 주미대사감이다. 그러나 DJ가 한나라당 인사, 그것도 '잠룡' 가운데 한 사람이던 이홍구 전 대표를 스카우트하자 박 장관의 인선 구상이 흐트러질 수밖에 없었다.

그래서 김석규 대사를 주일대사에 기용한 것이다. DJ가 이홍구를 주미대사로 챙기자 박 장관은 '그렇다면 나는 일본대사를' 하고 김석규를 소위 '세컨드 베스트'라 할 수 있는 주일대사에 기용한 것이 분명해 보였다. 김석규의 주일대사 기용을 박 장관의 '오기' 발동으로 보는 시각이 그것이다. 김석규는 일본과 관련된 부서에는 근무경험이 전혀 없었다. 그래서인지 일본어를 할 줄 모른다. 주일대사가 꼭 일본어를 해야 하느냐고 할지 모르나 일본같이 대한(對韓) 우월감이 강한 나라에서 우리 대사가 일본어를 모르고 근무한다는 것이 얼마나 무모한 일인지 재론이 필요치 않다. 박 장관은 "일본에서 만국어인 영어로 하면 된다"고 애써 변명했다. 또 이것이 대일(對日) '신사고 외교'라고 둘러댔다.

외교부 장관이 된 정치인 박정수는 고교 후배인 선준영 차관의 도움을 받았다. 노르웨이 대사를 지내고 외교정책실장으로 귀국한 권영민이 이내 청와대 의전수석으로 내정됐다. 뜬금없어 보이는 권영민의 청와대 기용은 DJ가 노벨상(평화상)에 관심을 나타내는 단초였다. 그 무렵 권 대사를 음해하는 근거 없는 투서들이 청와대에 날아들었다. 투서 내용은 권영민이 노르웨이 대사 때 YS정부 훈령으로 DJ가 노벨평화상 후보 되는 것을 방해하는 일을 벌였다는 것이다.

비록 터무니없는 투서라 할지라도 꺼림칙했음인지 청와대는 권영민의 의전수석 내정을 없었던 일로 했다. 확인되지 않은 사실로 내정인사를 철회하는 것이 걸렸는지 청와대는 권영민에게 일체의 불이익이 없도록 하라고 외교부에 당부했다. 청와대가 의전수석으로 발탁하지 않았던들 권영민은 외교정책실장으로 잘 근무할 수 있었기 때문이다.

모략 투서에 권영민 다시 덴마크로

청와대의 당부에도 박정수 장관은 '계륵 신세'가 된 권영민을 다시 덴마크 대사로 보냈다. 마땅한 자리가 없다는 게 이유였다. 엊그제까지 노르웨이 대사였던 사람을 다시 덴마크 대사로 보낸다는 것은 바둑으로 치면 사석(捨石) 취급이나 다름없다. 노르웨이, 덴마크, 스웨덴 등은 도시국가 형태로 외교단도 세 나라가 함께 어울린다고 한다.

본국의 주요 포스트(외교정책실장)로 영전해 간다고 축하받고 떠난 지 며칠 안 돼 다시 '쫓기듯' 그곳으로 간다는 것은 사실상 그 지역의 외교를 포기하는 것이나 다름없다(한국일보 1998년 5월 22일자 메아리, '적재적소(適材適所)의 외교' 참고). 권 대사가 현지에서 어떻게 처신해야 할까.

나는 권 대사가 다시 덴마크 대사로 부임한 후 그곳을 방문한 적이 있다. 코펜하겐에서 한국과 덴마크가 공동의장국이 된 아셈 예비총회에 참석하기 위해서다. 권 대사가 나를 이 예비총회 취재요원으로 초청되도록 덴마크 정부에 추천했다. 권 대사와 반갑게 재회한 나는 총회 후 그가 직접 운전하는 차로 덴마크 전 지역을 샅샅이 돌아볼 기회를 가졌다. 권 대사가 다소 위축되어 있지는 않을까 했던 우려는 기우에 불과했다. 부지런하고 일을 만들어 하는 그는 여전히 그곳 외교단의 중추가 되어 있었다.

덴마크 코펜하겐에서 열린 ASEM회의에 한국대표단으로 참석했던 저자가
권영민 주덴마크대사의 안내로 덴마크 전역을 돌아볼 수 있었다(1998년 3월)

1998년 5월 22일자 '메아리' 칼럼에서 나는 이 '개념 없는' 인사를 질
타했다. 특히 권영민 덴마크 대사 기용 인사는 그 지역 외교를 사실상
포기하는 일이라고 지적했다. 이 칼럼이 한국일보에 보도되던 날 박정
수 장관은 일본을 방문 중이었다. 도쿄에서 우리 집으로 국제전화가 날
아들기 시작했다. 도쿄에서 내 칼럼을 보고받은 박 장관은 어떻게든 기
사를 빼도록 지시했다고 한다. 한국일보 가판이 나가자 외교부에서 나
를 찾는 전화가 잇달아 걸려왔다. 나는 귀가치 않고 일부러 후배들과
술자리를 만들었다. 기사를 지키기 위한 불가피한 선택이었다.

아니나 다를까 나의 아파트에 선준영 차관이 다녀갔고, 나와 통화를
원한다는 메시지를 남겨 놓았다. 박 장관은 국회를 출입하면서 잘 알게
된 사이였다. 하지만 외교수장으로서 그의 인사행위는 친소관계를 떠
나 비판하지 않을 수 없었다. 박 장관은 자신이 귀국해 해명할 때까지
기사를 좀 유보해 달라는 것이다. 나간 기사는 시위를 떠난 화살과 같
다. 이를 빼기란 사실상 불가능하다. 또 그래서도 안 된다. 팩트가 틀렸
다거나 터무니없는 비판이 아닌 이상 그런 요구나 요청을 수용한다면

비판적인 글을 쓸 수가 없다.

나는 일본으로부터의 간절한 전화 요구를 묵살했다. 우선 박 장관의 도쿄발 전화를 일절 받지 않았다. 뻔한 얘기를 들을 필요가 없었거니와 내가 쓴 기사는 이미 시위를 떠난 화살이나 다름없었다. 이를 계기로 박 장관과 나의 관계는 서먹서먹해졌다. 장관이 된 지 5개월 만에 박 장관이 물러났다. 외교관 상호 추방사건이 빚어진 대러시아 외교 실패 인책이다. 박 장관의 퇴임을 보며 비전문 정치인의 장관 기용이 얼마나 '무모'한가를 실감하였다.

4강 대사가 결정 난 직후 나를 비롯, 각사 외교담당 논설위원 몇 사람과 외교 수뇌진의 오찬이 있었다. 핀란드에서 바로 이웃 러시아로 옮기게 된 이인호 대사를 제외한 신임대사 세 사람과 박 장관이 자리를 함께 했다. 이홍구 주미, 김석규 주일, 권병현 주중 대사 등이 합석한 것이다. 박 장관을 중심으로 대화가 이어져 가는 그 자리가 마치 어느 특정고교 동문 오찬장 같다는 인상을 지울 수 없었다. 박 장관이 이홍구 대사를 마치 친구처럼, 또 김석규 대사는 두 사람을 깍듯이 선배로. 경남 하동에서 고교를 나온 권병현 대사만 예외였다. 박 장관, 이홍구 대사, 김석규 대사가 모두 같은 고교(경기고) 동문이라는 사실을 알게 되었다.

나는 지금까지 김석규 대사는 이력서에 표기된 대로 경북 성주농고를 나와 서울대 정치학과를 졸업한 것으로 알고 있었다. '시골 농고에서 공부를 얼마나 열심히 했길래'라고 생각했다. 그러나 사실은 경기고 재학 중 6·25 때문에 졸업만 피란길 고향 성주농고에서 했을 뿐이라고 했다. 하도 분위기가 묘해 내가 세 분이 어떤 관계냐고 짓궂게 물어봤다. 박 장관은 자신이 경기고 졸업이 제일 빠르고, 이홍구 대사가 2년 아래, 김석규 대사가 5년 후배가 된다고 했던 것으로 기억된다.

홍순영 장관의 '병주고 약주고'

한번은 홍순영 외무부 장관으로부터 저녁 초대를 받았다. 홍 장관은 이런저런 얘기 끝에 이인호 주러시아 대사(현재 KBS 이사회 의장) 기용에 대한 자신의 생각을 얘기했다. 이 대사는 직전에 주핀란드 대사였다. 러시아와 핀란드는 껄끄러운 사이로 알려져 있다. 대국으로서의 우월 감이 있는 러시아는 핀란드를 깔보는 입장이다. 북방외교의 필요성을 감안한다면 한국이 주핀란드 대사를, 그것도 여성을 러시아 대사로 보임한다는 것은 외교 현실에서는 있을 수 없는 무리수라는 것이다.

그날 홍 장관은 러시아의 아시아담당 외무차관이 "당신네 나라는 우리나라에 볼쇼이무용단만 있는 줄 아는 모양이지요?"라고 비꼬았다고 했다. 홍 장관이 소스를 밝히지는 않았지만 아마도 귀국한 전임 대사가 홍 장관에게 이런 사실을 보고하지 않았을까 짐작된다. "노 형, 이래 가지고 대러시아 외교가 잘되겠어요?" 홍 장관이 왜 그날 그 말을 나에게 했는 지 경위는 알 길이 없다. 외교부 장관으로 DJ 인사에 다소간 불만이 있지 않았을까 짐작될 뿐이다.

얼마간 시간이 지난 뒤 나는 '보드카 외교' 제하로 한국일보 '지평선'

이란 작은 기명칼럼에 이 사실을 보도(한국일보 1998년 8월 12일자 참고)한 바 있다. 홍 장관이 들려준 내용을 바탕으로 핀란드 대사 출신 여성 대사의 러시아 보임을 지적한 글이다. 얼마 후 이인호 대사가 일시귀국한 일이 있었다. 뜬금없이 홍 장관으로부터 전화가 왔다. "노 형, 이인호 대사가 귀국해서 장안의 여걸 몇 사람과 만찬을 하려는데 나 혼자보다 노 형과 공동(co-host)으로 합시다."

홍 장관과 나는 서울시내 태평로클럽에서 여류인사들과 만찬을 했다. 참석자는 이 대사를 비롯, 한국일보 사장 장명수 선배, 청와대 박금옥 총무비서관, 김영희 대사, 외교부 강경화 국장, 코리아헤럴드 김혜원 논설위원 등이 참석했던 것으로 기억한다. 그 자리에서 이인호 대사는 내가 오래전에 썼던 '보드카 외교' 칼럼을 상기하며 유감을 표시했다. 허구한 날 글 쓰는 게 일이라 당시 나는 이 대사를 거론한 그 칼럼을 잠시 잊고 있었다.

이 대사의 불의의 공격(?)에 약간 당황치 않을 수 없었다. 칼럼 소재는 바로 홍 장관이 일러준 것이었기 때문이다. 그런 자리에 나에게 공동으로 호스트 하자며 부른 홍 장관 역시 자신이 제공한 소재로 만든 이 대사 관련 내 기사를 잠시 잊은 듯했다. 아무튼 그날 이 대사는 화풀이라도 하듯 여자가 대사라고 보드카를 못 마실 줄 아느냐며 스트레이트로 몇 잔 하신 걸로 기억된다. 홍 장관이 짓궂어서일까. 분명 나에겐 그 자리가 다소 어색했다.

그후 홍 장관이 알츠하이머 증상으로 오랫동안 고생하다가 별세했다는 부음을 들었다. 나는 지리산 자락에 머물고 있어 송민순 전 장관에게 애도의 뜻을 전한 채 상경하지는 못했다. 연전 박건우 대사가 돌아가셨을 때 경희대병원 영안실에서 홍 장관을 뵌 것이 마지막이다. 그때는 과중한 운동 탓인지 퍽 수척한 모습이었다. 내가 "장관님, 체중 변동에 신경 쓰셔야 할 것 같습니다" 했더니 "전혀 문제없어요"라며 호탕하게 웃던 모습이 마지막이 된 셈이다. 홍 장관에 대해서는 또 하나 생각나는 일이 있다.

홍 장관은 장관을 지낸 사람이 다시 공관장으로 나가는 현상을 아주 못마땅해했다. 외교부의 인사적체 요인 탓이 아닐까 생각된다. 가끔 "노 형, 장관을 지내고 말이요, 다시 후배자리 꿰차는 X들은 뭐요? 노 형이 그런 XX들을 좀 시원하게 조져야지"라고 했다. 막말을 해서는 안 될 일이 그분에게도 일어났다. 외교부 장관과 통일부 장관에서 물러난 지 얼마 후 자신이 그렇게 질타했던 대사(주중)로 나간 것이다. 나는 "어!" 하고 깜짝 놀랐다.

2001년 초 공관장회의 석상에서 고시 동기 이장춘 필리핀 대사로부터 호되게 질타를 받았다고 한다. 평소 논리적이고 깐깐하기로 소문난 이 대사가 동기생 대사(이 대사와 홍 대사는 고시 13회 동기다)를 얼굴을 들지 못하게 망신을 준 것이다. 그날 이 대사는 따지듯이 "참모총장이 국방장관 갈 수야 있겠지만 국방장관 하던 사람이 도로 참모총장으로 내려앉은 꼴 아니요"라며 주중대사로 참석한 동기생 전직 외교수장을 호되게 몰아붙여 한동안 큰 화제가 되었다. 나는 홍 장관의 경우, 막말이 부메랑 되는 사례로 봐야 할지, 아니면 그분의 잠재된 '이중성'을 탓해야 할지 한동안 혼란스러움을 느껴야 했다.

북쪽 기자에게서 얻은 안타까운 특종

외무부와 총리실을 출입하면서 나는 판문점 남북대화를 거의 전담
하다시피 했다. 1984년 여름 한국에 큰 홍수가 발생했다. 물론 남쪽보
다는 덜했지만 북한도 다수의 피해가 발생했다. 그런데 김일성이 '동포
애적 지원' 운운하면서 남측 수재민 지원 의사를 알려왔다. 5공 정부가
이를 전격적으로 수용했다. 프로파간다 정도로 던졌던 수재민 지원 의
사를 남측이 덥석 받아들이자 북한은 혼란에 빠지게 됐다.

남북은 수재물자 지원방법 등을 논의하려 판문점에서 예비접촉을
시작했다. 회담 결과 북의 지원물자를 일부는 판문점을 통해, 나머지는
동·서해안 수로를 따라 해상 수송토록 했다. 주로 중앙청 출입기자들
이 취재요원으로 판문점에 파견되었다. 냉전체제하의 남북관계는 늘
싸늘했다. 이번 수재물자 인도를 위한 예비회담에서는 주는 쪽보다 받
는 쪽이 더 공세적이었다. 남측은 기왕에 수재민을 돕겠다면 북측이 재
난지역을 찾아 직접 전달하도록 요구했다.

북한은 수재민과의 만남을 한사코 거부했다. 북측이, 수재민의 윤택

한 생활상을 그들 요원들이 접하게 되면 야기될 혼란상을 걱정했기 때문이다. 당시는 수재민 가정에 TV, 냉장고, 에어컨 등 웬만한 가전제품이 비치되어 있던 시절이다. 북측 요원들이 남쪽의 생활상을 알게 되면 그들의 신념체계가 흔들릴 것은 자명하다.

북측 기자 "이 박사가 평양서 결혼"

판문점 우리 지역인 대성동 마을 어귀까지 화물을 싣고 온 그들 화물차는 하역작업 동안 엔진이 꺼질까 봐 시동을 끄지 않고 기사가 클러치를 밟고 있어야 하는 수동식 노후 차량이었다. 더러는 우리 담배를 몰래 받으려고 손을 뻗다가 엔진을 꺼뜨렸다. 클러치에서 발이 떨어졌기 때문이다. 엔진을 꺼뜨린 북측 기사는 사색이 되었다. 아마도 돌아가 엄벌을 받았을 것으로 추측됐다. 구호품이라고 가져온 것들은 우리가 먹을 수도, 입을 수도 없는 조악하기 짝이 없었다. 남쪽 사람들에게 좋은 반공교육 소재가 되었다고 했다.

남북은 수재물자 전달을 계기로 국회회담, 적십자회담 등을 잇달아 열었다. 남북 간에 한때 대화국면이 조성되기도 했다. 남북 기자들은 판문점 회담장을 중심으로 북쪽 판문각과 남쪽 자유의 집을 자유롭게 오가며 취재했다. 수재물자 전달 예비회담 첫날 남북 기자 간에는 88년 올림픽이 단연 화제가 되었다. 하지만 대다수 북한 기자들은 그때까지도 88년 서울에서 올림픽이 열린다는 사실조차 몰랐다. 북측이 당황하는 기색이 역력했다.

북측은 첫날 회담이 종료되자 일단 개성으로 철수했다. 그리고 개성에서 숙박하면서 대화전략을 논의하고 다음 날 회담에 임했다. 첫날 서울올림픽 개최 소식에 당황, 꿀 먹은 벙어리였던 북측이 개성에서 대응책을 교육받은 인상이 뚜렷했다. 다음 날엔 88서울올림픽에 대해 적극적으로 반응했다. 즉, 서울 같은 분단국 도시의 올림픽에 자신들의 동맹국인 소련, 중국, 동구권 등이 참가할 리 만무하다며 반쪽 올림픽을 역설하기도 했다.

1988년 12월 29일, 국회회담을 위한 판문점 예비회담을 취재할 때다. 북측의 한 기자가 이런저런 얘기 끝에 나에게 나직한 목소리로 "이 박사가 결혼했다"고 했다. 나는 사람이 없는 곳으로 그의 손을 끌어당기며 "이 박사가 누구냐?"고 물었다. 그랬더니 북측 기자가 "그 MIT의 이(재환) 박사"라고 했다. 그는 "이 박사가 지난달 평양에서 결혼했고, 그동안 다국적기업의 횡포에 관해 많은 연구와 강연활동을 했다"고 근황도 소개했다. 북측 기자가 다른 기자에게 흘릴까 봐 판문점 주위를 함께 맴돌았던 일이 생각난다.

나는 돌아와 이 사실을 특종보도했다. 이재환 씨는 대검차장을 지낸 민정당 전국구 이영욱 의원의 장남이다. 그는 MIT 경영대학원에서 박사과정을 밟고 있던 평범한 유학생이었다. 여름방학 때 귀국 대신 유럽여행을 권한 아버지의 권유로 1987년 5월 22일부터 7월 17일까지 단체관광객 일원으로 뉴욕을 출발, 유럽 일원을 여행하고 왔다고 한다.

이재환 씨 사흘 만에 다시 유럽여행

무슨 일인지 그는 긴 유럽여행에서 돌아온 지 사흘 만인 7월 20일 다시 케네디공항을 통해 두 번째 유럽여행길에 나섰다. 그때는 현지의 외숙모가 공항전송도 했다. 그로부터 정확하게 20일째인 8월 8일 저녁 9시, 평양방송은 이 씨가 '제3국'을 통해 '의거입북'했다고 발표했다. 북한 방송이 말한 제3국은 오스트리아를 지칭하는 듯했다. 이 씨가 돌아온 지 사흘 만에 왜 다시 부랴부랴 오스트리아 빈으로 가게 됐는지 정확한 경위는 아직 밝혀진 바 없다. 다만 이 씨의 첫 번째 여행 때 오스트리아 빈에서 만난 누군가를 미인계로 해서 북측이 이 씨를 유인하지 않았을까 하는 추측이 있을 뿐이다.

판문점에서 돌아와 나는 아버지 이 의원에게 이 사실을 알렸다. 화들짝 놀란 이 의원은 긴 한숨을 내쉬며 "노 형, 죄송하지만 기사화하지 않으면 안 될까요?"라고 하소연했다. 결혼 사실이 알려지면 가뜩이나 아들문제로 심장병을 얻은 아내가 받을 상처를 걱정했다. 심장병이 악화할까 봐 주위에서는 결혼청첩장도 보내오지 않는다고 했다. 이 의원의 하소연이 가슴을 아리게 했지만 기사는 나갔다.

다시 이 씨 근황이 알려진 것은 1999년 1월 31일이다. 탈북하려다 붙잡혀 정치범수용소에 수감 중이라고 했다. 한 탈북주민 심문과정에서 밝혀진 사실이다. 그로부터 정확하게 2년 후 이번에는 이 씨가 사망했다는 청천벽력의 소식이 왔다. 아버지 이 씨가 2001년 2월 제3차 이산가족 교환방문에 앞서 아들의 생사확인을 요청했더니 북측이 사망을 통보해온 것이다. "노 형 입장은 알겠지만 자식의 결혼 사실을 보도하지 않을 수 없겠어요?"라고 울먹이던 아버지 이 전 의원의 하소연을 들어주지 못한 일이 새삼 안타깝게 되살아났다.

지금까지 탈북자들 증언 등을 종합하면 이 씨의 근황이 짐작된다. 민주사회에서 자유분방하게 자란 이 씨가 북 체제에 고분고분했을 리 만무하다. 북한이 요주의 인물 내지 체제 부적응자로 취급했음은 불을 보 듯 뻔하다. 탈북자의 증언처럼 탈북을 기도하다 붙잡혀 정치범수용소에 수용됐고, 모진 고문과 학대 끝에 결국 사망하지 않았나 짐작된다.

나는 사설로 정확한 이 씨 사인을 밝힐 것을 촉구했다. 그렇지 않으면 북한이 세계 최악의 인권탄압 국가라는 오명을 벗어나기 어려울 것임도 강조했다. 아울러 정부도 북측에 이 씨 사인의 정확한 규명을 강력히 촉구토록 했다. 북측 기자로부터 결혼 사실을 듣고 특종보도를 했던 나는 속보를 챙기는 것도 당연한 도리라 생각했다. 이 씨의 실종, 결혼, 사망까지 지켜보며 연속 보도했던 나는 지금도 이 씨 사멸에 안타까움을 떨치지 못하고 있다.

집권 의욕 보였던 아버지 아베 요절

외무부를 출입하면서 나는 아베 신타로[安倍晋太郎] 전 일본 외상을 세 차례 만났다. 아베 전 외상은 아베 신조[安倍晋三] 현 총리의 아버지다. 그는 5년여 장기집권한 나카소네 야스히로[中曾根康弘] 내각이 출범한 1982년 외상으로 입각해 4년여를 재임했다. 내가 그를 처음 만난 시점은 1984년 봄이다. 외무부 기자단이 일본 외무성 초청으로 일본을 방문했을 때다.

외무부와 일본 외무성은 1년에 한 번 출입기자 상호 교환방문을 실시했다. 주로 한국 측이 봄철에, 일본은 한국과 일정이 겹치지 않게 다른 계절을 택했다. 비용은 초청자 부담으로 사실상 '품앗이' 방식이다. 양국 기자단은 상대국을 방문하는 동안 상대국 외교수장과 한 차례 공식 인터뷰를 시행하는 관행이 있다. 잘 알려진 대로 아베 외상은 2차대전 1급 전범이던 기시 노부스케[岸信介] 전 수상의 사위다. 기시의 친동생 사토 에이사쿠[佐藤榮作] 전 수상은 처삼촌이 된다. 아베 외상은 동경대 졸업 후 유력 일간지 마이니치[每日] 신문의 정치부 기자로 일했다. 그의 출입처가 자민당 기시파였다. 기시 전 수상이 자파를 출입하는 한

똑똑한 기자를 사위로 맞아들인 셈이다.

심한 곱슬머리에 수수한 차림의 아베 외상은 골초 중의 골초였다. 피우던 담배가 다 타면 새 개비를 꺼내 불을 이어 붙일 정도의 애연가였다. 내가 그를 마지막으로 만나 서로 확실한 인상을 주고받은 것은 1985년 한일수교 20주년 방일기자단으로 방문했을 때다. 수교 20주년이라는 의미를 새겨 우리는 아베 외상은 물론 나카소네 수상과의 공식 인터뷰를 갖기로 양국 간 사전에 면밀하게 준비했다.

'수교 20주년 기념 방일기자단'은 나를 기자단 대표로 선임했다. 나카소네 수상에 앞서 아베 외상을 먼저 만나게 됐다. 내가 아베에게 "외상과의 만남이 벌써 세 번째인데 아직도 외상이라니, 다음번엔 수상으로 만나면 어떻겠느냐"고 조크하자 함박웃음을 지으며 그렇게 좋아할 수 없었다. 나는 집권의 야심을 숨기지 않는 '정치인 아베'의 또 다른 면모를 발견했고, 그는 지근거리에서 나를 각별히 배려했다.

한일 양국에 생중계된 나카소네 인터뷰는 예정시간을 훨씬 넘겼다. 일 수상 집무실에서 인터뷰 도중 천정에서 빗물이 쏟아지는 어이없는 일이 일어났다. 우리 3사 TV카메라는 당황하여 이리저리 빗물을 피하는데도 NHK 등 일본 방송카메라들은 별로 개의치 않고 태연히 생중계하는 것이 아닌가. 인터뷰 후 수상실 관계자의 해명이 더욱 충격적이었다. 수상실 예산 부족으로 지붕 수리를 못해 불편을 드렸다고 했다. 경제대국 일본이 돈이 없어 수상 집무실 지붕이 빗물에 뚫렸다는 해명은 두고두고 신선한 충격으로 다가왔다.

아베 외상에 "다음엔 총리로 만나자"

아베 외상과의 인터뷰 과정에서 나는 일본의 엄격한 관료주의를 체감할 수 있었다. 회견은 동시통역으로 진행되었다. 아베 외상 턱밑에서 회견을 감시하던 사람은 대변인 격인 정보문화국장이었다. 그는 미리 작성해준 답변서에서 아베의 눈이 떨어지면 손가락으로 옆구리를 쿡쿡 찔렀다. 아베도 정치인인지라 때론 텍스트를 무시하고 애드리브를 하는 것 같았다. 그러면 손가락이 여지없이 외상 아베의 옆구리를 찔렀다.

회견 후 나는 "당신 목이 몇 개나 되기에 대신(외상) 옆구리를 손으로 찌르느냐"고 물었다. 정보문화국장은 "외상이 내 왼쪽에 앉아서 왼손으로 찔렀지, 오른쪽에 앉았더라면 오른손으로 찔렀을 것"이라며 찌르는 몸짓을 하면서 웃었다. 일본 관료들은 누가 대신이 되느냐보다는 사무차관이 누가 되느냐에 더 관심을 갖는다고 한다. 대신은 잠시 거쳐 가는 '과객'에 불과하고, 조직을 관장해 이끄는 사무차관이 관료의 중심축이라고 한다.

우리 일행은 아베 외상 초청으로 그와 함께 홋카이도를 방문했다. 외무성이 홋카이도 어민을 상대로 연 '외교 간친회(懇親會)'에 우리를 초청한 것이다. 일본 어민들의 잦은 소련영해 침범으로 야기된 양국 분쟁에 관한 외무성 입장을 설명하는 자리였던 것으로 어렴풋이 기억난다. 일본은 외교문제와 연관될 경우 외무성이 직접 이 같은 설명회를 연다고 했다. 삿포로 시내 대형 호텔에서 열린 '간친회'에서는 어민 대표와 아베 외상 간 활발한 토론도 있었다.

이에 앞서 우리는 일본 육상자위대 7사단을 방문했다. 일본의 주적인 소련(당시) 시베리아극동군과 대치한 7사단은 육상자위대 가운데 최

정예 부대라고 했다. 포대 시연에 이어 장교식당에서 베풀어진 오찬석
상에 매운 양념 김치가 나왔다. 사단장은 한국인의 김치가 추위를 이기
는 데 유용하다고 설명했다. 매운 김치가 한국에서 온 기자단을 위한
특식이 아니라 장병들의 일상 부식이라는 것이다. 추운 지방에서는 매
운 김치가 열량을 내는 데 도움이 된다고 했다. 시베리아와 마주 보고
대치하는 홋카이도엔 4월말인데도 진눈깨비가 휘날렸다.

억세게 피워댄 담배 탓인지 아버지 아베는 폐암으로 천수를 다하지
못한 채 세상을 떴다. 나카소네 정권을 이으리라던 집권의 꿈을 이루지
못한 채 세상을 떠난 것이다. JP가 아내 박 여사 빈소에서 아들 아베의
극우 성향을 비판하면서 아버지 아베를 추도했지만 아버지 아베 역시
일본 국익 앞엔 철저한 국수주의자였던 것으로 기억에 남아 있다.

넓고 깊은 다독가, 김재순 의장

사람의 일이란 참 묘한 구석이 있다. 남미 의원외교를 위해 기착지인 LA에 들른 정래혁 의장 내외를 유학생 신분으로 운전기사 노릇을 했던 나는 정확히 7년 후 이번엔 김재순 국회의장 수행취재기자로 똑같은 남미지역을 취재할 기회가 있었다. 이번 김 의장의 남미 순방엔 각 교섭단체 수석부총무가 공식 수행원이었다. 총무들은 이미 직전 한 차례 의장의 의원외교에 수행했기 때문이다.

그런데 일이 묘하게 겹쳐 한 곳을 포기해야만 하는 사정이 생겼다. 내가 담당한 국회의 소관 상임위 가운데는 외무위원회도 있었다. 하루는 김현욱 외무위원장이 불러 갔더니 외무위가 유럽을 가는데 같이 가자고 했다.

김 위원장과는 1981년 미국유학 시절 뉴욕에서 친교를 쌓은 이래 국회에서도 가깝게 지냈다. 김 위원장은 이번 여행의 동행인 가운데 정호용 장군(의원)도 있으니 한번 교유할 생각이 없느냐고 내 의사를 타진했다. 나는 단번에 OK하고 회사에 출장 상신을 했다.

정호용 의원은 잘 알다시피 전두환 장군과 육사 11기 동기생이다.

삼성그룹 비운의 황태자 고 이맹희 씨와는 경북고 동기생이다. 그분의 회고록(『묻어 둔 이야기: 이맹희 회고록』)을 보면 이 씨는 친구 정호용을 공부도 잘하고 우수한 친구라고 기술하였다. 육사 11기 동기생 가운데 전두환의 카리스마 못지않게 정호용의 뛰어난 리더십도 종종 화제가 된 것으로 알려졌다.

나는 정호용 장군의 인품을 관찰할 기회가 한 번 있었다. 1987년 1월 박종철 군 고문치사사건 발생 직후 전두환 대통령은 정 장군을 내무부 장관에 기용했다. 남영동 대공분실에서 참고인 신분으로 연행된 박 군을 경찰이 물고문 끝에 사망토록 해 5공 정권이 최악의 궁지에 몰렸다. 어이없는 참사에 대해 군 일부에서조차 동요 움직임이 있었다고 한다. 그래서 일부에서는 정 장군의 내무장관 기용이 군 일부 반발세력의 구심점을 제거한 것 아니냐는 수군거림도 있었다.

내가 정 장군과 마주친 것은 신민당 총재실에서다. 그가 내무부 장관 취임 인사차 이민우 총재를 예방했다. 당시 신민당사는 종로5가 인의동 인의빌딩에 위치했다. 5공 정부가 사사건건 맞서는 신민당의 당사 임대를 노골적으로 방해하는 바람에 신민당은 겨우 8층과 9층을 임대해 사용하고 있었다. 전투복 차림의 동대문경찰서장 안내로 총재실을 찾은 정 장관은 엘리베이터에서 내리자마자 소란스러운 '환영'을 받았다.

유달리 목소리가 큰 한영애, 노경구 양 씨가 정 장관 면전에서 "물 먹여 사람 죽인 X이 나가더니 총 쏘아 사람 죽인 X이 들어왔구나"라고 외쳤다. 두 분은 동교동계 당료들이다. 아무리 강심장이라도 당황할 수밖에 없는 상황이었다. 기습시위에 순간 멈칫하던 정 장관은 이내 냉정을 찾았다. 밖의 소란을 아는 이 총재가 "축하합니다"라며 나와 자기 방으로 그의 팔을 잡아당겼다. 그러나 정 장관은 끌려가지 않고 꼿꼿한 자세로 서서 "야당엔 정열적인 분이 많다더니 오늘 제가 열정적인 환영을 받았습니다"라고 하는 것이 아닌가. 이 총재나 소란을 피운 사람들이 겸연쩍어질 수밖에 없었다. '역시 정호용' 했던 기억이 새롭다.

그런데 김재순 의장의 이동복 비서실장이 전화로 찾았다. 이 실장은 한국일보 정치부 기자 출신으로 나에게는 직계선배다. 왕초(장기영 사주)가 남북조절위에 참여할 때 이 선배를 대변인으로 발탁함에 따라 한국일보를 떠난 것으로 안다. 이 실장은 김 의장이 남미 의원외교를 나서는데 기자단 간사인 내가 수행해줄 것을 요청했다. 그리고 방송, 통신에서 각 1명을 추가로 선정해줄 것도 요청했다. 이미 외무위 유럽여행에 참가하기로 약속한 터라 사정이 묘하게 되었다. 그러나 의장실은 국회기자단 대표인 내가 수행취재 해주길 바랐다.

마음은 외무위 유럽여행에 동참하고 싶었지만 의장실 요청을 뿌리치기 어려웠다. 외무위 김 위원장께 양해를 구하고 김 의장의 남미순방에 참여했다. 정호용 장군과의 교유는 물 건너갔다. 김 위원장은 내가 펑크 낸 외무위 여행에 함께 갈 기자를 추천해 달라고 했다. 그래서 J일보 L기자가 나를 대신해 다녀왔다. 김 의장의 남미 외유엔 연합뉴스 장영섭 기자와 MBC 박석태 기자를 추천해 함께 갔다.

이 여행의 교섭단체 수석부총무로는 정창화 민정, 김덕규 평민, 유기수 공화에 이어 박희태·박찬종 의원 등이 김 의장을 수행했다. 국회의장의 의원외교에는 관례대로 부인을 동반하도록 되어 있다. 그럼에도 두 박 의원은 번갈아 김 의장에게 "잔칫집에 가면서 무슨 도시락을 싸가지고 다니십니까"라는 농담으로 일행을 즐겁게 했다.

순방지 중 콜롬비아에서 심한 폭탄주 후유증에 시달려야 했다. 양주

조재수 박사(SK부사장:왼쪽)와 함께 김재순 국회의장을 예방했다.
조 박사는 USC에서 함께 수학했고 흥사단 소속으로
미국 유학 시절 김 의장의 도움을 많이 받았다.(1989년)

잔과 맥주잔을 구하지 못해 소주잔보다도 큰 잔에 양주를 부어 맥주 피
처에 섞었으니 회복이 쉬울 리 없었다. 가뜩이나 보고타는 해발고도가
3000m나 되는 고산지대다. 잘 때는 산소마스크를 착용했다. 산소량이
부족해 벤츠 새 차도 시퍼런 매연을 토해 냈다.

10여 일이 넘는 여정을 통해 나는 김 의장의 폭넓은 식견에 감탄했
다. 그분은 아마도 의원 가운데 독서량이 가장 넓고 깊은 분이 아닐까
생각됐다. YS정권을 만드는 데 앞장섰다가 재산문제로 은퇴를 강요받
자 '토사구팽'(免死狗烹: 토끼사냥이 끝나면 사냥개를 삶아 먹는다)이란 적확
한 어휘로 자신이 처한 입장과 염량세태를 비판해 화제가 됐다.

남미 순방을 마치고 귀로에 잠시 동경에 들렀다. 김 의장 내외가 잠
적한 일이 생겼다. 내외는 김 의장을 사경에서 구해준 일본인 의사를
찾아 보은의 시간을 가진 것으로 들었다. 김 의장이 공화당 의원으로
잘나가던 시절 뜬금없이 낙천한 일이 있었다. 충격 받은 김 의장이 화

를 삭이려 술을 한잔했는데 빈대떡 안주에서 문제가 생겼다. 녹두에 돼지고기를 얹은 빈대떡에, 녹두는 쉽게 익었으나 돼지고기가 설익어 그 속에 유충이 뇌로 들어갔다. 원인을 찾지 못해 허둥대다 일본으로 급송, 살아났다고 한다. 생명의 은인을 만나러 잠시 대열을 이탈한 것이다.

이원경 장관 해외순방 수행취재

　외무부를 출입하는 동안 나는 몇 차례 고 이원경 장관의 순방외교를 수행취재할 기회가 있었다. 잘 알려진 대로 이 장관은 우리 정부 수립 후 최초의 공채 출신 공무원이다. 해방 전 일본 동경대학 법대에 입학한 수재로 해방 후 귀국, 경성 고상(오늘의 서울상대)에서 학업을 계속했다. 1948년 새 정부의 공채공무원으로 외무부에서 공직생활을 시작했다가 차관이던 1961년 장면 정부 때 두산그룹으로 이직했다.

　그분의 회고에 따르면 차관 월급으로는 도저히 생계를 꾸리기 어려워 고민하던 차에 경성 고상 선배인 고 박두병 회장의 부름을 받고 두산의 자회사인 합동통신 임원으로 가게 됐다고 한다. 1983년 미얀마 아웅산묘소 폭탄테러사건으로 이범석 외무장관이 숨지자 후임 장관으로 기용됐다. 체육부 장관으로 재임 중 아웅산 참변 수습책임을 맡아 깨끗한 외교적 뒷마무리로 친정인 외무부 장관에 기용됐다.

　1984년 6월 나는 이 장관의 유럽순방 취재기자로 유럽을 여행한 적이 있다. 대개 사령탑(장관)이 바뀌면 먼저 재외공관 실태파악(fact finding)을 위해 외무장관이 가능한 지역 혹은 현안이 있는 지역부터 순

주 이탈리아 대사관저에서 열린 이원경 외무부 장관 일행을 위한
환영만찬에서 이 장관과 악수를 하고 있다(1984년).

방외교를 하기 마련이다. 순방국은 오스트리아, 벨기에, 프랑스, 서독
(당시는 동서독으로 분단), 이탈리아, 네덜란드 등이었던 것으로 기억된
다. 수행기자는 나와 서울신문의 고 이상철 기자였다.

기억에 남는 일은 오스트리아 빈에서 파바로티가 출연한 오페라 '나
비부인'을 관람한 것이다. 무슨 이유인지 모르나 세계적인 테너 파바로
티가 몇 군데에서 고음 처리가 매끄럽지 못했다. 이 장관이 "원숭이도
나무에서 떨어지는 일이 있다더니 꼭 그 같은 일이 일어났구먼"이라고
한 코멘트가 기억에 생생하다. 또 '미스터 유럽'이라는 별명을 가진 안
드레오티(Giulio Andreotti) 외상과의 한-이탈리아 외상회담이 눈길을 끌
었다. 이탈리아의 거물 정객 안드레오티는 수상을 다섯 번인가 하고,
당시엔 일곱 번째 외상을 하고 있다고 했다.

외무차관으로 통보받고 금의환향했다가(졸저 『외교가의 사람들』의 '차
관임명 번복 소동' 참고) 임명이 취소돼 다시 귀임한 고 지연태 이탈리아
대사가 로마에서 우리를 안내했다. 안드레오티가 자신의 친구 기업이
라며 강력히 추천한 베니스의 세계적 유리공예기업 '무라노 유리'를 찾

기도 했다. 안드레오티는 마피아와의 관련설이 끊이지 않았는데 우리를 안내했던 공관원도 '무라노 유리' 역시 마피아와 관련 있다는 소문이 무성하다고 했다. 결국 안드레오티는 마피아 관련 의혹으로 말년에 정치적으로 불운을 맞은 것으로 기억된다.

우리는 로마에서 안드레오티의 직접 안내로 명승지 몇 곳을 구경하면서 이상한 일을 경험했다. 나와 이상철 기자는 서로 번갈아 안드레오티 몰래 기념사진을 찍었다. 그런데 귀국해 현상하고 보니 안드레오티에게 접근해서 몰래 찍은 사진이 모두 '먹통'이 됐다. 고 이 기자가 먼저 현상을 해보니 내가 찍어준 안드레오티와의 사진이 전부 '먹통'이었다. 이 기자가 고개를 갸우뚱했다.

내 필름을 현상하면서 곧 의문이 풀렸다. 이 기자가 몰래 찍어준 나와 안드레오티와의 '기념사진' 역시 단 한 장도 나오지 않았던 것이다. '미스터 유럽'이란 거물 정객 안드레오티 주변에서 이상한 경호가 이뤄지고 있었던 것이다. 몰래 다가가 사진을 찍어본들 상대 경호 측에서 역광선을 내보내 사진이 찍히지 않도록 한다는 사실을 뒤늦게 알게 됐다. 안드레오티 얼굴이 함부로 나가지 않도록 경호팀에서 통제하고 있었던 것이다. 마피아를 조종한다는 세간의 의혹에 걸맞게 그에 대한 경호도 첨단방식이었다.

마르코스 생존 증인되기도

1985년 크리스마스 무렵 이 장관은 동남아를 순방했다. 취임 후 동남아 현황파악 첫 출장인 셈이었다. 인도네시아, 말레이시아, 필리핀,

태국, 싱가포르, 브루나이 등을 방문했다. 수행기자는 나와 중앙일보 문창극 기자였다. 지난번 국무총리 후보로 지명받았으나 낙마한 그 문창극 씨다. 나보다 신문사 밥그릇 수로 3년쯤 후배가 되고 외무부 출입도 나보다 다소 늦었다. 씩씩하고 호탕한 면모가 돋보이는 사람이다. 나는 한때 그와 송파구 방이동 인근 아파트에서 살아 몇몇 이웃 언론계 동료 가족들과 판교로 소풍을 가기도 했다.

문 씨의 낙마과정을 지켜보면서 나는 이 정부의 인사정책이 너무 즉흥적이란 생각을 지울 수 없었다. 국무총리 후보가 되기 직전 문 씨는 중앙일보를 퇴직한 후 언론진흥재단 이사장직에 지원했다고 한다. 결과는 박 대통령의 공보특보 출신인 전직의원이 낙점받았다. 만약 정부의 인사정책이 다소나마 합리적인 구석이 있었다면 이런 코미디 같은 일은 일어나지 않았을 것이다. 정부산하기관 이사장에 낙마한 사람을 국무총리 후보로 내세웠다는 비판은 적어도 피할 수 있었을 것이다. 언론계가 키운 인사를 그런 식으로 내치게 한 정부의 단견을 나무라지 않을 수 없다.

문 기자와 내가 방문한 동남아국가들은 우리가 떠났던 한겨울의 차가운 서울과 달리 무척이나 무더웠다. 필리핀을 방문했을 때다. 필리핀 사람들은 정확한 자기 나이를 아는 사람이 드물다고 한다. 우리처럼 계절의 바뀜 없이 시간이 가니 나이를 계량하기 어려운 것이다. 그래서 필리핀 사람에게 나이를 물으려면 'How old are you?'보다는 'How many X-Mas do you have?'라고 묻는 것이 훨씬 대답을 얻기 쉽다고 한다.

전 세계 이목이 우리 일행에게 집중됐다. 와병으로 몇 달째 잠적 중인 독재자 마르코스(Ferdinand Marcos)가 과연 이 장관을 만날까에 쏠렸다. 세계 주요언론은 마르코스의 안위 여부를 이 장관 입에 포커스를 맞추고 있었다. 그는 생사 여부가 불명인 채 석 달째 행방이 묘연했다. 그런 미묘한 시기에 이 장관이 마르코스 대통령과 면담일정을 잡아놓았다. 면담 장소는 말라카냥 궁의 그의 대통령 집무실이다. 일부 서방언론은 '마르코스 사망설'까지 주장하기도 했다.

말라카냥 궁에서 마르코스를 만나기로 한 날 이 장관 일행은 마르코스 집무실로 안내되었다. 이미 그곳에는 마르코스가 부인 이멜다의 부축으로 자리에 정좌해 있었다. 병색이 완연한 시커먼 얼굴엔 피곤한 기색이 역력했는데 그가 자주 투석을 하고 있음을 말해주는 듯했다. 부인 이멜다는 환갑의 나이라고는 도저히 믿기지 않을 정도의 볼륨감 있는 몸매로 일행의 눈길을 사로잡았다. 잠깐 동안의 면담을 마치고 나온 이 장관이 우리에게 면담과정을 설명했다. 평소 근엄한 이 장관이 그날 이멜다와 악수하며 맞잡은 손에서 음기가 강하게 느껴질 정도였다고 해 한바탕 웃은 일이 있다.

주요 외신들은 이 장관의 입을 통해 전해진 마르코스 생존설을 일제히 타전했다. 이 장관이 마르코스 생존설의 확실한 증인이 된 셈이다. 3개월째 잠적, 칩거해 심지어 사망설까지 나돌았던 마르코스가 그날 이 장관을 만남으로써 전 세계에 그의 건재함을 다시금 확인시켜준 것이다. 필리핀 정부도 마르코스 생존설을 전 세계에 알리는 데 이 장관과의 면담을 적극적으로 활용한 면이 없지 않았다.

독재자 마르코스는 한때 동남아에서 가장 민주주의를 꽃피웠던 필리핀을 최악의 상태로 몰아넣었다. 1950년대만 해도 필리핀의 1인당 국민소득이 우리보다 어림잡아 5배가 넘었다. 지금 광화문 앞 세종로에 있는 문화관광부와 주한 미대사관 건물 등은 필리핀 건설회사가 자유당 때 국제입찰에서 낙찰받아 지은 건축물이다. 반세기가 훨씬 지났음에도 이 쌍둥이 건물은 여전히 위용을 자랑하고 있다.

김창훈 주필리핀 대사는 재미있는 보고를 했다. 그분은 필리핀에 오기 전 몬트리올 총영사였다. 캐나다인 총영사 전용기사 한 사람의 월급으로 필리핀 대사관 현지직원 30여 명의 급여를 주고도 남는다고 했다. 필리핀인 현지 고용원의 월 임금은 미화 100달러가 안 되었다.

로물로 전 외상에 홍옥 선물

우리는 필리핀에서 한국의 독립 등 전후 처리에 지대한 공헌이 있는 카를로스 로물로(Carlos P. Romulo) 전 외상을 방문했다. 로물로는 6·25 때 유엔무대에서 유엔군 참전을 이끌어낸 국제적인 거물 외교관이다. 심한 뇌경색으로 몸을 제대로 가누지 못했으나 약간의 대화는 가능했다. 80을 훨씬 넘긴 로물로는 한동안 이 장관의 손을 놓지 않고 감격의 눈물을 쏟았다. 자신이 독립을 도왔고 또 6·25 때 공산군의 침략에 맞서 유엔군을 파견토록 힘써 준 한국은 이렇게 눈부신 발전을 하고 있는데 자신의 조국 필리핀은 마르코스라는 독재자 한 사람 탓에 피폐해질 대로 피폐해졌다는 회환의 눈물처럼 인식되었다.

이 장관은 서울에서 갖고 간 한국산 붉은 사과(홍옥) 한 상자를 선물했다. 외무부는 로물로 전 외상이 특히 한국산 사과(홍옥)를 좋아한다는 사실을 미리 알고 서울에서 준비해 갔다. 노 외교관은 어린아이처럼 좋아하며 선물로 받은 붉은 사과를 떨리는 손으로 쓰다듬었다.

볼키아 가문의 국가, 브루나이

브루나이는 보르네오 섬 서북 연안에 위치한 작은 나라다. 인구라야 40만이 채 안 되고, 국토면적도 한반도의 40분의 1에 해당하는 5,765㎢이다. 이 면적은 경기도의 약 절반에 해당한다. 말레이계가 70%이고 이 비율만큼이나 종교도 이슬람이 대종이다. 이 장관을 영접 나온 볼키아(Mohamed Bolkiah) 외상은 볼키아(Hassanal Bolkiah) 국왕 동생이고, 아버지 선임국왕은 국방장관을 맡고 있는 '볼키아 패밀리' 국가다.

더욱 신기했던 것은 볼키아 국왕의 형제가 여형제를 나란히 아내로 맞이한 근친결혼이었다는 사실이다. 말하자면 이쪽의 남자형제들이 저쪽 여자형제들을 차례로 아내로 맞은 것이다. 2세들이 태어난다면 숙모도 되고 이모도 되는 희한한 근친결혼이다. 바다 한복판에서 쏟아지는 무진장한 석유 때문에 희망하는 사람은 누구나 외국유학의 혜택까지 보장되는 지상낙원이다. 우리가 묵은 영빈관에는 이슬람국가의 금주원칙에도 바 곳곳에 유명 위스키는 물론, 아시아 지역에서 온 우리를 위해 일본의 갖가지 '사케(정종)'까지 구비해 두고 있었다.

생활력이 강한 한국인을 웅변이라도 하듯 브루나이에는 자동차 정비업종을 비롯, 많은 교포업체가 성업 중이었다. 우리는 교민회 대표 안내로 박물관을 구경했다. 브루나이는 울창한 숲이 우거진 거대한 밀림의 나라다. 오랑우탄인지 고릴라인지 거대한 원숭이과 동물의 박제가 박물관을 찾은 우리를 맞았다.

이원경 외무부 장관의 동남아 순방외교를 수행취재한 필자가 브루나이 공항에서
이 장관의 소개로 볼키아 외상과 인사를 나누고 있다(1985년).

브루나이 원숭이를 궤멸시킨 일본군의 만행

교민회 대표 설명에 따르면 2차대전 때 전선을 동남아로 확대한 일
본군은 더운 이 나라까지 여성위안부 공급이 원활치 않자 이들 원숭이
과 동물을 잡아 성욕을 채웠다고 한다. 이 과정에서 성병이 만연해 결
국 이 원숭이과 동물이 궤멸상태에 이르게 됐다고 했다. 성욕을 채우려
다 애먼 동물을 멸종에 이르게 했다니 추악한 인간의 더러운 내면을 들
여다본 느낌이다. 얼마 전 한일 양국은 종군위안부 문제를 서둘러 봉합
했다. 그러나 진정한 사과와 반성이 전제되지 않은 이 합의는 그들이
아무리 최종적이고 불가역적이라고 다짐해 본들 언제 다시 재연될지
모를 불씨를 안고 있다.

소위 '마루타 생체실험'은 2차 세계대전 당시 일본군 만행을 상징한

다. 일본이 피식민지 국가의 멀쩡한 사람들을 붙잡아다 갖가지 인체실험을 한 부대가 유명한 731부대다. 히틀러의 아우슈비츠 강제수용소에 버금갈 정도로 반인륜적 행위를 저질렀다. 얼마 전 일본 수상 아베가 악명 높았던 731부대를 상기시키는 '731' 숫자가 새겨진 전투기에 탑승하는 모습을 보여 피해국들의 엄청난 반발을 산 바 있다. 아베의 무지인지 오만인지 개념 없는 행위였다는 것은 엄연한 사실이다.

다시 국회 출입기자로

외무부에서 국회로 다시 출입처를 옮긴 것은 1986년 초다. 이번에도 역시 여당인 민정당 쪽 국회를 다시 출입하게 됐다. 외무부 출입 명령을 받고 떠날 때까지는 3진이었으나 돌아왔을 때는 2진 기자로 한 등급 상승했다. 대변인은 김용태 의원에서 한국일보 선배기자 출신인 고 심명보 의원으로 바뀌었다. 전두환 대통령과 육사 동기이자 친구 사이인 노태우 의원이 대표가 되었다. 전두환 정권은 노 대표와 노신영 국무총리의 소위 '노-노 체제'로 후계구도를 점차 경쟁화·가시화하고 있었다.

카리스마보다는 정(情), 심명보 선배

고 심명보 대변인에 관해서는 하고픈 얘기가 많다. 그분은 천성이 착하고 너무나 인간적인 분이었다. 서울법대를 졸업, 한국일보 견습기자로 입사했으나 변변한 출입처를 갖지 못했다고 한다. 소위 잘나간다는 정치·경제·사회부 등 외근부서엔 근무하지 못한 것으로 안다. 베트남

전선에 1년간 종군한 것이 취재 이력의 전부라고 할 정도였다. 내가 한국일보에 입사했을 땐 기자직도 아닌 판매국의 강원도 담당이었던 것으로 기억한다. 미군에게 불하받은 고물 지프차를 타고 한국일보 보급, 수금을 위해 강원도 비포장도로를 다녔다고 했다.

일간스포츠가 한창 지가를 높일 때 그분은 레저부장인가로 되돌아왔지만 역시 비주류였다. 편집부에서 기자생활을 시작한 나는 내근과정에서 선배들에 관한 여러 얘깃거리를 들을 수 있었다. 심 선배가 '찬밥'이 된 사연도 그 가운데 하나다. 장기영 사주는 무한경쟁에서 살아남는 사람을 편집국장으로 택했다. 한국일보 사사에서 견습 1기 김훈, 견습 4기 이원홍 씨 간의 편집국장 경쟁은 유명했다.

편집국은 자연히 김훈파와 이원홍파로 갈렸다. 견습 1기 김훈파 참모장이 심 선배였다고 한다. 견습 4기 이원홍파엔 입사동기이자 부산고 후배인 김성우, 그 아래 기수인 김창렬, 유영종 등 기라성 같은 사람들이 포진했다. 결과는 이원홍(KBS 사장, 문공부 장관 역임)의 승리로 끝났다. 김훈 씨가 주간국장으로 밀려났고, 참모장이던 심명보는 기자직이 아닌 판매국으로 봇짐을 옮겨야 했다. 평원의 대결투는 내가 입사하기 전 끝났다. 삼국지보다 더 재미있는 이 대결상은 퇴근길이 같았던 고 서광운 선배와 정준용 화백한테 소주잔 받아 들고 흥미롭게 들었다.

정치판을 전혀 모르고 정치판에 징발된 심명보 선배는 덕(德)과 술로 정치를 익혀 갔다. 대변인의 주요 업무는 당 입장을 정리해 성명서를 내는 일이다. 성명서를 경험하지 못한 심 대변인의 성명서는 이름하여 항상 '두루마리'였다. 성명서는 촌철살인이어야 한다. 엿가락 늘리듯 해서는 임팩트가 없다. 경험해 보지 않았던 그분에게는 무리였다.

무색무취한 심 대변인은 오로지 열과 성을 다해 대변인직을 수행했다. 어느덧 심 대변인은 다음 권력이 유력한 노태우 대표의 핵심참모가 되었다. '노태우-심명보' 조합의 공통분모를 발견하기는 어렵지 않다. 우선 두 사람 모두 카리스마보다는 정으로, 덕으로 사람을 대했다.

노 대표는 초등학교 때 아버지를 여의고 편모슬하와 삼촌 아래서 자랐다. 언젠가 일본의 유력 월간지 『문예춘추』가 앉는 자세로 전두환-노태우 두 사람의 성격을 비교한 바 있다. 그 잡지에 따르면 전두환은 앉을 때 양팔을 팔걸이에 얹은 채 정좌한다고 했다. 넘치는 자신감의 발로로 보았다. 반면 노태우는 두 발목을 비스듬히 모아 다소곳한 자세를 취한다며 자신감이 없고 수줍은 성격이라고 했다.

야심 찬 전두환에 비해 노태우는 대체로 소심하고 조용한 성격이다. 노 대표는 언젠가 몇몇 기자에게 군대생활을 회고하는 얘기를 들려주었다. 자신이 세계에서 가장 짧은 훈시를 한 지휘관일 것이라고 했다. 무슨 얘기인가 들어봤더니 백마 9사단장 때 벌인 모의전투 얘기였다.

모의전투는 복더위 속에 치러졌고 전쟁을 방불케 했다고 한다. 결과는 사단장의 인사고과에도 영향을 미치기에 해당부대들은 혼신의 노력을 한다고 했다. 그러니 자신은 물론 인접 대항군 사단장도 승리를 위해 온 역량을 집중할 수밖에. 연병장엔 완전군장 한 병사들이 폭염 속에 도열, 연신 굵은 땀방울을 쏟아내며 자신의 훈시를 기다리고 있었다.

노 사단장은 통제장교의 '사단장님 훈시'라는 구령에 따라 마이크 앞에 섰다. 큰 소리로 "제군들! 자신 있나?"라고 했고, 장병들은 "네!"라고 맞고함쳤다. 노 사단장은 "훈시 끝!"이라며 하단했다. 무더위 속에 도열한 장병에게 훈시랍시고 중언부언해 본들 사기 진작에 도움이 될 것 같지 않아서였다. 그러면서 자신이 세상에서 가장 짧은 훈시를 한 지휘관일 거라고 자랑했다. 착한 심성이 드러나는 대목이다.

YS와 소선거구제

노태우 정부 탄생은 YS, DJ, JP 등 3김씨 분열의 소산이다. 3김은 대선 패배 이듬해인 1988년 4월에 치러진 13대 총선에서도 역시 각개전투를 벌였다. 총선 룰이라고 할 수 있는 선거법 협상을 놓고도 이들 간에 다소간 온도차가 있었다. 세 사람은 원칙적으로는 1구1인의 소선거구제를 희망했다. 그러면서도 여권이 드라이브하는 기존의 1구2인제에 대해서도 3인3색이었다. 반면 정권을 재창출한 민정당은 사생결단의 소선거구제를 가급적 피하려 했다.

여야 간 선거법 협상이 줄다리기를 할 때다. 하루는 노태우 당선인 비서실장이 된 심명보 의원으로부터 전화가 걸려왔다. 일이 끝나는 대로 서울시청 건너편 P호텔에서 잠시 만나자고 했다. 기사를 넘기고 알려준 방으로 찾아갔다. 응접실이 딸린 스위트룸으로 기억하는데 아마도 심 선배가 은밀하게 사람을 만날 때 사용하는 '안가' 성격의 방이 아닌가 싶었다.

심 선배는 "노 차장이 나를 꼭 좀 도와줘야겠어"라고 말문을 연 뒤 선거법 협상에 관해 자신의 견해를 얘기했다. 야당, 특히 YS가 거품을 무는 1구1인의 소선거구제로는 상생의 정치가 어렵다고 했다. 기존의 1구2인제가 우리 현실에 가장 알맞은 제도라는 뜻으로 설명했다. 그러면서 출처불명의 여론조사 결과를 내밀었다. 심 실장이 제시한 여론조사 결과(1구1인제로 선거 때)의 의석 분포는 민정당 135석(이하 전국구 의석 포함), 평민당(DJ) 70석, 통일민주당(YS) 60석, 신민주공화당(JP) 20석 내외라고 돼 있었던 것으로 기억한다.

심 실장이 제시한 여론조사 결과는 뒤에 총선 결과와 크게 다르지 않았다. 제1당이 된 민정당이 125석(이하 전국구 포함), 제1야당으로 부상한 DJ의 평민당이 70석, 제2야당으로 밀려난 YS의 통일민주당이 59석, JP가 수장인 신민주공화당이 충청권을 석권해 35석을 차지했다. 이미 여론조사 결과가 예측한 대로 야당의 헤게모니는 YS에서 DJ로 넘어갔다. 여론조사의 놀라운 예측 기능이 드러난 셈이다. 이런 결과를 놓고 어떤 분(고 김재순 전 국회의장)은 민주주의를 할 수 있는 최적의 '황금분할'이라고도 했다. 하지만 집권당이 과반의석 확보에 실패함으로써 여소야대 구조는 두고두고 정국불안의 불씨가 되었다.

심 실장이 제시한 예상 의석수는 당시 관계기관에서 전국 지역구를 전수 여론조사한 방대한 양이다. 그 결과의 주요 시사점은 야당의 헤게모니가 YS로부터 DJ로 넘어가는 것이었다. 심 실장은 "YS는 자기가 죽을 줄 모르고 소선거구제를 밀어붙이고 있다"며 "노 차장이 YS를 좀 설득해 달라"고 했다. 나는 당시 한국일보의 야당 취재반장으로 주로 YS가 총재로 있는 통일민주당을 출입했다. 심 실장은 "당신의 종씨(노 당선자 지칭)도 DJ보다는 YS를 카운터파트로 하는 정치를 하고 싶다는 생각을 갖고 있다"고 속내를 비쳤다.

"YS 설득을 도와달라"

심 실장은 또 DJ는 'YS가 수용한다면 자신도 받아들일 용의가 있다'
고 1구2인제의 현 제도를 수용할 뜻이 있음을 비쳤다고 했다. 어디까지
나 심 실장의 주장일 뿐 DJ의 속셈은 확인하지 못했다. 심 실장은 "신문
사 선배 입장에서 어려운 부탁을 하니 노 차장이 YS를 설득하는 데 좀
힘써 달라"고 간곡히 부탁했다. 그러면서 필요하다면 자신이 제시한 여
론조사 결과를 인용해도 좋다고 했다.

심 선배의 간곡한 부탁을 외면하기 어려워 상도동을 찾아갔다. 당시
나는 취재차 상도동을 무시로 드나들었다. 상도동에 들르면 나는 같은
또래 비서들과 어울리기도 했지만 기자들이 별로 주목 않는 김태환 비
서와 남의 눈에 띄지 않게 이따금 소주에 마른 오징어를 안주 삼아 이
런저런 얘기를 나누기도 했다. 김 비서는 YS가 젊은 의원 시절부터 모
셨는데 나보다 12살 많은 1934년생 '개띠 띠동갑'이다.

김 비서는 고 서석재 의원의 부산고 선배인 데다 내 큰처남(고 김지주
사장)과는 부산고 동기동창이었다. 그래서 만나면 김 비서는 곧잘 친구
김 사장을 자랑스럽게 얘기했다. 5공의 엄혹한 시절이라 김 비서는 부
산의 가족과 떨어져 상도동 YS 집 인근의 단칸방에서 생활하고 있었
다. 그분 하는 일은 YS 연설문을 손으로 정서하는 것이다. 필체가 좋아
YS의 연설문을 모두 그분이 수기(手記)했다.

나는 그분의 단칸방 숙소에도 자주 들러 함께 소주를 마시기도 했다.
평소 입이 무겁기로 소문난 분이지만 소주잔을 들다 보면 연설문 내용
등을 미리 엿들을 수 있었다. 술이 거나해지면 "니가 내 친구 김지주의
막내 매제라고" 하면서 친밀감을 나타내기도 했다. YS가 청와대 주인

이 되자 그분은 총무수석실 1급 비서관으로 역시 대통령의 연설문을 자신의 필체로 작성하는 일을 했다.

YS를 찾아간 그날도 나는 2층 작은 응접실에서 당신이 손수 끓여주는 녹차를 마시며 그의 속내를 타진했다. YS는 기자나 자신을 찾아온 사람에게 손수 전기포트에 물을 끓여 차를 대접하곤 했다. 나는 "1구1인의 소선거구제가 총재님께 꼭 유리하다는 보장이 없지 않느냐?"고 물었다. 뜬금없고 생뚱맞은 물음에 YS는 평소의 단답형 대신 한참 생각에 잠기는 표정을 지은 후에야 입을 열었다.

YS, 소선거구제는 국민의 뜻

YS는 "유·불리를 따지기에 앞서 국민의 뜻이 소선거구제"라고 했다. 그러면서 "한 사람을 선택하게 되면 사표(死票)가 생기지 않아 불리할 것도 없지"라고 했다. YS는 "노 차장이 소선거구제가 불리할 것으로 보는 근거가 무엇이냐"고 오히려 반문했다. 나는 기다렸다는 듯 심 실장이 건네준 예상 의석수가 명기된 여론조사 결과를 제시하며 설명을 이어갔다. YS는 자신에게 불리한 것으로 나타난 그 자료를 보면서 출처를 물었다. 나는 일부 조사기관에서 나온 결과라고 에둘러 말했다.

"미친놈들! 저희들 죽는 것은 생각지도 못하면서 남 걱정하고 있어!" YS 입에서 격한 반응이 나왔다. 그러고는 "전두환-노태우가 아무리 여론을 조작해서 소선거구제 도입을 방해해도 국민의 도도한 요구를 받아들이지 않을 수 없을 것"이라고 했다. 선거구 협상을 대통령선거 직선제 협상과 같은 반열에서 인식하는 모습이었다. 더 이상 YS를 설득하는 일은 무모할 것 같다는 생각이 들었다.

　YS의 완고한 입장 탓에 13대 총선은 1구1인의 소선거구제로 치러졌다. 전국구는 지역구 의석수에 비례해서 배분했다. 전국 240여 지역구에서 사생결단의 '1위 싸움'이 불가피해졌다. 각 당은 전국정당을 표방했으나 민정당을 제외하고는 모든 지역에 공천후보를 내기가 사실상 불가능했다. 3김 모두 일부 지역에서의 공천 포기가 불가피했다.

　YS 통일민주당은 호남 일부에서 사실상 공천을 포기했다. DJ 평화민주당도 영남지역에 상당부분 공천자를 내지 못했다. JP의 신민주공화당 역시 텃밭인 충청권을 제외하고는 변변한 공천자를 내기 어려웠다. 총선 결과는 예상한 대로 DJ가 호남지역, YS는 부산경남, JP는 충청권을 석권함으로써 3김씨가 자신들 출신지역 맹주임이 확인됐다.

소선거구제 되자 "함께 정치하자" 유혹도

소선거구제로의 결말은 뜻밖의 망외 소득도 있었다. 그간 지역구를 놓고 혈전을 벌였던 다수 인사들에겐 해결의 단비로 작용했다. 하루아침에 지역구 갈등문제가 해소됐다. 예컨대 부산 동래구는 박관용 의원의 지역구였다. 소선거구제로 결정되기 전 느닷없이 최형우 전 의원이 기존의 울산을 버리고 그 지역 출마의사를 밝히고 경합을 선언했다. 최전 의원은 잘 알다시피 YS의 왼팔, 오른팔 하던 사람이다. 권력 역학상두 사람을 놓고 공천한다면 세론은 최 전 의원이 절대 유리할 것으로 보았다. 박관용 의원은 당시 상도동계가 아니었고, YS의 눈 밖에 나 있던 고 이기택 의원 계보였다.

당시 두 사람 간의 지역구 쟁탈 경쟁은 치열했다. 자칫 피를 부를 것 같이 살벌하기까지 했다. 상도동계에 밀린 형국의 박관용 의원은 공천 실패 시 무소속 출마를 공언하며 배수진을 치기도 했다. 그렇게 살벌했던 경쟁구도가 선거법 협상이 소선거구제로 선회하면서 자연히 해소됐다. 부산에만 지역구가 22개로 대폭 늘어났기 때문이다. 오히려 지역에 따라서는 후보 구인난까지 생겼다.

각 당이 후보 확보에 비상이 걸렸다. 내가 출입한 통일민주당만 해도 강세지역인 영남은 사람이 넘쳤으나 수도권, 호남, 충청 등엔 인물난에 직면했다. 기자실에도 은근히 유혹의 손길이 다가왔다. 당시 대변인은 매사에 맺고 끊는 것이 분명한 투사형 김태룡 씨였다. 김 대변인은 구 신민당 시절 야당성 회복 투쟁으로 성가를 높인 분이다. 홍사덕 대변인에 이어 야당 명대변인 반열에 오르는 데 조금도 손색이 없는 분이다.

야당은 우선 선명해야 한다는 지론에 따라 그가 발표하는 성명서에는 전의(戰意)가 물씬 묻어났다. YS도 불같은 성격의 김 대변인을 전폭적으로 신뢰했다. 투쟁노선을 싸고 지도부와 마찰을 빚을 때는 "김영삼이도 그렇게 하면 안 되는 법이여"라고 직격탄을 쏘는 분이었다. 날이 시퍼렇게 선 대정부 공격 성명서를 즉석에서 구두로 발표하는 순발력도 있었다. 그런 그도 충청권을 강타한 JP 바람에 낙선의 고배를 마시고 사실상 정계를 떠나고 말았다.

하루는 김 대변인이 당사에서 조용히 나를 좀 보자고 했다. 그분의 차에 탑승해 따라간 곳이 남대문 건너편 대한상의 건물 옥상의 식당이다. 김 대변인은 나에게 정치 할 의향이 없느냐고 물었다. 곧 있을 총선에서 통일민주당 후보로 출마하는 것을 의미했다. 김 대변인이 나를 찾은 이유는 아마도 내가 출입기자 가운데 연장자급이었기 때문이 아닐까 싶다. 김 대변인은 "이것은 내 뜻이기도 하지만 총재님 뜻이여"라고 YS의 의중임을 분명히 했다. 나는 "정치는 생리에 맞지 않고 관심이 없다"고 완고하게 거절했다.

김 대변인은 나 이외에도 몇 사람에게 의사를 타진한 것으로 안다. 통일민주당의 경우 서울·경기도 등 수도권의 인물난 탓에 기자들의 의중을 타진하지 않았나 생각된다. 가끔 술자리에서 최형우, 서석재, 김동영 등 YS 휘하의 3인방 세 분이 "정치를 하려거든 나하고 같이 하자"
며 나를 설득하기도 했다. 하지만 나는 현실정치에는 전혀 흥미를 느끼
지 못했고, 그분들의 제의를 모두 뿌리쳤다.

세 분은 YS 밑에서 후계경쟁을 하면서도 대여 투쟁만큼은 일사불란
했다. YS 아래 '삼총사'로 불렸던 세 분 중에는 최형우 전 의원의 정계
진출이 가장 빨랐다. 최 전 의원은 1971년 고향인 경남 울주에서 8대
국회의원에 당선, 정치에 입문했다. 다음으로 고 김동영 의원이다. 그
는 '유신' 직후인 1973년 9대 때 자신의 고향인 경남 거창에서 공화당
후보와 동반 당선됐다. YS 비서관 혹은 당료로 일했던 고 서석재 의원
은 11대에 가서야 배지를 달 수 있었다.

세 분은 나이도 불과 몇 달 아니면 1년 차이로 YS를 받치는 삼각대
같은 존재였다. 세 사람은 주군 YS를 위해서는 물과 불을 가리지 않으
면서도 은연중 라이벌 의식을 드러내기도 했다. 우선 최 전 의원의 경
우는 가장 먼저 국회의원(8대)으로 정치에 입문해 자존심이 강했다. 예
컨대 동국대 동문인 고 김동영 전 의원과의 차별성이다. 고 김 의원이
원내에 진입한 9대 국회는 소위 유신이 단행된 후 1구2인으로 선출된
국회다. 최 전 의원이 8대 국회의원 시절 고 김 전 의원은 국회 신민당
쪽 전문위원이었다.

원내총무에 최형우 부총재

3인 가운데 고 서석재 전 의원의 출발이 가장 늦었다. 소위 '2중대'라
고 놀림받았던 5공의 11대 국회에 진출했다. 그러나 12대에 신민당 공

천으로 야당성을 회복했다. 출발은 늦었지만 YS에 대한 충성심이나 YS의 신뢰도만큼은 결코 뒤지지 않았다.

그러면서도 세 사람 모두 한때 YS에게 등을 돌릴 듯한 상황도 있었다. 사무총장으로 1989년 강원 동해 보궐선거를 지휘하던 서 총장이 상대 후보매수 혐의로 구속기소되었다. 사건이 장기화하자 초조해진 서 총장 측이 YS를 괴롭혔다는 얘기가 있었다. 3당 통합을 재촉하는 계기가 바로 서 총장 구속사태였다는 인식도 있다. YS는 집권하자 그를 총무처 장관에 기용했다. 김동영 총무 역시 1987년 대선 패배 직후 한때 마음이 YS를 떠난 적이 있었다. 최 전 의원 역시 인사문제로 YS와 결별담판을 했다는 얘기가 있었다.

13대 총선 결과 야당의 헤게모니는 YS로부터 DJ로 넘어갔다. 평화민주당이 70석으로 통일민주당의 59석보다 11석이 많은 제1야당이 되었기 때문이다. 집권 민정당이 노련한 김윤환 의원을 원내총무로, 또 야당의 헤게모니를 거머쥔 평민당이 김원기 의원을 정하는 등 원 구성에서의 수싸움이 볼 만했다. 원내 사령탑 구성이 가장 늦은 통일민주당의 인선작업을 취재하기 위해 나는 거의 매일 밤 상도동을 찾았다.

YS는 나에게 오히려 "노 차장, 누가 좋겠노?"라고 물었다. 그러면서도 고뇌하는 표정이 역력했다. 하도 집요하게 내 생각을 묻기에 나는 현재의 통일민주당과 YS가 처한 현실 등을 제법 장황하게 설명하고는 "신상우 의원이 어떻습니까?" 했다. 통일민주당은 대여문제보다는 평민당과의 머리싸움이 더 절박할 것 같아 고 신 의원을 천거했던 것. 신 의원은 두뇌회전이 빠르고 포용력이 있는 정치인이다. 그러자 YS는 "아이고, 자기들 고려대 동문이라고" 하면서 불가 입장을 나타냈다.

YS는 이미 머릿속에 복잡한 계산을 하고 있는 것 같았다. 내가 "총재님의 복안이 있는 것 같은데요" 하자 극구 손사래 쳤다. 그러면서 다시 내 견해를 물었다. 스무고개와 같은 문답이 한동안 계속되다 결론을 내지 못하고 나왔다.

다음 날 국회 통일민주당 총재실로 갔더니 최형우 부총재가 원내총무로 발표되었다. 전날 밤 상도동에서 거론된 후보 가운데 최 의원 이름만 나오지 않았다. 만약 최 부총재를 거명만 했어도 '특종'을 할 수 있었는데 그를 징발하리라고는 전혀 생각이 미치지 못했다.

나중에 알게 된 사실이지만 최형우 총무 결정과정엔 우여곡절이 많았다고 한다. YS는 원래 원내총무에 최형우가 아닌 다른 사람을 생각하고 있었다. 그러나 최 부총재의 요구가 감당하기 어려울 정도로 강했다고 한다. 최 총무는 만약 자신에게 원내총무직이 주어지지 않는다면 '탈YS' 불사의 최후통첩을 했다고 한다. YS는 고심 끝에 통일민주당 원내 사령탑에 최형우 부총재를 기용했다.

김윤환 민정, 김원기 평민, 최형우 통일민주당, 김용채 공화 등 여야 4당체제가 그런대로 순항하는 듯했다. 그러나 과반의석에 미달한 여소야대 상황에서 여권은 독자적으로 할 수 있는 일이 전혀 없었다. 노태우 정권은 탈출구로 정계개편을 구상하게 되었다. 동해 후보 매수사건으로 궁지에 몰린 YS가 현상타파를 위해 맞장구할 수 있는 여건이 있었다. JP에게도 '가능하면 내각제'라는 '사탕'이 던져졌던 것이다.

노태우 대표 신경질에 당한 봉변

5공 2기 정부(그들은 6공이라고 했다)라 할 수 있는 노태우 정부 출범엔 두 사람의 큰 기여가 눈에 띈다. 이병기와 심명보가 그 주인공이다. 이 병기 보좌역은 비서관으로 불려와 소위 '왕의 남자'가 된 경우다. 노신 영 외무부 장관의 추천으로 간택된 이 보좌역은 누가 뭐래도 노태우 정부 탄생의 일등공신이다. 일왕 히로히토[裕仁]에게 학습원 시절 왕도를 가르친 노기 마레스케[乃木希典] 대장이나 가와무라 스미요시[川村純義] 제독의 역할에 버금간다. 그들처럼 '군인 노태우'에게서 '카키색'을 빼도 록 일거수일투족을 살핀 수족이다.

다음으로 고 심명보 의원이다. 심 의원은 노태우 전 대통령과 별다른 인연 없이 그의 충복이 된 경우다. 조선일보 출신 김용태 대변인이 물러가자 언론인 출신으로 대변인을 자연히 승계했다.

두 대변인은 조간신문으로 쌍벽을 이루던 조선·한국일보 기자 출신 이다. 흔히 YT란 애칭으로 불리던 김 전 대변인은 오랜 정치부 기자 생활로 지나칠 정도의 정치감각을 지닌 것으로 소문났다. 반면 심명보 대변인은 이미 언급한 바와 같이 한국일보 견습기자로 출발했으나 기자

생활이 그렇게 순탄하지는 않았다. 두 분은 서울법대 동기동창이다. 12·12 직후 실권을 장악한 5공 신군부는 언론사마다 자기들의 소통 창구를 두었다. 주로 편집국장이 아니라 차하위 국장급을 연락창구로 했다. 두 분은 조선·한국일보 편집국장 대리였다. 아마도 신군부는 이 서울법대 동기동창 두 분을 눈여겨보지 않았나 생각된다. 신군부는 두 분을 편집국장 발령을 내도록 한 후 민정당 창당발기인으로 '보쌈'해 갔다.

김 전 대변인이 정치판에 익숙했던 반면 심 대변인은 '순백'에 가까웠다. 그러나 성실성과 진실성 면에서는 그를 따라올 사람이 없었다. 노태우 대표도 이런 점을 높이 평가했다. 심 대변인은 박희태 의원에게 대변인을 물려주고 대표 비서실장이 됐다. 노 대통령 만들기 일등공신의 공을 인정받은 셈이다. 굳이 그와 5공 인사들과의 인연을 찾자면 그가 베트남 종군기자였을 때 육사 11기는 영관급(주로 중령?)으로 대대장을 하고 있던 것으로 알고 있다.

일방적인 욕설과 고함의 전화 통화

심 대변인의 꿈은 한 번이라도 건설부 장관을 하는 것이었다. 낙후된 지역구의 도로를 정비하기 위해서라고 했다. 더러 나에게 "당신 종씨 (노태우 대통령 당선자)한테 딱 한 번만이라도 좋으니 건설부 장관 좀 시켜 달라고 해보시오"라는 농담도 자주 했다. 지역구인 강원도 영월, 평창, 정선 등의 당시 도로상태가 비포장 오지라 귀향활동을 하려면 굉장히 힘이 들었다.

한번은 이런 일도 있었다. 내가 야당인 신민당을 출입할 때다. 이른 아침 삼양동 이민우 총재 댁을 찾았다가 그분의 차에 편승해 종로5가 부근 인의동 당사로 출근, 총재실에서 차를 마시며 환담하고 있을 때다. 민정당 기자실의 미스 김으로부터 전화가 걸려왔다. 전화를 받으니 미스 김이 잔뜩 겁먹은 목소리로 "노 기자님, 대변인님 바꿔 드리겠습니다"라며 황급히 심명보 대변인을 바꿔 주었다.

전화기에서 나를 확인한 심 대변인은 다짜고짜 고함을 치며 욕부터 해댔다. 한마디 대꾸도 하기 전에 그분은 자기 할 말만 끝내고 전화를 끊어버렸다. 대충 이런 내용이었다. "노진환이 너 나쁜 놈, 난 니가 그런 더러운 인간인 줄 몰랐다. 개XX, 사람이 먼저 돼라" 등등. 나는 영문도 모른 채 욕 한 바가지를 뒤집어쓴 채 일방적으로 당했다. 무슨 일인지도 모른 채 미친 사람이 악쓰는 소리만 듣고 전화가 끊겼다. 뒤통수를 쇠망치로 맞은 것처럼 멍한 상태로 한참을 있었다.

내가 무슨 비난받을 일을 했는지 아무리 생각해도 집히는 데가 없었다. 나는 심 대변인이 무슨 마약을 했나 하는 생각까지도 했다. 세상 살면서 남한테 별로 손가락질받을 일 하지 않았다. 인간성이 어떠니 하는 얘기는 남의 일로만 알고 지냈다. 아무리 생각해도 무슨 오해를 단단히 한 것 같았다. 아니면 무슨 약을 먹었든지.

한동안 멍하니 있다가 정신을 차리고 민정당 대변인실로 전화를 걸었다. 전화를 받은 미스 김이 울면서 "노 기자님이 참으세요" 했다. 아마도 심 대변인의 발악에 가까운 전화를 연결해준 미안한 마음 때문에 그러지 않았을까 생각됐다. 내가 미스 김에게 무슨 일이 있었느냐고 해도 "노 기자님이 참으세요"라고 흐느끼기만 했다. 출입기자들은 잘 알지만, 민정당 대변인실 미스 김은 공화당 초창기부터 대변인실 근무를 해왔다. 나보다 두세 살 아래지만 웬만한 출입기자보다는 연상으로, 동생들 건사하느라 혼기를 놓친 마음씨 착한 올드미스였다.

서로 감정을 추스를 만한 시간이 흐른 뒤 다시 미스 김과 통화했다. 그녀의 설명에 의하면 그날 아침 심 대변인이 막 출근한 노 대표로부터 긴급호출을 받았다. 잠시 후 얼굴이 상기된 채 자기 사무실로 내려온 심 대변인이 미스 김에게 다짜고짜 "노진환이 그 개XX한테 전화 좀 연결해"라고 했다는 것이다. 심 대변인의 손에는 한국일보가 들려 있었다. 그녀는 심 대변인이 대로한 이유를 전혀 모르고 있었다.

"노 기자 기사 별것 아니더만"

미스 김은 전화를 연결한 후 심 대변인이 들고 있던 한국일보를 살폈다고 한다. 신문에 붉은 색연필로 둥그렇게 표시한 곳을 보니 '노진환 기자'라는 바이라인이 있더라고 했다. 그녀 얘기를 들으니 아침신문에 난 기사가 발단이 된 것 같았다. 하지만 아무리 생각해 봐도 문제를 야기할 만한 내용이 없었다. 가뜩이나 나는 야당 출입기자다. 내 기사를 다시 정독해 봤다.

내 기명 기사는 어제 이민우 총재와 환담했던 얘기를 인터뷰 형식으로 정리한 것이었다. 내가 자의적으로 판단했거나 해석한 기사가 아니다. 이 총재의 입을 통해 나온 인터뷰 형식의 얘기들이다. 혹 기사내용에 문제가 있다면 이 총재에게 항의할 일이다. 이 총재 발언을 인용한 기자를 붙들고 시비할 일은 더욱 아니다. 나는 이 총재와의 대화가 실린 기사가 문제가 되리라고는 꿈에도 생각지 못했다.

정독을 해보니 이 총재가 노 대표를 살짝 긁는 내용이 모함돼 있었다. 노 대표가 대로한 건 아마도 이 총재가 "나는 그 사람(노 대표)이 실력자인 줄 알았더니 알고 보니 허수아비더군" 하는 구절 같았다. 그 부분도 이 총재의 말을 직접 인용한 것이 아닌가. 정황을 맞춰 보니 노 대표가 아침 출근길 차 속에서 한국일보를 읽었다고 한다. 무슨 일인지는 모르나 잔뜩 화가 나 있던 노 대표가 차 속에서 그 기사를 읽고 출근과 동시에 심 대변인을 불러 엉뚱하게 화풀이를 한 것으로 추측됐다.

얼마 후 심성 착한 심 대변인은 나에게 정식으로 사과했다. 하지만 이 해프닝은 뜬금없이 화를 낸 노 대표의 잘못이다. 심 대변인은 그날 아침 노 대표에게 난생처음 큰 수모를 당했다고 했다. 이유도 없이 "너는 뭐 하는 X이야"라며 한국일보 신문을 집어던져 얼굴에 정통으로 맞았다고 한다. 심 대변인이 얼른 신문을 주워 드니 기사 말미 바이라인이 내 이름이더라고 했다. 대표실을 내려오면서 내 이름을 다시 확인한 후 자신도 먼저 전화로 화풀이를 했다는 것. 심 대변인은 나중에 사과하면서 "노진환 씨 기사가 사실 별것 아닌데 노 대표가 왜 그렇게 화를 냈는지 나도 솔직히 이해가 안 되더구만" 했다.

심 대변인은 유달리 정이 많고 후배를 아꼈다. 그가 판매국에서 일하다 일간스포츠 레저부장인가로 롤백했을 때다. 비가 후줄근하게 내리던 어느 날 후배 부원 한 사람이 독백처럼 "오늘 같은 날 족발 안주에 소주나 한잔했으면 좋겠네"라고 중얼거렸다. 혼자 나지막이 내뱉은 소리를 엿들은 심 부장이 편집서무 아가씨에게 돈을 빌려 부원들과 함께 장충동 족발집으로 달려갔다는 얘기는 한국일보 내에 전설처럼 전해지고 있다.

그가 민정당 대변인일 때 대변인실 냉장고에는 항상 인삼과 약초 달인 물이 비치돼 있었다. 주야로 폭탄주를 마셔야 했던 심 대변인을 위한 숙취해소용이다. 나중엔 간밤에 과음한 기자들까지 너도 나도 꺼내 마셨다. 술에는 항우장사가 없다고 하지 않는가. 거듭된 음주는 결국 그의 위와 간을 심하게 상하게 했다. 건설부 장관이 되어 고향 영월, 평창, 정선 도로를 확 뚫어 포장하겠다던 그의 다짐도 숙제로 남긴 채 1994년 요절했다.

그는 강원도 영월의 산골 주천면에서 태어나 자랐다. 그 면단위 주천 농고를 나와 서울대 법대에 당당하게 입학한 수재다. 그는 이에 앞서 육군사관학교 14기에도 합격했다. 당시 육사는 주로 가정형편이 어려운 수재들이 지원할 때라고 한다. 육사 시험장인 경남 진해로 가기 위해 중앙선을 타고 내려가다 제천역에서 깡마르고 얼굴이 유달리 검은 교복차림의 수험생이 열차에 올랐다고 한다. 그가 바로 고 이춘구 전 내무장관이다. 심 대변인은 서울법대에도 합격해 육사 입학은 포기했다.

존경받은 고 유수호 변호사

심 대변인과 비슷한 경우로 대구의 고 유수호 의원이 생각난다. 그분은 신고(辛苦) 끝에 지난해 11월 초 타계했다. 존경받는 법조인이 뭐 하러 정치판에 나갈까 하고 법조 출신 동료의원들이 탄식하던 모습이 눈에 선하다. 그분은 권력이 뭐라고 하든 소신과 양심에 따라 판결하는 분으로 유명했다. 결국 유신정권의 눈에 나 법관 재임명을 받지 못해 변호사를 개업했다. 유승민 새누리당 전 원내대표의 부친이다.

유 변호사는 노 대표의 경북고 동기이자 친한 친구다. 노 대표가 강권해 정치권에 불러들였다. 고 이치호 의원에 의하면 유 변호사는 대구 경북지역에서 가장 존경받는 변호사였다. 승소율 1위, 소득도 전체 1위였다. 무엇보다 열과 성을 다하는 변론은 후배 변호사들의 귀감이었다고 했다.

나는 고인과 몇 차례 술자리를 한 적이 있다. 그분과의 술자리에는 고인이 된 한국일보 선배기자 염길정 의원이 함께 자리했던 것으로 기억이 뚜렷하다. 한 분은 대학선배(유 의원)로, 또 한 분(염 의원)은 신문사 선배로 술이 무슨 원수인 양 엄청나게 퍼마셨다. 심명보 대변인처럼 유

의원도 폭음으로 건강이 상하지 않았을까 짐작된다.

대구 법조인 중엔 유 변호사의 정계 진출을 안타깝게 생각하는 사람이 많았다. 한번은 이런 일이 있었다. 대구에서 도당인지 지구당인지 개편대회가 열렸다. 중앙에서 고위당직자들이 총출동했고 기자들도 출장취재를 했다. 그럴 경우 취재기자단은 지도부와 가까운 거리에서 숙식을 함께하는 것이 관례다.

그런데 지도부와 기자단이 따로 놀게 되었다. '오리알 신세'가 된 기자단은 독자적으로 술을 마시게 됐다. 누군가 장난기로 입구에 '민정당 의원 출입금지'라는 팻말을 붙여 놓았다. 불쾌감을 그런 식으로 표시했다. 잠시 후 유수호 의원과 염길정 의원이 들이닥쳤다. 술을 마시다가 급히 달려온 것 같았다.

기자단 분위기를 간파한 두 분이 크게 유감의 뜻을 표했다. 유 의원은 "이 사람들(군 출신 정치인)이 정치를 잘못하고 있네. 노태우도 이런 식으로 정치 하면 안 되지. 가장 중요한 언론하고 소통하며 정치를 해야지"라며 유감을 표시한 후 옷깃의 배지를 떼서 땅바닥에 놓고 밟아 부수고는 우리와 함께 어울렸다. 두 분 모두 심성이 착하고 넉넉한 분들이었다. 염 선배만 해도 너무 일찍 우리 곁을 떠났다.

자상한 형 같았던 염길정 의원

고 염 의원은 한국일보 견습 16기로 기자생활을 시작한 이래 정치부 기자로 활약했다. 한국일보 견습 16기는 인재의 보고라 할 정도로 우수한 분이 많았다. 고 염 의원을 비롯, 박실 전 국회 사무총장(재선 의원), 4·19선언문을 작성한 것으로 유명한 고 이수정 전 문화부 장관, 콧수염이 독특한 양성철 전 주미대사, 언론계에서 '여성 최초'라는 수식어를 달고 다닌 장명수 이화여대 재단이사장(전 한국일보 사장) 등 기라성 같은 재사들이다. 박실, 이수정, 양성철 씨 등은 아마 서울대 정치학과 동기였고, 염 선배는 인근 사회학과 출신으로 내가 입사할 무렵엔 감사원으로 자리를 옮겼다. 확인하지는 않았지만 평소 사회학과 선배로 자신을 아꼈던 고 유혁인 정무수석이 감사원행에 다리를 놓았다는 얘기가 있었다.

수더분한 동네 형 같았던 고 염 의원이 나에게 들려준 얘기 가운데 이런 일화가 생각난다. 한국일보 정치부에서 야당을 나갈 때라고 한다. 자신의 전임은 동기생 고 이수정 전 장관이었다. 상도동 유진산 신민당 총재 댁으로 인수인계와 신임인사를 하러 갔다. 여당으로 출입처를 옮기게 된 이수정 씨가 자신의 후임이 염길정 기자인데 입사동기라며 진산에게 소개했다. 염 선배가 명함을 건네며 "총재님, 염길정 기자라고 합니다"라고 공손히 인사하자 진산은 거들떠보지도 않고 받은 명함을 뒤에 있던 비서에게 바로 건네 버렸다. 처음부터 신임기자 길들이기를 한 것이다. 진산이 그렇게 커 보일 수가 없더라고 했다. 그러나 다음부터는 진산이 자신에게 그렇게 잘할 수가 없더라고 '대인 진산'을 회고했다.

내가 국회에 취재기자로 나간 지 얼마 되지 않았을 때다. 고 염 선배는 후배인 나에게 자신의 경험을 들려주며 교훈을 얻도록 했다. 신문사 선배라기보다는 자상한 형님 같았다. 경험이 없었던 사업, 그것도 전망이 불투명했던 한 경제신문을 맡아 운영하다가 큰 실망감에 스스로 생을 마감하는 안타까운 일이 발생했다. 얼굴에 착한 모습이 알알이 새겨져 있던 분이다. 삼가 두 분 선배의 명복을 빈다.

노태우 대통령 만들기 일등공신, 이병기

　지난 5월 박근혜 대통령 3대 비서실장에서 물러난 이병기 씨는 민정당을 출입하면서 만났다. 그는 나와 같이 1960년대 중반 대학을 다닌, 나와는 동년배다. 내가 드센 9기생에 치여 존재감이 없다고 했던 바로 외시 8회 출신이다. 내가 외무부를 출입할 때 그는 이미 외무부를 떠나 노태우 정무장관의 비서관이 돼 있었다. 1981년 노태우 보안사령관이 대장 전역하면서 정무장관에 기용됐다. 그는 입각하자마자 종씨이기도 한 노신영 외무장관에게 비서관으로 젊고 유능한 직업외교관을 추천해 달라고 요청했다.

　노 장관은 젊은 외시 출신 사무관 가운데 세 사람을 추천, 노 정무장관이 선택하도록 했다. 인선 실무는 외시 1기로 당시 총무과장이던 고 김정기 전 사우디 대사가 맡았다. 김 과장도 서울대 외교학과 61학번(1961년 입학)이다. 3배수 추천을 했지만 노 장관의 방점은 아마도 이병기 서기관에 있지 않았을까 생각된다. 노신영 장관과 이병기 전 실장은 남다른 인연이 있다.

　이 전 실장은 동기생들보다 3~4년 늦은 1974년 외시에 합격했다.

4년 후인 1978년 주제네바 대사관 3등 서기관으로 첫 해외근무를 나갔다. 대사는 노신영 전 총리였다. 노 대사는 외무차관 역임 후 조금은 불만스럽게 제네바 대사로 부임했다. 전임들이 모두 독일, 프랑스, 캐나다 등으로 간 데 비해 다소 하대였다. 박정희 대통령이 이북 출신 패거리 문화에 곱지 않은 눈길을 보낼 때라고 한다. 노 대사보다 늦게 이 실장이 첫 해외근무를 제네바에서 3등 서기관으로 시작한 것이다.

당초 이 실장은 주미대사관에 가기로 내정됐다고 한다. 그래서 워싱턴에 주택을 알아보는 등 준비를 마쳤다. 그런데 임지가 갑자기 제네바로 바뀌었다. 제네바는 다자외교 중심무대라 주거문제가 가장 어려운 일이라고 한다. 발령지 교체로 준비가 전혀 없었던 이 실장은 제네바 부임 후 상당기간 가족과 함께 호텔에서 생활하는 불편을 감수해야 했다.

노태우 대표에겐 두 보좌역이 있었다. 이 전 실장 외 원내 보좌역으로 강용식 의원이 있었다. 하지만 이 실장이 사실상 노 대표의 일거수일투족을 거들었다. 빼어난 친화력에다 과묵한 성품, 냉철한 분석력이 '군인 노태우'를 '민간인'으로 만드는 데 크게 기여했다. "노태우 대통령은 이병기가 만들었다"고 해도 과언이 아닐 정도로 그는 '노태우 대통령 만들기'의 일등공신이다.

지금도 나에겐 한 가지 뚜렷한 기억이 남아 있다. 1987년 12월 대선에서 승리하고 나서 다음 해 1988년 1월 1일 아침 연희동 노 당선자 사저가 개방됐다. 나는 한국일보 정치부 동료들과 노 당선인에게 새해인사를 갔다. 새해 유력 정치인 집엔 세배객이 성시를 이룬다. 그날 아침 이 실장은 당선인 외아들 재헌 군을 엄동의 날씨에도 아랑곳 않고 대문 입구에 세워 세배객들에게 일일이 인사를 하고 안내하도록 했다.

승자일수록, 또 지체가 높을수록 고개를 숙여야 한다는 교훈을 당선자 아들에게 주지시키는 모습을 주의 깊게 지켜보았다. 강추위에도 문 앞에 선 당선자 아들로부터 문전 인사를 받은 세배객들이 얼마나 '보통 사람의 시대'를 절감했겠는가.

연희동에서 노태우 당선자는 당선 축하주로 미리 준비한 '한산 소곡주'를 모두에게 손수 따르며 잔을 권했다. 심명보 비서실장이 뜬금없이 "각하! 여기 노 차장은 일가의 책임을 다하지 않은 것 같습니다"라고 실없는 농담을 했다. 오히려 겸연쩍은 표정의 노 당선자가 "다 지난 일인데"라며 분위기를 수습하는 어색한 일도 있었다. 심 대변인은 내가 자신들의 대척점에 있었다고 생각하는 듯했다.

유성환 의원 체포동의안 소동

나는 이병기라는 사람의 진면목을 유성환 의원 구속동의안 표결 때도 보았다. 그는 야당 기자인 나를 투표장 안으로 끝까지 밀어넣어 야당 출입기자로는 드물게 민정당 단독 투표 광경을 지켜보게 했다. 말이 단독이지 야당의원의 출입을 원천봉쇄한 날치기였다. 민정당은 의장경호권을 발동, 경찰 1000여 명의 삼엄한 경호 속에 본회의장 대신 예결위원회 회의장에서 이 안건을 날치기 처리했다.

이 실장이 사력을 다해 내 등을 밀면서 출입구를 뚫고 입장에 성공했다. 민정당 요원들이 자당 출입이 아니라는 사실을 알았지만 이 실장이 내 등을 받치고 나오자 극력 제지를 하지 않았다. 지금 생각해도 이 실장의 자세는 옳았다. 비록 야당 출입을 원천봉쇄했지만 야당 쪽 출입기자 한 사람쯤은 현장에 있어야 하지 않겠느냐는 '배려'로 확신했다.

1986년 10월 16일 신민당 유성환 의원은 대정부 질의에서 국시는 반공이 아니라 통일이어야 한다고 했다. 개헌을 둘러싸고 여야가 극한대립을 할 때다. 민정당은 즉각 용공발언이라고 반발했다. 그리고 발언 원고의 사전유출을 이유로 면책특권에 해당되지 않는다며 국가보안법 위반혐의로 구속동의안을 일방적으로 통과시켰다.

노태우 대통령 만들기의 일등공신인 이 실장은 주군인 노 대표가 정치권에 불러낸 그의 절친한 친구 유수호 의원과도 각별했다. 유 의원의 아들 유승민 의원이 이회창 전 대표 캠프에 가세할 때도 이 실장이 일정부분 역할을 하지 않았을까 짐작된다. 청와대에서 소위 '유승민 파동'을 지켜보면서 남모를 가슴앓이를 했으리라 본다.

군중 수는 YS 수영만 대회, 열기는 DJ 광주집회

원래 나는 민정당을 출입하다 유성환 의원 사건 직전 신민당으로 출입처를 옮겼다. 사회부에서 정치부로 넘어온 후배에게 여당 출입처를 양보하고 대신 야당을 출입하게 된 것이다. 당시 정치부장은 오인환 씨 (문민정부에서 YS와 함께 5년 임기를 완주한 공보처 장관)였다. 하루는 오 부장이 나를 조용히 불렀다. 정치부에 새로 온 이 아무개를 여당으로 보내려 하니 나에게 야당으로 출입처를 옮기면 어떻겠느냐고 했다.

오 부장은 "저 친구가 한 군데에 빠지면 헤어나질 못하는 성격이라 야당부터 보냈다가는 자칫 '거리의 천사'가 될 위험성이 크니 노진환 씨가 옮기면 어떻겠느냐"고 양해를 구했다. 그 친구의 성향 탓에 내가 옮겨야 한다는 것이 다소 마음에 걸렸지만 부장이 속내를 보이며 양해를 구하는데 반발할 수가 없었다. 어차피 나는 출입처에 대해서는 욕심이 없었다. 가라면 가라는 대로 가서 재미를 붙이곤 했다. 정치부에서 대개는 기피하는 외무부에 가서도 정말 보람을 만끽하지 않았던가?

당시 한국일보 인사는 '보이지 않는 듯하면서도 다 보이는 손'이 사실상 좌지우지했다. 정치·경제부 등 선호도가 높은 부서는 더욱 그랬다. 한국일보의 장래를 걱정하지 않을 수 없는 농간이 많았다. 야당을 출입하면서 나는 더욱 취재하는 보람을 느꼈다. 군사정권에 맞서 조그마한 틈새만 보여도 저항하려는 사람들의 용기가 가상했다. 직선제 개헌을 쟁취하려는 필사적인 투쟁은 민주화라는 이름으로 가슴에 와 닿았다.

특히 한국일보 야당취재반장으로서의 일은 평생 잊히지 않는 소중한 경험이다. 가장 인상에 남는 일은 부산 수영만에서 열린 YS 후보 군중집회다. 결론부터 말하면 정치집회사상 동원군중 수로는 '수영만 대회'가 최다대회였다고 확신한다. 물론 열기로는 DJ의 광주집회였다고 해도 무리가 아니다. 그날 수영만 대회는 국내 언론 간에 참여군중 수를 얼마로 해야 하는가를 두고 치열한 갑론을박이 있었다.

몇몇 기자들이 외신기자들 견해를 들어 보자고 해서 내가 외신기자에게 관중 수를 얼마로 보느냐고 물었다. 하나같이 "이런 집회를 일생 본 적이 없다(I had never seen before)"고 고개를 저었다. 그래도 만약 당신이 기사를 쓴다면 얼마로 하겠느냐고 사정하듯 물었다. 그랬더니 월스트리트저널과 CS(크리스천사이언스)모니터 동경특파원인가가 "명확히 말하긴 어렵겠지만 100만 명은 넘지 않겠느냐"고 했다. 이것이 기준이 돼 D일보(80만 명 추산)만 빼고 모든 신문들이 사람 수를 헤아린 양 '100만 명이 넘는'이라고 통일해서 기사를 송고했다.

D일보만 취재기자가 두 사람 왔다. 그런데 두 사람 가운데 한 사람은 호남, 한 사람은 영남 출신이었다. 다른 신문사들이 외신기자의 입을 빌려 '100만 명이 넘는'으로 숫자를 통일했음에도 D일보만 80만으로 했다. 두 기자가 숫자를 놓고 열띤 토론 끝에 20만을 깎기로 합의한 것이다.

수영만 집회 인파가 엄청났음을 입증하는 사실이 있다. 연설회 후 YS와 기자단이 머물던 광복동의 작은 D호텔까지 가는 데 3시간이 넘게 걸렸다. 부산은 시가지 교통이 완전 마비됐다. 1987년 10월 17일 있었던 일이다. 나는 지금도 우리 정치집회사상 동원 숫자로는 수영만 대회가, 열기로 따지자면 광주 집회가 최대, 최고였다고 확신한다.

YS가 정승화 장군을 영입했다고?

대선정국이 요동치던 1987년 여름 어느 날, 한국일보 야당취재팀에 경천동지할 사안이 포착됐다. 5공 정권의 아킬레스건이라 할 수 있는 전 육군참모총장 겸 계엄사령관 정승화 장군이 YS캠프에 합류했다는 것이다. 지금은 고인이 된 정 전 총장은 5공 정권의 주축이라 할 수 있는 전두환, 노태우 등이 주동이 된 12·12쿠데타의 억울한 피해자다. 사실이라면 대통령선거판을 뒤집을 만한 빅 카드였다.

그리 오래지 않아 사실로 밝혀졌다. 6·3사태 주인공 한 분인 김중태 씨의 안내로 정 장군이 노량진 인근 대림아파트에서 목격되었다. 당시 이 아파트는 YS 둘째아들 현철 씨가 살던 곳이다. 엄청난 사실을 확인하고도 감히 특종이랍시고 기사를 쓸 수가 없었다. 회사에 정보 보고조차 엄두를 내기 어려웠다. 정보 보고를 했다가 누설이라도 되면 YS의 대선 전략이 치명상을 입게 되지 않겠는가?

평상시라면 출입처의 주요사안은 기사를 쓰기 전 미리 데스크에 보고하는 것이 관례다. 하지만 누설이 예견되는 사안을 함부로 데스크에 보고할 수는 없었다. 정승화 장군 영입설이 만약 집권세력 측에 알려지면 무슨 일이 벌어질지 예측을 불허할 때다. 깡패를 시켜 야당 창당작업을 방해하던 음습한 시절이다. 엊그제까지만 해도 무고한 대학생을 물고문해 죽이고도 "'탁' 치니까 '억' 하고 숨졌다"고 둘러대던 사람들이다.

이 사안만큼은 기존 매뉴얼대로 하기가 어려웠다. 가뜩이나 민정당의 심명보 대변인이 각사 데스크들과 거의 매일 저녁 만나는 사실을 아는 이상 정보 보고는 곧 민정당에 고해바치는 것이나 다름없었다. 유력한 야당 대선후보의 승부수를 기사 욕심 차원에서 판단할 수 없는 이유다. 우선 내 양심이 허락지 않았다. 세종문화회관 부근 YS대선기획단에서 정승화 영입 아이디어가 나왔다.

남모를 비밀을 간직하면 누가 눈치챌까 봐 조바심을 갖게 마련이다. 작은 기사는 눈에 들어오지 않고 오로지 정 장군 건으로 끙끙댔다. 나는 출입처에 따르는 후배들이 많았다. 정치판을 갓 출입한 D일보 K기자도 그 가운데 하나다. 해병대 출신답게 용맹스럽고 민완한 후배다. 하지만 정치판은 그것만으로는 부족하다. 정치판은 구중심처 같아 취재 밥그릇 수가 절대적일 경우가 허다하다. 아무리 취재력이 출중하다고 해도 처음부터 취재가 안 되는 곳이 정치판이다.

하루는 이 친구가 자신의 고민을 얘기하면서 선거판세의 '흐름'이라도 알려 달라고 사정했다. 대학도 후배인 데다 고향도 같은 후배다. 그래서 나는 정치판이란 안다고 다 기사화해서는 안 되는 곳이라고 타일렀다. 얘기가 계속되다 보니 '임금님 귀는 당나귀 귀'란 유혹이 밀려왔다. 그리고 내가 알고 있는 이 사안을 이 친구와 공유하고픈 생각도 들었다. 만약 이 친구가 대의를 지킬 수만 있다면 공유하지 못할 이유도 없었다.

특종보다는 민주화가

그래도 쉽게 얘기를 할 사안이 아니었다. 내가 할 말이 있는 듯하면서도 선문답하듯 입을 열지 않자 후배기자는 며칠을 두고 졸랐다. 그래도 쉽게 입술을 뗄 수 없었다. 그때마다 나는 사람이란 약속을 지키기 위해서는 목숨도 걸어야 한다느니 하면서 다짐만 거듭했을 뿐 결코 입은 열지 않았다. 더 이상 버티기가 어려워 나는 사실을 알려 주었다. 철석같은 다짐과 약속을 받았음은 물론이다. 내가 우선 그에게 거듭 당부한 사실은 데스크에 절대 정보 보고를 해서는 안 된다는 것이다.

사실을 알려 주자 용수철마냥 펄쩍 뛰어오르던 후배기자 모습이 눈에 선하다. 그러면서 먼저 "노 선배, 이건 정말 비밀을 철저히 지켜야겠네요"라고 스스로 빗장을 걸었다. 나는 그래도 예기치 못할 사태를 대비해 몇 개의 곁가지도 안전판으로 전했다. 당초 정 장군의 합류는 물론 유명대학 K 전 총장이 대선본부장으로 참여하게 돼 있었다. 누가 봐도 역사를 뒤바꿀 수 있는 완벽에 가까운 구도였다.

이 친구와 비밀을 공유한 뒤로는 오히려 내가 초조해졌다. 그가 눈에 띄지 않으면 불안해서 그를 찾게 되었다. 후회도 해봤으나 이미 엎질러진 물이다. K기자는 신의를 잘 지켰다. 나는 지금도 그에게 무한한 신뢰를 보내고 있다. 그로부터 우리는 서로 취재한 것을 상당기간 공유하기도 했다.

그 친구 역시 데스크로부터 얼마나 기사 압박을 받았겠는가? 또 얼마나 많은 고민 속에서 전전긍긍했겠는가? 그래도 대선 판세를 요동치게 할, 또 YS에게는 명운이 걸린 정승화 영입 사실은 한동안 비밀이 잘 유지되었다. 그 '담합' 이후 나는 한동안 그 후배기자를 만나면 안색부터 살피는 묘한 버릇이 생겼다.

얼마 후 사소하지만 충분히 예견됐던 일이 일어났다. 그래서 나는 이런 사태를 예상해 '메인'과 함께 몇 가지 곁가지도 안전판으로 제공했던 것이다. D신문 가십란에 느닷없이 K모 교수 얘기가 보도됐다. 화들짝 놀라 그 후배기자에게 따졌다. 다른 출입처 기자가 취재해 게재했다는 설명이었다. 흔히 기자사회에서 하는 변명 그 이상도 이하도 아니었다. 이런 식이라면 정 장군 문제도 언제 터질지 모를 일이라고 걱정하지 않을 수 없었다.

나는 YS 비서실장이던 김덕룡 선배를 찾아가 상황을 설명했다. 내가 정 장군 영입 사실을 알고 있었다고 털어놓았다. 김 실장이 화들짝 놀라며 "또 아는 사람이 있느냐?"고 물었다. 나는 "내가 아는 한 현재까지는 없는 것 같으나 언제까지 보안이 유지될지는 자신할 수 없다"고 했다. 당황한 표정의 김 실장이 "알았다"며 "해법이 나올 때까지 계속 '비보도' 상황을 유지해 달라"고 간청했다.

후보 망치는 특종 차라리 포기

대통령선거를 한 달 10여 일 앞둔 11월 9일 통일민주당은 현 서울시의회 청사(구 국회의사당)에서 임시 전당대회를 열었다. 그 자리에서 정승화 장군을 무대 전면에 등장시켰다. 김영삼 대통령후보 상임고문으로 추대한 것이다. 정 장군의 전면 등장으로 대선 판세가 크게 요동쳤다. 당장 워싱턴포스트나 뉴욕타임스를 비롯, 타임, 뉴스워크 등 주요 매체들이 YS를 '선두 후보(leading candidate)'라고 대선후보 가운데 가장 먼저 보도하기 시작했다. 기사도, 사진도 YS를 노태우 후보보다 먼저 그리고 크게 배치하는 일이 벌어졌다.

당초 정 장군 영입 사실은 선거가 임박한 시점의 다중집회에서 공개할 예정이었다고 한다. 극적 효과를 얻기 위해서다. 그러나 김 실장이 내 얘기를 듣고 자칫하면 미리 비밀이 샐 것을 우려해 상당기간 앞당겼다고 한다. 정 장군 영입을 계기로 YS 진영에 예비역 장성들 발걸음이 잦았다. 주로 5공 신군부에 피해를 입었거나 그들의 탈법적 정치참여를 못마땅하게 생각하는 사람들이었다.

하지만 정 전 총장 영입 컨벤션 효과는 그리 길지 않았다. YS 기선제압의 궁극적 노림수는 DJ 출마를 철회시키는 것이다. 대세가 YS로 기울어지면 DJ의 사퇴 가능성도 생기지 않겠느냐는 기대감이었다. 지체됐지만 후보단일화만이 정권교체를 담보할 수 있다. 셈법이 판이했던 두 사람은 그러나 공멸의 길로 나아갔다. 자금 면에서 열세로 알려졌던 DJ 진영에 익명의 정치헌금이 몰렸다. DJ가 사퇴는커녕 오히려 전의를 불태우는 활력소가 되었다. 더구나 DJ에게는 주술과도 같은 '4자 필승론'이 자리 잡고 있었다.

정승화 장군 영입 단독보도를 누락한 데 대해 뒤에 말이 있었다. 그러나 다시 그런 상황이 오더라도 나는 기사화하지 않겠다. 보도의 실익이 모두에게 유익한 일이라면 나는 만난을 무릅쓰고라도 그 길을 택했을 것이다. 하지만 한 대선후보의 사활적 이해가 걸린 문제를 특종보도라는 이유로 폭로함으로써 그분이 나락으로 떨어지는 모습을 원치 않았다. 또 보도 자제가 알 권리와 크게 상충되지 않을 뿐더러 윤리적으로도 문제가 없다고 자판했다. 더구나 명분 없는 유혈 쿠데타로 정권을 찬탈한 사람들에 맞서 '군정 종식'을 외치는 후보에게 재를 뿌리는 것은 역사에 죄를 짓는 일이라 생각했다.

　세월이 한참 흐른 뒤 나는 커밍아웃하듯 정치부장이던 윤국병 선배에게 기사 누락 사실을 실토했다. 윤 선배는 "그래도 부장인 나에게 보고는 했어야지"라고 했다. 통상의 경우라면 부장의 말이 옳다. 하지만 "보고 사실의 보안 유지가 가능했겠느냐"는 물음에 그분도 "그건 솔직히 자신 없다"고 했다. 지금도 나는 당시 내 판단과 행동이 틀리지 않았다고 확신한다. 만약 지금 다시 그런 상황이 온다고 해도 나는 기꺼이 나의 길을 택할 것이다.

박영환 춘추관장의 학력 시비

YS 문민정부 초대 청와대 춘추관장을 지낸 박영환이란 친구가 있다. 퇴직 후 중학교 동창들과 고향인 예천에서 등반하다 돌연사한 것으로 보도를 통해 알았다. 나와는 끊으려야 끊을 수 없는 인연이 있다. 원래 그 친구는 정대철 전 의원이 12대 총선의 신민당 돌풍으로 낙선해 낭인 생활을 할 때 그를 돕던 사람이다. 정 전 의원은 잘 알다시피 민주당 장면 내각의 외무부 장관이던 고 정일형 박사와 최초의 여성 변호사 이태영 여사(이화여대 법정대학장 역임)의 외아들이다.

정 전 의원은 아버지 정 박사를 이어 서울 중구에서 탄탄한 정치적 기반을 쌓았다. 젊은 나이에 재선 의원이 돼 한때 차세대 재목으로 부각되기도 했다. 그런 정 의원이 1985년 소위 2·12총선 돌풍의 최대 피해자가 되었다. 1구2인을 뽑는 12대 총선에서 신민당 돌풍에 맞닥뜨린 것이다. 이종찬, 이민우 후보에 이어 3등을 하면서 낙선, 4년간의 낭인 생활을 하게 되었다. 세론은 제도권의 2중대였다는 민한당 공천이 화근이었다.

염량세태라고 하듯, 배지 떨어진 정 전 의원에게서 사람들이 하나둘 떨어져 나갔다. 나는 그 무렵 정 전 의원과 가끔 어울렸다. 어떤 때는 나하고 단둘이 술을 마신 경우도 있다. 낭인생활 중인 정 전 의원의 곁을 어떤 연유로인지 박영환이 지켰다. 하루는 정 전 의원의 연락을 받고 종로구 관철동 부근 술집으로 갔다. 약속장소 입구에서 낯선 사람이 허리를 숙여 인사했다. 자신이 정 전 의원을 모시고 있다고 했다. 시커먼 얼굴에 고생에 찌든 흔적이 역력해 보인 그의 첫 인상은 배지 떨어진 전직 의원의 고달픈 무급 비서, 바로 그 모습이었다.

그 후 어느 날 이번엔 박영환이 연락을 해왔다. "의원님께서 선배님과 술이나 한잔하자고 하신다. 바쁘지 않으면 꼭 참석해 주셨으면 좋겠다"는 전갈이다. 나는 선약이 있어도 가급적 정 전 의원의 부름에 응했다. 정 전 의원 측은 이런 나를 '정대철 스쿨의 개근생'이라고 했다. 정 전 의원에게는 정보도 풍부했지만 무엇보다 호방한 그분의 성품에 이끌렸다.

박영환과 나는 그렇게 여러 차례 만났다. 그러면서 그의 신상에 관한 얘기도 들었다. 자신이 고려대 경제학과를 다녔고 증권회사에 근무했다고 했다. 고향은 경북 예천이라고 했다. 나이나 학번을 따져 보니 나보다 3년 후배였다. 자세한 설명은 없었지만 증권회사에서 좀 말아먹고 어떻게 하다 정치판까지 오게 됐다고 했다. 얼굴에 고생한 상흔이 고스란히 새겨져 있었다. 젊은이들에게 흔히 있을 수 있는 한 '과정'이라 생각했다.

하루는 박영환이 "선배님, 오늘은 제가 끝까지 모실 수 없게 됐습니다" 하며 자리를 뜨려고 했다. 또 정 전 의원과 나 단둘이 마주 보고 술잔을 기울이게 생겼다. 내가 "어디 가야 하기에?"라고 물었더니 작은 소리로 "동교동에 야간 보초 서러 가야 합니다" 했다. 정 전 의원은 동교동 계보였고, 당시 전·현직 의원 비서들이 돌아가며 저녁에 동교동을 지켰다. 내가 "당신, 고향도 말씨도 다른 사람이 위장취업하고 있구만" 하고 농담을 했다. 그랬더니 그는 정색하며 "선배님, 제가 상도동 쪽에 아는 사람이 없어서"라고 했다.

말이 씨가 되듯, 나는 대학후배(?) 박영환을 돕기로 했다. 13대 대통령선거철이 다가오고 있었다. YS-DJ 간 단일화 협상이 난산 끝에 DJ가 탈당, 평화민주당을 창당하고 독자 출마했다. 나는 박영환을 YS 공보특보 이원종 선배에게 데려가 소개했다. 이 특보도 박영환이 졸업(?)했다던 고려대 경제학과 출신이다. 그리고 기자실에서 일하도록 대변인실 근무를 주선했다. 정대철 전 의원께는 박영환을 상도동 쪽에 데려간 데 대해 양해를 구했다. 정 전 의원은 흔쾌히 승낙했다.

박영환은 우리 집에도 자주 놀러 왔다. 하루는 나의 집에서 한잔하다가 어디로 전화를 하던 중 급히 귀가할 일이 생겼다고 했다. 그가 경기도 광명시 철산동 산동네 셋방에 산다는 것을 그때 알았다. 그의 아내가 부업이랍시고 부화장에서 병아리 몇백 마리를 받아 집에서 키우고 있는데 갑작스러운 돌풍에 지붕이 날아가 버렸다고 했다. 늦은 시간이라 대중교통이 끊어졌을 때라 택시비를 주어 귀가토록 했다.

야당 당료엔 허위학력 많아

당시 야당엔 학력이나 경력을 부풀린 사람이 많았다. 주로 상도동계에서 고려대 후배라고 깍듯이 인사하던 사람들이다. 아마도 내가 성격이 그렇게 모나지 않고, 후배라면 가리지 않고 품었기 때문이 아닌지 모르겠다. 그러나 나중에 보니 상당수가 허위학력 소유자였다. 그들이 문제된 것은 민정, 민주, 공화 3당 통합이 이뤄지고 난 뒤였다.

야당 당료들의 허위학력 소동은 YS·JP계가 몰려오자 자리를 할애하게 된 민정계가 '수성'하는 과정에서 발생했다. 민정계 사무처 요원들만 해도 공채 등을 통해 모두 검증된 사람들이다. 하지만 야당 쪽은 사정이 달랐다. 아예 공채제도가 있었던 적이 없다. 야당 사무처 요원들에게 언제 급료라는 게 있었던가. 3당 통합을 계기로 민정계 요원들에 의한 신원확인 작업이 시작되었다. 검증과정에서 상당수가 학력, 경력을 뻥튀기했거나 허위로 작성한 것이 드러나 문제가 되었다.

상도동 계보에서 학력을 부풀린 사람으로는 박영환 외에도 김 모 등 국장급 몇 사람이 대상이 됐다. 하나같이 내가 고려대 후배로 알고 가깝게 지낸 사람들이었다. 그들의 학력이 위조로 밝혀진 이상 내가 그들을 감쌀 이유가 없었다. 나는 3당 합당 직후 고 서석재 전 사무총장에게 "이제 그들의 능력에 따라 처리하서야겠다"고 전화했다. 허위사실이 드러난 이상 내가 그들을 후배라고 '감쌀' 입장이 아니라는 점을 사실상 통고한 셈이다.

박영환을 데려왔을 때 사무총장이던 서 의원은 "어디서 이런 보배를 찾았느냐"고 고마워한 적이 있다. 서 총장이 실제로 박영환의 실무능력을 보고 감사를 표한 것인지, 아니면 나에게 립서비스한 것인지 정확한 사유는 알 길이 없다. 그날 내 전화를 받은 서 의원은 "마음씨 착한 우리 노 형을 속인 놈들이 나쁜 놈들이지" 하며 오히려 나를 위로했다.

그러나 박영환은 뭐든지 시키는 대로 일을 만들어내는 재주가 있었다. 게다가 겸손하고 친화력도 있어 조직 내에서 조화를 잘 이뤘다. 문민정부가 탄생하자 YS 내부에서도 박영환의 이력에 문제가 있다는 것을 알았지만 버리지 않았다. 대통령선거와 총선에서 그의 열성적인 활동을 기억했다. 대학을 안 나온 것이 문제가 아니라 경력을 위조한 것이 문제였다.

문민정부는 박영환에게 청와대 춘추관장이라는 고위급 자리를 할애했다. 청와대 출입기자들을 뒷바라지하는 책임을 그에게 맡긴 것이다. 나는 상도동 사람들의 인간미 넘치는 처사에 크게 감사했다. 박영환을 후배라고 데려갔던 나로선 실로 감개무량한 일 아니겠는가. 어려움을 잘 극복하고 자리를 잡았던 그는 엉뚱한 사고를 치고 쫓겨나고 말았다. 뒷맛이 영 개운치 않은 일이 일어났다. 박영환이 YS 공식수행원으로 기자단과 함께 대통령 전용기를 타고 미국을 방문했다가 도중에 대열에서 무단이탈한 것이다. 무단이탈 사유가 더욱 가관이었다. 송고 기사가 마음에 들지 않는다며 수행기자들을 비난하고 일방적으로 귀국했다는 것이다. 정상외교 수행원으로서는 상상도 할 수 없는 일을 저질렀다. 공직자의 자질을 의심받지 않을 수 없는 일이다.

'가짜'가 판치는 정치판

13대 대선 무렵, 나는 통일민주당 출입기자 가운데는 가장 연장자 반열에 있었다. 그때도 간사를 맡아 달라는 후배들의 압력이 심했지만 나는 요리조리 피했다. 후배들의 잇단 항의에도 "회사에서 못 하게 한다"거나 "셈이 밝지 못해" 등등의 이유를 대며 한사코 거부했다. 간사를 맡지 않아도 취재하는 데 하등의 장애가 없었다.

사무요원 가운데는 이런저런 이유로 나를 가까이하려는 사람이 많았다. 이런 웃지 못할 일도 있었다. 13대 대통령 선거가 임박한 무렵 하루는 말쑥하게 차려입은 친구가 당사에서 90도로 허리 숙여 인사를 했다. 고향이 경남 하동이고 진주중학을 나온 후배라고 했다. 나는 후배라는 말에 그를 반갑게 맞았다. 얘기 끝에 그럼 고교는 어디서 나왔느냐고 했더니 경기고를 나왔다고 했다. 대학은 서울대 사회학과를 졸업했다고 했던 것 같다. 나는 똑똑한 후배를 만났다는 뿌듯한 마음으로 그를 매우 살갑게 대했다. 그는 사회학과 선배(?)인 김덕룡 비서실장 아래서 YS 후보에게 직능단체, 주로 대학교수를 연결하는 일을 하고 있다고 했다. 그러나 얼마 안 돼 모든 게 가짜임이 들통났다.

한국일보는 '내가 아는 ○○○ 후보'라는 제목으로 '1노3김 후보'를 소개하는 기획안을 마련했다. 말하자면 자기 캠프에서 자기 후보를 지면에 홍보하는 기획안이었다. 노태우 민정당 후보가 맨 먼저 나가고, 다음은 YS 차례였다. 기사가 나가려면 외부원고의 경우 적어도 게재당일 오후 4~5시까지는 원고가 데스크에 도착해야 한다. 나는 이런 사실을 YS 캠프에 누누이 주지시켰다. 서울대 유명교수에게 맡겼다는 YS 원고가 저녁 5시가 넘어 6시가 될 때까지 감감무소식이었다. 사고가 발생한 것이다.

부랴부랴 YS의 경남고 후배인 외대 안 모 교수에게 사정사정, 겨우 펑크를 막았다. 마감시간 직전이라 전화로 원고를 한 장 한 장 구술로 받아야 했다. 하마터면 대형사고가 일어날 뻔한 진땀 나는 사건이 터졌다. 알고 보니 내 중학후배이자 경기고, 서울대 사회학과를 나왔다던 그 친구가 갑자기 행방불명이 된 것이다. 서울대 유명교수에게 맡겼다고 큰소리쳤으나 접근조차 하지 않았던 것으로 드러났다. 하도 어이없는 일이어서 일부에서는 그 친구가 혹 기관의 프락치가 아니냐고 의심하기도 했다.

후보 원고담당이 갑자기 잠적하기도

YS 캠프에서도 난리가 났다. 나는 중학후배라던 K의 정체를 의심했고, 우선 그의 신상털이를 해보았다. 경기고, 서울대 사회학과 졸업생 명부를 눈을 부릅뜨고 살펴도 그런 이름은 없다고 한다. 심지어 진주중학을 나왔다는 것도 새빨간 거짓말이었다. 하동에서 중학 나온 것이 확인됐다. K가 온통 가짜투성이임을 밝혀낸 사람은 아이러니하게도 자신도 이력 면에서 자유롭지 않던 박영환이었다. 야당엔 진짜보다 가짜가 더 많다고 할 만큼 '위조 천국'이었다.

K라는 친구가 지금은 거물이 된 정치인이 정계 데뷔할 때 일익을 한 것은 맞다. 그 정치인이 나에게 직접 들려주었다. 13대 총선 때 문제의 K와 함께 수도권 지역구를 고르러 다녔노라고 했다. 그 정치인은 서울대를 졸업한(?) K를 앞세우고 마치 땅을 사기 위해 복덕방과 함께 땅을 보러 다니듯 지역구를 고르기 위해 수도권 일대를 뒤졌다고 한다. 그 정치인에게 K는 복덕방 같은 역할을 한 셈이다. 내 중학후배라고 속였던 K는 그 후 정치판에서는 '요주의 인물'이 되었다. 특히 YS 문민정부에서는 얼굴을 내밀 수 없었다.

세월이 얼마간 흐른 뒤 DJ정부 때의 어느 날이다. 문민정부 실세였던 L씨가 잊고 있던 K에 대한 얘기를 하며 나에게 통사정했다. K가 자신의 고교후배인 L의원에게 붙어 문제를 야기하고 있다고 했다. K의 정체를 아는 내가 그 의원에게 충고 좀 해달라는 것이다.

L의원은 당시 대권 반열의 정치인으로 크게 부상해 있었다. K가 L의원 고교동창들에게 그를 팔아 '무례하게' 모금까지 하고 있다는 것이다. L씨는 K의 정체를 아는 내가 L의원이 K의 정체를 제대로 알도록 도와달라고 했다. "당신들 선후배끼리 해결해야 할 문제에 왜 내가." 나는 일언지하에 거절했다. 그러나 L씨의 거듭된 호소를 외면하기 어려웠다. L씨는 나에게 선배 이상의 가까운 형이나 다름없다.

K가 일으킨 말썽은 그뿐만 아니었다. 이 거물 정치인을 위한다는 구실로 외교부에도 황당한 요구를 했다고 한다. 대권 반열의 L의원이 곧 방미할 계획인데 재력 있는 유력교포들을 만날 수 있도록 본부가 해당

총영사관 등에 협조를 요청하는 지시를 해달라고 했다. 문제는 '특보'를 자처한 K의 태도가 매우 고압적이었다는 것이다. 외교부는 이런 수준 이하의 사람이 과연 L의원의 특보가 맞을까 의심하기에 이르렀다. 외교부에서 나에게 K가 이 정치인의 특보가 맞느냐고 물은 적도 있다. 외교부 얘기를 듣고 나는 K가 다시 그 의원에게 가 있는 것을 알았다.

내가 나설 계제는 아니었으나 L씨의 간곡한 부탁도 있어 L의원과 잠시 만났다. 그분의 안가 같은 비밀장소인 서울시청 앞 P호텔 라운지에서다. 그를 만나 주위의 걱정, 특히 L씨의 뜻을 전하고 K라는 친구에 관해서도 얘기를 나눴다.

K의 위험성에 대해서는 외교부 고위관리와 내가 통화하는 형식으로 통화내용을 직접 듣도록 했다. 그제야 L의원은 K의 행동에 문제가 있음을 인식했다. 그러면서 그는 자신의 애로를 솔직히 털어놓기도 했다. "진환 형도 알다시피 저는 돈 만드는 재주가 없지 않습니까"라면서 "그럼에도 그 친구(K)가 불평 없이 캠프 사무실을 잘 꾸려가고 있다"고 오히려 K를 감싸는 듯한 얘기를 했다. 나보다 두 살 아래인 L의원은 사석에서는 나를 '진환 형'이라고 부르는 각별한 사이다. 그의 얘기를 듣고 보니 그가 쉽사리 K를 내치기 어려운 입장이라는 것도 알게 되었다. 그는 예상되는 다소의 위험성과 현실적인 이익 사이에서 고민하는 것처럼 보였다.

L씨에게 L의원과 나눈 얘기를 그대로 전했다. 평소 그의 별명대로 L씨는 나에게 오히려 핏대를 세웠다. "어른(YS)에게 정치를 배웠다는 놈이 그 모양이냐"며 "그래가지고 대권은 무슨 대권이냐"며 혀를 찼다.

'내각제 조건부 수용' 이민우 총재의 말로

이민우(仁石: 아호) 신민당 총재가 개헌을 둘러싼 이견으로 양 김에 의해 용도 폐기됐다. 원래 이 총재는 김영삼, 김대중 양 김씨를 대신해 군사정권에 맞서오던 야권의 '얼굴마담'이었다. 그런 그가 전두환 정부 말기에 '선 민주화조치, 후 내각제 수용 가능'이란 이른바 '이민우 구상'을 들고나와 양 김과 부딪친 것이다. 이 총재는 "군사정권이 먼저 민주화 조치를 취하면 야권이 내각제를 수용하지 못할 이유가 없다"는 주장을 폈다. 양 김에게 직선제 개헌 요구는 결코 타협할 수 없는 그들만의 강고한 마지노선이다. 양 김은 자신의 주장을 굽히지 않는 이 총재를 '변절했다'고 보았다.

양 김 세력은 1987년 5월 1일 통일민주당 창당대회를 열었다. 대학로 흥사단 좁은 강당에서 전광석화로 열린 이 대회에서 이 총재는 '용도 폐기'됐다. 양 김은 자신의 주장을 굽히지 않는 이 총재를 '외과 수술하듯' 야권세력에서 배제했다. 왜 지금까지 고분고분했던 이 총재가 막판에 자신의 고집을 꺾지 않으려 했을까. 세간엔 이 총재가 군사정권의 공작에 휘말리게 됐다는 얘기가 파다했다.

원래 '바지사장'에겐 자신의 견해나 생각이 용납되지 않는다. 오로지 배후의 주인 뜻에 따라 '관리'만 허용될 뿐이다. 그런 바지사장이 주인의 뜻에 반해 '조건부 내각제 수용 의사'를 굽히지 않았으니 양 김이 지지철회를 하는 것은 어쩌면 불가피했는지 모른다.

전두환 정권이 왜 그토록 내각제 정부를 선호하고 채택을 위해 혼신의 노력을 다했을까. 알다시피 5공 정권은 출범부터 피로 얼룩졌다. 소위 '12·12사태'라는 유혈 하극상에 의한 쿠데타의 원죄가 있었다. 무엇보다도 이들 쿠데타에 반기를 들고 민주회복을 요구하는 시위대를 무참히 진압한 전비(前非) 또한 용서받기 어려웠다. 광주에서의 살상극은 언젠가는 단죄되어야 할 역사적 과제였다.

그들이 누렸던 것처럼 강력한 대통령제 정부 아래서는 장래가 불안했다. 그래서 들고나온 것이 내각제 정부였다. 내각제는 아무래도 대통령제 정부보다는 느슨할 수밖에 없다. 나중에 자신들의 원죄를 추궁당할 때도 대통령제 정부보다는 권력이 분산된 내각제 정부에서 당하는 게 맷값이 훨씬 덜하리라는 생각을 했을 것이다. 하지만 그들의 희망을 수용해온 '이민우 구상'은 양 김의 반대로 파쇄되고 말았다.

양 김으로부터 용도 폐기된 이민우 총재와 신민당은 겨우 간판만 남은 꼴이 됐다. 하루는 이 총재가 청진동의 작은 S관광호텔 사우나에서 전신운동을 하고 있었다. 목욕탕 바닥에 드러누워 팔다리를 이리저리 흔들며 하는 그만의 온몸운동 방식이었다. 이 호텔 사우나 바닥에 누워 그렇게 운동해도 누구 하나 불평하는 사람이 없었다.

마침 그날 낮 나도 휴식차 이 호텔 사우나를 찾았다. 이 총재가 드러누워 이리 뒹굴, 저리 뒹굴 하면서 온몸운동을 하고 있었다. 내가 잠시 사우나 도크에 들어간 사이 실내가 떠나갈 듯한 고함소리가 났다. 이 총재를 못마땅하게 생각한 한 손님이 "여기가 당신 안방인 줄 아느냐"
고 타박을 준 것이다.

이민우 총재 정계은퇴 특종

민심이란 참 무섭다. 어제까지만 해도 야당 투사로 국민적 환대를 받
던 이 총재가 아닌가. 그러나 오늘은 야당을 배신한 사람으로 대중으로
부터 배척당하고 있었다. 나는 마지막까지 이 총재를 돌보던 김희완 씨
(서울시 정무부시장 역임)에게 이런 정경을 전화로 알려 주었다. 김 씨는
내가 정치판을 취재하면서 만난 젊은 후배 가운데 동생처럼 아끼는 사
람이다. 나는 김 씨에게 이 총재가 사람들로부터 더 추한 꼴 당하기 전
에 정계를 떠나도록 하는 게 좋을 것 같다고 충고했다. 이 총재의 정계
은퇴를 권유한 셈이다.

얼마 후 김 씨로부터 연락이 왔다. "일전에 형님이 말씀하신 대로 이
총재가 오늘 결심을 하셨습니다"라고 이 총재가 정계은퇴 의사를 밝혔
음을 알려 왔다. 우리 집에서 김 씨와 함께 이 총재의 정계은퇴 문안을
작성했던 것으로 기억한다. 그러고는 바로 한국일보에 1면 4단 컷으로
'이민우 신민총재 정계은퇴'란 제목의 기사를 특종보도할 수 있었다. 초
판 한국일보에 낙종한 신문들이 다음 판부터 따라오면서 한국일보보다
더 크게 취급해 시내판 독자들은 그 기사가 한국일보 특종기사임을 알
수 없게 되었다.

큰형과 같았던 고 서석재 전 의원. 신의와 의리를 중시했던 고인은
양 김씨로부터 '용도폐기'된 이민우 전 총재까지도 찾아가 새해인사를 했다.

인석 별세 전 자택 찾아 세배

이 전 총재를 다시 만난 건 십수 년도 훨씬 지난 2003년 1월 1일로
기억한다. 그분이 세상을 뜨기 2년쯤 전이다. 그해 1월 1일 상도동에서
YS께 새해인사를 마치고 나오는데 고 서석재 전 의원이 나를 불렀다.
"노 형! 오늘 바쁘지 않으면, 바쁘더라도 꼭 좀 시간을 내 인석께 세배
하러 가자"고 팔을 당겼다. 많은 사람이 있었지만 인석에게 세배하러
갈 만한 사람이 나밖에 없었던 모양이다. 고 서 의원은 인간미가 넘치
는 큰형과도 같은 분이다. 나는 흔쾌히 승낙했다. 사람들에게 잊혔던
이 전 총재를 그래도 서 전 의원은 거처를 알아내 세배를 가자고 한 것
이다.

나는 그분의 차로 공릉동 육사 부근의 이 전 총재 댁을 찾았다. 40여
평 돼 보이는 아파트엔 이 전 총재와 김동분 여사 내외분만 있었다. 서
전 의원과 내가 "총재님 안녕하셨습니까?"라고 인사를 건네자 이 전 총

재는 처음 우리를 잘 알아보지 못했다. 서 전 의원이 "총재님, 서석재입니다. 옆은 한국일보 노진환 기자고요" 했더니 인석은 엉뚱하게 "두 분 지금도 국회의원 하시오?"라고 말을 받았다.

내외분만 있으니 하루 종일 말할 기회가 없어서인지 인석은 말을 거의 잊어버린 듯했다. 실어증 증세라는 것이 이런 것이 아닐까 생각됐다. 이 총재보다 연세가 다소 아래인 김 여사는 예나 그때나 별 차이 없이 또렷또렷했다. 잠시 후 기억을 가다듬은 이 전 총재는 한 손으로는 서 전 의원의 손목을, 한 손으로는 내 팔목을 꽉 움켜쥐고는 자신의 얘기를 시작했다. 봇물이 터지듯 이 전 총재의 말은 청산유수였다. "1984년 9월 27일 말이여. 김영삼이가 이랬고, 김대중이는 저랬고…" 그분의 얘기는 날짜, 시간이 정확히 입력된 채로 쏟아져 나왔다.

대화상대가 없어 기억들이 사장된 채 시간이 잠시 멈춰 있었을 뿐이다. 노인네가 웬 힘이 그렇게 센지, 서 전 의원과 나는 팔목을 꽉 붙들린 채 1시간이 훨씬 넘게 속사포 같은 그분의 얘기를 들어야만 했다. 주로 양 김에 대한 섭섭함이 주조를 이뤘으나 더러는 전두환, 노태우의 아마추어 정치에도 일침을 놓았다. 그분이 서 전 의원과 내 팔목을 꽉 잡은 것은 행여 우리 두 사람이 일찍 자리를 뜨지 않을까 염려해서였던 것 같았다. 사람이 그리웠던 노인네의 집착이랄까, 한동안 그렇게 붙잡혀 그분의 얘기를 들어야만 했던 기억이 아스라이 남아 있다.

김희완 씨를 상도동계에 소개

이 전 총재를 그렇게 역사 속에 묻은 후 나는 김희완 씨를 걱정하지 않을 수 없었다. 그도 같은 입장이라면 상도동 쪽에서 일을 했으면 했다. 비록 대선에선 참패했지만 13대 국회의원 총선을 앞둔 시점이었다. 어느 캠프건 김희완 씨같이 정치판을 아는 사람의 손길이 필요할 때다. 나는 통일민주당 김덕룡 비서실장과 이원종, 홍인길 제씨에게 김 씨를 데려와 일손을 돕게 하는 게 어떠냐고 물었다. 김희완은 이미 내가 후배(?)라고 이끌어가 있던 박영환과도 관계가 나쁘지 않았다.

김 실장과 이원종 특보의 반응이 아주 안 좋았다. 심지어 "김희완은 장세동 안기부장의 '이민우 구상' 공작 때 관여한 의혹이 있다"고 강하게 손사래를 쳤다. 당시 소위 '이민우 구상'이란 게 양 김으로부터 어떤 의심을 받고 있었는지가 확연하게 드러나는 대목이다. 양 김은 '이민우 구상'이 안기부의 사주로 제기된 공작 차원으로 파악하고 있었다. 말을 꺼낸 내가 황당하지 않을 수 없었다. "이제 겨우 30대 풋풋한 젊은이에게 '안기부 공작' 운운하다니" 하고 내가 발끈했다.

우여곡절 끝에 김희완 씨도 통일민주당의 13대 총선캠프에 합류하였다. 그분들이 내 제의를 늦게나마 수용했기 때문이다. 김 씨는 우리 취재기자단과 함께 전국을 누볐다. 취재팀을 위한 순발력 있는 수족이 된 것이다. 처음 그의 합류를 반대했거나 주저했던 사람들도 그들의 판단이 옳지 않았음을 나중에 실토했을 정도로 발군의 노력을 다했다. 어느새 내가 취재단의 편리를 위해 인도한 박영환, 김희완 두 사람이 통일민주당 선거조직의 중심축이 되어 있었다.

'DJ 의자'

서울 서부역사 뒤편에 자그마한 5층 건물이 있다. 바닥 평수라야 100평이 채 안 될 것 같은 작은 건물이다. 통일민주당이 창당하고 난 뒤 당사를 마련하려 백방으로 뛰어다녔지만 어느 건물주도 정권에 이 판사판 달려드는 야당에게 당사를 세놓으려 하지 않았다. 김무성 총무국장(새누리당 전 대표)이 무역회사를 한다며 건물주를 속여 이 5층 건물 전체를 사용하는 임대차 계약을 성공적으로 마쳤다.

얼마 후 연락을 잘 않고 지내던 집안 고모에게 숨넘어가는 전화가 왔다. 첫마디가 "진환아, 큰일 났다"고 했다. 무슨 일이 있냐고 물었더니 기관에서 집 안을 통째로 뒤져 몽땅 가져갔다고 했다. 잘생긴 젊은이(김무성)가 고향(경남 함양)도 같은 데다 무역회사를 한다고 해서 임대차 계약을 했더니 야당 당사 사기계약이었다고 했다. 당국이 달려들어 건물주의 주리를 튼 것이다. 고모는 사기계약이니 무효로 할 수 없겠느냐고 통사정했다. 사실 나는 그 건물이 고모 소유인지도 몰랐다.

사무총장이던 서석재 의원에게 사정을 알렸다. 그러나 엎질러진 물, 세무조사니 뭐니 고스란히 당할 수밖에 달리 도리가 없었다. 세월이 좋아지기를 기다릴 수밖에. 건물주인 고모는 상당액을 추징당하는 등 재산상의 손실이 이만저만 아니었다. 세월이 약이라는 말처럼 고모가 당했던 손해는 한참 뒤 어느 정도 만회한 것으로 안다. 서 총장과 홍인길 형이 잊지 않고 도왔다고 했다. 3당 합당이 성사된 후라고 알고 있다. 아마도 3당 합당을 가장 반긴 사람이 그 고모가 아니었을까 생각한다.

좁디좁은 당사는 동교동 측이 그해 10월 여의도로 딴살림을 차려 나가면서 그나마 숨통이 트였다. 원래 상도동, 동교동 양측이 반반의 자금 부담을 하기로 하고 당사를 꾸렸다. 집기도 마찬가지 조건으로 들였다. 김무성 국장이 실무책임자로 모두 외상으로 들였다고 한다.

DJ는 허리디스크 증상으로 바닥이 꺼진 의자는 앉지 못한다. 집기를 들여올 때 양 김이 공동으로 회의를 진행할 것에 대비, 양 김용 맞춤의자 2개를 들였다. DJ 의자는 바닥이 높도록 특별주문을 해야 했다. 같이 앉으면 바닥이 높아 돌출된 DJ와 달리 키도 크지 않은 YS는 의자에 푹 파묻혀 잘 보이지 않았다. 의자 높이를 둘러싸고도 두 진영 간에 끊임없는 신경전을 벌였다.

동교동 측이 분당해 나가자 화가 난 사무처 요원들은 DJ 의자에 발길질하며 분을 삭였다. 멀쩡한 의자지만 며칠 안 가 망가질 것만 같았다. 나는 "왜 죄 없는 의자를 발로 차느냐"며 "DJ 의자가 나중에 분당(分黨)을 증언할 역사의 유물이 되지 않겠느냐"고 말렸다. 결국 김무성 국장이 이 의자를 용달차에 실어 잠실 나의 아파트로 보냈다. 덩치만 컸고 일반인은 앉기가 불편해 쓸모가 없었다. 이사 때마다 아내로부터 많은 구박을 받았던 이 쓸모없는 의자를 나는 얼마 안 가 폐기하고 말았다.

직인 탈취 소동의 '학습효과'

중림동에 마련한 통일민주당사 총재실 건너편에 상임고문실이란 팻말이 걸렸다. YS가 승부수로 영입한 고 정승화 전 육군참모총장 겸 계엄사령관 사무실이다. 그 방의 주인 정 고문은 두어 번 나왔던 것으로 기억한다. 대선 패배 후엔 탈당과 함께 발걸음을 끊었다.

13대 총선 전국구 후보 중앙선관위 등록마감을 하루 앞둔 날이다. 김덕룡 실장과 김무성 국장이 총무국장실에서 취재기자인 내가 지켜보는 가운데 중앙선관위에 등록할 전국구 후보 서류에 날인작업을 하고 있었다. 그날 왜 내가 그 방에 있게 됐는지는 기억이 없다.

안으로 문을 걸어 잠그긴 했지만 난데없이 근육질의 C국장이 문을 부수고 난입했다. 욕설과 함께 날인작업 중이던 총재 직인을 탈취해 가는 일이 순식간에 발생했다. C국장은 들어오자마자 전화선을 끊고 직인을 빼앗았다. 자신이 홀대된 것을 전해 듣고 온 듯했다. 난처한 표정의 김 실장과 김 국장은 내 얼굴만 쳐다보았다. 나는 기사화는 걱정하지 말고 수습에 진력하라고 안심시켰다.

최선의 길은 외부에 소문나지 않게 C국장을 설득해 직인을 도로 찾는 것이다. 두 사람은 이 사태를 즉각 YS에게 보고하고 C국장을 찾아 설득작업에 나섰다. 등록마감을 불과 몇 시간도 남기지 않은 시점이다. 심장이 멎을 듯하고 피가 마르는 고통의 협상이 시작됐다. 이내 협상이 마무리됐고, 후보등록을 차질 없이 마쳤다. 후일 김 대표는 C국장이 신사적으로 응해 수월하게 결말을 보았다고 했다. 협상내용에 대해서는 입을 다물었다.

역사는 되풀이되는가. 새누리당 20대 총선 공천과정에서 '옥쇄 파문'이 있었다. 소위 '친박' 공천관리위원장의 횡포에 김무성 대표가 당인과 대표 직인을 들고 부산으로 내려가 공천작업이 중단되었다. 옥쇄가 없으면 선관위에 후보등록을 못 한다. 김 대표는 그 점을 노린 것이다. 28년 전 통일민주당 총무국장 시절 완력 있는 한 당료의 옥쇄탈취 시도에서 김 대표가 체득한 학습효과가 아닐까 하고 웃음이 났다.

나는 해프닝 같은 이 직인 탈취 소동도 기사화하지 않았다. 만약 이것이 보도돼 제3의 세력이 개입하면 야당, 특히 통일민주당은 총선을 치를 수 없는 상황이 될지 모른다. 당시는 정보기관이 공작 차원에서 노골적으로 정치에 개입할 때다. 내가 이 글을 쓰지 않았다면 이 사실도 묻혀 버렸을 것이다.

"고지가 저긴데" '불곰' 김동영의 병사

대통령선거가 끝나자 여야 총무단이 민정당 이종찬 의원과 함께 대만여행을 다녀왔다. 향후 5년간은 노태우 대통령이 이끄는 '보통사람의 정부'다. 문제는 야권 3김씨의 향배였다. 3김은 당시 DJ가 65세, JP가 63세, YS가 61세로 5년 후 대권 재수에 욕심을 낼 만한 연령대였다. 많은 사람들은 5년 후 '포스트 노태우'에 다시 이 3김의 대결양상을 예상했다.

대만을 여행하고 온 3김 수하 사람 등이 했다는 '3김 청산론'이 나돌았다. 분열 끝에 참패한 3김은 더 이상 야권을 대표하기 어렵다는 것이다. 특히 통일민주당에서 이 내용을 전해 듣고 수군거리기 시작했다.

야권은 대선 패배 충격에서 벗어나 4월 총선 준비에 빠져드는 분위기였다. 선거법 협상에서 관철한 소선거구제의 이해득실을 계산하기 바빴다. 모두 자당에 유리할 것으로 판단했다. 내가 주로 취재했던 통일민주당 분위기는 YS의 대선 재수가 당연시되었다. 이제 겨우 환갑인 YS는 건강만큼은 문제가 없었다. 새벽이면 조깅 등으로 심신을 단련했다.

총무단의 대만여행 결과물로 전해진 '3김은 갔다'는 얘기는 통일민주당에서는 금기를 깬 것이나 다름없었다. 군정종식의 상징으로 영입했던 정승화 전 계엄사령관은 정치 할 뜻이 없다며 곧바로 탈당했다. 그러고는 발걸음을 끊었다. 비어 있던 정승화 고문실에 기자 몇 명이 모여 대만여행에서 돌아온 김동영 총무를 기다렸다. 민정당중집위의 비밀보고 내용에는 김 총무 얘기가 고약하게 전해지고 있었다. "YS는 갔고, 다음번엔 나(김동영)라도 대권에 도전하겠다"고 돼 있었다. 김 총무가 도착하자 A기자가 포문을 열었다.

A기자: 김 총무, 다음번에 대권 도전하신다면서요?

김 총무: 무슨 소리를 하는 거야?

B기자: 대만에서 다음 대선에선 죽은 YS를 대신해 김 총무가 출마하겠다고 하지 않았어요?

김 총무: 지금 무슨 소리를 하는 거요?

C기자: 세상엔 비밀이 존재하기가 어려워요.

김 총무: A동지, 내가 말실수한 것 같다. 어떻게 하면 좋겠노?

A기자: 동지는 무슨 얼어죽을 놈의 동지요? 난 김 총무하고 함께 독립운동하거나 아스팔트 투쟁한 적이 없어요.

B기자: 김 총무, 당신이 쥐새끼요? 뛰어내리려 하게. 통일민주당이란 배가 지금 가라앉고 있다고 생각하시오?

김 총무: 미안하다. 어떻게 하면 좋겠노? 이 사실을 누가 아나? 총재님도 아시나?

마치 청문회하듯 날선 대화를 나눈 후 기자들은 아무 일도 없었던 것처럼 평상으로 돌아갔다. 누구도 YS에게 일러바치거나 고자질한 사람은 없었다. 대화는 더 있었지만 생략하기로 한다. 청문회를 방불케 한 대화가 처음 공개되는 셈이다.

대선 패배 후 출입기자들도 허탈감을 느끼긴 마찬가지였다. 일종의 정신적 공황 상태였다고나 할까. 이런 상황에서 대만여행담이 전해지자 누가 먼저라고 할 것 없이 몇몇 기자가 정승화 고문 방에 모이게 되었고, 김 총무를 부르게 된 것이다.

YS인들 이 사실을 몰랐겠는가. 그래도 YS는 전혀 내색하지 않았다. 외형상으로는 YS와 김 총무의 관계도 변함없었다. 정치 9단 YS가 김 총무의 이런 실수를 알면서도 감싸 안으면서 꾸려가는 것처럼 보였다.

전립선 암으로 투병 끝에

3당 통합의 YS 특사 격인 김동영 의원의 건강에 이상이 생겼다. '불곰'이란 별명처럼 내색하지 않고 3당 통합작업에 매진하다 병세를 키운 것으로 드러났다. 3당 통합 얼마 후 김 의원은 커밍아웃하듯 전립선암이란 증세를 밝히고 서울대병원에 입원했다. 그가 평생을 모시며 따랐던 YS의 집권 가능성을 눈앞에 두고서다. YS 측 사람들의 안타까운 응원 속에 투병생활이 시작되었다.

하루는 민자당 대표 비서실장인 신경식 의원이 서울대병원을 방문한다고 했다. 신 의원은 대학 및 언론계 선배다. 대한일보 정치부장을 끝으로 언론인 생활을 접고 정일권 국회의장의 공보담당 비서관으로, 또 비서실장으로 일하다 정치에 입문(13대 국회)한 분이다. 4선 의원(충북 청원)으로 은퇴, 지금은 전직의원들 모임인 헌정회 회장직을 맡고 계시는 것으로 알고 있다. 그분의 정치부 기자 시절을 망라한 『7부 능선엔 적이 없다』는 회고록은 쏠쏠한 재미와 교훈을 주었다. 천성이 고운 신 선배는 많은 분들이 곁에 두고 싶어 했다. 사람들은 그를 비서실장이 '주업'이었다고 할 만큼 윗분들로부터 신뢰가 깊었다. 신 선배는 민자당 대표최고위원이던 YS의 비서실장이었다.

신 선배는 YS 심부름으로 김 총무 병실을 자주 찾았다. 이날도 신 선배가 여의도 당사를 떠나면서 나에게 전화를 주기로 했다. 여의도에서 서울대병원을 가려면 중학동을 거치는 것이 쉬운 길이다. 신 선배를 한국일보 정문에서 만나기로 했다. 나는 신 선배 차에 편승, 김 총무가 입원한 서울대병원으로 함께 가 그를 문병했다. YS는 주기적으로 신 실장을 보내 김 의원에게 금전적 지원을 했다고 한다.

응접실에서 부인 차 여사로부터 병세에 관해 간단한 설명을 들었다. 김 의원은 당시 전립선암 치료에 효과가 있는 것으로 알려진 여성호르몬 치료를 받고 있었다. 오랫동안 치료를 받다 보니 몸이 상당히 여성화되어 있다고 했다. 내방객들에게 신체구조 변형에 대해 내색하거나 놀라지 말라는 뜻으로 우리에게 사전에 주의를 환기시켰다.

병실에 들어가니 김 의원이 특유의 너털웃음으로 우리를 반겼다. 차 여사의 설명을 들었음에도 눈길은 그의 얼굴과 가슴 등으로 향했다. 뽀얀 얼굴에 가슴이 여성의 유방처럼 다소 볼록했다. 환자에게 무슨 병세 얘기를 하겠는가. 나는 분위기를 바꾸려고 넉살을 부렸다. "술 사기 싫어 칭병하고 있다는 좋지 못한 소문이 많아요." 그도 "그래, 빨리 나가서 술 많이 살게"라고 받았다. 그것이 김 의원과의 마지막 만남이 되었다. 3주일 후 그는 불귀의 객이 되었고, 서울대병원 영안실 영정으로 다시 만났다.

그를 떠나보내는 날 서울대병원 영결식장은 온통 눈물바다였다. '고지가 얼마 남지 않았는데' 하는 안타까운 표정들이었다. YS 역시 연신 손수건으로 눈물을 닦았다. 이로써 YS를 떠받치던 3각 지지대는 균형감이 크게 상실된 최형우, 서석재 투톱 체제로 개편되지 않을 수 없는 운명을 맞게 되었다.

통일민주당의 새 피, 황병태

1987년이 저물어 가던 세밑, 김영삼 민주당 총재는 아내 손명순 여사와 함께 제주도로 갔다. 대선 패배의 아픈 상처를 달래고 곧 있을 총선 구상도 가다듬을 겸 해서다. 여장을 푼 후 잠시 바람을 쐬러 나왔다가 엘리베이터에서 황병태 전 외대 총장과 조우했다. 두 사람은 반갑게 인사를 나눈 후 호텔 레스토랑에서 와인을 곁들이며 밤늦도록 앞으로의 시국 등에 관해 얘기를 나누었다.

황 전 총장은 얼마 전 불의의 교통사고로 장남을 잃은 참척의 아픔이 있었다. 부인과 함께 시름을 달래려 제주를 찾았던 것. 큰아들은 아버지와 같이 서울대 상대를 졸업하고 경영대학원에 다니고 있었다. 유학 채비를 하던 중 친구 차를 타고 가다 추돌사고로 숨졌다. 승부사 YS가 기회를 놓칠 리 만무했다. 자신과 함께 정치를 하자고 설득했다.

황 전 총장은 서울상대를 졸업한 1957년 고시행정과 7회(외무직)에 합격, 최광수, 최호중 전 외교부 장관 등과 함께 외교관으로 관직생활을 시작했다. 5·16 후 경제개발계획의 필요성에 따라 경제기획원으로 징발돼 갔다. 주로 경제개발에 소요되는 외자유치 업무를 담당했다. 부족한 산업화 자금을 외자로 충당할 때인지라 황 전 총장같이 외국어에 능통한 관리들의 역할이 컸다. 1974년 경제기획원 운영차관보에서 물러날 때 그는 본의 아니게 정치의 한복판에 있었다. 소위 공화당 4인체제와의 관련으로 관직을 떠나야 했다.

언젠가 황 전 총장은 자신이 경제기획원을 물러나 미국유학길에 오르게 된 사연을 기자에게 얘기한 바 있다. 하도 오래전이라 정확하게 기억하기 어려우나 당시 박정희 대통령이 그에게 3000만 원의 공로포상금을 수여했다고 한다. 당시의 3000만 원을 지금의 가치로 환산하면 몇십억 원에 달하는 큰 금액이 아닐까 싶다. 만학이지만 미 하버드(석사)와 서부 명문 UC버클리에서 국제정치학 박사학위를 취득했다. 귀국 후 외대 정외과 교수로 부임, 총장에까지 올랐다. 나는 경제기획원에서 함께 근무한 가형 노인환 전 의원(전 국회 재무위원장, 3선 의원)을 매개로 친하게 지냈다.

YS로부터 강청을 받은 황 총장은 정치를 하기로 사실상 승낙했다. 참척의 아픔에서 벗어나기 위해 부인이 생활환경을 바꿔 보는 것도 의미 있지 않겠느냐고 거들었다. 황병태 같은 '새 피' 수혈에 성공한 통일민주당은 사기가 충천했다. YS는 당장 부총재로 영입과 동시 '신정치 1번지'라는 서울강남에 공천했다. 큰 표차로 당선됐고, 13대 국회의 '눈에 띄는 신인'으로 부각됐다.

황 전 총장이 통일민주당 부총재로 영입된 후다. 하루는 김덕룡 실장이 황 전 총장과 같이 한잔하자고 제의했다. 기자들과 상견례를 위해서다. 나는 친한 후배인 방송의 H모, 신문의 K모 기자 등 세 사람을 불러 자리를 함께 했다. 두 기자는 나의 대학 4년, 5년 후배다. 테헤란로 인근 지하 룸살롱으로 기억된다. 그날 우리는 통곡하며 술을 마셨고, 대취했다.

모두가 통곡하면서 통음

황 전 총장과의 만남은 우리 모두를 설레게 했다. 그분은 온화한 성품에다 당대 최고의 인텔리였다. 나는 외무부를 출입하면서 그분의 존재를 이미 알고 있었다. 그날 주석(酒席)에서의 화제는 그와 함께 근무했던 나의 가형 얘기에서부터 황 전 총장이 상사로 모셨던 '왕초'(장기영 전 부총리 겸 기획원 장관) 얘기에 이르기까지 다양하고 흥미로웠다. 작은 양주잔으로 몇 순배 돌기 무섭게 내가 폭탄주를 말기 시작했다. 작은 '알잔'으로 취기를 올린 후 '폭탄주'로 옮겨 가는 것이 당시 주석의 공식이나 다름없었다.

'알잔'에 이어 폭탄주가 6~7잔 정도씩 공평하게 돌아 상당히 취한 상태였다. 누가 불렀는지 밴드가 들어왔다. 진지한 대화 분위기 때문인지 밴드맨은 대화에 지장이 안 되도록 조용하게 음악을 깔아 연주했다. 흔히 '뽕짝'이라는 우리 가요를 기타로 연주할 무렵 갑자기 누군가 흐느꼈다. 황 총장이었다. '어깨를 들썩거리며 격하게 흐느끼다가 그치기'를 반복하는 황당한 일이 일어났다.

나는 황 총장에게 "왜 그러시냐"고 물었다. 그랬더니 그분은 "죄송합니다. 술이 좀 약해서"라고 했다. 술좌석에서 더러 우는 사람을 본 일이 있다. 대개는 주기가 오르면 내재돼 있던 비감한 처지가 감정선을 자극해서 일어나는 경우다. 그러나 그럴 땐 이내 그치게 마련이다. 나는 이를 술버릇이라고 생각한다. 그러나 황 전 총장의 그날 울음은 주정 차원의 울음이 아니었다. 맺힌 한을 토해 내는 '통곡'이었다.

황 총장은 울음을 그쳤다가는 다시 어깨를 들썩이며 흐느꼈다. 영문을 모르는 우리는 '이분이 술이 좀 약한가 보다' 생각했다. 성질이 사나운 K모 기자는 당장 "술 몇 잔에 주정을 하다니, 당신 틀렸어! 당신, 정치판에 잘못 나왔어"라고 핀잔을 주었다. 불과 4~5분 사이에 일어난 해프닝이다. 밴드가 연주를 멈추자 황 전 총장은 "대단히 죄송하다"고 거듭 사과하며 울음을 그쳤다.

술잔이 몇 잔 더 돌고 난 후 황 총장이 사정을 설명했다. 밴드맨이 연주한 트로트 가요가 '비 내리는 영동교'라는 곡이라고 했던 것 같다. 불의의 사고로 가슴에 묻은 큰아들이 사고 얼마 전 "아빠, 약사 출신이라는데 이미자 뺨칠 정도로 노래마디를 잘 꺾으니 한번 들어 보세요"라며 내민 것이 그 노래 테이프였다. 유달리 아버지를 따랐던 큰아들은 친구와도 같은 존재였다. YS의 설득이긴 했지만 정치판에 나오기로 결심한 것도 앞세운 아들을 잊기 위해서라고 했다.

우리 모두를 울리게 한 또 다른 사연도 있었다. 떠난 아들은 아버지에게 소개는 하지 않았지만 여자 친구와 가끔 데이트를 하는 것 같았다고 했다. 아들을 먼저 보내고 난 후 하루는 아들 친구들을 불렀다고 했다. 부질없는 기대이긴 하지만 아들이 불장난이라도 해서 혹 여자 친구에게 임신이라도 시켰다면 자신의 모든 것을 던져서라도 지킬 테니 좀 알아봐 달라고 했단다. 일탈할 아들이 결코 아니지만 절손을 감내해야 할 입장에서는 별별 생각을 다 하게 되더라고 울먹였다.

이미 좌중은 통곡의 장이 되었다. 먼저 보낸 자식의 흔적을 찾으려는 아비의 몸부림이 우리들 가슴속을 후벼팠기 때문이다. 모두가 엉엉 소리를 내고 울면서 폭탄주를 마셨다. 그날 황 총장을 가장 타박했던 K모가 더욱 소리 내 슬피 울었다. 황 총장이 정치판에서 물러나 잠시 중국 대사로 부임했을 때 K 기자는 북경특파원으로 황 총장과 재회해 밀월의 시간을 보낸 것은 언론계에서 유명한 일화다.

김종철 총재의 수면제는 코냑(?)

5공 정권에서 한국국민당(약칭 국민당)을 '3중대'라고 했다. 5공 신군부가 집권하고 나서 그들이 창당한 민주정의당(약칭 민정당)을 1중대라고 한다면 민주한국당(약칭 민한당)은 2중대였다. 국민당은 주로 구 공화당 사람들이 주류를 이뤘고 지역적 기반은 충청도와 영남 일부였다. 5공 정권이 등용한 국민당 총재는 고향 천안에서 4대 국회에 진출한 이래 6선째인 고 김종철 전 공화당 의원이었다.

김 총재는 일정 때 일본 메이지[明治]대학을 졸업한 인텔리다. 그는 동생(고 김종희 한화화약그룹 회장)과 함께 한국화약그룹을 창립해 운영했던 사업가 출신 정치인이다. 당시 나는 한국일보 민정당 출입 막내기자이면서 국민당을 커버해 그분의 집을 취재차 수시로 드나들었다.

그분의 집은 서대문구치소 능선 하나 뒤편 산등성이에 위치했다. 한국화약 법인 소유라고 했는데 그야말로 산성(castle)이었다. 출입기자들이 김 총재 자택을 찾으면 저녁엔 으레 프랑스산 코냑을 얻어 마실 수 있었다. 김 총재는 특히 코냑을 즐겼는데 밤에 반병 혹은 한 병을 마셔야만 잠을 잔다고 했다. 소속의원 가운데는 김 총재가 코냑을 들고 잠을 청할 수밖에 없는 딱한 사연이 있다고 수군거리는 소리가 많았다.

의원들에 의하면 원래 한국화약그룹은 형인 김종철 총재와 흔히 '다이너마이트 김'이란 애칭의 동생 종희 씨가 형의 주도로 창업했다고 한다. 그러던 중 박정희 대통령이 한때 기업 하던 의원들에게 정치와 기업 중 택일을 강요하는 일이 일어났다. 김 총재가 국회의원으로 정치에 전념하고 기업(한국화약)은 동생 종희 씨가 전담키로 역할분담이 됐다. 김 총재 지분은 동생에게 명의신탁했다고 한다. 그런데 동생 김종희 회장이 갑자기 암으로 별세했다.

의원들의 전언에 따르면 김 총재는 동생 생전에 명의신탁 지분에 대해 정산할 기회를 갖지 못했다고 한다. 가족 가운데 누군가 형제간의 정산 기회를 막았다는 것이다. 주치의의 '권고'를 핑계로 형제간의 만남을 방해했다는 것이다. 의원들은 김 총재가 생전에 수시로 한숨을 쉰 이유라고 했다. 술(코냑)에 의지해 잠을 청하지 않을 수 있겠느냐고 했다.

김 총재 스스로는 그 문제에 대해 입을 열 듯, 열 듯하다가 말머리를 돌리곤 했다. 술이 취하면 나를 비롯한 출입기자들에게 "우리 승연이(김승연 한화그룹 회장)가 효심이 지극해"라고 조카에 대해서는 항상 긍정적이었다. 하지만 가슴에 말 못 할 응어리가 있음을 누가 봐도 느낄 수 있었다. 그러나 끝내 속내는 털어놓지 않았다. 항상 끝엔 "우리 승연이가 나를 만족하게 해주고 있어"라고 묻지도 않은 얘기를 에둘러 말하곤 했다.

심야 당직발표로 특종 횡재

　한번은 심야에 주요당직 인선 결과를 특종한 적이 있다. 주요당직을 발표하리라는 예고가 있어 기자들이 초저녁부터 서울 서대문구 현저동 김 총재 자택에 몰려들었다. 그러나 예고와 달리 정작 김 총재는 저녁 늦게까지 집을 비우고 없었다. 마감시간을 넘긴 석간 기자들은 서둘러 자리를 떴다. 나를 비롯한 조간 기자 두 사람만 남았다. 밤이 늦도록 김 총재가 나타나지 않자 상대지 조간 기자도 "이 한밤중에 무슨 당직 발표를 하겠느냐"며 현장을 떠났다. 따라 나온 수습 여기자에게 술이나 한잔 사줘야겠다고 했다. 나는 시간 가는 줄 모르고 비서진과 장기를 두고 있었다. 결과적으로 나만 남게 됐다.

　저녁 10시가 지나자 김 총재가 불콰한 얼굴로 귀가했다. 나를 반갑게 쳐다보더니 "한국일보 노 기자가 있으니 인선 결과를 발표해야겠구만" 하고는 원내총무와 사무총장을 제외한 주요당직 인선 결과를 발표하는 게 아닌가. 기자라곤 달랑 나 혼자인데 나를 상대로 발표를 하니 황당하기도 하고 한편으로는 농담하는 것 같기도 했다. 내가 다소 주춤거리며 의아해하자 오히려 김 총재가 "얼른 회사에 기사 부르고 술이나 한잔해"라고 채근했다. 농담이 아니라 엄연한 현실이라고 받아들이지 않을 수 없었다. 나는 김 총재의 자택전화로 다소 황당하게 기사를 송고했다.

　마침 정치부장이 야간국장이라 한국일보는 1면에 당직자 사진까지 곁들여 황당한 당직 인선 특종을 했다. 일반적으로 인사 특종은 쉽지가 않다. 그러나 통상적으로 볼 때 그날 밤의 특종은 특종이라 하기엔 민망한 구석이 있다. 오늘날과 같이 통신수단이 발달했더라면 아마도 상대지 선배기자를 어떻게든 찾아 전했을 것이다. 그러나 당시는 연락할 방법이 없었다. 상대지 선배기자가 다음 날 아침 데스크에 당했을 상황을 상상해 보면 아찔했다.

김 총재 댁 전화로 기사를 부르고 나니 김 총재가 불렀다. "원래 부지런한 놈이 떡 하나 더 먹는 법이여. 노 기자, 우리 술이나 한잔하세"라며 예의 코냑병을 들고 나왔다. 주거니 받거니 하면서 한 병 반을 비우고 나니 어느덧 자정 무렵이 됐다. 취기가 많이 오른 김 총재는 내실로 들어가고, 나는 시간이 너무 늦어 비서진이 묵는 방에서 그들과 술을 몇 잔 더 한 후 새벽에 귀가했다.

당직 인선 발표를 예고했던 김 총재가 왜 심야에 나타났을까. 민한당을 2중대, 국민당을 3중대라고 했던 시절이라는 점을 반추해 보면 대답이 어렵지 않다. 야당의 당직이라도 야당 스스로 인선하지 못하던 시절이다. 아마도 국민당을 '3중대'로 부리는 측과 인선을 놓고 상당한 진통이 있지 않았을까 생각된다. 나를 앞에 놓고 인선 결과를 발표하던 김 총재의 표정도 그렇게 흔쾌하지는 않았다.

잊지 못할 김종하 선배

내가 국민당을 출입할 때 원내총무는 고 이동진 의원이었다. '김종철-이동진 라인'이 5공 군사정권이 점지한 '3중대'의 수뇌진이었다. 야성으로 치면 민한당만큼에는 이르지 못했지만 그래도 국민당 속에도 통제의 울타리를 벗어나려는 작은 몸부림은 있었다. 고 이만섭 부총재와 김종하 의원이 이른바 비주류를 형성하면서 '김종철-이동진 라인'의 대체세력으로 부상하고 있었다. 그 가운데 김종하 의원은 한국일보 선배기자이기에 앞서 큰처남 김지주 형과 서울대 정치학과 동기동창이자 절친한 친구 사이였다.

나는 사적인 인연이 취재에 걸림돌이 되지 않을까 하여 처음 큰처남과의 인연을 감추고 한국일보 선배로만 생각하고 만났다. 그러면서 그분들의 의지를 높게 평가하고 그분들의 입장에서 기사를 썼다. 시쳇말로 술은 '김종철-이동진 라인'에서 얻어먹고 기사는 '이만섭-김종하' 입장에서 썼다. 이런 나를 이만섭, 김종하 선배는 "한국일보 노 기자는 정의감이 있는 기자"라고 호감을 보였다.

어느 날 큰처남과의 관계를 알게 된 김종하 선배가 당장 "야 이놈아!

김지주하고 나는 그냥 그렇고 그런 친구 사이가 아니야"라고 야단을 치셨다. 내가 큰처남과의 관계를 감춘 것이 결과적으로 김 선배를 속인데 대한 불쾌감이었다. 김 선배는 서울대 정치학과 재학 중 동기생 노재봉 전 국무총리와 함께 한국일보 견습기자(5기) 시험에 합격해 기자 생활을 시작했다. 당시 한국일보에는 이에 앞서 김성우 선배(한국일보 편집국장·주필, 자매지 일간스포츠 사장 역임)가 4기로 서울대 정치학과 동기생 가운데는 가장 먼저 한국일보에 입사했다. 김종하 선배는 부친이 우리나라 원로 법조인으로 알고 있다.

왕초 장기영은 집안이 좋은 김 선배에게 궂은일부터 시켰다고 한다. 기자로 입사한 사람에게 편집서무 일을 맡겼다. 기자를 지원하는 편집 서무 자리가 취재기자 못지않게 주요한 업무임에는 틀림없다. 하지만 아무리 중요한 일이라도 기자에게 부수적인 업무를 맡긴다는 것은 상식 밖의 일이었다. 김 선배가 반발한 것은 자명한 일 아니겠는가. 곧장 퇴사를 했다. 그리고 다음 해 재입사했다고 한다.

왕초는 이번에도 싫다고 나간 편집서무 일을 기어이 다시 맡겼다고 한다. 왕초의 차원 높은 인재양성 철학이긴 했겠지만 김 선배 입장에서는 더 이상 한국일보에서는 자신의 비전을 실현하기 어렵다고 판단케 되지 않았을까. 이번에는 숫제 타사로 옮겨 갔다. 타사에서 국회를 출입하다가 정치부장이 된 후 정일권 국회의장 비서실장으로 전직했다. 10대 국회에서 유정회 소속으로 처음 배지를 달았다. 5공 정권이 들어선 후 11대 국회에서는 국민당 소속으로 경남 창원진해 지역구 의원으로 부활했다.

뒤바뀐 소속 "당신 그곳 가 있어"

김종하 선배가 들려준 큰처남과의 관계는 우정을 초월했다. 남재희 선배 회고에 의하면 큰처남은 서울대 정치학과에서 '신진회'라는 서클을 창설, 운영했다고 한다. 어떤 분은 '신진회'가 우리 대학사에서 이념 서클의 효시라고 했다. 부산고 동기동창 김성우 선배와 노재봉 전 총리 등이 조직한 '정문회(정치문학회)'와 쌍벽을 이뤘던 '신진회'에는 누구라고 하면 금방 알 만한 회원이 다수 있었다. 정문회가 정적(靜的)이었다면 신진회는 다소 동적(動的)인 이념서클이 아니었을까 생각한다.

초기엔 법대생과 경제학과생도 참여했다고 한다. 나중에 독립해 나갔지만 초기 신진회 서울법대생 멤버 가운데는 김지주와 부산고교 동기생인 이채주 전 동아일보 주필, 김동익 전 중앙일보 대표이사, 남재희 전 노동부 장관 등이 있었다고 남 전 장관이 설명했다.

신진회는 독일의 사민당, 영국의 페이비언협회 등 서구의 사회민주주의에 관심이 많았다. 존 스트레이치(John Strachey)나 해럴드 래스키(Harold Laski)의 저서를 탐독한 김지주가 해박한 이론으로 서클을 이끌었다고 남 전 장관이 부연했다. 김지주의 정치학과 동기인 하대돈 전 의원, 최서영 전 코리아헤럴드 사장(경향신문), 1년 아래 이자헌(서울신문) 전 의원, 최영철 전 국회부의장(한국, 동아일보) 등도 멤버였다. 뒤에 고건, 류근일, 이영일, 윤식 씨 등으로 이어졌다고 했다. 류근일 전 조선일보 주필의 대학신문 기고가 문제되어 김지주 등이 반공법위반 혐의로 구속되는 등 파란을 겪다가 해체되었다고 한다.

큰처남 김지주 형은 얼굴에서 풍기는 인상부터가 퍽 도전적이었다. 남 전 의원의 회고에 의하면 지주 형은 한국일보 필기시험에 세 번 모두 합격하고도 면접에서 고배를 들었다고 한다. 왕초가 면접에서 일부러 떨어뜨렸다는 것이다. 여느 경영주나 마찬가지겠지만 자신에게 도전 가능성이 있어 보이는 사람을 쉽게 채용하려 하겠는가? 왕초도 김지주를 포용하기가 두렵지 않았나 보인다.

그는 다른 신문사에서 잠시 기자생활을 하던 중 반공법 위반으로 구속되는 사태에 이르렀다. 다음은 김종하 선배로부터 들은 얘기다. 김지주 구명을 위해 당시 서울지법 부장판사 매형 도움을 크게 받았다고 한다. 매형이 알려준 대로 김지주 담당 재판장인 부장판사 집 앞에서 서리를 맞으며 기다렸다가 출근길에 그 판사 차에 올라 "똑똑한 내 친구 김지주를 선처해 달라"고 매달렸다고 한다. 김 선배의 헌신적인 노력 결과로 큰처남은 기소유예로 풀려나 강제징집됐다고 한다.

5공 신군부가 정치판을 짤 때 웃지 못할 에피소드가 많았다. 내가 미국 유학 중일 때라 직접 취재한 사항은 아니다. 하지만 귀국해 11대 국회 출입하면서 들은 얘기로 기억이 생생하다. 이를테면 서울에서 대형 주유소를 몇 개 운영하고 호텔업도 했던 전 민한당 S의원에 관한 얘기다. 오래전 신병으로 고인이 된 그분은 판을 짜는 측에 상당한 정도의 헌금도 했다고 한다. 사업하는 입장이라 여당 전국구의원을 강하게 희망했고 약속을 받았다.

11대 전국구의원 인선 결과를 발표하는 날 방송은 S씨를 민한당 전국구의원으로 호명했다. 화들짝 놀란 S씨가 자신의 정계입문을 약속한 측에 방송이 오보를 했다고 연락을 취했다. 돌아온 대답은 "사정이 그렇게 됐으니 당신은 거기(민한당)에 가 있어"였다고 한다. 또 누구라고 하면 금방 알 수 있는 여류 변호사도 교섭받았을 땐 분명 여당이었다. 발표는 역시 민한당이다. 그 변호사 역시 야당의원이 된 사연이다.

YS, DJ를 이을 유력인사는 이기택

YS, DJ, JP 등 야권의 3김씨를 이을 차세대 인사는 고 이기택 씨가 유력했다. 우리는 이 씨를 YS, DJ, JP처럼 영문 이니셜로 KT라고 불렀다. KT는 잘 알다시피 4·19 세대의 대표격 인사다. 나에게는 대학 8년 선배다. 정치판 취재를 하면서 그를 만난 것은 12대 국회 때다. KT는 5공 정권의 정치규제로 11대는 쉬고 12대 국회에 복귀했다. 신생 신민당 돌풍이 드셌던 2·12총선을 통해 부산에서 지역구를 되찾았다.

오랫동안 기반을 쌓았던 동래는 자신의 보좌관이던 박관용 전 국회의장이 11대에 선점하고 있었다. 12대 국회로 정치를 재개했을 때는 동래를 박 의원에게 양보하고 대신 해운대로 지역구를 옮겼다. 의원과 비서관으로 만난 두 분은 12대 국회에 나란히 등원했고, 다른 사람들과 달리 변함없는 우정을 유지할 수 있었다.

양 김이 제도권 밖에서 민주화추진협의회(약칭 민추협)를 구성했을 때만 해도 이 의원은 '친YS'였을 뿐 상도동 계보는 아니었다. 그 역시 따르는 사람들과 함께 '민사회(민주사회연구회)'라는 계보를 운영하는 보스였다. 끝까지 후보단일화 열망을 접지 않았던 그는 양 김의 분열로 대선에서 패배하자 양 김 모두를 청산 대상으로 삼았다.

후보단일화를 촉구하는 단식도 불사했다. 대선에서 패배하자 최형우, 서석재, 김동영 등과 달리 3김의 정계은퇴를 촉구했다. 그러나 13대 총선에 당선되려면 부산에서는 YS당인 통일민주당 공천을 받지 않고는 불가능했다. 이번엔 YS가 몽니를 부릴 수 있는 입장이다. YS 주변에서 '이기택 공천 불가론'이 나돌았다.

하루는 YS 측근 이원종 선배가 나를 불렀다. 이 씨는 대학 6년 선배이자 이기택에겐 2년 후배다. 이 선배를 구하는 데 후배들이 좀 나서야 할 것 아니냐고 했다. '이기택 공천 배제론'을 감지한 듯했다. 이 선배는 나에게 KT가 상도동에 가서 무조건 무릎을 꿇도록 하라고 했다. 선배를 돕자는 청을 물리치기 어려웠다. 나는 하금렬(MBC), 김충근(동아일보) 등 대학후배 두 사람과 함께 북아현동 KT 댁을 찾았다. 우리 세 사람은 평소에도 이 선배 댁을 자주 찾아뵙고 취재하곤 했다.

선배여서 하는 말이 아니라 KT는 야권에서 YS, DJ 다음을 이을 만한 충분한 자질을 갖춘 분이다. 심성이 곱기도 하지만 한번 옳다고 판단한 소신은 절대로 굽히지 않는 강단도 지녔다. 우리 세 사람은 북아현동 자택을 찾아 YS와의 관계개선을 주문했다. 세 사람 가운데 선배 격인 나는 KT에게 "(최형우, 서석재, 김동영 등) 경쟁자가 많더라도 YS, DJ 후계자가 되려면 상도동부터 접수해야 할 것 아니겠느냐"고 했다. 고물상을 하려면 경쟁자가 많더라도 청계천 부근에 전을 펴야지, 생뚱맞게 영동 술집골목에 차려서야 되겠느냐고도 했다. 남편 못지않은 감각을 지닌 형수 이 여사도 후배들 충고를 들어야 한다고 남편을 압박했다.

이 선배는 YS를 찾아갔다. 지금까지의 행동에 유감을 표해 간격을 메우는 데는 일단 성공한 것처럼 보였다.

13대 총선 실패, YS 지역구 출마 탓?

13대 총선에선 YS도 옛 지역구인 부산 서구에 출마했다. 서구는 송도지역까지 흡수해 전보다 크게 확장돼 있었다. 언론사는 총선취재단을 구성해 전국 유세현장을 찾았다. 한국일보 야당취재팀장이던 나는 YS와 DJ의 지원유세 현장을 번갈아 가며 취재했다.

앞서 언급한 대로 통일민주당은 선관위 등록 전날 총재 직인이 탈취당하는 긴급상황이 발생했다. 사태가 가까스로 수습된 다음 날 YS는 파김치가 되어 부산에 도착했다. 지금은 철거되고 없는 광복동 단골업소인 작은 D관광호텔에 수행기자단과 여장을 풀었다. 협상과정을 지켜보며 뜬눈으로 밤을 지새운 탓인지 YS는 기진맥진했다. YS의 상태를 본 동기동창 의사가 자기 병원 간호사를 호텔로 보내 링거주사를 맞게 했다.

잠시 후 웬 여자 고함소리로 작은 호텔이 소란스러웠다. 내다보니 손명순 여사가 YS를 찾아와 옛날 같지 않은 지역구 민심을 전하면서 경각심을 주문하고 있었다. 손 여사는 미리 내려와 지역구를 누비며 YS 선거운동을 하고 있었다. 한가하게 링거나 맞고 있을 때가 아니라는 얘기였던 것 같다.

손 여사가 송도 유권자 집을 돌며 YS 지지를 호소하다 봉변을 당했다. "제가 김영삼 후보 안사람입니다"라고 인사했더니 집주인이 기다렸다는 듯이 "태풍 셀마로 송도가 다 떠내려갈 때는 코빼기도 안 보이더니 이제 와 표를 달라고요?"라며 매몰차게 문을 닫아 버렸다. 그야말로 문전박대당한 셈이다. 손 여사는 사나워진 민심에 경악했고, 이것이 진짜 민심일 것으로 착각하게 되었다는 것. 나중에 밝혀진 사실은 그 집은 여당 기간당직자 집으로 YS 기를 꺾으려 일부러 과잉대응했다고 한다.

지역할거구도라는 사실을 웅변하듯 부산은 YS의 안방이나 다름없었다. 마찬가지로 광주 등 호남은 DJ의 변함없는 텃밭이었다. 아내로부터 위기 경보까지 받은 터라 YS는 크게 위축된 듯했다. 지원유세에 소홀해졌고, 특히 TK지역은 사실상 손을 놓았다. 결과적으로 야권 이니셔티브를 DJ에게 넘기게 된 것도 YS의 지역구 출마가 한 원인이라 할 수 있다. 이에 비해 비례대표로 등록한 DJ는 한결 수월하게 텃밭을 휘저으며 지원유세를 펼쳤다.

우여곡절 끝에 공천을 받은 KT(이기택)도 뒤늦게 선거운동에 나섰다. KT 휘하엔 이미 고인이 된 손태인 전 의원을 비롯, 이희원, 신현기 씨 등 내 대학 1년 후배 세 사람이 열성적으로 돕고 있었다. YS 입장에서는 부산만큼은 크게 신경 쓰지 않아도 될 것 같은 분위기였다. 문제는 인근의 경남과 경북이다. 손 여사로부터 부산 서구에 대한 경고음이 발령된 후 위축된 YS는 너무 자신의 지역구에 매달리는 것처럼 보였다.

박힌 돌도 이겨낸 열정, 박지원 의원

내가 박지원 의원을 직접 처음 만난 것은 1985년 여름이다. 그해 여름 나는 미국을 여행했다. 5공 정권이 기자들에게 제공한 공적자금에 의한 공짜여행 덕이다.

하루는 반기문 총리의전비서관이 "노신영 총리께서 찾으신다"고 했다. 당시 나는 외무부를 출입하면서 총리실도 겹치기 출입하고 있을 때다. 노 총리는 시간 날 때마다 출입기자들과 1대1 면담을 하면서 세상 돌아가는 얘기를 경청했다. 이런저런 얘기 끝에 노 총리가 "종씨, 바람 한번 쐬지 않겠어?' 했다. 노 총리는 나를 부를 때 '노 기자'라고 하지 않고 같은 성씨라는 다정함의 표시로 꼭 '종씨'라고 불렀다. 노 총리의 기자 사랑은 유별나다. 노 총리를 아는 기자들은 저마다 자신이 노 총리를 가장 잘 알고 또 가장 가깝다고 착각한다. 그분의 사람 다루는 솜씨가 비범함을 웅변하는 대목이다.

그날 그분이 주선한 공적자금에 의한 외유 혜택을 보게 되었다. 3년간의 미국생활에서 돌아온 지 그럭저럭 만 2년이 지났을 때다. 내가 약 3년간 가족과 함께 살았던 미국 서부를 거쳐 동부까지 9박10일간 여행한 것으로 기억한다.

나는 노 총리의 자상함에 다시 한 번 놀랐다. 일정표를 드렸기 때문이기도 했지만 도착 공항엔 노 총리의 연락을 받은 해당지역 공관원이 나와 나를 맞았다. 외무부에서 기획관리실장, 차관, 장관 등 고위직을 두루 역임한 직업외교관 출신인지라 해외 곳곳의 우리 공관에는 이른바 '노신영 인맥'이 포진하고 있다. 예컨대 첫 도착지인 LA국제공항엔 강 모 참사관이, 뉴욕 케네디공항엔 누구누구가 나를 픽업하려고 대기하고 있었다.

뉴욕에 앞서 들른 워싱턴공항엔 나를 픽업하러 온 사람은 주미대사관의 고 김정기 경제공사였다. 그분은 외무고시 1기생으로 사우디 대사를 마치고 해외근무 중 얻은 풍토병으로 오래전 타계했다. 김 공사는 노신영 총리가 장관 시절 총무과장이다. 김 공사와 나는 워싱턴에서 이틀간 머물며 많은 얘기를 나눴다. 김 공사는 이미 내 주변을 꿰뚫고 있었다. 예컨대 내가 사실상 외무부 인사권자인 이상옥 차관과 취재원 이상으로 가깝게 지내는 사정 등을 파악하고 있었다. 그래서인지 '민원성' 얘기도 했다.

당시 워싱턴 대사관엔 외무고시 1기 동기생 2명이 정무와 경제공사를 나눠 맡고 있었다. 김삼훈 공사가 정무공사였고, 다음 서열이라 할 수 있는 경제공사는 나를 마중한 동기생 김정기 공사였다. 김 공사의 불평도 일리가 없지는 않았다. 3년간의 워싱턴 생활 가운데 정무·경제 공사를 동기생끼리 절반씩 번갈아 경험하면 좋으련만 그럴 가능성이 없어 보인다는 것이다. 귀국 후 나는 사실상 인사권자인 이 차관께 이 얘기를 꺼냈다가 보기 좋게 거절당했다. 이 차관은 그 문제만큼은 단호했다. 철저한 능력 본위였다. 김삼훈 공사의 능력이 김정기 공사보다

월등하다는 입장이었다.

뉴욕에서 나는 총영사관의 교민담당 영사였던 김항경 형 신세를 졌다. 외무차관으로 퇴임한 김 전 차관은 내 둘째 처남인 김태정 전 법무장관과는 서울법대 동기다. 처음 만났을 때 "영옥이도 잘 있지?"라고 아내 이름을 불러 내 기를 죽였다. 그분은 처갓집 사정을 훤하게 꿰뚫고 있었다. 이상옥 차관과 서울대 정치학과 동기동창이기도 한 큰처남 김지주 사장도 김 차관을 '항경이, 항경이' 하면서 동생처럼 편하게 불렀다. 대학시절 방학 때 여수 처갓집에 놀러왔다가 초등학생이던 아내에게 주전자 술심부름을 자주 시켰다고 했다. 아내도 김 차관을 '항경이 오빠'로 기억했다.

어쨌든 김항경 형이 뉴욕에서 나에게 성공한 교포기업인 박지원 의원을 소개했다. 나는 6~7년 전 미국에 살 때부터 그분의 존재를 익히 알고 있었다. 한국일보 사장을 지낸 신상석 형과 목포 동향으로 절친한 친구 사이였다. 박 의원은 1980년 뉴욕한인회장에 최연소 기록으로 당선됐다. 당시 러닝메이트가 한국일보 출신 정홍택 선배다. 정 선배는 우리 언론계 최초의 연예부 기자로 요즘 종편방송에서 가끔 얼굴을 뵐수 있다.

김형욱 부인과의 인터뷰 시도

뉴욕에서 며칠 머무는 동안 나는 김항경 형, 박지원 의원 등과 어울렸다. 그 자리엔 필라델피아에서 5공 정권에 비판적인 '독립신문'을 발행하던 김경재 전 의원도 있었다. 김 전 의원은 지금은 견원지간이 된 박 의원의 6층인가 7층인가의 맨해튼 작은 건물에 '독립신문 뉴욕지사'라는 간판을 내걸고 있었다. 어려운 '독립신문' 발간을 위해 박 의원이 한 달에 3000달러 정도인가를 돕고 있다고 한 말이 기억난다.

내가 1980년 USC에 유학할 때 '독립신문'은 망명한 김형욱 전 중앙정보부장의 회고록을 연재했다. 김 전 의원은 '박사월'이란 필명으로 자신이 발행하던 독립신문에 '권력과 우상'이란 부제로 김형욱의 육성 증언을 풀어내고 있었다. 나는 이 연재물을 LA 한국일보에서 얻어 한 주도 빠뜨리지 않고 흥미롭게 읽었다. 김 전 의원은 미국에서 발간한『권력과 우상』전집 3권을 친필사인해 나에게 선물하기도 했다.

김 전 의원은 '회고록' 집필관계로 김형욱 씨 부인 신영순 여사와도 가까웠다. 나는 김 전 의원에게 신 여사 인터뷰 주선을 부탁했다. 김형욱의 최후가 어떠했는지 미궁에 빠져 있을 때다. 김형욱은 케네디공항을 떠나 파리로 떠난 후로 실종 상태였다. 김은 그동안 카지노나 한국정부 인사 등을 만나려 파리를 몇 차례 방문한 적이 있었다. 그때마다 태권도 등 무술을 연마한 아들을 꼭 보디가드로 동행했다. 실종된 마지막 파리행은 달랐다. 왜 아들이나 경호원을 대동하지 않았을까 의문스러운 점이 한두 가지가 아니었다. 신 여사를 만나면 가족이 느끼고 생각하는 실종 미스터리와 정부에 바라는 것 등을 물어보기 위해서다.

김 전 의원이 뉴저지의 신 여사와 전화로 접촉했다. 처음엔 완곡하게 거절했으나 김 전 의원이 "내가 신뢰하는 서울 한국일보 정치부 기자"라고 하자 한때 마음이 움직였다. 막상 인터뷰를 위해 뉴저지 그분의 자택으로 가려 했을 때 돌연 신 여사에게서 연락이 왔다. "변호사 등과 상의한 결과 현시점에서는 안 만나는 게 좋을 것 같다"고 막판에 물러서 인터뷰가 불발됐다.

김형욱이 실종된 파리행에 아들을 동행치 않은 것은 아마도 아들에게도 비밀로 해야 하는 말못할 사정이 있었을 개연성이 있다. 우선 추측해볼 수 있는 게 여자문제다. 떳떳지 못한 여자관계를 아들에게 들키고 싶지 않았을 것이다. 실제로 김형욱은 중앙정보부장 때 여러 명의 연예계 여인들과 어울렸던 것으로 알려져 있다. 마지막 파리행에서 아들 몰래 만나려 했던 여인이 한때 요정을 경영했던 가수 C모였다는 얘기도 있다.

명석한 두뇌의 소유자

박지원 의원을 나는 사석에서는 스스럼없이 형이라고 부른다. 박 의원에게 들은 얘기지만 박 의원은 미국으로 떠나기 전 금성사에서 근무했다고 한다. 큰처남 김지주 사장이 당시 금성사 무슨 총괄본부장이었을 때라고 했다. 박 의원이 전해준 큰처남 인상은 서울대 정치학과 출신으로 엄청 똑똑하고 카리스마 넘쳤다고 했다. 박 의원의 말 속에 서울대 정치학과나 서울대 법대에 대한 부러움과 로망이 있는 듯했다. 박 의원이 뉴욕에서 어울린 지인들이 서울대 법대(김항경), 서울대 정치학과(김경재) 등 좋은 스펙의 소유자들이었던 것도 이와 무관치 않을 것 같다.

박 의원 역시 이들 못지않은 명석한 두뇌의 소유자다. 박 의원을 만난 후 나는 이런 생각을 해볼 때가 더러 있었다. '박 의원이 자신의 로망으로 생각하는 서울대 법대나 정치학과를 나왔더라면 어떻게 되었을까' 하고 말이다. 아마도 세상을 몇 번 들었다 놨다 했을 인물이 되었을 것이다.

그분은 맨해튼에 있던 자신 소유의 가게 몇 곳을 안내하며 자신도 따지고 보면 애국자라고 했다. 1970~80년대 한국의 대미 수출상품은 고작 가발과 잡화 등이 주류였다. 가난한 흑인이나 히스패닉 계통 소수민족이 즐겨 찾는 가발, 이미테이션 주얼리(목걸이, 귀걸이, 반지 등 모조 귀금속)가 대세였다. 박 의원은 1980년대 초 한국으로부터 이런 잡화를 연간 수천만 달러어치를 수입했다. 그분의 말처럼 한국이 수출하는 이 잡화를 수입해 가는 교포 비즈니스맨이 애국자이던 시절의 얘기다.

한번은 박 의원이 "노 형이 꼭 봐야 할 곳이 있다"며 손을 끌었다. 맨해튼 그분의 큰 가게에서 조금 떨어진 곳에 있는 간단한 먹거리를 파는 델리숍이었다. 박 의원은 그곳을 '김대중 숍'이라고 불렀다. 나는 "언제 DJ가 이곳에 투자를 했나" 하고 반신반의했으나 곧 의문이 풀렸다. 그 가게에서 나오는 월 1만 달러 정도의 수입이 모두 DJ를 위해 쓰인다고 했다. 그래서 가게 이름도 '김대중 숍'이라고 했다.

나는 박 의원이 진도 출신으로 정치에 상당한 관심이 있음을 느낄 수 있었다. 가정형편으로 대학 갈 엄두를 못 내다가 용산 삼각지 육군본부에서 군복무하며 저녁에는 언덕길을 넘어 단국대 야간부에서 공부했다고 한다. 자신의 뉴욕 가게가 늘어나고 사업이 번창하자 고향 젊은이들을 미국땅으로 불러들였다. 이민이 어려웠던 시절 많은 고향사람들의 미국 이주를 도왔다. 당시 몇 명만 더 채우면 곧 자신이 불러들인 이민자 수가 100명을 돌파하리라 했던 얘기가 기억에 남아 있다.

나는 이런 분들이 정치판에 수혈되는 것도 나쁘지 않다고 생각했다. 하지만 사업하는 분이 뭐 하러 정치판에 나오려 하느냐고 가급적 말렸다. 나보다 네 살 많은 박 의원과 나는 쉽게 친해질 수 있었다. 그분은 정치에 대한 강한 미련 때문인지 자주 귀국했다. 그럴 때마다 연락해 왔고 묵고 있는 호텔 등지에서 만났다.

1987년의 일로 기억된다. 5공 정권이 지금까지의 강압방식에서 벗어나 야당에도 다소 숨통을 터 주려는 시도를 했다. 야당 당료들에게 선진국 정치견문을 넓히라며 외유를 주선했다. 주로 중앙당 국장급 인사들이 대상이었다. 정부가 비용을 대며 인솔하기까지 했다. 야당에서는 홍인길, 노경규, 박정태, 최정택 등 제씨들이 처음 미국 나들이를 한 것으로 기억된다. 나는 박 의원에게 연락해 그분들이 뉴욕에 들르면 다소간의 환대를 부탁했다. 여행 후 돌아온 사람들이 박 의원에게 신세를 졌다고 감사를 전해 오기도 했다.

"형도 한때 상도동 계보원이었어요"

박 의원이 귀국했을 때 나는 그를 상도동 쪽에 소개했다. 얼마 후 박 의원은 나에게 "상도동 사람들의 말귀를 도대체 알아들을 수 없더라"고 했다. 투박한 경상도 사투리와 무뚝뚝한 사람들 속에서 그가 외로움을 느낄 만도 했다. 그래서 나는 "형은 아무래도 고향사람들이 몰려 있는 동교동 쪽으로 가시는 게 낫겠습니다"라고 동교동행을 권유한 적도 있다.

하루는 귀국한 박 의원의 연락을 받고 그가 묵고 있던 서울시청 부근 L호텔인지 P호텔인지 기억이 정확지 않지만 찾아갔다. 이른 아침인데 커피숍에 들렀더니 YS가 김동영 총무를 대동하고 누군가를 기다리고 있었다. 그분들도 호남 출신 성공한 재미동포 기업인 '박지원 동지'를 만나러 온 것이 틀림없어 보였다. YS 역시 한인회장 출신으로 뉴욕에서 번듯한 사업가로 활동하는 박지원이란 사람이 탐나지 않았겠는가? 나는 두 분이 어색해할까 봐 얼른 자리를 피했다. 그 뒤 나는 박 의원에게 "형도 한때 상도동계를 했다"고 농담하곤 했다.

천성이 부지런하고 친화력이 있는 박 의원은 후에 DJ의 심복 중 심복이 되었다. 기라성 같은 '박힌 돌'을 밀어내고 DJ 복심이 된 것은 모두가 아는 사실이다. 성실성이 바탕이 됐음은 두말할 필요가 없다. 그런 박 의원에게도 초기 가슴 쓰린 추억이 있다. 1988년 연초로 기억된다. 후보단일화 실패로 대선에서 YS에게 근소한 차로 3등을 한 DJ에게 야권 분열로 인한 대선 패배의 책임이 몰리던 시절이다. 13대 총선이 얼마 남지 않았다. 박 의원에 따르면 전국구 진출로 정계입문을 모색하던 박 의원을 DJ가 조용히 불렀다고 한다. 전국구 할 생각이 있느냐고 의사를 타진하더라고 했다.

'불감청이언정 고소원'이라 박 의원은 "선생님의 뜻에 따르겠다"고 했다. 그러자 DJ가 박 의원에게 "지금까지 박 동지의 나를 위한 물심양면의 헌신을 크레디트로 100만 달러를 쳐줄 테니 나머지는 알아서 하라"고 전국구 입성 가능성을 얘기했다고 한다. 박 의원은 크레디트로 100만 달러를 인정받았으니 100만 달러만 더 준비하면 꿈에도 그리던 국회의원 배지를 달 수 있겠구나 생각하고 급히 미국으로 달려갔다. 얼마 후 박 의원은 100만 달러가 입금된 외환은행 통장을 들고 귀국했다.

하루는 서울시내 L호텔 지하 팝레스토랑에서 만나자는 연락을 받고 그를 만났다. 무엇 때문인지 잔뜩 화가 난 표정이었다. 얘기를 들어보니 전국구 배지의 꿈이 날아가 버렸다는 것이다. 박 의원에 의하면 어느 날 DJ 큰아들 김홍일 전 의원이 "박 선배, 잠시 좀 뵙자"고 하더라는 것이다.

운동권이 순수하다고?

김홍일은 당시 국회의원 배지는 달지 않았지만 가장 지근거리에서 아버지 DJ의 참모 역할을 하고 있었다. 아마 YS 때의 현철을 생각하면 이해가 쉬우리라 본다. 홍일이 박 의원에게 "박 선배, 이번 13대 전국구 의원 할 의향이 있느냐?"고 묻더라고 했다. 박 의원이 "이미 선생님 말씀을 듣고 100만 달러를 준비해 왔노라"고 했다. 그랬더니 김홍일은 "생각이 있으시면 더 준비해야 할 것"이더라는 것.

미국 교민에게 100만 달러라면 그야말로 '백만장자'라고 할 만큼 큰 돈이다. 이미 DJ로부터 지금까지의 헌신에 대한 보답으로 100만 달러어치의 크레디트를 확보했는데 더 준비하라는 얘기는 포기하라는 통보나 다름없었다.

박 의원은 깨끗이 포기했다. 가져온 100만 달러를 도로 가지고 갔다. 70만 달러로 뉴저지에 멋있는 주택을 지었다고 했다. 13대 전국구 진출의 꿈이 달아났으나 박 의원은 14대 총선에서는 경기 부천에서 금배지의 꿈을 기어이 이뤘다.

부천에서 지역구 입성에 성공한 박 의원은 단정한 차림새에 깨끗한 매너로 앞날이 창창한 정치인으로 자리 잡아 가는 듯했다. 그러나 15대 총선에서 생각지도 못했던 복병 김문수 전 경기지사에게 덜미 잡혀 낙선했다. 이변 중 이변이라고 했다. 그러나 그럴 만한 이유가 있었다. 김 전 지사는 5·3인천사태를 주동한 극렬 학생운동권 출신이다.

부천에서 박지원 대항마로 징발된 김문수 후보가 하루는 청와대 고위인사를 찾아왔다. 선거에 유리하게 지역구의 각종 민원 해결을 요청하기 위해서였다. 그 고위인사는 김 전 지사의 요구방식을 보고 깜짝 놀랐다. "수석님, 이 건은 국세청, 저 건은 안기부, 또 이 건은 검찰에" 등으로 주문하는 모양새가 기성 정치인 뺨칠 정도였다고 했다. 운동권 출신은 순수해서 현실에 다소 어두운 구석이 있을 것으로 생각했다고 한다. 하지만 그렇게 생각했던 자신이 오히려 어리석었다고 혀를 내둘렀다.

그분의 예측대로 김문수 후보가 당선됐다. 운동권 인사들은 순수하고 뭔가 좀 다를 것이라 생각했던 기존 관념이 잘못된 가설일 뿐이었다. 오히려 그들이 때론 더 이기적이고, 더 야비하고, 더 탐욕적일 수 있다는 것이 사실로 확인되었다. 나는 당시 한국일보 정치부장으로 총선 취재를 관장하고 있었다.

최근 그가 대권도전 운운하면서 대구를 찾아가는 모습에 나는 또 한 번 실망했다. 왜 하필 김부겸 지역구일까. 김부겸을 눌러야 대권 전망이 선다는 것일까. 망국적인 지역감정을 타파하겠다고 나선 '바보 김부겸'의 고교, 운동권 선배로서 할 짓은 아니라고 보았다. 현명한 대구 유권자들이 김부겸을 선택하지 않았던가. 역시 '김문수는 김문수'라는 부정적 세평을 넘지 못했다. 청와대를 찾아가 민원을 청탁했던 그 '운동권 김문수' 말이다.

양 김 리더십에 반기 든 박찬종

박찬종 전 의원을 만난 것은 야당(신민당)을 출입하면서다. 소위 '고대 앞 사건'으로 그와 함께 김병오 전 의원의 이름이 연일 지상에 오르내릴 때다. 5공 군사정권은 두 현역 정치인이 고대생들을 찾아가 정치적 선동을 했다고 억지를 부렸다. 김병오 의원은 구속되기도 했다. 특히 박 전 의원은 내가 외무부를 출입할 때 대변인(공보관)이던 정기옥 대사(전 싱가포르, 폴란드 대사)의 매형이기도 해 퍽 가깝게 지냈다.

박 의원은 경남중학을 졸업하고 경기고에 진학했다. 그리고 서울상대를 졸업했다. 그분이 나를 만나 첫 일성이 "노 공이 나온 진주고 강인호 군이 내가 서울대에 입학할 때 상과대와 서울대 전체수석을 했다"였다. 1958년 서울대 입시에서 진주고 7년 선배 강인호 씨란 분이 전체수석을 했다. 경기고를 우수한 성적으로 나온 박 의원이 시골 무명의 강씨에게 수석입학의 영광을 빼앗긴 것이 의외였던 것 같다.

박 의원은 깨끗한 매너와 논리정연한 화술로 따르는 기자가 많았다. 나도 그 가운데 한 사람이다. 특히 양 김이 한 지붕 아래 혼거할 때인 1987년 통일민주당 정책위 의장으로 차세대 재목으로 주목받기도 했다. 지금도 기억이 생생한 것은 당시 야당이 최초로 유급 전문위원을 공채한 일이다. 공채 인사 중에는 유능한 분이 많았다. 그들 가운데 현재 마포구청장으로 있는 박홍석 구청장도 있다. 그분은 문민정부 때 근로복지공사 사장에 발탁됐을 정도로 행정력을 인정받았다.

양 김이 끝내 후보단일화를 거부하고 독자출마를 강행하자 박 전 의원은 그들과 결별했다. 많은 의원들이 양 김 영향력하에서 정치를 하고 있었지만 박 의원만큼은 달랐다. 후보단일화만 됐어도 정권교체가 가능했음에도 불구하고 외면한 양 김의 리더십에 반기를 든 것이다. 보스를 중심으로 엮어진 우리 정치 지형상 박 의원의 행동은 때론 일탈로 보이지만 그의 정치적 소신은 존중받아야 하리라 본다.

나는 박 전 의원을 생각하면 지금도 안타까운 사연이 떠오른다. 만약 박 전 의원이 대세를 좇았다면 이회창 돌풍과 좌절이란 현상은 결코 일어나지 않았을 것이다. 그뿐만 아니라 그가 대권도 충분히 거머쥐었으리라 확신한다.

부산 서구 두고 서초 간 게 패착

홍인길 의원이 한보사건으로 구속기소돼 재판을 받았다. 홍 전 의원은 자신은 정치적 희생양일 뿐 비리와는 무관하다고 무죄를 주장했다. 그리고 자신의 출신지인 부산 서구에서 재기를 꿈꾸고 있었다.

홍 의원이 구속집행정지 결정으로 분당병원에 입원해 있을 때다. 홍 의원은 가족력이 암에 취약한 편이다. 큰형(명식 씨)에 이어 심완구 전 의원과 재혼살림을 차렸던 누이동생도 암으로 사망했다. 주위가족들이 차례로 암에 희생되자 그도 암에 대해 극도의 공포를 갖게 되었다. 하루는 홍 의원에게 연락이 왔다. "김태정 총장에게 검진만이라도 받을 수 있게 도와 달라"고 했다. 나는 김 총장에게 사정했고, 그 덕분인지 일시 구속집행정지가 돼 병원 검사를 받게 되었다.

신한국당은 홍 전 의원의 구속기소로 사고 지역구가 된 부산 서구에 '대타'를 물색했다. 자천타천의 인사 가운데 고 김광일 전 청와대 비서 실장을 비롯, 여러 사람의 이름이 거론되고 있었다. 당시 몇 차례의 여론조사 결과는 박찬종 전 의원이 부동의 압도적 1위로 나타났다. 원래 부산 서구는 박 전 의원의 출신지역구다. 2위인 고 김광일 전 실장이 4~5%의 지지율을 나타냈을 때 박 전 의원은 5배가 넘는 24~25%의 높은 지지율로 '출마가 곧 당선'이었다.

분당병원으로 문병 간 나에게 홍 의원도 가능하면 자신의 지역구를 박 전 의원이 맡았으면 하는 희망을 피력했다. 그건 박 전 의원이 지역구에 안주치 않고 대권을 노릴 것이 분명하기에 뒤에 지역구를 돌려받기도 용이하리라는 판단인 듯했다. 천신만고 끝에 국회의원에 '취직한' 사람에게서 지역구를 돌려받기란 사실상 불가능하다.

홍 전 의원의 뜻을 전하려 나는 박 전 의원에게 부단히 접촉을 시도했다. 한번은 사모님 정 여사께 전화를 드렸더니 중국여행 중이라고 했다. 귀국하는 대로 통화하고 싶다는 뜻도 전했다. 정치판을 오래 관찰해온 내 눈에 박 전 의원이 부산에서 당선만 되면 '포스트 YS', 다음 대권은 '따놓은 당상'이나 다름없어 보였다. 당시 이회창 대세론은 발아하기 전이다. 여론도 차세대 재목으로 박 전 의원을 가장 우선순위에 놓고 있었다.

어찌된 일인지 박 전 의원은 '대로'를 두고 생뚱맞게 서울 서초에 출사표를 던졌다. 결과는 창피하게 3위인가, 4위로 대중으로부터 '용도 폐기'되는 운명을 맞았다. 상황을 몰라도 그렇게 모를 수 있단 말인가? 나는 지금도 박 전 의원처럼 명석한 분이 왜 그런 최악의 선택을 했는지 그 이유를 궁금하게 생각하고 있다. 애먼 김동주를 만날 때마다 타박했다. 김 씨는 박 전 의원을 평생 모시며 나를 형이라고 부르고 따르는 사람이다.

이에 앞서 내가 한국일보 정치부장으로 발령받았던 1995년 초의 일이다. 박 전 의원이 축하점심이나 하자고 했다. 당시 박 전 의원을 수행(?)했던 사람이 안상수 의원(전 인천시장)이다. 당시 그의 명함을 보니 D그룹 기조실 사장이었다. 안 사장은 박 전 의원의 경기고 후배라고 했던 것 같다. 나는 안 사장에게 "이런 분(박 전 의원) 따라다니면 물이 드니 기업 하면서 돈 버는 일에나 신경 쓰세요"라고 농담한 적이 있다. 그러나 얼마 후 안 사장은 국회의원, 인천시장에 이어 보궐선거는 물론 20대 총선에서는 낙천한 채 무소속으로 당선되는 기염을 토했다. 농담도 함부로 해서는 안 될 일이라는 생각을 하게 되었다.

치밀한 DJ

DJ가 졸업한 목포상고는 지방 명문 실업계 고교다. 명문 '목상(木商)' 에서 DJ는 수석을 다툴 정도로 성적이 뛰어났다고 했다. 그분은 매사를 논리적으로 사고하고 판단했다. 그러나 동기동창으로 잘 알려진 임종기 전 민한당 총무는 "그 사람(DJ)이 그렇게 얘기하드냐"며 다소 냉소적이었다.

DJ가 대통령이 되고 난 얼마 후 임 전 총무를 우연히 만났다. 그분은 서울 중학동 구 한국일보 건물 1층의 조흥은행 안국동 지점을 자주 찾았다. 거래은행인 듯했다. 나도 회사 내에 위치한 거래은행이라 자주 볼일을 보러 다니다 가끔 임 전 총무를 만나 안부를 주고받았다. 하루는 은행에서 만난 임 전 총무에게 "총무님, 친구가 대통령 되셨는데 축하모임이라도 하셨습니까?" 하고 인사를 건넸다. 임 전 총무는 "노 형도 잘 알다시피 그 사람이 그런 사람이 아니잖아요"라고 일축했다. 말을 건넸던 내가 면구스러울 정도였다. 아마도 두 분 간에는 풀리지 않고 엉킨 일들이 있지 않을까 생각한 적이 있다.

상고 출신 DJ는 돈에 관해서는 철두철미한 계산법이 있다. 또 돈에 관한 한 비서 등 아랫사람에게 추호의 권한도 위임하지 않았다. 돈에 관한 한 만기친람 형태였다고나 할까. 1987년 12월 대선 때다. 야당 출입기자들은 3김의 유세를 수행취재해야 했다. 그런데 무슨 일인지 한국일보 야당취재팀 후배들이 유독 DJ 유세 취재를 꺼리는 사례가 잦았다. 야당팀장이던 나는 후배들이 왜 그러는지 이유를 알아보기 위해 직접 DJ 유세를 따라나선 적이 있다.

청량리에서 중앙선 열차를 타고 동해안을 따라 내려가는 긴 일정이었다. 유세가 끝나기 무섭게 미리 대절해 둔 버스편으로 다음 유세지로 달려가는 강행군이었다. 이른 아침 청량리역을 떠나 몇 군데 릴레이 유세 후 경북 어느 지역에서 늦은 점심식사를 했다. 유세단 일행이 200명은 족히 넘을 것 같은 대식구였다. 설렁탕 한 그릇으로 후딱 점심 요기를 하게 되었다. 수행원 가운데는 의원급만 고 조세형, 정대철, 한광옥, 남궁진 등 6~7명 되었다.

보통의 경우라면 그분들은 기자단과 어울려 식사하며 담소한다. 그날은 무슨 일인지 그분들이 식당 초입에 먼저 자리를 잡았다. 취재기자인 나는 DJ 후보 근처에서 식사를 마치고 함께 일어서면서 이상한 광경을 목격했다. 200명분이 넘는 설렁탕값을 후보인 DJ가 직접 계산했다. DJ는 유세 땐 흔히 전통한복을 즐겨 입었다. 그래서 기자들은 DJ의 한복차림을 'DJ 전투복'이라고 불렀다. 두루마기 안쪽의 겉저고리 안주머니에서 꺼낸 현찰로 일행의 설렁탕값을 지불하는 광경을 보고 놀라지 않을 수 없었다.

후보가 설렁탕값 계산하는 진풍경도

유셋길에 나선 후보가 할 일이 좀 많겠는가. 일행의 밥값까지 직접
계산하고 다녀야 하다니…. 비서진이나 수행원들 하는 일이 도대체 뭐
란 말인가. 기라성 같은 수행의원들은 자신들 식사가 끝나기 무섭게 대
기 중인 버스로 달려가 뒷자리에 자리를 잡았다. 나를 비롯한 기자단이
늦게 탑승하자 자는 시늉을 했다. 그제야 그분들이 식당에서 기자단과
떨어져 입구에 진을 친 사유가 이해되었다. 식사가 끝나도 자신들이 할
일이 전혀 없었기 때문이다. DJ는 돈에 관한 한 권한위임을 하지 않는
다는 세론이 틀리지 않았음이 확인되었다. 후배들이 DJ 수행취재를 꺼
린 이유를 알 것도 같았다.

이런 경험도 있다. 동교동과 상도동이 이민우 총재를 '바지사장'으로
내세워 혼거할 때 일이다. 실상은 대주주 격인 YS와 DJ가 막후에서 좌
지우지할 때다. 추석인지 설인지 정확지 않으나 간사인 후배 S기자가
'명절 대책'을 마련한다고 부산했다. 잘 알다시피 나는 '간사'라는 자리
를 이 핑계 저 핑계로 한 번도 맡지 않았다. 하루는 간사 S기자가 나에
게 가슴이 울릴 정도로 불평했다. "선배들은 죄다 빠지고 나 같은 후배
가 간사를 맡으니 계파 수장들이 우습게 본다"며 "노 선배라도 얼굴을
한번 내주면 안 되겠느냐"고 사정했다.

미안한 생각도 들어 마침 DJ 쪽과 소석(이철승 전 의원)을 만나는 자
리에 입을 다문 채 동석한 적이 있다. DJ가 후배 S간사에게 전한 촌지
에는 복잡한 계산서가 첨부되어 있었다. 예를 들면 조선·동아·한국·
중앙은 머릿수당 얼마, 다음 경향·한겨레·세계·국민은 얼마, 경제
지·영자지는 얼마 등으로 세분돼 차등 지급토록 돼 있었다. 마치 고등

수학을 풀듯이 세밀하게 계산한 DJ의 촌지 배분 계산법에 크게 놀란 적이 있다.

더욱 기억에 남는 일은 소석 고 이철승 의원에 관한 일화다. 정치사에서 소석만큼 해학적이고 유머러스한 분도 드물다. 그는 더러는 육두문자도 섞어 가며 정치를 풀었다. 이를테면 "어지럼병이 도지면 지랄병, 염병이 된다"는 게 단골메뉴다. 또 '뭣이 무서우면 시집을 가지 말아야지' 등 육두문자도 섞었다. 당시 신민당은 YS, DJ를 빼면 소석은 그야말로 초라한 계보의 보스였다.

소석은 S간사 일행을 만나자마자 불평부터 했다. "자네들은 말이여, 밥만 먹고 나면 '쌍금탕' 그놈들 이름만 써대지 않는가." 소석은 YS, DJ 두 김씨를 '양 김'이라거나 '두 김씨'라고 하지 않았다. 대신 꼭 '쌍금탕' 혹은 '쌍금탕 X들'이라고 했다. "자네들이 '쌍금탕' 열 번 쓸 때 내 이름은 한 번이라도 써 주는가"라고 불평하고 "우리 수익자부담 원칙으로 하세. 나는 '쌍금'의 10분의 1이면 되지?"라면서도 상당한 금액을 내놓았다고 한다.

소석은 술이라고는 한 모금도 마시지 못한다. 체질적으로 술이 받지 않는다고 했다. 그런 소석이 기자들과 술자리를 갖는 날엔 결코 1차로 끝나지 않았다. 혹 1차로 끝날라치면 "젊은 사람들이 겨우 몇 잔 마시고 끝난단 말이냐"고 2차, 3차에 앞장섰다. 주로 한식집을 선호했기에 흥이 오르면 장구, 꽹과리 등을 쥐고 분위기를 띄우기도 했다. 술 한 모금 하지 않고 평생 정치판을 쥐락펴락한 소석의 지혜가 새삼 놀라울 따름이다.

DJ의 돈에 관한 치밀한 셈법에 비해 평생의 경쟁자인 YS는 달랐다. YS는 자신이 직접 돈을 만지지 않았다. 기자단을 비롯한 일행에게 "맛

있는 것 많이 들라"는 인사가 전부다. 식사비를 비롯해 모든 경비의 지출은 비서 등 보좌진이 알아서 계산하는 형태였다. 권한이 철저히 위임되어 있는 모습이었다. 그 점이 YS와 DJ가 크게 다른 점이라고 할 수 있다.

이런 차이점은 두 사람의 성장배경에서 쉽게 찾을 수 있지 않을까 싶다. 유복한 가정에서 부족함 없이 자란 YS와 역경을 딛고 자수성가해야 했던 DJ를 비교하면 답이 나온다. 특히 YS는 정치자금만은 자신이 직접 만들었다고 한다. 아랫사람들에게 돈 만드는 어려운 일은 절대로 시키지 않았다. 아랫사람들은 YS가 마련해 준 자금을 받아서 쓰면 되는 구도였다. YS의 최측근 L씨가 K라는 사기성 있는 친구에게 캠프사무실 운영을 맡긴 고교후배 정치인 L씨를 비판한 데서도 이런 분위기가 잘 나타난다.

친화력 돋보인 후농, 김상현

DJ가 온몸으로 자신을 지켰던 김상현을 내친 것도 따지고 보면 금전적 불신에서 비롯됐다. DJ가 미국망명 중일 때 김상현은 사실상 동교동계 대표로 2·12총선을 지휘했다. YS와 손잡고 소위 '신민당 돌풍'을 일으키는 데 큰 기여를 했다. DJ가 있었어도 그런 성공을 거두기 어려울 정도로 신민당 돌풍은 드셌다. 종국에는 소위 5공 정권의 '2중대'라는 민한당을 해체에 이르도록 했다.

김상현이란 분은 DJ가 갖지 못한 장점을 많이 가진 정치인이다. 나는 DJ의 장충단 유세(1971년) 때 DJ와 단둘이 무개차를 타고 손을 흔들며 연설회장으로 입장하던 '청년 김상현'의 모습을 결코 잊을 수 없다. 그는 자신의 아호도 '후농(後農)'이라고 했다. 자신의 로망이었던 DJ가 '후광(後廣)'이라고 했기 때문에 '후(後)자' 돌림으로 호까지 지었을 정도로 '골수 DJ맨'이다. 유신통치 시절 이미 고인이 된 조윤형, 조연하 씨 등과 함께 수사기관에 끌려가 DJ와의 관계를 추궁당하면서 모진 고문에 시달린 일화는 유명하다.

미국망명에서 돌아온 DJ는 부재중의 일을 구실로 이런 김상현을 사실상 내쳤다. 많은 사람들은 DJ의 포용력 부족을 한탄했다. 급기야 1987년 '1노3김' 대결에서 김상현은 YS를 지지했다. DJ가 통일민주당을 박차고 나가 마련한 거처인 평화민주당행을 포기한 것이다. 정치의 세계에서는 어제의 동지가 오늘은 적이 될 수도 있다. 하지만 김상현의 YS 지지는 포용력이 부족한 DJ의 아킬레스건을 여지없이 드러낸 형국이 되었다.

DJ의 자수성가에 못지않게 김상현도 성취를 위해 남다른 노력을 다한 정치인이다. 오히려 배포 면에서나 포용력, 친화력에서는 DJ를 훨씬 능가한다. 동교동 사람 가운데는 후광의 포용력 부족을 안타까워하는 사람이 많았다. DJ가 미국에 망명해 있는 동안 동교동계 '바지사장' 격인 김상현은 많은 젊고 유능한 정치인을 발굴해 키웠다. 지역적 연고로 뒤에 상도동계로 옮겨간 강삼재 전 의원도 12대 국회 때 김상현이 발탁한 정치인이다.

한번은 김상현 전 의원과 술자리를 했다. 남대문 도깨비시장에서 사온 양주병을 누런 대봉투 속에 말아 들고 허름한 한정식집에서 안주를 시켜 들었다. 이탈리아에 거주하던 일본인 여류작가 시오노 나나미의 『로마인 이야기』가 갓 출간돼 선풍적인 인기를 끌 때였다. 김상현이 어느새 그 책을 읽고 그날 술자리에서 '로마인 이야기'를 줄줄 암송하는 것이 아닌가. 그는 DJ에 결코 뒤지지 않는 탐구파이자 노력파였다.

김상현의 친화력과 관련한 에피소드다. 5공의 서슬이 시퍼렇던 때의 일이다. 지금은 언론유관단체 임원으로 있는 김 모 씨와 관련된 얘기다. 야당을 출입하던 김 기자가 취중운전으로 사고를 내 크게 다친 일이 있다. 만취상태에서 운전하다가 가로수를 들이받아 얼굴을 비롯, 온몸을 크게 다쳤다. 김 기자가 운전한 차는 당시 미국 포드사 제품으로 국내에서 조립한 '마크4'라는 중형 승용차였던 것으로 기억한다. 두꺼운 철판에 차체가 마치 탱크 같았기에 망정이지 하마터면 큰일 날 뻔했다.

김 기자는 사고가 난 날 저녁 김상현 의원, 고 조연하 의원 등과 술을 마셨다고 한다. 춘산(고 조연하 의원의 호)으로부터 사고가 심각하다는 연락을 받은 김상현 의원은 곧장 김 기자가 실려 간 세브란스병원으로 달려갔다. 피투성이로 응급실 바닥에서 치료를 기다리던 김 기자를 만난 김상현은 다짜고짜 "아이고, 아이고"라고 '장례식형' 통곡부터 했다.

김 기자는 당장 입원실이 없어 임시로 응급실에서 치료를 기다리고 있었다. 김 의원은 가망이 없어 피투성이인 채로 응급실에 머물고 있는 것으로 판단했다고 한다. 그래서 김 의원의 호곡도 장례식장 톤이었다. 보다 못한 김 기자의 회사동료 H모 선배가 "입원실이 나지 않아 기다리는 중인데 생명엔 지장이 없다고 한다"고 알렸다. 곧 떠나보낼 듯이 호곡하던 김 의원이 금방 활짝 웃더라는 것이다. "생명에는 지장이 없다고 한다"는 말이 얼마나 반가웠으면 금방 웃음모드로 돌변했을까. 호곡과 함박웃음 사이는 생(生)과 사(死)의 거리만큼이나 멀 것 같으면서도 가까웠다.

오봉과 DJ의 우정과 경쟁

DJ 주위엔 동지이자 친구인 오봉 이중재가 있었다. 전남 보성 출신의 경제전략통인 오봉은 보성전문(고려대 전신) 출신으로 나에게는 까마득한 선배가 된다. 이분 역시 두뇌회전이 빠르기로는 DJ를 능가했으면 능가했지 결코 부족하지 않은 분이다. 야당이 상도동, 동교동으로 양분돼 있을 땐 분명 동교동계였다. 하지만 무조건 DJ를 추종하는 분은 아니었다. 비판적 지지자라고 하면 별로 틀리지 않을 것이다. 연령대도 같아 (호적상으론 오봉이 연장자다) 오봉은 평소 사석에서는 DJ와 말을 트고 지냈다. 언제인가 DJ와 격론을 벌이는 가운데 "야, 이 사람아, 그건 아니여"라고 분명히 하는 강단도 있었다.

나는 오봉과는 나의 처외숙(고 이현호 초대 전남 동광양시장)을 사이에 두고 허물없이 지냈다. 처외숙은 전남 여러 곳의 시장, 군수를 지내 오봉과는 각별한 선후배 사이다. 혹 한국일보 기사가 마음에 안 들거나 비위에 거슬리면 "야 이놈아, 이번 고향에 내려가면 현호란 놈한테 노진환이가 뺀질거리며 말을 안 듣는다고 일러야겠다"는 농담도 자주 했다.

오봉이 국회의원 시절이었으니까 아마 1980년대 중반쯤이 아닐까 싶다. 무슨 모임이었는지는 기억이 정확지 않으나 오봉과 사모님이 동석했고, 나도 아내를 동반했다. 사모님은 해방 전후 신문기자를 한 인텔리 여성이다. 그 자리에서 사모님이 아내들에게 남편 건강은 아내가 챙겨야 한다며 바가지에 당근, 오이, 셀러리 등 채소를 썰어 담은 후 감식초에 버무려 매일 먹이도록 권했다. 한동안 사모님의 권유대로 아내가 내놓은 채소 바가지를 지겹도록 먹은 기억이 난다.

DJ는 대선에서 패배한 직후 정계은퇴를 선언했다. 그러고는 곧 영국 연수를 떠났다. 정계은퇴를 선언하는 날 많은 사람들은 승자인 YS보다 패자 DJ에게 더 큰 박수를 보냈다. DJ의 정계은퇴 선언을 TV로 시청하면서 많은 사람들이 패자의 명예로운 퇴장에 눈물의 박수를 보냈다.

그 무렵 매섭게 춥던 어느 날 북한산 대남문 앞에서 오봉 선배 내외분을 만났다. 사모님이 준비해 오신 뜨거운 커피를 얻어 마시면서 이번엔 내가 선제공격을 했다. "오봉 선배! 친구는 정계를 은퇴하고 떠났는데 무슨 할 일이 남았다고 이 엄동설한에 북한산까지 등반을 오셨소"라고 단발 속사포를 쏘았다. 이내 오봉의 드센 반격이 시작되었다.

"야, 노진환 너 이놈! 정치부 기자를 몇 년이나 한 놈이 그런 순진한 소리를 하나? 야, 이놈아! 김대중이가 무슨 정계은퇴를 했다고! 야, 노진환이 너 그 말을 액면 그대로 믿어? 김대중이가 돌아와서 정치판에 다시 안 나오면 내 손에 장을 지지마."

내가 "오봉 선배! 너무 잔인하십니다" 하고 재반격하니 오봉도 지지 않고 "야, 노진환 너 이놈! 이제 보니 참 순진한 놈이네. 너 그러고도 한국일보에서 정치부장을 했냐?"라고 했다. 단발로 선제공격했다가 연발로 반격을 받은 셈이다. DJ가 정계은퇴를 선언하며 영국연수를 떠날 때 같은 반열의 수를 가진 친구 오봉은 DJ의 다음 수를 미리 내다보고 있었다.

　오봉은 평소에도 나를 부를 때 아무런 격식 없이 '노진환'이라고 이름을 불렀다. 이놈, 저놈 하는 것도 미워서가 아니라 그분이 나를 가깝게 생각하고 있다는 친근감의 표현이었다. DJ가 자신의 예언대로 정계에 복귀하자 오봉은 DJ와는 다른 길을 모색했다. 내가 서울신문사 사장으로 있을 때인 2008년 12월 뜻밖의 부음을 듣고 삼성병원으로 달려가 고인의 명복을 빌었다. 이번 20대 총선에서 롤백한 강단이 있는 새누리당 이종구 의원이 그분의 아들이다.

DJ, "나는 침대 없으면 안 벗어"

DJ의 특장은 논리적 사고와 뛰어난 순발력이다. 임기응변이 뛰어난 정치인이다. 미 문화원 점거농성 때의 설화를 '오보'라고 피난한 예도 그 하나다. 언젠가 평민당 총재 시절 DJ를 모시고 르네상스호텔 인근 주점에서 술을 마신 적이 있다. 아마 '1노3김' 대선이 끝난 후였을 것으로 생각된다. 몹시 추운 겨울밤이었다. 출입기자 몇 사람과 수행의원 몇 사람이 어울려 소위 '폭탄주'를 돌렸다.

몇 차례 사양 끝에 DJ도 2잔인지, 3잔인지 폭탄주를 거의 억지로 마시지 않을 수 없었다. 시간이 다소 지나자 밴드가 들어왔다. DJ에겐 항상 불변의 지정곡이 있다. 이난영이 부른 국민애창곡 '목포의 눈물'이다. '목포는 항구다'가 앙코르곡으로, 두 곡이 모두 '목포 시리즈'다. 난방이 잘돼 일행 모두가 상의를 벗고 마시는데 유독 DJ만 정장차림이었다. 여차하면 먼저 자리를 뜰 생각이었던 것 같다.

나를 비롯한 일행이 여종업원에게 DJ의 상의를 벗기도록 눈치를 보냈다. 여종업원이 "총재님, 더우신데 윗옷을 벗고 드시지요"라고 애교 섞인 목소리로 수차례 매달렸다. 그래도 DJ는 아랑곳 않고 버텼다. 우리들 눈치에 여종업원도 끈질기게 탈의를 채근했다. 실랑이로 분위기가 다소 어색해지자 DJ가 느닷없이 큰 소리로 "나는 침대가 없으면 안 벗는 사람"이라고 조크했다. 한바탕 폭소를 유발했고, 어색함도 덜어냈다. 순발력이 거둔 승리였다. 그날 밤 DJ는 끝까지 상의를 입은 채 술을 마신 유일한 참석자였다.

강골 검사, 박주선

DJ는 우여곡절 끝에 1997년 대선에서 승리했다. 1971년 박정희 대통령에 맞서 야당후보로 출마한 이래 4전5기의 승리였다. 하루는 둘째 처남 김태정 검찰총장과 통화하는 중에 DJ를 급히 만나야 할 용건이 있다고 했다. 당선자가 일산 정발산 인근의 재미 무기중개상 고 조풍연 씨 저택을 빌려 임시거처로 사용하고 있을 때다. 용건이란 다름 아니라 청와대 법무비서관 인사에 관한 것으로 기억한다.

DJ정부 정권인수위는 전임 문민정부까지 유지됐던 민정수석실을 폐지했다. 명칭도 법무비서관으로 격을 떨어뜨렸다. 명분은 민정수석비서관실에 과도한 권력이 집중됐기 때문이라고 했던 것 같다. 어쨌든 법무비서관실 업무는 전 정권의 민정수석실 업무다. 당선자 DJ는 김중권 비서실장의 요청에 따라 초대 법무비서관에 김 실장의 고려대 후배인 이 모 검사를 내정했다.

자신의 초대 비서실장에 김중권 씨를 임명한 함의는 무얼까. 우선 대척점에 있던 TK 출신을 안았다는 점에서 탕평인사라는 명분을 줄 수 있다. 김 씨는 노태우 대통령 때 정무수석을 지냈다. 경북 울진에서 여당 3선 의원이다. DJ는 중간평가를 유보할 즈음 '조건 없는(?)' 20억 원을 받은 것으로 본인이 실토한 바 있다. 그때 노 대통령 돈 심부름을 김 정무수석이 했다고 알려져 있다. 그러나 시중엔 20억 원 외에도 '플러스알파'가 있다는 루머가 사실인 양 나돌고 있었다.

대선 전 하루는 한국일보 동료 논설위원 이 모 선배가 고려대 동문 몇 사람과 함께 김중권 씨와 점심을 같이 했다고 했다. 정치담당인 나에게 식사자리에서 나온 얘기를 전해 주었다. 이 위원은 김 실장의 고대 1년 후배이자 나에게는 5년 선배다. 이 위원은 그날 오찬에서 김 씨가 의미심장한 얘기를 했다고 했다. 김 씨가 "내가 입을 열면 곤란해지지"라는 것으로 보아 '플러스알파'가 사실같다고 했다.

DJ 당선자는 김 씨를 자신의 비서실장에 임명했다. 나는 뜬금없는 이 인사를 보면서 "이제 '플러스알파'는 무덤까지 가게 됐구나"라고 생각한 적이 있다. DJ는 비서실 인선은 김 실장에게 일임했다고 한다. 법무비서관 문제로 김태정 총장이 DJ를 찾아갔을 때 "비서실 인선은 데리고 쓸 김 실장에게 일임했는데"라고 했다고 한다. 그러나 "저와 함께 일할 법무비서관만은 검찰을 가장 잘 아는 저에게 추천권을 주셔야겠습니다"라는 김 총장의 건의를 수용했다고 한다.

명칭이 바뀌고 격만 강등됐을 뿐 업무는 그대로다. 법무비서관이 사실상 민정수석이다. 김 총장의 카운터파트인 법무비서관이야말로 김 총장과 손발이 맞는 사람이어야 함은 재론이 필요치 않다. 그런데 김 실장이 천거한 이 모 검사는 김 총장이 잘 모르는 후배검사였다. 김 총장의 설명을 청취한 DJ는 법무비서관을 김 총장 추천대로 박주선 검사로 교체하는 결정을 했다.

박 검사는 김 총장의 고교, 서울법대 후배다. 대검중수부 과장, 서울지검 특수부장 등의 경력도 답습한 후배검사다. 박주선 검사(현 광주 동구 출신 4선 국회의원)는 노무현 전 대통령의 고시 1회 선배기수인 제16회 사법시험 수석합격 한 재사다. 나는 박 검사와도 친하게 지냈다. 나는 그에게 파견기간만 근무하고 친정으로 돌아와 검찰총수가 돼야 한다고 덕담을 했다. 그분도 "노 선배, 저는 파견기간 끝나면 바로 검찰로 돌아올 겁니다"라고 친정복귀를 다짐했다.

나보다 세 살 적은 박 검사는 나를 노 선배라 불렀다. 내가 보기에도 그는 검찰지휘부가 되는 데 전혀 손색이 없는 강골검사다. 나는 전임 YS정부 때 배 모 검사의 예를 지적하면서 돌아올 것을 강권했다. 배 검사는 YS의 경남고 후배로 청와대 사정비서관으로 파견 나갔다가 돌아오지 못한 채 나중엔 정치의 소용돌이에 휘말려 곤욕을 치른 것으로 알고 있다.

권력의 핵심인 청와대만 들어가면 5년이 50년, 100년일 것으로 착각하는 사람이 많다. 박 의원 역시 그의 장담에도 불구하고 그러지 못했다. 말이 '중수부에서 세 번 구속기소'에 '세 번 무죄판결'이지, 그동안 겪은 고초가 얼마나 심했겠는가. 하지만 부지불식간에 권력의 거대한 블랙홀로 빨려들어가는 자신의 위험한 처지를 잊게 된다. 박 검사는 그래도 오뚝이처럼 재기에 성공, 지금 4선 중진의원이 되었고, 20대 전반부 국회부의장에 선출되었다.

DJ의 숨겨둔 딸

강권통치하의 야당지도자는 항상 돈에 쪼들려야 했다. 집권세력이 돈줄을 막았기 때문이다. YS와 DJ 모두 계파 혹은 자신이 만든 정당을 꾸려가기 위해 윗돌 빼서 아랫돌 받치는 식으로 살림을 해야 할 때가 많았다. 예컨대 전국구의원이 되려는 사람은 지역구 출마자를 위해 일정액의 정치적 헌금을 해야 했다. 그래야 '지역구 전사'들에게 '실탄'을 공급할 수 있기 때문이다. 또 YS나 DJ 아성인 부산경남이나 호남지역 출마자들은 어려운 지역 출마자를 위해 상당액의 '헌금'을 하는 것이 관례였다. 두 사람 아성에서의 출마는 곧 당선을 의미했기에 격전지 출마자를 돕는 것은 어쩌면 당연했다.

그러나 유독 DJ 쪽에서만 불만이 잦았다. DJ쪽 의원들로부터 많은 불평과 불만을 들을 기회가 있었다. 동교동계 한 가난한 의원은 지역구가 'DJ가 막대기를 꽂아도' 하는 지역이라 감당할 수 없는 헌금을 요구받았다. 불응했다가는 공천을 못 받는다. 가진 것이라곤 20여 평 되는 작은 아파트뿐이었다. 출마를 포기할까도 생각했지만 도저히 그럴 수 없었다. 원숭이는 한 번 나무에서 떨어져도 원숭이지만 국회의원은 배지가 떨어지면 아무것도 아니기 때문이다. 궁리 끝에 지도부를 협박하기로 전략을 짰다. 사정을 아는 동료의원으로부터 아이디어를 제공받았다.

DJ에게는 은밀하게 소문 난 사생아 딸이 있다고 했다. 그 딸을 낳은 여인은 이미 오래전 자살로 생을 마감했다. 그 딸은 DJ의 평생 정치적 후견인이기도 했던 고 정일형 박사와 이태영 여사 부부가 뒤를 돌봐준 것으로 전해졌다. 거액헌금을 마련할 길이 없던 C의원의 귀에 이 사실이 들어왔다. C의원은 마지막으로 동교동계 좌장 격인 K최고위원을 찾아갔다. K최고에게 읍소 겸 협박의 말을 했다.

"형님, 제 형편에 돈을 마련할 길은 없고 공천을 안 주시면 저는 DJ 딸 관계를 폭로하고 정치를 그만두려고 합니다." 당시 DJ의 사생아 딸 문제는 DJ 본인이나 K최고 등 극소수밖에 모르는 극비사안이었다. 깜짝 놀란 K최고가 즉각 DJ에게 보고했고, C의원은 다시 공천을 받아 배지를 달 수 있었다. 당초 제보자는 C의원에게 딸의 어머니가 자살한 것으로 정확하게 일러주었으나 C의원은 딸이 자살한 것으로 틀리게 말했다고 한다. 그런데도 K최고가 '숨겨놓은 딸'이란 말에 화들짝 놀라 내용이 틀렸음을 구분치 못했다고 한다.

DJ의 숨겨놓은 딸 얘기는 많은 뒷말을 남겼다. 그 사실이 세인의 입에 회자된 것은 DJ정부 시절이다. 왜 박정희 대통령 시절엔 악용되지 않았을까. 오히려 YS의 숨겨놓은 딸 이야기는 심심찮게 나돌았지만 DJ의 사생활 얘기는 없었다. 혹 '허리 아래 문제'만은 관대했던 박 전 대통령이 눈감아준 게 아닐까 하는 주장도 있다. 하지만 박정희 대통령도 그 일만큼은 정말 몰랐을 것이라고 생각하는 사람이 많다. 김대중을 아꼈던 정일형-이태영 박사 부부의 헌신 때문이다.

시간개념이 느긋한 DJ, 칼 같은 YS

YS와 DJ는 특이하게 비교되는 사안이 하나 있다. 둘이 시간개념이 어쩌면 이렇게 다를까 하고 생각한 적이 한두 번이 아니다. 좋게 말해 DJ는 다소 느긋한 편인 데 반해 YS는 칼같이 정확하다. 예컨대 두 사람이 후보단일화를 위해 남산 외교구락부에서 조찬약속을 한 적이 있다. 상도동에서 약속장소로 가야 하는 YS는 약속시간보다 항상 10~20여 분 일찍 도착한다. 바로 들어가기 너무 이르다고 판단되면 인근 도로를 한 바퀴 돌다가 약속시간 3~4분 전쯤 들어간다.

DJ는 항상 약속시간 3~5분쯤 지나서야 도착한다. 당연히 첫 대화는 DJ의 지각사태에 대한 해명과 이에 대한 YS의 반격으로 시작한다. DJ가 주로 하는 변명은 "퇴계로가 너무 밀려서"가 아니면 "남산 입구에서 공사를 하는 바람에" 등이다. DJ가 '교통이 혼잡하다'거나 '공사 중이어서'라고 변명한 그 도로를 YS는 이미 거쳐 왔다.

DJ의 해명성 변명에 YS는 "그래, 나는 헬리콥터를 타고 왔다"고 쏘아붙였다. 못마땅한 표정이 역력했다. DJ의 지각은 상습적이었다. 반면 YS는 5분, 10분 일찍 도착하는 경우는 있지만 1분이라도 늦는 경우는 없었다. 간혹 기다리다 짜증이 날라치면 "시간을 지킬 줄 모르는 사람은 다른 것도 지키지 않는다"고 독설을 퍼붓기도 했다. YS와 DJ의 서로 다름은 숙명적 라이벌 관계를 형성하는 충분조건이 되었다.

양 김씨는 나이를 갖고 신경전을 벌이기도 했다. 주로 DJ 쪽에서 나이를 늘리거나 줄였다. 1987년 대통령선거에서는 DJ가 YS보다 세 살(DJ는 1924년생으로 만 63세, YS는 1927년생으로 만 60세) 많은 것이 상대적으로 유리해 보였다. DJ의 경륜이 YS를 능가한다는 생각이었다. 그러나 두 사람이 대통령선거에서 패배한 후부터는 나이가 적은 것이 유리한 국면이 되었다. 대권 재수를 생각하지 않았나 여겨진다.

어느 때부터인가 DJ는 '재득명(再得命)'을 기념하는 행사를 했다. 동경납치에서 살아난 것을 기념하는 행사였다. 1971년 8월 8일 DJ는 일본 도쿄의 한 호텔에서 납치돼 5일 후인 8월 13일 서울 동교동 자택 앞에서 풀려났다. DJ 측은 그 후 8월의 그날이 되면 실제로 '재득명'을 기념하는 행사를 했다.

1988년 8월 8일도 이 행사 문제로 평민당 기자실이 시끌벅적해졌다. 동아일보의 평민당 출입 막내였던 김모 기자가 '재득명 행사' 관련 가십기사를 전화로 송고하면서다. DJ의 나이를 1년 전 대선 땐 만 64세라고 했는데 1년이 지났음에도 이번엔 63세라고 했다. 김 기자가 가십을 부르면서 DJ의 나이를 "63세, 괄호 열고 동교동 측 주장, 괄호 닫고"를 큰 소리로 외쳤기 때문이다. 대선이 끝나자 DJ의 나이가 갑자기 줄어들기 시작했다. 나이가 줄어든 보도자료를 받은 김 기자가 DJ의 고무줄 나이를 '괄호 열고 닫고'로 비아냥댄 것이다. 곤혹스러운 표정의 이상수 대변인이 나서 사태를 수습하던 일이 기억에 생생하다. 이처럼 DJ의 잦은 입장변화는 그의 신뢰성에 손상요인이 되었다.

인권변호사 강신옥의 DJ관

　동교동계 전직의원 가운데는 DJ에게 섭섭함을 토로하는 사람이 많다. 주로 돈에 얽힌 불평이다. 몇 해 전 전해 들은 DJ당 재정위원장을 했던 분의 얘기다. 누구라고 하면 금방 알 수 있는 이 전직의원은 "DJ는 전라도 출신 국회의원들에게 공천 때마다 많은 돈을 뜯었다"고 노골적으로 불평했다.

　하루는 DJ가 당 재정 책임자인 자신을 불렀다고 했다. DJ는 "현대와 대우그룹은 내가 직접 챙기고 있으니 두 기업엔 손 벌리지 말라고 했다"고 털어놓았다. 그분은 당시 야당에게 몇 푼이라도 줄 재벌이 이 두 그룹 말고 또 어디 있겠느냐고 했다. 삼성, LG그룹이 야당에게 정치자금을 주겠느냐고 반문했다. 돈이 될 만한 그룹은 본인이 직거래해 당 살림하는 데 여간 어려움이 많지 않았다고 했다. 그러면서 DJ는 참 나쁜 사람이라고 했다. 물론 이런 불평은 DJ가 권력에서 물러난 뒤에 나온 얘기들이다. DJ가 돈 문제만은 아직도 정치를 함께했던 사람들로부터 비판받는 이상한 일이 벌어지고 있다.

　강신옥 변호사가 보는 DJ관(觀)은 퍽 흥미롭다. 강 변호사는 불의엔 눈을 감거나 입을 다물지 못하는 다혈질의 인권변호사다. YS와 DJ를 놓고 보면 물론 YS 쪽이다. 실제 YS를 통해 국회의원(13대 통일민주당 소속 마포을, 14대 민자당 전국구)을 지내기도 했다. 굳이 말하자면 YS의 비판적 지지자라고 할 수 있을 것 같다.

김재규, 우발적 아닌 계획적 범행

한국일보를 퇴직하고 나서 잠시 쉬는 사이, 2006년 2월 7일 서울 압구정동에서 우연히 강 변호사를 만난 적이 있다. 나도 한국일보 옛 동료들과 점심을 함께 한 후 찻집에 가던 중이었다. 강 변호사와는 통일민주당 출입기자 시절부터 알았고 또 내가 아끼는 후배 홍윤오 기자(한국일보 기자를 거쳐 현재 국회 홍보기획관)의 장인이라 정이 갔다.

늦겨울의 몹시 추운 날이었다. 강 변호사는 신발은 운동화였으나 등산복 차림은 아니어서 아마도 부근 산을 산책하고 오는 길이 아니었나 생각된다. 추위를 피해 다방으로 옮긴 우리는 중요사건의 변론을 도맡아 온 강 변호사에게 묻고 싶은 얘기가 많았다. 우선 강신옥 변호사 하면 떠오르는 게 김재규 중앙정보부장의 박정희 대통령 시해사건이다. 강 변호사는 김재규의 핵심 변호인이었다.

지금도 강 변호사는 김재규 범행은 우발적이 아니라 계획된 거사임을 강조한다. 강 변호사는 그 근거로 박선호와 박흥주가 사건현장에서 "오늘 저녁 차지철이 타깃입니까?"라고 물었을 때 김재규가 엄지손가락을 치켜세우며 박정희 대통령임을 밝힌 것 등이 명백한 증거라고 강변한다. 강 변호사는 "지금 김계원(사고 당시 청와대 비서실장)이까지 나서서 차지철의 월권행위와 당일 술자리에서 다툼으로 '욱하는' 심정으로 김재규가 '우발적으로' 범행한 것으로 몰아가고 있으나 그렇지 않다"고 했다.

박근혜 대통령과의 관계에 대해서도 얘기했다. 어느 여성월간지의 엉터리 보도사건이 생기기 전까지는 테니스도 함께 하고 잘 지내던 사이였다고 했다. 그런데 문제의 그 여성잡지가 터무니없는 선정성 작문기사를 게재하고 난 후부터 사이가 틀어졌다고 한다.

월간여성잡지 기자가 어느 날 강 변호사 사무실을 찾아와 뜬금없이 박정희 대통령의 여자관계를 집요하게 물었다고 한다. 박 대통령의 여자관계는 김재규 재판과정에서 박선호 진술을 통해 윤곽이 드러났다. 강 변호사는 여성잡지 기자에게 지금도 대부분 현역에서 활동하고 있는 여인들을 그의 진술만으로 보도할 수 있겠느냐고 불가능함을 얘기하던 중이었다. 갑자기 걸려온 전화를 받으러 간 사이 기자가 재판기록 몇 페이지를 몰래 도촬해 간 모양이라고 했다.

김재규는 1심 재판 때만 해도 박 대통령 여자문제에 대한 부하들의 진술을 막았다. 채홍사 노릇을 한 것으로 알려진 박선호가 여자문제를 언급하자 김재규가 버럭 소리를 질러 발언을 제지시켰다. 당초 이들은 설마 자신들을 죽이기야 하겠느냐고 생각했다. 1심이 사형을 선고하자 마음이 바뀌었다. 박정희의 비도덕성을 부각해 자신들의 행동을 정당화하려 한 것이 아닐까 생각된다.

박선호가 언급한 여자들은 거의가 현역 연예인이다. 언급한 사람 수는 200여 명에 달한다고 한다. 어느 기자는 박정희의 청와대 대소 행사에 동원된 여자들이 당시 브라운관이나 화면에 등장했던 사람 '거의 다(almost all of them)'였다고 했다. 박 대통령이 살해당한 날도 가수 옆에

22세 미모의 연극영화과 휴학생이 합석하지 않았던가.

그러나 이 잡지는 '강신옥 변호사, 드디어 입을 열다'라는 선정적 제목을 앞세워 박정희의 여자문제를 언급했다. 몰래 찍어 간 박선호 진술내용에 언급된 여배우, 탤런트 이름 몇 개를 영문 이니셜로 마치 강 변호사가 직접 말한 것처럼 보도한 것이다.

친하게 지내는 정몽준 전 의원이 어떻게 알았는지 파리에서 전화를 걸어왔다. FIFA(세계축구연맹) 간부였던 정 의원은 당시 프랑스월드컵을 참관 중이었다. 정 의원은 강 변호사에게 무조건 박 의원에게 사과할 것을 종용했다. 강 변호사는 취재기자에게 박정희 여자관계는 보도가 불가능함을 강조했을 뿐 단 한마디도 언급하지 않았다. 훔쳐서 자신이 말한 것처럼 작문한 것까지 사과할 필요성을 느끼지 않았다.

DJ, 김재규 구명호소 외면

그날 강 변호사와의 대화 가운데 흥미를 끈 대목은 DJ에 관한 언급이다. 강 변호사는 한 치 앞도 못 내다보면서 대통령이 되겠다고 설쳐대던 DJ가 우습더라고 했다. 1980년 3월 1일 DJ는 자신에게 우호적일 것으로 판단한 소위 호남출신 위주의 인권변호사 등 15~16명을 동교동으로 불렀다. 이돈명, 박세경, 나석호, 홍성우, 김광일 변호사와 자신 등이었다. 지방에서 버스편으로 상경한 대학생을 먼저 면접 중이라고 해서 동교동 응접실에서 30여 분 기다린 끝에 DJ를 만났다고 한다.

강 변호사는 응접실에서 기다리는 동안 DJ 경호실장 고 박성철 장군을 만났다. 강 변호사는 DJ가 좌익으로 몰렸을 때 박 장군이 큰 도움을 준 것으로 알고 있다고 했다. 박 장군은 해병대 출신이다. 강 변호사는 "박 장군, 한번 해병은 영원한 해병이라 했듯이 박선호를 살려야 할 것 아니겠소"라고 구명 지원을 요청했다. 박선호 역시 해병 대령 출신이다. 강 변호사는 내친김에 "돌아가신 분은 돌아가신 분이고, 김대중 선생이 김재규와 박선호 살리는 데 앞장서야 하지 않겠소"라고 구명에 나서줄 것을 호소했다.

이에 박 장군은 "대통령 죽인 사람들을 어떻게 살릴 수 있겠느냐"고 시큰둥했다. 박 장군 자신의 소신이라기보다는 동교동 측 입장으로 보였다. 세간의 여론이 결코 김재규에게 불리하지 않았을 때다. 강경군부가 배후조종하는 '동원된 여론' 말고는 대체로 김재규 등에 동정적이었다. 강 변호사는 박 장군 입을 통해 전해진 동교동 쪽 분위기에 경악했다고 한다.

이윽고 DJ를 만난 변호사들은 김재규 구명의 필요성을 역설했다. 얘기를 다 듣고 난 뒤에도 DJ는 그 문제(김재규 구명)만은 묵묵부답이었다. 오전 11시를 지나 모임이 파할 무렵 강 변호사가 돌직구를 날렸다. DJ에게 "오늘 우리에게 신민당 들어가 YS와 세 대결하는 게 좋으냐, 아니면 신당 창당이 더 유리하냐고 자문 계기를 마련케 한 김재규부터 살리는 게 급선무 아니겠소"라고 쏘아붙였다. 분위기가 일순 어색해지자 박세경, 나석호, 이돈명 등 호남출신 변호사들이 나서 "자, 오늘 첫 만남인데, 뭘"이라며 DJ를 감싸는 듯한 분위기 속에서 모임이 끝났다고 한다.

강 변호사는 김재규는 DJ의 정치재개를 도운 은인이라고 했다. 김재규가 유신의 심장을 쏘지 않았다면 DJ가 어떻게 정치판에 다시 나올 수 있었겠는가. 김재규가 박정희 대통령을 제거하지 않았다면 DJ가 정치판에 나온 '서울의 봄'이 어떻게 올 수 있었겠느냐고 했다. 김재규 구명에 DJ의 오불관언적 태도는 인간적 배신행위라는 것이다. 화가 난 강 변호사는 당시 어느 신문에다 "DJ는 대통령이 되어서는 안 된다"는 칼럼을 썼다고 했다.

그날 DJ는 인권변호사들에게 자신이 YS보다 대통령에 더 적합한 인물임을 강조했다. 적어도 YS보다는 비교우위에 있다는 점을 누누이 강변했다. 그러면서 YS가 선점하고 있는 신민당에 입당해서 세 대결을 통해 대통령후보가 되는 길과, 탈당해서 따로 신당을 만들어 후보가 되는 길 가운데 어느 쪽이 유리할 것인가에 대해 자문을 구했다. 불과 두 달 후 DJ는 내란선동 등 혐의로 체포돼 군법회의에서 사형을 선고받는 처량한 신세가 됐다. 강 변호사는 "그래, 두 달 앞 닥칠 일도 내다보지 못하는 주제에 대통령 하겠다고 설쳐대던 DJ가 우스운 꼴이 되었다"고 했다.

만년 이인자로 끝난 JP

김종필(JP) 전 총리는 한결같은 내각제 신봉자였다. '누울 자리를 보고 다리를 뻗는다'는 말처럼 JP는 YS, DJ와는 달리 지역적 세가 약했다. 스스로의 한계를 잘 알았다. YS, DJ가 차례로 대통령이 됐음에도 유독 그는 대권 등극에 실패했다. 박정희시대에는 만년 2인자로, 사후엔 3김 가운데 1인의 역할에 만족해야 했다.

JP를 만난 것은 그가 충청권 맹주로 신민주공화당 혹은 자민련을 이끌 무렵이다. 그도 YS, DJ와 같이 자신의 청구동 자택을 취재기자들에게 개방했다.

5·16 주체세력 가운데 JP는 '두뇌회전이 빠른 사람'으로 인정받았다. 5·16쿠데타 직후엔 더러 동숭동 서울대 캠퍼스도 찾았다. 대학생들과 스스럼없이 어울려 토론도 마다않는 멋도 부렸다. 1963~64년 무렵이라고 한다. 동숭동 서울대 캠퍼스를 찾아 학생들과 어울리는 JP를 본 한 여학생이 "저런 멋쟁이와 데이트 한번 해봤으면" 했다는 기사가 '대학신문'에 보도된 적도 있다. 젊었을 때 JP는 매력이 넘치는 사나이였다.

JP는 다른 두 김씨와는 달리 초라한 행색이었다. 양 김씨의 기반인

영호남지역과 달리 충청권은 세가 약했기 때문이다. 언론사 정치부 기자들은 새해 첫날 각 당 단배식이 끝나면 유력인사들의 집을 순회하며 새해인사를 나누었다. 상도동, 동교동에 이어 청구동도 물론 들렀다. 청구동에서는 한때 JP의 공보업무를 돕던 인기 극작가 고 김석야(金石野) 씨와 JP가 3공화국 총리 시절 경호원으로 일했다는 전직 경찰관 최인관 씨가 우리를 맞았다.

무엇보다 특이한 것은 청구동에서는 고 박 대통령 전처 소생 박재옥 여사와 부군 한병기 전 캐나다 대사(8대 국회의원·공화)가 가끔 눈에 띄었다. 재옥 씨 입장에서는 사촌언니와 형부를, 한 전 의원 입장에서는 처형과 동서(JP)를 만나 새해 아침을 함께 보내는 셈이다. 하지만 근혜, 근령, 지만 씨 등 육영수 여사의 소생들은 청구동을 찾지 않았다. 한번은 이들의 관계가 궁금해 곁에 있던 고 김 선생에게 물은 적이 있다.

김 선생은 인기 시나리오 작가로 유명한 분이다. 언제부터인가 공보특보란 지위로 JP의 홍보관계 일을 돕고 있었다. 성격이 조용조용했고, 대답도 충청도 말씨로 조곤조곤하게 했다. 김 선생이 내 궁금증에 대해 청구동과 그쪽(박근혜, 근령, 지만)과의 관계가 그렇게 원만치 않은 것 같다고 했던 것으로 기억한다. 김종필 전 총리 내외와 큰 영애와의 관계가 별로인 것 같다고 했다. 하도 오래된 일이라 기억이 가물가물하지만 김 선생은 두 분 사이가 한때 퍼스트레이디(박근혜)와 총리 부인(사촌언니 박영옥) 사이에 무슨 모함인지 다툼인지가 있었던 것이 이유라고 설명했던 것으로 기억된다.

총리이던 JP가 큰 영애(박근혜)를 배경으로 호가호위한다고 소문이 자자했던 고 최태민 목사에 관한 건을 박 대통령에게 진언한 것을 계기로 관계가 헝클어졌다고 했던 것 같다.

풍류를 아는 JP

그런데 JP가 나중에 박 대통령으로부터 "제 마누라나 잘 간수하라고 해"라는 황당한 말을 듣게 되었다는 것이다. 그 과정에서 두 사촌 여형제 간에 무슨 오해나 갈등이 있었지 않나 하는 추측이 가능해진다. 나에게 뭐라고 얘기해 준 분이 고인이 돼 더 정확한 내용을 복기하기 어려운 것이 안타깝다. 내가 이 정도라도 기억을 추스를 수 있는 것은, 자랑 같지만 한번 들으면 털어버리기 전까지는 머리에 담고 있는 내 기억력 덕이다.

JP는 풍류를 아는 정치인이다. 아코디언을 비롯, 몇 가지 악기도 다룰 줄 아는 것으로 알려져 있다. '자의반 타의반' 등의 외유를 다녀와 공항에서 기자들에게 했던 얘기들은 사람들의 가슴을 흠뻑 적셨다. 사람들은 '자의반, 타의반' 외유에서 돌아와 "저는 대한민국이 아세아보다도 더 넓고 크고, 아세아는 세계보다도 더 넓고 크다는 사실을 깨닫게 되었습니다"라는 JP의 패러독스에 열광했다. 부인 박 여사도 항상 곁에서 '우리 총재님, 우리 총재님' 하면서 남편 JP를 위해 극진한 내조를 했다. 나 같은 취재기자가 보기에도 박 여사는 '간수를 잘해야 할' 분이 절대 아니었다.

JP가 지난번 아내 박 여사를 떠나보낼 때 보인 애틋한 부부애는 많은 사람의 심금을 울렸다. 아내 곁에 묻히기 위해 국립묘지를 사양한다고 했던 사부곡(思婦曲)도 변함없는 '로맨티스트 JP'의 면모다. 자신이 묻히게 될 유택과 비문도 미리 준비했다고 했다. "수다한 물음에는 소이부답(笑而不答)하던 자, 내조의 덕을 베풀어준 영세반려(永世伴侶)와 함께 이곳에 누웠노라"라는 직접 작성한 비문을 새긴 것으로 알려졌다.

JP는 젊었을 때 기자들과의 주석에서 농담을 하면서도 아내 박 여사에 대해서만은 '우리 내자, 우리 내자' 하면서 깍듯한 예의를 갖추었다. 먼저 쓰러진 자신을 일으키려 혼신의 노력으로 간병하던 아내를 오히려 먼저 떠나보내야 했던 JP의 마음이 얼마나 아팠겠는가. 왜 "제 여편네나 잘 간수하라고 해"라는 얘기가 회자됐던지, 이 물음이 풀리면 JP와 고 박 여사, 박근혜 대통령과의 서먹서먹한(?) 관계가 풀리지 않을까 생각된다.

JP는 스카치위스키 대신 보드카를 즐겨 마셨다. 기자들과 주석이 있는 날이면 항상 보드카를 내왔다. 러시아산 보드카는 알다시피 알코올 도수가 스카치위스키에 결코 뒤지지 않을 정도로 독한 술이다. 다만 가격 면에서는 위스키와 비교가 안 될 정도로 싸다. 과일즙을 섞어 칵테일을 하면 여러 종류의 술을 즐길 수 있다. 예컨대 오렌지주스를 타면 '스크루드라이버'가 되고, 사과즙을 곁들이면 '빅애플'이 된다. 또 레모네이드를 섞으면 '보드카 콜린스'라는 사교에 적합한 술이 된다. JP는 우리와 주로 그레이프주스를 칵테일해 즐겨 마셨다. 오렌지주스나 사과즙, 그레이프주스나 레모네이드 등은 우리 주변에 널려 있는 대중 음료다. 보드카만 있으면 각종 과일음료는 구멍가게에도 즐비하다. 값싸고 실속 있는 보드카 칵테일은 JP의 전속 술로 인식될 정도로 인기 있었다.

당신들은 돈을 발로 차는 사람들

JP의 유머와 와이담은 소문날 정도로 유명했다. 인간미가 철철 넘쳐나는 보기 드문 정치인이라 할 수 있다. 한번은 국회에서 있었던 일을 전해 들었다. 박준규 국회의장은 사회봉을 야당 측 부의장에게 넘기고 의석으로 내려와 종종 맨 뒤편의 JP 의석으로 다가와 환담을 즐겼다. 김대중 정부 때인 1998년 무렵이다. JP는 그날 의석을 찾아 놀러온(?) 박 의장에게 세계적으로 화제를 모으면서 갓 시판되고 있는 남성 발기부전 치료제 비아그라를 꺼내 보여 주었다. 박 의장이 관심을 보이자 사용법을 알려준 후 그에게 100mg 한 알을 주었다고 한다.

며칠 후 박 의장이 또 사회봉을 넘기고 JP 의석으로 다가왔다. 이런저런 얘기 끝에 JP가 넌지시 물었다. "박 의장, 그거(비아그라) 사용해 보셨소?" 그러자 꾸밈없이 소탈한 성격의 박 의장이 "아, 그거 정말 신기하더구만" 하고 답했다. JP가 짓궂게 "어디에다 사용했는데 신기하다는 거요?"라고 재차 묻자 박 의장은 "그거 먹고 우리 할마이(할머니)한테 써봤는데 참 영약(靈藥)이더군" 해 박장대소가 일었다.

그 광경을 지켜본 어느 의원이 전해 준 얘기다. JP와 고 박준규 의장 같은 인간미 넘치는 정치인을 회고하는 의미로 들려준 일화다.

JP는 우리와 만나면 "기자들은 주둥이만 둥둥 뜨는 사람들"이라고 놀렸다. 자신이 총리 시절 기자들이 무주택 언론인(기자)을 위한 집단주거지(기자촌) 마련을 요청해 왔다고 한다. JP는 서슴지 않고 서울 압구정동의 넓은 모래밭을 추천했다. 당시 정부는 대대적인 강남권 개발 계획안을 마련해 놓았다고 한다. 그랬더니 기자들이 "압구정동에 살라면 그럼 출근은 쪽배 타고 하란 말이냐"고 반발해 무산됐다고 했다. 한강대교에 이어 제2한강교가 개통됐지만 강남권 개발에 필수적인 많은 교량 건설계획이 있었다. 기자들의 반대로 압구정동 기자촌 계획을 접을 수밖에 없었다. JP는 자주 "당신들은 재벌 될 기회를 주어도 발길로 차는 사람들이여"라고 놀리곤 했다. 정부는 언론인들 요구대로 구

경기도 고양군 신도면에 기자촌을 건립했다. JP는 또 한국일보 기자들에게는 왕초(고 장기영 사주) 얘기도 자주 들려주었다. 기행을 옮기기는 부적절하다.

사람에게는 공과 과가 있듯, JP도 마찬가지다. DJP 연합정권이 들어선 후 JP에게 거의 절반에 달하는 자리가 할당됐다. 사실이 아니기를 바라는 입장이지만 JP에게 할당된 자리에 충원된 사람 가운데는 상당액의 헌금을 해야 했다는 얘기가 파다했다. 당시 JP 아들의 사업이 거덜나 JP가 메워 주지 않으면 안 될 상황이 발생했다고 한다. 특히 정부(건설교통부) 산하기관 책임자로 기용된 사람 가운데 상당수가 헌금을 해야 했다고 한다. 일종의 현대판 매관매직 행위라고 하지 않을 수 없다. 주택공사, 토지개발공사 사장 등 JP가 취직시킨 사람들이 어떤 처벌을 받았는지 상기해 보면 알 수 있을 것이다. 당시 시중에 떠돌던 얘기들이 별로 틀리지 않았음을 방증하는 사례가 아닐까 생각한다. DJP 연합으로 DJ 중심의 진보정권 수립에는 성공했지만 마치 전리품 나누기식 자리 배분은 국민을 크게 실망시켰다.

시원시원한 정필근 전 의원

고 정필근 전 국회의원은 14대 국회의 풍운아다. 정 의원은 나의 진주중고교 10년 선배로 성균관대 약대를 졸업한 약사 출신이다. 일곱 형제 가운데 넷째로 알고 있다. 큰형은 서울대 약대 학장을 지냈고, 둘째 형은 부산대 상대 학장을, 셋째 형은 의학박사 개업의였다고 그분께 들은 적이 있다. 약학박사인 자신을 비롯해 집안이 온통 박사 형제 가족으로 잘 알려져 있다.

정 의원은 성대 약대를 다닐 때 서울 유명 조폭의 조직원 생활을 했노라고 얘기한 적이 있다. 그는 1950년대 중반 폭력조직인 명동 '신 상사파' 행동대원이었음을 숨기지 않았다. 대학을 졸업한 후에는 유명 제약회사에 입사, 오랫동안 임원으로 근무했다. 그분은 돈을 버는 것보다는 쓰는 일을 즐기는 분이었다. 그러니 주위엔 사람이 들끓었다. 정치판으로부터도 자주 유혹을 받았다. 그 지역 출신 의원들의 인기가 바닥을 칠 때라 더욱 그랬다. 실제로 12대 총선 민정당 공천자로 발표됐다가 번복되기도 했다.

당시 민정당을 출입했던 나는 고 채문식 당대표 턱밑에서 그가 불러

주는 공천자 명단을 받아 적었던 기억이 생생하다. 청와대에 가서 공천자 명단을 받아온 채 대표가 당사 대표실에서 일괄발표를 했던 것. 지금도 기억에 생생한 것은 분명히 채 대표가 12대 공천 탈락 고위급 인사는 '경남 진양의 안병규 국회 농수산분과위원장'이고, 공천자는 '정필근 일동제약 대표'라고 발표한 것이다. 그런데 다음 날 공천자가 바뀌었다. 당초 탈락자로 발표됐던 안 의원이 다시 공천자가 된 것.

당시 언로가 자유롭지 못할 때여서 공천자가 뒤바뀐 사연을 제대로 전하지는 못했던 것 같다. 나중에 알려진 바로는 5공 정권의 실권자 노태우 장군의 심복부하였던 고 안 위원장 사촌동생이 노 장군에게 SOS를 쳐 막판뒤집기가 가능했다고 한다.

정 전 의원은 뒤바뀐 결과에 깨끗이 승복하고 정치입문의 꿈을 접었다. 1988년 13대 때는 선거법이 1구1인의 소선거구제로 귀착되자 뒤바뀐 환경 탓인지 역시 꿈을 접었다. 1992년 드디어 뜻을 이루었는데 단기필마의 무소속 당선이었다. 국회에 입성한 후 집권 민자당에 입당해 여당의원이 되었다. 국회 재무위 소속 여당간사로 활동했는데 시원시원한 성격 덕에 항상 화제를 몰고 다녔다.

하루는 재무위에서 해프닝이 있었다. 여당간사인 정 의원이 야당간사 채영석 의원에게 "야 이놈아, 너는 형도 없나?"라고 했다. 발끈한 채 의원이 "응 그래, 네놈이 형이라고? 주민등록증 꺼내"라고 맞고함 끝에 주민등록증을 대조해 보니 정 의원이 세 살 적었다. 착각한 정 의원이 그 자리에서 "채 의원님, 내가 실수했소"라고 즉석 사과해 수습되었다. 주민증 확인 결과 정 의원이 1937년생, 채 의원은 1934년생으로 드러난 것이다. 외모로는 대머리인 정 의원이 머리칼이 꽉 찬 채 의원보다 훨씬 나이 들어 보였다.

해프닝 다음 날 이른 아침 정 의원의 전화를 받았다. 정 의원은 한국일보 정치부장이던 나에게 수시로 전화했다. "노 부장, 채영석 의원이 보기보다 나이가 많더라"고 했다. 무슨 일이 있었느냐고 물었더니 "형이 하나 더 생겼다"는 말로 재무위에서 일어난 실수를 깨끗이 인정했다. 성격이 화끈한 분이라 즉석에서 사과함으로써 상황을 바로 수습했다고 한다. 나는 10년 선배 정 의원을 형님이라 불렀고, 그분은 나를 친동생처럼 각별히 대했다.

노무현 정부 초창기 때로 기억된다. 송민순 전 외교부 장관이 장관되기 직전 청와대 외교안보실장으로 있었다. 고향후배이기도 한 송 전 장관과 나는 수시로 만나는 각별한 관계였다. 하루는 송 실장이 "정 의원께 식사를 대접하고 싶은데 형이 자리를 주선할 수 없겠느냐"고 했다. 정 의원이 15대 총선에서 낙선한 후 사실상 정치를 떠나 칩거하고 있을 때다.

송 전 장관이 워싱턴 주미대사관 정무참사관이었을 때라고 한다. 재무위 소속 의원단이 워싱턴을 방문했다. 관례대로 의원단을 안내하고 영접했던 송 참사관에게 정 의원이 직원들과 식사나 하라고 촌지를 내놓았다. 한사코 거부하는 송 참사관에게 "외교관은 밥도 안 먹고 X도 안 싸나"라고 버럭 소리를 지르더라고 했다. 송 전 장관은 "외교관 생활 오래 했지만 정 의원처럼 담백한 사람을 처음 보았다"며 고향선배이기도 한 정 전 의원에게 저녁을 대접하고 싶다고 했다.

그렇게 해서 우리는 정 의원과 형수를 모시고 강남의 유명한 R호텔 일식당에서 반주를 곁들인 저녁식사를 했다. 정 의원은 체질적으로 술을 못 한다. 기껏 맥주 한 잔을 몇 차례에 나눠 마시는 정도다. 그날 정 의원은 "너희들은 술을 잘 마시니 양주를 한 병 시켜 들라"고 했다. 맥주잔을 홀짝거리는 정 의원을 제쳐놓고 형수와 송 장관 나, 셋은 양주에 맥주를 섞은 소위 폭탄주를 말아 마시기 시작했다.

폭탄주를 주거니 받거니 하다 보니 순식간에 7~8잔이 돌았다. 형수도 빠뜨리지 않고 잔을 받으실 정도로 애주가였다. 당초 우리에게 양주를 권했던 정 의원이 폭탄주 잔 수가 늘어나고 취기가 오른 듯하자 제동을 걸었다. 정 의원은 평소 형수의 이름을 불렀다. "최○○ 여사, 오늘 저녁 한번 뛰어야(?) 할 것 아니야"라는 조크로 주석을 끝내도록 했다. 그날도 호스트를 자청했던 송 장관은 야단을 맞고 밀려나고 정 의원이 지불했다.

정 의원은 체인스모커다. 담배연기를 가슴속 깊이 빨아들이지는 않았으나 하루 3~5갑의 담배를 연기로 뿜었다. 그래서 항상 폐질환에 대한 경각심을 갖고 있었다. 고 김영삼 대통령의 팔순 축하연이 서울 롯데호텔에서 있었다. 나와 정 의원도 초청받아 연회장 입구에서 우연히 만났다. 어쩐 일인지 정 선배가 몹시 야윈 모습이었다. 역시 손에는 불을 붙인 담배개비가 들려 있었다. 얼른 뒤돌아가 와이셔츠 윗주머니의 담뱃갑을 소매치기하듯 빼앗아 여러 사람이 보는 앞에서 파쇄해 쓰레기통에 버렸다. 그랬더니 "야, 노 주필! 담배가 어디 그것뿐이냐"며 양복 안주머니 이쪽저쪽에서 세 갑을 더 꺼내 시위하는 게 아닌가. 내가 "형님, 건강하게 사시려면 제발 담배부터 끊으셔야 합니다"라고 호소도 했지만 "얼마나 더 살겠다고" 하며 태연히 담배에 불을 붙였다.

한번은 "노 주필, 내일 L호텔 일식당에서 점심이나 하자"는 전화를 받았다. 뜬금없이 장안에서 가장 비싸기로 소문난 곳에서 점심을 하자고 했다. 내가 "형님, 곰탕이나 설렁탕 잘하는 집에서 한 그릇 하시지요"라고 수정 제의했더니 "야, 지금 필근이가 가진 건 돈밖에 없다"며 한사코 그 일식당을 고집했다.

약속한 날 L호텔로 갔더니 역삼동 집이 팔려 용인 아파트로 이사했다고 했다. 그날은 5공 초기 정무수석을 지낸 허화평 수석과 그의 보좌관 출신으로 국회의원도 지낸 김길홍 전 의원과 넷이 함께 점심을 들었다. 그분들도 뜬금없이 유명 일식당에서 점심을 하자는 제의를 받고 어리둥절해했다. 집 팔고 나니 남은 건 현찰밖에 없다며 용돈 다발을 던져 주었다. 그로부터 얼마 되지 않아 암 증후가 발견되어 미국으로 가셨다는 얘기를 간접적으로 들었다.

내가 서울신문사 사장으로 바쁘게 뛰고 있을 때다. 2008년 1월쯤이 아닐까 생각한다. 허화평 전 수석께서 새해인사 전화를 주셨다. 덕담 중에 형님이 분당 서울대병원에서 암투병 중이라고 했다. 허 수석이 고마웠다. 바로 입원하신 병실로 달려갔다. 응접실이 딸린 특실이었는데 입구에서부터 담배냄새가 코를 찔렀다. 간호사들 표정도 시큰둥했다. 병실 문을 여니 담배연기가 자욱했다. 형수 말씀이 수술이 불가능해 시간만 지체하고 있다고 안타까워했다.

줄담배 흡연으로 평소 걱정했던 폐 쪽이 아니라 뜻밖에도 위암 말기라고 했다. 누워 계신 형의 배를 만져보니 문외한인 나에게도 커다란 혹 같은 게 만져지는 것 같았다. 폐암 가능성을 자주 관찰했다면 다른 부위 암도 예진이 가능하지 않았을까. 의사의 관찰 실수는 아닐까 하는 의심이 강하게 들었다. 암 예후를 관찰하기 위해 혈액검사 등을 하면 다른 장기의 이상 여부도 확인할 수 있는 게 아닐까. 안타까운 일이다.

정 의원의 병실은 통제불능 지대로 간주되고 있는 듯했다. 간호사가 금연 요구를 했다가 크게 야단맞은 후 방치하게 됐다고 한다. 내가 "형님, 병실에서 흡연하면 어떻게 해요?" 하고 사정했으나 "피우다가 갈란다" 하니 더 이상 만류가 어려웠다.

형수는 항암치료 탓인지 음식을 전혀 넘기지 못한다고 했다. 나는 YS의 고향 포구 거제 외포리의 아는 대구 중매인에게 곤이가 좋은 대구 두 마리를 빨리 형님 댁으로 보내도록 했다. 그러고는 며칠 후 다시 병실을 찾아가 뵈었다. 형수 말씀이 "도련님이 보내준 대구 국물로 2~3일은 숟가락을 들었다"고 했다. 그러나 환자는 갈수록 기력을 잃어 갔다. 사람이 죽는 것은 영양실조 때문이라는 말이 실감되었다. 입으로 음식을 전혀 삼키지 못해 수액주사로 연명하는 모습이 안타까웠다.

돌아가시기 직전 어느 무더운 여름날로 기억된다. 고맙게도 허 전 수석이 다시 전화를 주셨다.

"오늘 병실을 가봤더니 2~3일 넘기기 어려울 것 같더라. 노 사장, 임종을 하려거든 오늘 저녁이라도 가보는 게 좋을 것 같다"고 형님의 근황을 전해 주었다. 바로 병실로 달려갔더니 혼수상태였다. "형님!" 하고 몇 차례 흔들어 보아도 반응하지 않았다. 그야말로 코마 상태였다. 수액주사와 산소마스크에 의지해 가쁜 숨을 몰아쉬고 있었다. 천하의 정필근은 그해 9월 어느 무더운 날 그렇게 갔다.

언론인 출신의 이만섭 전 국회의장

　지난해 김영삼 전 대통령의 서거에 이어 그와 동시대를 살았던 이만섭 전 국회의장이 12월 14일 오후에 타계했다. 향년 83세. 사인은 호흡곤란이었다고 한다. 수개월 전까지만 해도 종편방송에 출연, 현실정치에 쓴소리도 마다 않던 분이 갑자기 돌아가셨다니 안타까운 마음 가득하다. 평소 같았으면 당연히 찾았을 YS 빈소에 그의 모습이 보이지 않자 사람들 사이엔 그분의 건강에 이상이 있다는 얘기가 나돌았다.

　내가 이만섭 전 의장을 처음 만난 것은 1983년 초 국민당(한국국민당)을 출입하면서다. 소위 5공화국은 그들의 편의대로 3당체제를 조성했다. 초선의원 동우회 같았던 집권 민정당(민주정의당), 온건한 구 신민당 사람들이 주축인 제1야당 민한당(민주한국당), 구 공화당 잔존세력으로 이뤄진 국민당(한국국민당). 나는 한국일보 정치부 말진기자로 민정당을, 또 국민당을 겹치기로 출입했다. 이 의장은 당시 국민당의 3인 부총재 가운데 한 분이었다.

　구 공화당 4선 의원이었던 김종철 총재 밑에는 3명의 부총재가 있었다. 이만섭, 이종성, 윤석민 부총재가 그들이다. 정진석 한나라당 원내 대표의 장인이기도 한 이종성 부총재는 충남지역의 대표적 방직회사인 충남방직 오너였고, 윤석민 부총재는 KS라인, 즉 구 대한선주 오너였다. 전두환 군사정부의 산업합리화정책에 따라 대한항공그룹에 대한선주를 강제로 넘겨주게 되어 울분을 토하던 윤 부총재의 모습이 눈에 선하다.

윤 부총재는 정부가 대한항공에 베푼 만큼의 특혜는 필요가 없다고 했다. 다만 해운경기 침체 동안 잠시 이자 정도만 유예해 주면 충분히 재기할 수 있다고 했다. 해운업이 세계적 불황으로 비록 오늘은 깡통을 차고 있지만 내일은 비단옷을 입을 수 있다고 역설했다. 박정희 대통령 처조카사위이기도 한 윤 부총재는 염량세태를 탄식했다. 10·26 직전 미국의 최대 해운운송업체를 인수키로 가계약까지 마쳤다. 뜻밖의 10·26사태로 계약금만 날린 채 계약이 성사되지 못했다고 안타까워하던 모습이 기억에 뚜렷이 남아 있다.

국민당 세 부총재 가운데 그래도 현실정치를 아는 분은 이만섭 부총재였다. 언론인(동아일보 정치부 기자) 출신인 이 부총재는 각박하고 어려운 여건에서도 현실을 돌파해 보려는 생각이 많은 분이었다. 출입기자였던 나는 이 의장과 김종하 의원 등 비주류 측 의원들과 자주 어울리면서 그들로부터 5공 정권과 '3중대'라고 했던 국민당과의 관계 등을 엿들을 수 있었다.

꽉 막힌 벽 뚫으려는 시도가 마음에 들어

당시 국민당의 운영체제는 김종철 총재에 김영광 사무총장, 이동진 원내총무 라인으로 구성돼 있었다. 두 분 기업인 출신 부총재와 달리 이만섭 부총재는 어떻게든 꽉 막힌 상황을 뚫어 보려는 도전자적 입장이었다. 나는 시쳇말로 술은 김종철-이동진 라인의 당권파와 마시고, 기사는 이만섭-김종하 라인의 입장에서 썼다. 이런 나를 이 의장과 김 의원은 정의감 있는 기자라고 했다.

나는 군사강압체제에 순종하는 사람보다는 뭔가 벽을 허물어 보려는 이런 분들이 미더워 보이고 또 예뻐 보였다. 이런 연유로 이 의장은 후에 나를 끔찍이 챙기셨다. 그분이 국회의장일 때 나는 그분 추천으로 국회보와 국회 케이블TV 설치를 위한 자문위원으로 일했다. 국회에 들르기라도 하면 꼭 63빌딩이나 국민일보 빌딩 등의 유명식당에서 맛있는 점심을 사주기도 했다.

지금은 어떻게 변했는지 모르겠으나 원래 이 의장의 자택은 북아현 동에 있었다. 그 주변엔 이 의장 말고도 고 박태준 포스코 명예회장, 고 이기택 전 의원, 권익현 전 민정당 대표 등이 지근거리에 옹기종기 모여 살았다. 새해 첫날 정당의 단배식이 끝나면 정치부 기자들은 더러 그분들의 집을 방문하기도 했다. 나는 후배 김충근 동아일보 기자와 함께 이 의장 집도 빠뜨리지 않고 찾아가 새해인사를 했다. 이 의장은 지인들에게 "한국일보 노진환 주필은 나와 가까운 사람이야"라고 소개했다.

이미 잘 알려진 사실이지만 이 의장은 자신이 동아일보에서 국회를 출입할 때의 일화를 자주 들려주었다. 태평로 국회의사당 2층 기자석에서 야당 출신 곽상훈 부의장이 사회를 볼 때였다고 했다. 자유당 의원들의 꼬락서니가 보기 싫어 "저 자유당 도적놈들!"이라는 고함소리를 사회석에서 들은 곽 부의장이 "기자석의 이만섭 기자, 좀 조용히 해주세요!"라고 경고한 것이 속기록에 남아 있다고도 했다.

한번은 그분과 국회 여성 전용 사우나와 관련, 환담할 기회가 있었다. 그분에 의하면 과거 태평로 국회의사당에는 숫제 여자화장실이 없었다고 한다. 상당기간 여성의원은 박순천 여사 한 사람뿐이었다. 요즘 같았으면 어림없는 일이겠지만 당시엔 어느 누구도 여성화장실 설치 필요성을 제기하거나 요구하지 않았다. 문제는 여야가 첨예하게 맞서 이석이 곤란할 때였다. 주로 자유당과 표 대결을 해야 한다거나 필리버스터를 할 경우 이석이 불가능했다. 야당 소속인 박 여사는 자리를 지키느라 소변을 참아 자주 방광염에 걸리기도 했다. 이 의장 말씀은 국회에 여성 전용 사우나 설치를 반대한다는 뜻이 아니다. 과거 열악했던 시대에 선배의원들이 겪어야 했던 일화를 후배들에게 전하는 의미였다. 국회는 남성 전용 사우나처럼 여성의원들만 사용할 수 있는 여성 전용 시설을 마련, 가동 중인 것으로 안다.

외유내강의 김병오 전 국회사무총장

　김병오 전 국회사무총장은 내 대학 11년 선배다. 전북 남원 출신으로 전주북중과 전주고를 나와 고려대 정치외교학과를 졸업했다. 내가 그분을 만나게 된 것은 국회를 출입하면서다. 그분은 11대 때 민한당 공천으로 서울 구로지역에서 당선됐다. 매사가 올곧은 분으로 군사정부에 맞서는 기개가 남달랐다. 자신이 정의라고 생각하면 물불 가리지 않았고, 저돌적으로 밀어붙이는 투쟁력 또한 놀라웠다.

　5공 군사정권에 맞서 김영삼, 김대중 양 김 세력이 민주화추진협의회(약칭 민추협)를 출범시킬 때 부간사장을 맡아 전위에 서기도 했다. 소위 고려대 앞 사건으로 구속돼 옥고를 치르기도 했다. 4·19혁명의 도화선이 된 마산상고생 김주열 열사가 집안 당숙인 것으로 알고 있다. 한동안 정치적 시련기를 거쳐 1992년 제14대 국회의원으로 화려하게 복귀했다. 그리고는 DJ 민주당의 정책위 의장으로 활약했으나 15대 총선에서 낙선해 다시 낭인생활을 하기도 했다. 김대중 정부 중하반기인 2000년 국회사무총장으로 부활하였을 때 나는 한국일보 주필로 김 선배와 반갑게 재회했다.

혼히 말하는 외유내강은 김 선배에게 딱 어울리는 표현이다. 김 선배는 겉으로는 한없이 부드러운 분이나 강압통치엔 목숨을 걸고라도 도전을 마다 않는 강골 투사형이다. 나는 그런 김 선배를 존경했다. 내가 1994년 프레스센터에서 졸저《외교가의 사람들》(부제 '秘錄 5공 외교') 출판기념회를 개최했을 때 어떻게 아시고 달려와 축하해 주셨다. 김 선배는 민주당 정책위 의장으로 어느새 중진 국회의원이 되어 있었다.

나는 김 선배에게 고마운 추억을 하나 갖고 있다. 김 선배가 국회사무총장으로 계실 때다. 국회 상임위 전문위원인 고교후배가 어느 날 전화를 걸어왔다. 5년 후배인 그 친구는 입법고시 출신으로 국회에 근무하는 동안 국회출입기자인 나와 자주 만나는 사이였다. 후배는 "형님, 우리 김병오 사무총장님과 어떤 관계입니까?" 하고 물었다. 내가 "존경하는 대학 직계선배"라고 하자 자신의 인사문제를 도와 달라고 했다.

설명을 들어 보니 후배가 입법공무원의 꽃이라는 수석전문위원(차관보급)으로 승진할 수 있는 기회라고 했다. 국회도 고위직으로 올라갈수록 경쟁이 치열했다. 한 자리를 놓고 4~5명이 경쟁하는 구도라고 했다. 입법

졸저《외교가의 사람들》의 출판기념회가 프레스센터에서 열려 인사말을 하고 있다(1994년).

고시 동기는 물론, 부근의 아래위 기수들이 경합하고 있다고 했다. 그 후배가 국회 내에서 유능하다는 평가를 받고 있음을 익히 듣고 있었다.

하루는 국회에 회의차 들른 길에 후배를 위해 사무총장 김 선배를 뵈었다. 그러고는 전화로 자주 연락을 드렸다. 당시 경합자 가운데는 선배의 전주북중, 전주고 후배도 있었다. 나는 내심 불리할 것으로 생각했다. 그분도 후배를 챙기려는 것은 인지상정 아니겠는가. 그러나 나는 이렇게 부탁했다. "김 선배, 전주북중, 전주고와 진주북중, 진주고는 점 하나 차이입니다." 사실 진주중학도 북쪽에 있다고 '진주중'을 '진주북중'이라고 했다. 나는 김 선배께 "후배를 낙점해 지역편중인사 소리를 들으시겠습니까, 아니면 점 하나를 빼고 탕평인사 평가를 들으시럽니까?" 하고 조크했다. 김 선배는 "그래 말이야. 고민을 더 해보도록 하지"라며 웃음으로 답했다.

며칠 후 김 총장은 내 후배를 불러 승진을 통고하면서 "한국일보 노주필에게 감사하라"고 했다고 한다. 사실 나는 김 선배께 간곡히 부탁은 했지만 솔직히 큰 기대는 하지 않았다. 그런데도 김 선배는 '점 하나가 빠진' 연고 없는 지역 출신의 부하 손을 들어 주었다.

DJ정부에서 호남편중 인사가 지적되기도 했다. 그러나 국회에서는 이런 탕평인사도 이뤄졌음을 증언한다. 지금 생각해도 김 총장의 선택에 대해 감사하고 또 오랫동안 감동으로 남아 있다. 물론 내 후배가 능력 면에서 출중했고 좋은 평가를 받고 있었기 때문이다. 사실 김 선배와 나는 대학의 하고많은 선후배 연고 가운데 한 경우다. 특히 고향후배가 있음에도 내 부탁을 수용하는 것을 보고 '이런 공직자도 있구나' 하고 큰 감동을 받은 적이 있다.

탁월한 관료, 노신영 전 국무총리

노신영 전 국무총리는 우리 관료사에서 탁월한 분으로 평가받는다. 그는 6·25전쟁 직전 평양에서 서울로 유학 왔다가 분단으로 고아 아닌 고아가 됐다. 서울법대에 다니면서 서울 장충동 고갯마루에서 군고구마 장사로 고학한 사실은 잘 알려진 얘기다. 그가 기자에게 술회한 고구마 장사 때의 일화는 감동적이다. 군고구마는 추운 겨울의 계절상품이다. 기상예보가 변변찮을 때 법대생 군고구마 장수는 날씨의 조화를 예측하기 어려웠다.

전날 잘 팔려서 오늘도 그러려니 하고 다소 많이 구웠더니 생각지도 않게 날씨가 심술을 부린다. 갑작스럽게 함박눈에 세찬 바람이 몰아쳐 손님을 쫓아버린다. 불가항력의 상황이다. 재고품은 다음 날 데워서 팔아야 했다. 군고구마는 갓 구워낸 것이어야 제맛이 난다. 양심적인 고학생 장수는 고객에게 "이것은 어제의 재고"라는 사실을 꼭 밝혔다. 갓 구워낸 것보다는 몇 개를 덤으로 더 주었다. 하자상품의 떨이 세일인 셈이다. 그랬더니 숫제 양이 많은 재고품을 찾는 고객이 생기더라고 했다.

공직생활도 이런 양심이 바탕이 됐다. 정직이 최선이라는 믿음이 평생 그를 지켰다. 2000년에 펴낸《노신영 회고록》에 그의 일생이 고스란히 망라돼 있다. 1950년 6·25전쟁이 발발하던 해 서울대 법대에 입학했다. 전선이 확대되자 9·28수복 후 학도의용군에 자원입대했다. 가장 큰 이유는 호구지책을 위해서다. 전선을 옮겨 다니며 전투를 하다 이듬해 5월 통역장교 시험에 합격해 중위로 임관했다.

통역장교로 있으면서 틈틈이 고시공부를 했다. 1953년 2월 제4회 고등고시 행정과 3부(외교)에 합격했다. 전쟁 중에도 먹고사는 문제가 가장 화급한 과제였다. 다행히 군에서 의식주를 해결할 수 있었던 노 총리는 1950년도 입학한 법대생 동기 가운데 가장 먼저 고시에 합격하는 영광을 얻었다. 밥걱정을 덜 수 있었던 군대생활 덕이다.

그의 이력을 살펴보면 미국 켄터키주립대학교에서 석사학위를 받았다. 전쟁 통에 미국유학을 간 것은 제대를 하기 위한 방편이었다. 육군은 노신영 중위의 제대 청원을 허락하지 않았다. 고시합격자 중 미필자는 사무관에 임용하면서 군복무 중인 사람은 제대를 불허해 외무부 입부가 불가능했다. 제대를 위한 방편으로 외국유학의 길을 택한 것이다. 당시 정부는 유학시험에 합격하고 외국대학으로부터 장학생 입학허가를 얻으면 제대시켜 주었다. 미국 켄터키주립대학으로 유학을 가게 된 경위다. 제대해 외무부 입부를 위해 미국유학을 경유해야 하는 난센스 같은 일이 벌어진 것이다.

김창룡 특무부대장의 부관(?)

통역장교 노신영 중위는 누가 뭐래도 엘리트 중의 엘리트였다. 지휘관이라면 누구나 한 번쯤 부하로 탐낼 만했다. 노 전 총리는 비명에 간 김창룡 전 특무부대장을 모신 일이 있다고 한다. 하지만 한 번도 스스로 입 밖에 꺼내지 않았다. 특무대란 요즘으로 치면 보안사령부 혹은 기무부대에 해당한다. 자유당 시절 김창룡 소장 하면 나는 새도 떨어뜨린다고 할 만큼 위세가 대단했다. 이승만 대통령 양아들이라고도 했다. 그런 김창룡이 노신영을 자기 휘하로 끌어갔을 개연성은 충분하다. 그래서 노 전 총리가 잠시 김창룡 특무부대장의 전속부관을 했다는 증언이 나온다. 외무부를 출입할 때 들은 얘기다.

김창룡은 6·25전쟁을 전후해 좌익 소탕에 혁혁한 공을 세웠다. 하지만 무고한 피해자도 많았다. 내가 육군본부 군법회의 서기병으로 복무할 때 전북 이리에 살던 주민의 재심사건을 취급한 일이 있다. 소(蘇) 씨로 기억되는데 전쟁 통에 2명을 살해한 혐의로 김창룡 특무대에서 조사받고 기소돼 사형을 선고받았다. 뒤에 무기로 감형돼 목숨은 부지했다. 나중에 보니 살해했다는 사람이 모두 살아 있었다. 재심에서 당연히 무죄가 선고되었고, 거액의 형사보상금 지급이 결정되었다.

생사람을 잡은 수사기관이 바로 육군 특무부대였고, 부대장이 바로 김창룡이었다. 이런 주먹구구식 사건이 한둘이 아니었다. 더러는 정치적 목적으로 군내 라이벌을 제거하기 위해 수사권이 남용되기도 했다. 참모총장보다도 막강한 특무부대장, 무소불위의 힘을 과시하던 그는 결국 동기생 허태영 대령 부하들 손에 살해되는 비극을 맞았다.

한때나마 모셨던 분의 말로가 좋지 않아서인지 노 총리는 그 사람과의 관계를 일절 입 밖에 꺼내지 않았다. 김창룡 가족은 모두 이민 간 것으로 안다. 노 총리가 현직에 있을 때 캐나다로 이민 간 딸이 무슨 어려움을 호소해 와 노 총리가 보살펴준 것으로 알고 있다. 김창룡 묘소가 대전 현충원으로 옮겨 갔지만 원래는 안양 비구니 사찰인 안양사라는 사찰 초입에 방치되다시피 있었다. 묘소는 반대자들 때문에 비밀리 작전하듯 현충원으로 옮겼다.

부하들은 모두 발탁인사로

노신영 총리 하면 떠오르는 사람이 반기문 유엔사무총장이다. 노 전 총리가 외무부 장관 시절 반 총장은 외무부 유엔과장을 하다 나중엔 잠시 비서관도 지냈다. 노신영의 사람 보는 안목은 탁월했다. 박동진 장관에 이어 고시출신 첫 장관이 된 노 장관은 인사 스타일이 '발탁'이다. 철저하게 능력 본위로 사람을 골랐다.

노 장관은 자신의 첫 비서관으로 유엔과장이던 문동석 서기관을 기용했다. 비서관이란 자신의 분신과도 같은 존재다. 대개 외무부 인사는 해외공관장일 때 함께 근무했던 사람 위주로 인선하는 것이 관례다. 함께 근무하면서 자질이 검증됐기 때문이다. 그런데 노 장관과 문 비서관은 재외공관에서 함께 근무한 일이 없었다. 특별한 인연이 없는 발탁이라 사람들은 의아해했다. 그러나 노 장관다운 발탁인사였음이 곧 밝혀졌다.

5공 신군부는 외무부와 외교관을 국가관이 희박한 조직 혹은 사람들이라는 선입견을 갖고 있었다. 전두환 대위는 1960년 차지철 대위와 함께 미국 조지아 포트 베닝의 미 육군 유격훈련에 참가했다. 휴가를 얻어 워싱턴의 주미대사관을 찾았는데 대사관을 찾은 이들 일행에게 누구 하나 눈길을 주지 않았다고 한다. 그때 전 씨에게 각인된 외무부와 외교관에 대한 인식이 두고두고 외무부를 괴롭혔다고 한다.

5공 신군부는 집권하자마자 각 부서에 조정관이란 이름의 군 인사를 파견했다. 자신들의 통치이념을 전수하기 위해서다. 외무부에 파견된 인사는 정 모 대령이었다. 정 대령은 육사 출신 야전군인의 표상으로 소문나 있었다. 기압이 빠진 외무부를 정 대령으로 하여금 단단히 개조하려 시도하지 않았나 생각된다. 하루는 조정관인 정 대령이 전체직원 조회에서 "썩어빠진 동태 눈깔" 운운하는 거친 표현을 사용했다. 그때 "당신이 뭔데 그런 쌍소리를 함부로 하느냐"고 항의한 사람이 문동석 유엔과장이었다(졸저《외교가의 사람들》, 30페이지 참고).

노 장관은 문 과장을 조용히 자신의 비서관으로 발탁했다. 조직을 위해 전면에 나서는 용기를 높이 평가하지 않았나 보인다. 문 비서관은 서울대 외교학과를 졸업하고 1966년 외무부에 들어왔다. 외무고시가 중단되어 외교관이 되기 위해서는 주사(당시 4급)로 입부하는 길이 있었다. 문 비서관처럼 주사로 입부한 사람 가운데 김석우 전 청와대 의전수석(외시 1기)과 최성홍 전 장관(외시 3기) 등도 있었으나 그분들은 1968년 외시가 부활되자 근무 중 외시로 갈아타기도 했다.

노신영 장관의 인사는 주로 '발탁'이었고, 이는 곧 '파격'을 의미했다. 언젠가 노 장관이 나에게 국무총리 때 발탁인사를 '잘 차려진 밥상'에 비유해 설명한 적이 있다. 여러 반찬 모두를 다 맛볼 수는 없는 일이라고 했다. 형편에 따라 혹은 자신의 기호에 맞춰 골라 먹듯, 인사도 당사자의 인품과 능력을 보고 결정했다고 했다. 노 장관의 용인술이 사람들 눈에는 '최상의 선택'으로 이해되었을 만큼 많은 공감을 얻었다고 한다.

나는 노신영 전 총리를 출입기자로 만났다. 이미 설명한 대로 그의 비서실장은 내 고교선배 하순봉 형이었다. 또 의전비서관이 반기문 유엔사무총장이다. 그가 총리로 재임하는 동안 각 부처 장관들에게 언론과의 정기적인 간담회 내지 정책설명회를 하도록 지시한 일은 유명하다. 요즘 말로 소통의 장으로 언론을 적극 활용토록 했다. 노 총리 스스로도 수시로 기자들을 개별 혹은 단체로 만나 여론을 청취했다.

노신영이 후계됐으면 백담사 갔을까?

내가 보기에 노 총리는 인사의 귀재뿐만이 아니었다. 그분의 특장은 정확한 상황인식과 탁월한 설득력이다. 상대를 논리적으로 설득하는 능력이 탁월했다. 외교관의 으뜸 덕목이기도 한 대화를 통한 설득은 외교현장 곳곳에서 확인된다. 지금도 노신영 총리가 전두환 대통령의 후계자가 되었더라면 전 씨가 백담사로 유배 가는 일은 일어나지 않았을 것으로 생각하는 사람이 의외로 많다.

노 전 총리도 노태우 민정당 대표와 함께 전두환 대통령의 후계자로 유력하게 거론되었다. 이른바 '노-노 체제' 가운데 후계자가 나오리라는 관측이 지배적이었다. 노 총리 쪽을 후계자로 생각한 사람은 노 대표의 우유부단함을 걱정하는 사람들이다. 친구이자 사실상 동업자 격인 노 대표에게 '후사'를 맡기기엔 너무 약체라 전 대통령의 안위가 걱정스럽다는 인식을 가진 사람들이다.

집권세력이 이렇게 후계문제로 설왕설래하는 사이 해프닝도 있었다. 하루는 노 대표 승계를 주장하는 사람들(주로 강경 군부인사들)이 청와대를 찾아 압박을 가하는 일도 있었다고 한다. 당시 이런 기류를 반영하듯 노 전 총리와 가까운 한 인사의 전언은 매우 흥미롭다. 미묘한 시점이기도 한 그 무렵 전 대통령이 야밤에 총리공관을 이웃집 놀러가 듯 찾아간 적이 있었다고 한다. 청와대와 총리공관은 내왕이 가능한 통로가 있다고 한다.

철통경비 속에 오솔길을 따라 총리공관을 찾은 전 대통령이 술을 청했다고 한다. 그리고는 느닷없이 "노 총리! 왜 평양에서 태어났소?"라고 했다는 것. 말하자면 왜 평양사람이냐는 투정이었다고 한다. 노 총리가 "각하, 그건 제가 선택할 사항이 아니지 않습니까?" 하고 웃음으로 받았다고 한다. 그 무렵 일단의 군 인사가 청와대를 방문, 노 대표의 후계승계를 강권하는 일이 있었던 것으로 전해진 후다. 후계자 문제에 입지가 좁아진 전 대통령이 답답한 심사를 달래려고 총리공관을 찾지 않았나 보인다는 것.

노 전 총리는 공직을 떠난 뒤에도 인연을 맺은 언론계 사람들과 자주 만남을 가졌다. 그분은 롯데복지재단 이사장으로 꽤 오랫동안 근무했다. 하는 일은 가난한 학생들에게 장학금을 지급하는 일로 알고 있다. 나는 노 전 총리가 재단 이사장일 때 부름을 받고 몇 차례 식사하면서 세상 돌아가는 얘기를 나누기도 했다.

나는 1985년 4월 기자협회 새 집행부 부회장이 되었다. 연합통신 사회부 정구운 선배가 경선투표 끝에 회장으로 당선된 후 부회장을 맡아달라고 한 요청을 받아들였다. 회장은 경선으로 선출하지만 부회장은 당선된 회장이 임의로 위촉했다. 내가 총리실과 외무부를 출입할 때다. 정 회장은 당선 직후 공약사업이기도 한 무주택 기자들을 위한 기자아파트 건립을 본격적으로 추진했다. 이 아파트 건설사업으로 인해 기자협회장단은 2년 동안 근무해야 했다.

우성건설을 시공사로 해서 강남구 일원동에 우성 7차 아파트를 건설하기 시작했다. 사실 나도 미국 갈 때 아파트를 팔고 갔기에 돌아와서는 전세 사는 무주택 신세였다. 한국일보 조합원이 되었다. 당시 일원동 아파트 예정부지엔 국가안전기획부의 안테나 등 각종 시설물이 널려 있었다. 정 회장이 총리실을 출입하는 나에게 이 시설물을 옮기는 일을 부탁했다. 아마도 나를 부회장으로 위촉한 중요한 이유가 아닐까 싶다.

노신영 총리를 찾아갔다. 나로부터 자초지종의 설명을 들은 노 총리가 "종씨도 무주택이냐"고 묻고는 적극적으로 지원활동을 해주셨다. 노 총리만큼 능동적인 행정관료를 본 적이 없다. 사실 기자아파트를 짓는 데도 서울시, 안기부, 건설부, 문공부 등 유관기관이 많았다. 노 총리는 내가 보는 앞에서 직접 관계장관에게 전화하여 "모두들 내 방에서 차나 한잔합시다"라며 불러들였다. 특히 안기부는 자신이 총리로 오기 전의 직장이어서인지 스스럼없이 전화하셨다. 후임 안기부장은 군 출신 고 박세직 부장이었다.

노 총리의 적극적인 협조로 아파트 건설이 일사천리로 진행되었다. 정확하게 기억나지는 않지만 5백 몇 십 세대쯤 되지 않았을까 싶다. 아파트가 완공되었을 때 노 총리는 물러간 뒤였다. 입주식 테이프 커팅이 있었다. 나는 정 회장에게 이 아파트를 건설하는 데 많은 도움을 준 노 전 총리를 특별초청하자는 건의를 했다. 정 회장도 흔쾌히 승낙했으나 노 총리가 현직을 떠났다는 이유로 극구 사양해 불발됐다. 일원동 우성 아파트에 내 집을 마련한 입주자들은 노 전 총리의 흔쾌한 지원에 감사해야 할 줄 안다.

막내둥이 기질의 신건 전 국정원장

　김대중 정부에서 국정원장을 지낸 신건 전 국정원장이 지난해 11월 24일 요양 중이던 미 하와이에서 별세했다는 부음기사가 났다. 신 전 원장은 전북 전주 출신으로 전주고와 서울법대를 졸업하고 1963년 초 고등고시 사법과 마지막 기수인 제16회에 합격, 검사생활을 시작했다. 내가 그분과 인연을 갖게 된 것은 그분이 검사장으로 승진, 첫 보직인 법무부 교정국장이었을 때다. 지금과 달리 당시는 교정국장을 초임 검사장이 맡았다.

　1990년 나는 잠시 한국일보 전국부장(명칭은 사회2부장)으로 지방사건 데스크를 한 적이 있다. 마침 전주교도소에서 탈옥수가 생겨 사회에 큰 물의를 빚었다. 당시 교정행정 책임자인 법무부 교정국장이 전주 출신 신건 검사장이었다. 전주에서 탈옥 기사가 오지 않아 주재기자에게 기사를 재촉했다. 잠시 후 한국일보 전주 주재 L기자가 기자실에서 기사를 쓰지 않기로 담합했노라고 보고해 오는 것이 아닌가.

　자초지종을 듣고는 실소하지 않을 수 없었다. 내용인즉 그곳 출신 신건 교정국장이 검찰총장이 되는 데 장애가 되는 불리한 기사는 앞으로도 자제하기로 했다는 것이다. 어이가 없었지만 하도 신기한 일이기도 해 그쪽 지역정서를 알아보았다. 그쪽에서는 신건 검사장이 언젠가는 검찰총장이 될 검사로 간주되고 있었다. '신건 검찰총장'을 거도적으로 밀고 있는 형국이었다고나 할까.

기사는 내가 방송을 모니터링해 내보냈다. 잠시 후 신건 국장에게서 전화가 걸려왔다. 내가 기사를 재촉했다는 사실까지 보고받은 듯했다. 지금 생각해도 신건 국장의 전화는 애교가 넘쳤고, 웃음을 자아내게 했다. 신 국장이 뜬금없이 "노 부장님, 제가 검찰에서 가장 존경하는 분이 누군 줄 아십니까? 바로 김태정 검사입니다" 하는 것이 아닌가. 이미 나에 대한 신상파악을 끝냈다는 뜻이다.

내 둘째 처남 김태정 검사는 신건 국장(중수부 4과장)이 거친 중수부 3, 1과장을 거쳐 서울지검 특수부 3, 1부장으로 전형적인 특수부 검사의 길을 걷고 있었다. 더구나 고시 출신 신 국장은 사시 4회 출신인 김태정 전 장관의 2~3년 선배가 된다. 신 국장이 검사장급인 교정국장일 때 김태정 형은 서울지검 2차장이었다. 그럼에도 자기가 가장 존경하는 검사가 김태정 검사 운운하는 것을 보고 '막내둥이 기질이 있는 분 아닐까' 생각한 적이 있다. 후배를 높이면서 자신을 낮추는 모습에 웃음이 났지만 퍽 호감이 갔다.

그분은 체질적으로 술을 잘 마시지 못하는 것 같았다. 한번은 한국일보 회장이 주선한 검찰간부들과의 주석만찬에 참석한 일이 있다. 검찰총장, 차장, 서울검사장, 중수부장 등이 참석했다. 술을 못하는 신건 중수부장이 술상 밑에 그릇을 숨겨놓고 받은 술을 몰래 쏟아붓고 있었다. 일행 가운데 짓궂은 분이 이를 들추어냈다. 당시 총장은 보스 기질이 강하고, 따르는 후배가 많았던 정구영 총장. 정 총장이 "대중수부장답

지 않다"고 하자 신 부장은 쏟아놓았던 술을 일거에 마시고는 그 자리에 뻗어 버렸다. 말석의 내가 신 부장을 업어 그분의 승용차에 태워 보내 드린 일이 있다.

신 전 국정원장은 원래 폐암을 초기에 발견, 치료 끝에 완치했다고 한다. 그러나 사인은 폐렴이었다고 하니 노령엔 폐질환에 각별히 주의해야 할 것 같다. 김영삼 전 대통령도 직접적 사인은 폐렴이었다고 하니 이래저래 노령엔 폐렴에 주의해야 할 것 같다. 작은 체구에 날렵한 몸매로 주위사람들은 신 원장이 장수할 것으로 기대했다고 한다. 삼가 고인의 명복을 빈다.

이규호 대통령비서실장과 노신영 국무총리

　노신영 총리와 얽힌 얘기 가운데 하나다. 하루는 이규호 대통령비서실장 댁에서 아침을 들고 있는데 조철권 노동부 장관으로부터 전화가 왔다. 밥상에서의 통화라 충분히 엿듣게 되었다. 내용인즉 조 장관이 이 실장에게 노신영 국무총리를 위원장으로 하는 노사문제에 관한 관계장관 대책회의 소집을 건의했다. 전두환 정부 하반기엔 노사문제가 정부를 많이 괴롭혔다. 당시 시대상황은 말이 노사문제지, 군사통치체제를 부정하고 민주화를 갈망하는 군중시위 양상이었다.

　이 실장의 대답이 나에겐 퍽 충격적이었다. "해외만 돌아다니던 총리가 노사문제를 어떻게 알겠습니까? 부총리를 위원장으로 하는 대책회의를 하는 게 좋겠습니다. 내가 각하께 그렇게 말씀드리지요"라고 했다. 아무리 학교·고향 선배라고 하지만 국무총리실 출입기자를 앞에 두고 총리를 비난하듯 하는 강한 발언은 권부 내에서 무언가 심상치 않은 불협화가 있음을 암시하는 듯했다.

　그래서 나는 실장님, 선배님을 반복해 가며 불협화의 실상을 더듬어 보았다. "선배님! 노신영 내각의 출입기자에게 그렇게 말씀하시면 저보고 이런 분위기를 노 총리께 이르라는 것 같습니다"라고도 찔러 보았다. 이 실장 역시 한 발짝도 물러서지 않았다. "그건 노 군 자네가 알아서 판단하고 행동할 문제일세." 확신에 찬 이 실장의 태도는 무엇인가 작심하고 내뱉는 말처럼 들렸다. 속된 말로 "일러주려거든 일러주라"는 당당한 자세이니 듣는 내가 오히려 움츠러들지 않을 수 없었다.

그렇다고 이런 분위기를 노 총리에게 전하는 것도 도리가 아니다. 나는 노 총리의 비서실장이던 역시 중고교 선배 하순봉 형에게 털어놓았다. 내 말을 들은 하 선배 역시 "당신한테도 그런 말씀 하시더냐?"고 했고, 자신이 이런 틈바구니에서 마음고생이 여간 아님을 시사했다. 그래서 내가 내린 결론은 "형이나 나나 안 듣고 안 보아 모르는 것으로 합시다"였고, 하 선배 역시 그런 자세를 취했던 것으로 안다.

세월이 한참 흐르고 이 실장도 타계했다. 나는 노신영 총리로부터 이따금 식사초대를 받았다. 노 총리는 한동안 롯데복지재단 이사장을 맡아 소공동 롯데백화점 사무실로 출근했다. 노 총리는 자신과 연을 맺었던 기자들을 가끔 식사자리에 초대해 세상 돌아가는 얘기를 나누곤 했다. 특히 그가 롯데복지재단 이사장이었을 때 나는 몇 차례 그의 부름으로 점심 혹은 저녁을 롯데호텔 식당에서 얻어먹은 적이 있다.

그날도 롯데호텔 일식당에서 노 전 총리와 둘이 점심을 하고 있었다. 역시 노 전 총리가 마련한 자리였다. 나는 단도직입적으로 당시 이규호 비서실장과의 관계가 어떠셨냐고 물었다. 뜬금없이 왜 그런 질문을 하느냐고 할 법도 한데 노 전 총리의 즉답이 이어졌다. "그이가 내 자리를 넘봤던 것 같아." 그러나 전 대통령은 자신의 비서실장을 생소한 주일 대사로 발령했다.

2000년 9월 노 총리는 자신의 32년간에 걸친 공직생활을 총정리한 회고록을 냈다. 『노신영 회고록』(한국일보 2000년 8월 22일자 '지평선' 칼럼 참고)이라 이름 붙인 그의 회고록은 그가 육필로 기록한 것이다. 그해 롯데호텔서 열린 출판기념회엔 나도 아내와 함께 초청받아 참석했다. 그 자리엔 전두환 전 대통령 내외도 참석했다. 전 전 대통령의 20분이 넘는 긴 축사로 분위기가 다소 썰렁해졌다. 다음 축사는 고 김수환 추기경 차례였다. 추기경은 "앞 분이 너무 재미있게 오래 하셔서 내가 너무 짧게 하면 성의가 없다고 하실 것 같다"며 약 2분간 유머와 뼈 있는 축사를 하기도 했다.

대인관계가 폭넓은 이수성 전 총리

　이수성 전 국무총리는 나에게는 형과 같은 분이다. 그분의 폭넓은 대인관계를 일컬어 형과 동생이 몇만 명은 된다는 우스갯소리가 있지만 나도 그분이 동생으로 칠 수 있는 사람 가운데 하나다.

　그분이 김영삼 정부 중반 총리로 발탁돼 중앙언론사 정치부장들과 상견례를 한 적이 있다. 조선호텔 꼭대기 층의 중식당에서다. 이 총리가 정치부장들과 일일이 악수하며 "잘 부탁합니다"라고 인사를 해 가고 있었다. 한국일보 정치부장인 내 차례가 되었다. 이 총리는 나를 보자마자 "야! 이 노진환이한테까지는 내가 존칭을 못 붙이겠다"며 "자네 오래만일세" 하는 것이 아닌가. 비록 동생이지만 엄연히 나도 한국일보 정치부장으로서 신임 국무총리를 만나는 공식적인 자리다. 그런데도 그분은 '파격적'이었다. 내가 "총리님, 저도 한국일보 정치부장인데요" 했더니 "자네는 정치부장이기 이전에 내 동생일세"라고 했다.

　이 총리가 말씀하신 대로 그분과 나는 오래전부터 교유했다. 내 큰처남 고 김지주 사장과 둘째 처남 김태정 전 장관을 통해서다. 특히 큰처남은 이 총리를 친동생처럼 아꼈고, 이 총리 역시 형으로 모셨던 것 같다. 큰처남이 와병 끝에 별세했을 때 이 총리는 교통사고로 양쪽 다리를 심하게 다쳐 목발을 짚고 겨우 기동했음에도 "지주 형 가시는 길을 내가 어찌 배웅을 안 할 수 있나"라며 주위의 만류에도 불구하고 산중턱 묘소까지 오셨다.

그분이 모교인 서울법대 교수로 계실 때로 기억한다. 1984년 KAL이 사상 처음으로 서울-파리 직항노선을 개설했다. KAL은 이원경 당시 외무장관의 유럽출장일에 맞춰 테이프 커팅을 했다. 당시 나는 이 장관의 유럽순방 수행취재기자였다. 기내에서 이 장관이 이수성 교수를 만나 나에게 소개하려 손을 잡고 왔다. 이 교수가 나를 보자 "자네도 파리가나?" 하자 이 장관이 "두 분이 이미 아는 사이구나" 하고 웃었던 일도 있다.

파리 가는 동안 이 장관은 이 교수와의 인연을 들려주었다. 이 장관은 해방 직전 동경대학 법학부를 다닌 우수한 분이었다. 당시 동경대학 한인사회는 이 총리 부친과 처남(이 총리 외삼촌)이 대표적 지도급 인사였다고 한다. 두 분은 이 장관의 대학선배가 된다고 했다. 일제하 처남 남매간이 함께 동경대학을 다닌다는 것이 가문의 영광이자 모두가 부러워할 때다. 이 장관 말씀이 기억에 가물가물하나 이 총리 외삼촌이 굉장히 뛰어난 분이었다고 했던 것 같다. 이 총리와는 얼마 전 YS 빈소에서 반갑게 재회했다.

4

‘3김 시대’와 나

YS의 선동적 연설에 감동받기도

　김영삼(YS), 김대중(DJ), 김종필(JP)의 이른바 '3김시대'는 사실상 10·26과 함께 시작됐다. 김재규 거사로 박정희 18년 통치가 종막을 고하자 3김이 '포스트 박정희' 대안으로 등장하게 된 것이다. JP가 박정희 없는 집권세력의 '얼굴'이었다면 야권을 대표하는 YS, DJ는 집권을 위한 경쟁자 입장이었다. 하지만 정치군인들의 권력욕으로 인해 3김은 정치무대에서 일시 퇴장해야 하는 운명을 맞기도 했다.

　박정희 사후 전두환을 비롯한 일단의 정치군인들은 12·12쿠데타로 정권을 장악했다. 그러고는 스스로를 '제5공화국'이라고 했다. 5공 정권은 '채찍과 당근'으로 3김의 정치욕구 완급을 조절했다. 박정희 사후 30년간은 누가 뭐래도 3김이 우리 정치의 알파요, 오메가였다. JP를 뺀 YS와 DJ는 집권에 성공해 10년간의 '문민시대'와 '국민의 정부' 시대를 열었다. 3김이 우리 정치의 중추가 된 30년 동안 나는 한국일보 정치부에서 일선기자 혹은 데스크(정치부장)로 취재했고, 논설위원 혹은 주필 등으로 그들의 정치를 관찰했다.

　일선기자 시절 아침은 상도동, 점심은 동교동, 저녁은 청구동에서 해결하는 경우가 허다했다. 식객 신세의 정치부 기자를 '3D업종 종사자'에 비유하던 당시의 세론도 결코 무리가 아닐 성싶다. 나는 이들 3김씨를 따라다니며 내 젊음을 보내야 했던 기자생활이 그렇게 무의미하지는 않았다고 생각한다. 3김과 함께한 30여 년 동안의 편린을 모은다면 한 편의 훌륭한 비망록이 될 것도 같다.

우선 YS에 관한 기억이다. 이미 언급한 대로 내가 YS를 처음 만난 곳은 태평로의 구 국회의사당(현 세종문화회관 별관)이다. 나의 군대생활 동료 박윤근 씨와 함께 3선개헌을 둘러싼 폭풍전야의 국회를 방청했을 때다. 박 씨는 고 박한상 의원의 장남이다. 3선개헌을 둘러싸고 공화당과 신민당이 격렬하게 대치하던 1969년 9월 중순께로 기억한다.

YS는 3선개헌 저지를 진두지휘하던 신민당 원내총무였다. 공화당 원내총무는 유달리 흰 머리칼을 휘날리던 고 김택수 의원이다. 경남고교 선후배 사이인 두 사령탑은 그날 눈을 부릅뜨고 의석 사이를 분주히 오가며 의원들에게 3선개헌 지지와 반대를 설득했다. 먼저 마이크를 쥔 사람은 YS였다. 3선개헌의 부당성을 역설하는 즉석연설을 했다. 공화당은 또 이탈의원이 나오지 않을까 노심초사하는 모습이 역력했다. 나는 YS의 연설을 처음 들었다. 젊었을 때 웅변을 했다고는 하지만 그날 YS의 연설은 의석은 물론 방청석을 감동케 했다.

YS는 "친애하는 공화당 동료의원 여러분, 지금 박 정권의 탄압에도 굴하지 않고 꿋꿋이 개헌반대 투쟁을 하고 있는 여러분의 자랑스러운 동료 양순직, 예춘호, 박종태, 김달수 의원 등과 함께하실 분은 더 안 계십니까? 있으시면 방청석과 전 언론이 지켜보는 이 역사적인 순간, 이리로 나오십시오"라고 했다. 금방이라도 쏟아져 나올 것만 같은 긴박한 분위기였다. YS의 힘 있고 선동성 강한 연설이 끝나기 무섭게 마치 '이탈'을 부추기듯 사진기자 카메라 플래시가 공화당 의석에 집중됐다.

분위기가 여당 측에 불리하게 돌아가자 이번엔 김택수 공화당 총무가 백발의 앞머리를 뒤로 쓸어 올리며 발언대에 섰다. "친애하는 동료의원 여러분, 야당의 선동·선전에 현혹되어서는 절대로 안 됩니다"라며 이탈을 방지하기 위해 안간힘을 썼다. 그러나 YS 선동연설에 비하면 족탈불급이었다.

이날 YS는 '만고역적 김형욱' 얘기를 몇 차례나 반복했다. 의석은 물론 방청석도 쥐 죽은 듯 고요했다. 3개월 전 자신에게 가한 초산테러 배후로 김형욱 중앙정보부장을 지목했다. 김형욱 중정부장 하면 당시 무소불위의 절대권력이다. 그런 김형욱이 박정희 대통령을 독재자의 길로 모는 3선개헌을 불법으로 밀어붙이려 한다고 강하게 비난했다. YS의 반개헌 연설은 논리가 정연했고 힘이 넘쳤다. 자신에게 위해를 가하려 했던 김형욱 중앙정보부장을 살인자라고까지 했다.

여야가 개헌을 싸고 이렇게 치열하게 대립하는 동안 국회의장은 일시 정회를 선언했다. 자정을 기해 통행금지를 엄격히 실시할 때다. 나는 박 씨와 귀가를 서두르려 국회를 나왔다. 공화당은 다음 날 새벽 국회의사당 건너편 제3별관에서 3선개헌안을 날치기 통과시켰다.

양회수 "YS, 뇌경색 후 바보 돼"

YS를 다시 만난 건 1980년대 중반 한국일보 정치부 기자로 국회를 출입하면서다. 그런데 YS는 10여 년 전 내가 만났던 그 YS가 아니었다. 정연했던 논리는 사라지고 말까지 어눌해져 있었다.

언젠가 YS에게 십수 년 전 3선개헌 당시의 일을 상기했더니 "노 차장, 니 그때 신민당 출입했나?"라고 했다. 군 제대 후 복학생 신분의 방청객으로 국회를 방청했고, 박한상 의원 소개로 잠시 인사만 했을 뿐이다. '사람이 바뀌어도 저렇게 바뀔 수 있을까' 강한 의문이 들었다. 그런데 곧 풀렸다. 우연한 자리에서 YS가 왜 어눌해졌느냐를 놓고 토론하던 중 임정규 씨란 분이 흥미로운 증언을 했다. 임 씨는 초창기 상도동 비서였다가 미국으로 건너가 그곳에서 오랫동안 YS를 도운 사람이다. YS정부에서 수자원공사 사장 등을 지낸 바 있다.

임 씨 설명에 의하면 YS는 3선개헌이 날치기 처리된 후 몇몇 의원들과 LA를 방문했다. 일행 가운데는 전남 화순 출신의 고 양회수 의원도 있었다. YS가 원내총무였을 때 양 의원은 수석부총무다. 서울대 문리대 쪽 족보로는 정치학과 출신 양 수석이 YS보다 4~5년 선배다. 6~7대 의원을 지낸 후 미국에 이민, 2001년 LA 근교에서 별세했다.

YS에게 갑자기 뇌경색 증세가 왔다. LA에서 여독이 제대로 풀리지 않은 채 한잔한 것이 원인이었던 것 같다고 했다. 양 수석이 즉각 미국 의료진에 연결, 초기에 잘 대응했다고 한다. 뇌경색은 분초를 다투는 무서운 증상이다. 하지만 깨어난 후부터 YS 말투가 어눌해졌다. 총기도 눈에 띄게 흐려졌다. 예리했던 예전의 YS가 아니었다. 양 수석이 미국에서 만난 임 씨에게 "그때 치료는 제 시간에 최선을 다했지만 그 뒤부터 김영삼이는 바보가 됐어"라고 하더라고 했다. 얘기를 들으니 의문이 다소 풀렸다. 그러나 YS의 뇌경색 얘기는 별로 알려진 바가 없다. YS가 별세하기 2년여 전인 2013년에도 뇌경색 증상이 왔다고 한다.

YS의 탁월한 정치 감각

정치인 가운데 탁월한 상황판단 능력을 가진 사람을 꼽으라면 단연 YS라 할 수 있다. 정치적 감각 능력은 가히 동물적 후각 기능을 능가한다. YS를 일컬어 '감(感)의 정치인'이라고 하는 이유다. 또 한번 옳다고 판단하면 밀어붙이는 추진력은 가공할 만한 힘을 수반한다. YS는 기(氣)가 드세기로도 소문났다. 당대에 YS 심기를 거스르고 재미 본 사람이 한 사람도 없다고 할 정도다.

10·26도 이와 무관치 않다고 보는 시각이 있다. 지난번 YS 빈소에서 YS의 기에 관한 화제가 끊이질 않았다. 박정희 운명을 재촉한 YS 제명 파동도 따지고 보면 두 사람 간의 마지막 기 싸움이었다. 여기서 박정희가 패한 것으로 인식되고 있다. YS와의 기 싸움에서 패배한 것으로 거론할 수 있는 사례는 많았다.

김일성-정일 부자간의 이견에도 불구, 남북정상회담이 추진됐다. 하지만 김일성의 급사로 좌초하게 되었다. 일부에서는 아들 정일이 김일성 죽음에 어떤 연관이 있지 않을까 하고 강한 의문을 제기하기도 한다. 어쨌든 그의 사망으로 정상회담은 물 건너갔다. 김일성의 사망을

YS와의 기 싸움에서 패배한 것이 아니냐고 진단하는 일각의 시선이 흥미롭다.

YS는 경남 거제의 유복한 가정에서 외동아들로 태어났다. 아버지(고 김홍조 옹)가 멸치잡이 정치망 어장과 어선을 소유해 어릴 때부터 풍요롭게 자랐다. 아래로 4명의 여동생이 있다. 부모는 아들 YS를 낳은 후 연달아 딸만 넷을 더 두었다. 잘 알려진 대로 YS는 어머니를 일찍 잃었다. 그것도 무장간첩의 손에 의해서다. 사진으로 보면 YS는 어머니 고 박부연(朴富蓮) 여사를 빼닮았다. 마음과 품이 넉넉했던 어머니 박 여사 덕에 외아들 YS는 부족함을 모르고 성장했다.

제3공화국 후반부터 야당사는 YS, DJ의 경쟁과 협력의 역사라고 해도 과언이 아니다. 흔히 양 김의 관계를 '버팀목 관계'라고 한다. 양 김은 독자적으론 생존이 불가한 불안정한 구조였다. 서로를 의지하지 않고는 한시도 존립이 불가능한 특이한 공생관계였다. 시쳇말로 한쪽이 죽을 쑤면 다른 쪽도 따라서 죽을 쑤다가 함께 다시 다같이 살아나는 특이한 모양새를 하고 있었다.

YS는 대범한 반면 DJ는 퍽 세밀하고 소심한 편이었다. 경제학에서 얘기하는 '나무와 숲'의 관계다. YS는 숲을 보는 안목은 탁월하지만 그 숲을 이루는 개체엔 약하고 어둡다. 반면 DJ는 세부적인 면은 꿰뚫어 보지만 큰 흐름은 놓치는 경우가 허다했다. 그래서 사람들은 이런 YS와 DJ를 합쳐서 이등분할 수 있는 인격체가 있다면 가장 이상적인 지도자형일 것으로 생각했다.

탁월한 '감의 정치인' YS를 증명할 만한 예는 많다. 1986년 소위 '김일성 사망설'이 나왔을 때 YS가 보인 반응이 그 가운데 하나다. 그해 11월 15일을 전후해 우리 사회는 김일성 사망설에 휘말려 들뜬 분위기였다. 예외적으로 YS만 코웃음 치며 한사코 인정하려 들지 않았다. 왜 멀쩡한 김일성이 죽었다고 야단들이냐는 투였다. 당국자가 우리 사병들이 들었다는 녹취록을 들이대며 김일성이 죽었다고 설명했는데도 자신의 '감'으로 이를 정면 거부하는 YS가 터무니없는 사람으로 보였다.

김일성 사망설에 "그가 왜 죽어"

그해 11월 17일은 월요일로 기억한다. 국회 예결위에서 이기백 국방장관이 김일성 사망을 확인했다. 이 장관은 "오늘 전방 철책선의 우리 사병들이 녹취한 바에 의하면 김일성이 사망한 것이 확실하다"고 증언했다. 북측의 전방초소 대남방송 마이크에서 장송곡과 함께 김일성 사망을 암시하는 방송을 우리 사병이 녹취했다는 것이다. 예결위 취재를 하고 있던 나는 이 장관의 증언을 믿지 않을 수 없었다.

그날 오후 동교동에서 갑자기 '양 김 회동'이 열렸다. DJ는 가택연금 상태라 운신이 자유로운 YS가 동교동으로 찾아가야 했다. 동교동 대문을 들어선 YS에게 건넨 DJ의 첫마디는 "여보 김 총재, 김일성이가 죽었소"였다. 마침 동교동 DJ 자택 응접실 TV화면에는 김일성 사망을 알리는 뉴스 화면이 켜져 있었다. 뉴욕, LA, 시카고 등 미주지역 동포들로부터 DJ에게 김일성 사망을 알리는 국제전화가 연신 걸려왔다. DJ는 "여보 김 총재, 김일성이 같은 독재자도 결국엔 죽는군요"라고 다소 감상적인 얘기를 했다.

DJ의 얘기를 들은 YS는 "택도 없는 소리 하지 마라"며 일축했다. 조금 전 예결위에서 국방장관의 답변을 듣고 온 나를 비롯한 기자들이 아연실색했다. 아무리 자신의 감이 뛰어나다고 해도 부인할 걸 부인해야지, 국방장관의 공식 답변까지 부인하는 YS가 좀 모자라는 사람 같았다. 더러는 "머리가 안 돌아가서"라고 YS를 비아냥대기도 했다.

그러나 YS도 당돌했다. "김일성이가 죽었다는 건 헛소리다. 김일성이가 그렇게 쉽게 죽을 것 같았으면 벌써 죽었을 것"이라며 '쓸데없는 소리'라고 일축했다. 국방장관의 답변을 듣고 온 나는 안타까워 "총재님, 김일성이가 죽었다고 북측에서도 발표했답니다"라고 살며시 튀겨서 전했다. 그래도 YS는 막무가내였다. 나는 '이런 사람을 취재원이라고 따라다니고 있나' 하는 자괴심으로 얼굴이 화끈거려 견딜 수가 없었다.

하지만 깡그리 무시하던 YS 의도대로 그날 오후 늦게 상황이 반전되었다. 김일성 사망설이 조작된 것으로 드러나기 시작했다. YS가 "김일성이가 죽긴 왜 죽어"라며 일축했던 게 사실로 확인된 것이다. 며칠 동안 YS 앞에 나서기가 두려웠다. 시간이 제법 흐른 후 YS에게 조용히 물었다. "총재님, 무슨 확신으로 온 세상이 김일성이가 죽었다고 하는데 총재님만 인정하려 하지 않았습니까?" YS의 대답은 간명했다. "김일성이가 그렇게 쉽게 죽을 것 같았으면 벌써 죽었지." YS의 '감의 정치'는 이처럼 우리를 놀라게 했다.

1986년 신민당이 직선제개헌추진 대국민서명운동에 돌입했다. DJ는 실현 가능성을 들어 100만 명 서명을 목표로 추진할 것을 주장했다. 사실 100만 명을 서명 받기도 여간 어려운 일이 아니다. 그런데 YS가 "무슨 소리냐"며 당장 1000만 명으로 목표를 10배 상향 조정했다. YS 주도의 이 캠페인은 큰 호응을 불렀고, 마침내 6·29선언을 이끌어내는 기폭제가 되었다. 군사정부 아래서 YS의 대여 공격은 이처럼 항상 상대의 허를 찔렀다.

여론이 전두환·노태우를 법정에 세우다

　YS는 집권 후 '역사바로세우기'란 이름으로 전두환, 노태우 두 전직 대통령을 법정에 세웠다. 사람들은 두 사람의 소추를 정치적 보복 차원에서 보기도 한다. 하지만 나는 생각이 다르다. 당시 나는 한국일보 정치부장으로 YS를 더러 뵐 기회가 있었다. YS는 그때마다 고해하듯 자신이 치른 대통령선거의 고비용 구조를 탄식했다. 이런 선거 다시 치렀다가는 나라가 결딴날 거라고도 했다. 자신이 고비용 선거를 치른 마지막 대통령이기를 바랐다. 그러면서 자신은 재임 중 어느 누구로부터도 단 한 푼도 받지 않겠다고 다짐했다. 그러고는 다짐대로 실천했다.

　두 군 출신 전직대통령에 대한 YS의 생각은 어차피 저질러진 일, 문제 삼을 뜻이 없어 보였다. 자신을 시작으로 앞으로의 정치가 깨끗해지면 될 것 아니냐고도 했다. 그랬던 그가 마음을 고쳐먹게 됐다. 박계동 의원이 비자금 계좌를 폭로했기 때문이다. 비등한 여론까지 YS가 묵살하기란 쉽지 않았다. YS는 여론에 특히 민감한 정치인이다. 박 의원 폭로를 YS 측에서 사주했다면 정치보복일 수 있겠으나 그럴 가능성은 전무하다.

YS는 처음 전-노 두 사람을 단죄할 의사가 없었다. YS 빈소에서 만난 이수성 전 국무총리도 나와 생각이 같았다. 박계동 의원이 청와대 입구 상업은행 효자동지점 발행 거액수표를 흔들며 노태우 전 대통령의 비자금이라고 주장했을 때 YS는 외국순방 중이었다. 정부가 노 전 대통령 측 이현우 실장에게 확인을 요청했다. 그랬더니 자기들과는 전혀 무관하다는 대답이 왔다고 한다. 이홍구 총리가 외유 중인 YS에게 노 대통령 측 반응을 보고하자 "그렇다면 경위는 알아보라"고 해 마지못해 조사가 시작됐다는 것이다.

조사 결과 박 의원이 폭로했던 계좌 자금이 노 전 대통령이 갖고 있던 비자금의 일부임이 밝혀졌다. 이현우 실장은 왜 금방 드러날 일을 부인하는 거짓말을 했을까. 나중에 알려진 사실이지만 이 실장은 그것이 노 전 대통령의 비자금임을 몰랐다고 한다. 노 전 대통령 측이 이 실장에게까지 비밀로 하지 않았을까 짐작된다. 아무튼 YS는 여론이 비등하기까지는 노-전 대통령의 비자금 수사를 내키지 않아 했음이 분명했다.

소위 '역사바로세우기'라고 포장된 두 전직 대통령에 대한 처벌은 결과적으로 여론에 떠밀린 YS의 불가항력적 선택이었다. 내 견해에 고 서석재 전 의원도 생전에 공감을 표시했다. 서 전 의원은 YS정부 중반에 총무처 장관을 지냈다. 출입기자들과의 식사자리에서 '비보도 조건'으로 그들 군 출신 전직대통령의 엄청난 은닉 비자금 얘기를 꺼냈다가 장관직에서 도중하차하는 불운을 맞기도 했다. 그런 서 장관도 전-노 두 사람에 대한 문민정부의 보복설은 천부당만부당한 일이라고 했다.

현철 구속 두고 벌어진 경남-경복고 열전

외환관리 실패로 찾아온 IMF 구제금융사태는 모든 것을 앗아 갔다. YS의 모든 치적이 날아가 버렸다. 특히 현철 씨 국정개입 시비로 YS는 더욱 궁지에 몰렸다. 현철 씨가 한보의 몸통이니, 2000억 원을 챙겼느니, 시중엔 별별 유언비어가 다 있었다. 하지만 결국은 주위로부터 받은 '떡값'이라는 불로소득에 세금을 물지 않았다고 조세포탈(탈세) 혐의로 구속되는 한 편의 썰렁한 코미디극이 되고 말았다.

가관인 것은 현철 씨 구속을 둘러싼 권력층 내부의 갈등상이었다. YS정권을 떠받치는 세력은 대체로 두 그룹이었다. YS 모교인 경남고 출신과 아들 현철 씨 모교인 경복고 출신이 그들이다. YS 집권 말기 이들 두 세력 간의 암투는 목불인견이었다. 특히 현철 씨 구속을 둘러싼 이들 세력 간의 갈등은 극에 달했다. 경남고 출신들은 현철 씨 혐의가 설령 사실과 달리 부풀려졌다 해도 비등한 여론을 잠재우기 위해 구속은 불가피하다는 입장이었다. 반면 현철 씨 모교 경복고 출신들은 펄쩍 뛰었다. 무슨 의사의 동영상 폭로로 현철 씨 국정개입에 대한 비등한 여론은 이해하지만 없는 죄를 억지로 씌워 구속하는 건 부당하다는 것이다. 이들은 집권 말기에 밀리면 끝없이 밀리게 된다는 입장이었다.

당시 두 고교 출신 인사들을 열거해 보면 경남고 쪽으로는 김광일 청와대 비서실장, 김광석 경호실장, 김기수 검찰총장, 경찰청장을 거쳐 안기부에 가 있던 박일룡 차장, 배재욱 청와대 사정비서관 등이었다. 현철 씨 구속을 몸으로라도 막아야 한다는 경복고 출신으로는 이원종 정무수석, 김덕룡 의원, 오정소 안기부 차장, 김기수 대통령 수행실장 등이 있었다.

경남-경복고 두 고교 출신 간의 혈투에서 YS는 자신의 모교 경남고 입장에 손을 들어주었다. 결국 아들 현철의 구속을 양해했다. 조용한 내조가 트레이드마크인 손 여사의 "아들 감옥 보내려고 대통령 됐느냐"는 항의에도 불구, 현철 씨는 구속되었다. 웃기는 일은 지금도 당시 수사책 임자라는 분이 현철 씨 구속이 자신의 결단인 양 하는 일이다.

현철 씨 구속을 둘러싸고 청와대 주변에서는 이런 코미디 같은 얘기가 나돌았다. 몇몇 수석이 자신들의 입장을 정리해 YS에게 전해야 할 필요성을 느꼈다. 현철 씨 존재가 부자지간을 넘어 '동지적 관계'라고 했을 정도로 YS는 작은아들을 아끼고 존중했다. 수석들은 어떻게 시중의 여론과 자신들의 입장을 전할까 하고 서로 눈치만 살피고 있었다.

그들은 자신들의 견해를 전하는 메신저로 YS 인척이자 가까운 홍인길 전 총무수석을 낙점했다고 한다. 그리고 홍 수석으로부터 억지 승낙을 받았다. 홍 수석은 YS와 같은 거제 출신으로 야당시절부터 YS 수족 노릇을 해온 소위 가신이다. 홍 수석 할머니가 금릉 김씨로 YS 조부의 누나가 된다. 평소 홍 수석은 홍조 옹을 '새집 아버지'라고 불렀다. 홍조 옹이 작은아들로 새로 분가해 나갔다고 해서 어릴 때부터 '새집 아버지' 라고 불렀다.

수석비서관 특사 격이 된 홍 수석이 YS를 만나러 집무실로 올라갔다. 현철 씨 문제에 대한 시중 여론과 수석비서관들의 생각을 종합해 전하기 위해서다. 그러나 대통령 YS에게 그들의 견해가 제대로 전달됐을까. 당시를 지켜본 한 관계자는 구중심처의 대통령에게 시중 얘기를 제대로 전달하기란 사실상 불가능한 구조라고 했다. 아무리 배짱 좋은 수석이라고 해도 대통령의 권위 때문에 결코 범접하기 쉽지 않기 때문이란다. 홍 수석이 YS 인척이라 해도 대통령을 마주하면 오금부터 저리게 마련이다. 대통령 집무실을 찾아본 사람이면 이해가 될 것이라고 한다. 아무리 강심장이라 해도 대통령 앞에 서면 주눅이 들게 마련이다.

　대통령께 대면보고하러 들어갈 경우 보고사항을 단단히 외우고 갔음에도 부속실 문을 여는 순간 보고내용의 3분의 1은 머리에서 지워져 버린다고 한다. 이어 집무실 문을 여는 순간 역시 3분의 1이 증발해 버린다. 대통령이 "뭐꼬?"라고 했을 때는 머릿속이 새하얘지며 마지막 남은 3분의 1마저 날아가 버린다. 구중궁궐 속 대통령 권위가 그렇게 무섭다고 했다. 정작 대통령을 대면해서는 보고는커녕 일방적인 지시를 받아오거나 엉뚱한 말만 하다 나오게 된다고 한다. 홍 수석의 역할을 과소평가하는 게 아니라 대통령의 권위가 그만큼 범접하기 어렵다는 우화다.

경호실장의 실언과 경질

1994년 12월 24일 YS문민정부 제2차 개각이 단행됐다. 재무부와 경제기획원을 재정경제원으로 통합하고 건설부와 교통부를 건설교통부로 합치는 등 건국 이래 최대규모의 정부조직 개편에 이어 개각이 이뤄졌다. 모두 18개 부처 장관이 교체되는 와중에 박상범 청와대 경호실장도 민주평통 사무총장으로 조용히 자리를 옮겼다. 박 실장은 원래 고 박정희 대통령의 경호실 요원이었다. 김재규 중정부장의 박 대통령 살해 때도 용케 살아남은 불사조 같은 존재로 알려졌다. 문민정부가 출범하자 경호실장으로 화려하게 부활했다. 현철 씨 입김이 작용했다는 얘기가 파다했다.

대통령 신변안전을 책임진 경호실장의 경우 별 하자가 없는 한 대통령과 임기를 함께하는 게 대부분이다. 그러나 박 실장은 경호실장이 된 지 겨우 1년여 만에 자리를 옮기게 됐다. 언론은 경호실장 경질인사에 별로 주목하지 않았다. 그런데 박 실장 경질엔 그럴 만한 이유가 있었다. 박 실장의 취중 언행이 문제되었다고 한다. 취중 박 실장이 현철 씨에 대해 좋지 않은 행동을 했다는 것이다. 현철 씨 국정개입 시비가 대통령께 누가 되는 현상을 안타깝게 생각한 박 실장이 만취상태에서 "현철이 계속 까불면 이마에 바람구멍을 내놓겠다"고 했다는 것이다. 말하자면 쏘아 버리겠다는 의미다.

자신을 강력히 천거해준 것으로 알려진 데다 대학(고려대) 대선배가 되는 박 실장이 왜 그런 오버액션을 했을까에 대해서는 의견이 분분했다. 우선 박 실장이 만취 상태여서 이성적 판단이 어려웠다는 정황은 동정적이다. 그래도 그렇지 대통령을 경호하는 경호실장이 대통령 아들의 행동이 마음에 안 든다고 '쏘아 버리겠다'는 의미의 제스처는 비록 취중이라고 해도 그냥 넘길 수 없다는 견해가 팽팽히 맞섰다.

청와대는 박 실장 문제를 인사조치하는 선에서 조용히 수습했다. 제2차 대폭개각에 박 실장까지 얹게 된 사연이다. 박 실장 문제를 싸고 조치를 해야 한다는 의견 못지않게 취중 실언으로 덮자는 견해 또한 만만치 않았다. 그러나 청와대는 무장경호를 하는 경호실장의 '총격' 실언을 없었던 일로 넘기기에는 뒷맛이 여간 찜찜하지 않았던 것 같다. 평통 사무총장으로 전보된 박 실장은 뒤에 국가보훈처장으로 문민정부가 끝날 때까지 자리를 지켰다.

YS계에도 저질 의원 상당수

　YS와 DJ는 단일화 실패로 분당 전까지는 서로 협력하면서 경쟁했다. 언론은 항상 의원들 머릿수로 상도동과 동교동의 세를 저울질했다. 그러나 대체로 상도동이 다소 우세했다. YS는 가끔 현안에 대해 기자들의 생각을 묻기도 하고 진지하게 경청했다.

　어느 계보에나 도움은커녕 오히려 해가 되는 사람도 있었다. 상도동 계보에도 서너 사람 정도의 문제아가 있었다. 지금은 고인이 된 두 분의 얘기부터 할까 한다. 이름만 상도동계였지, YS나 계보에 전혀 도움이 안 되던 인사들이다.

　서울이 지역구였던 고 P의원은 고약하기 짝이 없는 사람이었다. 여소야대의 13대 국회 때는 상임위원장을 교섭단체별로 배분했다. 하루는 행자위 소속 평민당 의원에게서 전화가 왔다. 여권 고위인사가 P위원장에게 추석 대책비로 꽤나 큰돈을 주었다고 한다. 어찌된 일인지 위원장이 독식한 채 감감무소식이라고 폭로했다. 이 의원은 통일민주당 P위원장에게 거칠게 항의했다. 그제야 P위원장은 멋쩍은 표정으로 "나 혼자 쓰라고 주는 줄 알았다"며 몫을 배분해 주더라고 했다. 돈 앞에 눈이 일시 마비된 것이다. 출입기자 입장에서 볼 때 이런 부류의 사람은 YS를 위해서나 통일민주당, 나아가 정치판에 전혀 도움이 안 되는 사람이다. 계보의 머릿수 경쟁 탓에 이런 사람들까지 안아야 하는 현실을 YS에게 가끔 지적했던 기억이 난다.

역시 고인이 된 H의원은 내가 보기에도 거짓말을 밥 먹듯 했다. 그분의 유명한 어록 "거짓말도 성심성의껏 해봐라. 그러면 참말처럼 들린다" 처럼 그분의 말에는 진실성이 없었다. 그분 역시 13대 국회 때 상임위원장을 하고 있었다. 지금은 언론계를 떠난 성질이 괄괄한 후배기자가 국회에서 상임위원장 일정을 챙기다가 그쪽 전화 받는 사람과 크게 말다툼을 했다. 화를 참지 못한 후배기자가 항의를 위해 위원장실로 달려갔다.

한참이 돼도 돌아오지 않아 혹시나 하고 위원장실로 가 봤다. 비서, 기사 등 5~6명이 합세해 후배기자를 집단폭행하는 것이 아닌가. 나는 곧장 위원장실을 박차고 들어가 위원장의 허리춤을 움켜쥐었다. 그래야만 후배기자가 풀려날 것 같았다. 그렇게 해서 싸움이 끝났다. 이 후배기자는 들어가면서부터 불친절한 직원에게 욕을 했다고 한다. 그래도 그렇지, 여러 사람이 한 사람에게 집단폭행을 가한다는 게 말이나 되는 일인가.

그분은 평소 행실이 좋지 않은 것으로 소문이 났다. 나는 "그런 사람을 정치판에서 추방하지 않으면 야당엔 장래가 없다"고 YS에게 몇 차례 진언했다. YS가 내 생각이나 견해를 물을 때를 기회로 활용했다. 다음 총선출마 유력자 명단에 그를 대체할 만한 신진인사를 후보군으로 보도해 그분의 애를 태우기도 했다. 아울러 YS에게는 이런 훌륭한 대체인사가 있는데 그 사람에게 더 이상 매달릴 일이 무언가 하는 무언의 시위이기도 했다.

YS 주변도 그분에 대한 세대교체 필요성을 백분 공감하고 있었다. 한편으로는 자신들의 고민을 털어놓기도 했다. 그분은 선전·선동에 탁월한 재주를 가졌다. 설사 공천을 안 주더라도 무소속으로 살아 돌아올 사람이라고 했다. "김영삼이가 나를 평생 부려먹고는 이렇게 헌신짝 버리듯 했다"고 읍소하고 다니면 살아 돌아올 만큼의 지역기반을 갖고 있다고 했다. YS 측은 이런 상황을 우려해 세대교체를 망설이고 있었다.

그 사람은 나중에 국회 고위직이 되자 비서관을 채용하면서 억대의 돈을 받은 것이 들통났다. 3부 요인이 아랫사람을 채용하면서까지 돈을 받았다는 것은 단순히 '탐욕'이라는 말 이외에는 달리 설명할 방법이 없다. 매관매직 사실이 드러나 DJ정부 초기에 형사처벌을 받았다. 실제로 내 고교 선배도 그 사람에게 돈을 주고 취직했다가 뒤에 처벌받기도 했다.

나는 지위를 이용해 매관매직한 그 사람의 강력한 처벌을 촉구하는 사설을 연달아 썼다. 처남인 검찰총장에게는 엄벌을 촉구했다. 그분은 검찰이 요지부동이자 법무장관을 찾아가 목 놓아 울면서 선처를 호소했다는 얘기도 들렸다. "내가 구속되면 몸을 못 가누는 마누라는 굶어 죽을 것"이라고 읍소했다고 한다. 더 이상 이런 파렴치하고 몰염치한 사람이 정치판에 나와서는 안 될 일이다.

그 밖에도 함량미달의 정도가 양아치 수준에 달하는 의원도 있었다. 양 김씨가 1000만 직선제개헌청원 서명운동을 시작했을 무렵이다. DJ는 연금 중이고, YS가 민추협에서 대책회의를 하고 있을 때다. 지역구 출마를 준비 중인 한 젊은 예비후보가 민추협 간부가 돼 민추협 사무실로 출근하고 있었다. 라이벌 격인 자질미달의 현역의원이 갑자기 시비를 걸었다. "너는 지역구 사람들 서명작업은 팽개치고 왜 서울에서 얼쩡거리느냐"고 눈을 부라렸다. 그 의원은 지역구가 겹치는 젊은 정치지망생이 민추협 간부가 된 사실을 모르고 있었다.

그 정치지망생은 "지구당위원장인 의원님이 하실 일이지, 왜 내가 지구당을 챙겨야 합니까?"라고 반발했다. 이윽고 그 저질 의원의 솥뚜껑만 한 주먹이 그 허약한 정치지망생 얼굴에 날아들었다. 그러면서 한다는 소리가 "이 XX, 의원님이 말씀하시는데 대드는 XX가 어디 있어"라고 했다. 스스로를 '의원님이 말씀하시는데'라고 했다. 그러면서 우연인지, 계획된 일인지 모르나 멱살 잡힌 그 친구를 나에게 확 밀쳐 내가 피해를 입었다. 내가 "저런 개XX! 저게 무슨 국회의원이야!"라고 쌍소리로 강하게 반발하자 그 의원은 후다닥 도망을 쳤다.

마침 바로 옆에서 '퍽' 하는 주먹질 소리와 내 쌍소리 고함 항의를 들은 YS가 "저런 미친놈이 있나"라며 주먹을 쥐고 역시 그 의원을 뒤쫓았으나 이미 줄행랑을 친 뒤였다. YS는 나중에 "나는 노 기자 니가 맞은 줄 알았다"며 안도했다. 악에 받친 나는 "총재님, 머릿수 몇 사람 부족하다고 민주화가 안 되는 게 아닙니다. 저런 저질인간들은 걷어 내야 합니다"라고 강하게 항의했다. 그 사람은 시중엔 유명한 문화재 도굴꾼이라는 소문이 자자했던 저질 중의 저질이었다.

돈은 오래 두면 썩는다

YS는 은행통장이 없는 것으로 유명하다. 돈은 오래 두면 썩는다는 게 그의 지론이었다. 자신의 호주머니는 거쳐 가는 정거장이라고 했다. 야당시절 비서에겐 고정급이 없었다. 어쩌다 수중에 돈이 생기면 눈에 띄는 사람부터 챙겨 주었다. 운이 좋은 사람은 한 달에 두 번도 받는가 하면 운이 나쁜 사람은 한 차례도 받지 못했다. 돈에 관한 개념이 나누는 일에 신경 쓰다 보니 생겨난 해프닝이다.

YS의 인간적인 면에 매료된 기자가 많았다. YS는 자신에게 불리한 기사를 쓴 기자에게도 매우 대범했다. 기껏 한다는 불평이 "아이구, 그런 걸 기사라고 쓰고 있고, 참 한심한 사람이구만" 정도였다. 그러고는 곧 잊었다. 울뚝불뚝 성질을 내며 불만을 드러내는 다른 정치인과는 달랐다.

YS는 돈에 대해서는 원리주의자 같았다. 내가 취재현장에서 보고 느낀 한두 가지 실증적인 예를 들어 보면 이렇다. 나는 그분이 대통령직을 마치고 상도동 본가로 돌아온 후부터 1월 1일 신정 아침엔 어김없이 새해인사를 갔다. 1996년 오랜 암투병 끝에 타계한 아버지를 생각하며 그분에게서 위안을 얻었다. 무엇보다도 나의 둘째 처남 김태정 법무차관을 검찰총장으로 발탁해준 고마움이 컸다. 나는 연세가 지긋한 어른에 대해서는 깍듯이 예의를 챙긴다. 오랜 가풍 때문이기도 하지만 취재 현장에서 만난 YS의 인자함과 대범함이 나를 이끌지 않았나 생각된다.

김장환 목사, "사모님과 맛있는 것 드세요"

2008년 1월 1일로 기억한다. 내가 서울신문사 사장이었을 때다. 그해도 새해 첫날 상도동으로 인사를 갔다. 보통 상도동의 새해는 청와대에서 YS를 모셨던 경호팀이 가장 먼저 인사를 드리는 것으로 시작한다. 다음 순서는 나처럼 일찍 온 순서대로 인사를 한다. 나가려는데 극동방송 김장환 목사께서 나에게도 안면이 있는 최성규 목사 등 후배목사 네 분과 세배를 오셨다. 김 목사님은 나를 기억하셨는지 인사를 하는 내 손을 반갑게 잡아끌며 덕담을 하셨다. 둘째 처남 김태정 전 법무장관과의 인연으로 나도 김 목사님을 오래전부터 알고 있었다. 김 목사님은 김 전 장관 딸 결혼식 주례도 하셨고, 이를 계기로 나도 목사님을 마음속에 가깝게 모시게 됐다. 그날도 김 전 장관이 생각나셔서인지 퍽 살갑게 맞아 주셨다.

YS와 새해인사를 교환한 목사님은 무엇인가 담긴 흰 봉투를 내밀며 "각하! 이거 얼마 안 됩니다만 사모님과 맛있는 것 사서 잡수세요"라고 하는 것이 아닌가. 얇은 봉투라 분명히 그 안에는 현찰이 아니라 수표가 들어 있음이 분명해 보였다. 김 목사가 YS에게 촌지를 건넨 것이다. 좌중이 물을 끼얹듯 조용하기에 내가 짓궂은 질문으로 분위기를 부드

414

럽게 유도했다.

내가 "각하! 액수만은 밝히시고 넣으셔야죠" 하자 YS는 "허허, 목사님한테 촌지를 다 받다니…. 그런데 비밀이야"라며 봉투를 얼른 상의 안주머니에 집어넣었다. 목회자가 무슨 여유가 있다고 전직 대통령께 용돈을 드렸겠는가. 김 목사도 "재임 중 누구로부터도 단 한 푼도 받지 않겠다"던 YS의 대국민 약속을 신뢰하고 있다는 방증이었다.

그 무렵 손 여사 전용 소나타를 처분하고 기사는 해고했다는 기사가 난 적이 있다. 소식을 들은 김덕룡 의원 등 YS를 모셨던 사람들이 갹출해 3000만 원인가를 모아 생활비에 보태도록 했다. 그러나 YS는 자신의 차를 함께 쓰면 되기에 정리했다며 돈을 되돌려준 사실이 보도된 바 있다. 김 목사도 아마 이 기사를 읽지 않으셨나 생각된다. 목사님이 YS에게 용돈을 내놓으신 함의가 "나는 김영삼 전 대통령을 전적으로 신뢰하고 있습니다"라는 뜻이 담긴 것 같아 너무나 보기 좋았다.

나는 목사님과 친한 처남 김태정 전 장관에게 사실을 전하며 김 목사님의 촌지금액이 얼마였는지 취재를 부탁했다. 며칠 후 김 전 장관이 목사님의 촌지는 200만 원이었다고 했다. 아마도 100만 원짜리 수표 2장을 봉투에 넣지 않았나 생각된다. 봉투를 전하는 성직자나, 목사님으로부터 촌지를 받은 김 전 대통령이나 모두가 기쁜 마음으로 주고받는 모습이 정초 우리 모두에게 큰 감동을 주었다.

돼지고깃집을 차린 전직 경제수석

2004년 1월 1일이었다. 상도동 세배객 가운데 나를 비롯, 몇 사람은 상도동과 인접한 팔레스호텔에서 먼저 만났다. 차편이 마땅치 않은 사람들이 만나 카풀로 상도동으로 향했다. 오전 6시께 커피숍에서 만났다. 1월 1일의 오전 6시면 깜깜하다. 거기서 만나는 사람들은 30~40분 동안 커피를 마시며 신년인사와 덕담을 나누다 차편이 정해지면 상도동으로 향했다.

역시 그날 새벽 6시를 전후해 팔레스호텔에서 만난 사람 가운데는 한이헌 전 경제수석도 있었다. 한 전 수석은 경남고 후배에다 YS의 경제교사라는 닉네임이 있었다. 문민정부 초기 청와대 경제수석을 지냈다. 우리는 간단히 새해인사를 교환하고 상도동으로 향했다. 그날 아침 한 전 수석과의 대화에서 나는 신선한 충격을 받았다. "어떻게 소일하십니까?"라는 일상적인 물음에 한 전 수석은 "평소 음식 만드는 데 소질과 취미가 있는 아내가 조그마한 돼지불고깃집을 열어 가끔 그 일도 돕고 있습니다" 했다. 전직 경제수석과 돼지고깃집은 아무리 맞추려 해도 잘 들어맞지 않는 조합이다.

한국일보 주필이던 나는 이튿날 출근하자마자 사회부장 후배를 불렀다. 사회부장은 노무현 정부 말기 청와대 홍보수석으로 간 윤승용이다. 그날 아침 한 전 수석을 만난 얘기를 전하고 취재를 당부했다. 사진기자와 현장을 다녀온 사회부 기자는 가게가 예상과 달리 소규모 생계형이었다고 보고했다. 그것도 서울이 아닌 경기도 구리시의 외진 곳이었다. 한국일보에 전직 경제수석이 경기도 구리의 후미진 곳에서 돼지고기구잇집을 하고 있다는 단독기사가 나가자 장안에 화제가 됐다.

저녁 한국일보 지방판을 받아 본 타 신문들이 야단을 했다. 기사는 전화로 취재해 적당히 얽으면 되지만 문제는 야밤에 사진을 구할 수가 없었다. 한국일보의 협조를 얻지 않고는 바로 기사를 내보낼 수 없었다. 한국일보 사진을 제공받은 대부분의 신문은 같은 날 아침 '한국일보 제공'이라는 사진설명을 붙여 기사를 소화해야만 했다. YS께 새해인사 갔다가 얻은 우연한 특종이다. 오랜 관료생활을 했던 한 전 수석도 자신의 기사가 장안에 화제가 되자 언론의 위력을 새삼 실감하게 됐다고 했다.

한 전 수석은 장사도 장사지만 자신이 마치 인생상담사가 된 기분이라고 했다. 반듯한 회사를 중도에 그만둔 실직 가장, 또 은행에서 막 정년퇴직해 무엇을 할까 하고 퇴직금을 만지작거리던 사람들이 한 전 수석 가게로 몰려들었다. "수석님이 그런 용기를 내셨는데 저희도…" 하는 사람들에게 숫제 인생상담을 해야만 했다. 사회복지망이 허술한 우리 사회는 역시 장래에 대한 불안이 가장 큰 사회적 이슈임이 틀림없었다.

나는 한 전 수석과 또 다른 에피소드를 갖고 있다. 한 전 수석은 문민정부 때 요직을 지낸 사람이다. 어쩐 일인지 그는 2002년 민선 3기 민주당 부산시장 후보로 출마를 했다. 비록 민주당 간판이지만 YS 측 인사라 다소간의 기대도 있었지만 지역주의 벽에 막혀 대패했다. 노무현 정부에서 중용되리라는 예상과 달리 마지막에 기술보증기금 이사장이 됐다.

한 수석 한전 사장 밀었다가 낭패

구리에서 돼지고깃집으로 화제가 된 얼마 후가 아닌가 생각된다. 어느 날 쉬고 있던 한 전 수석으로부터 도움을 요청하는 전화가 왔다. 한전 사장을 공모할 때다. 그도 지원했다고 한다. 사장추천위원 가운데 한국일보 쪽 인사가 2명이나 들어 있었다. 한국일보 논설위원과 자매지 서울경제 논설위원이 사외이사로 사장을 결정하는 인사위원으로 참여하고 있었다. 한 전 수석이 그 사실을 알고 도움을 요청했던 것이다. 나는 한전 사외이사로 인사위원인 후배 고 이병규 논설위원에게 사정을 설명하고 적극 도와주도록 당부했다. 인사위원 15명 가운데 2명이 우호적이라면 큰 지지세다.

한 전 수석은 자력으로 5배수 안에만 들면 청와대가 낙점하기로 약속을 받았다고 했다. 노무현 정부는 가급적 낙하산 인사를 피하려 했다. 사장 인선위가 열리는 날 '5배수 경쟁'이 치열했다고 한다. 초저녁부터 밤을 꼬박 새우며 이병규로부터 시시각각 투표 결과를 보고받았다. 1차, 2차까지 거쳐 5배수 확정 소식을 보고받은 게 자정을 훨씬 넘긴 시간이었다.

그런데 이상한 일이 생겼다. 그날 저녁 가장 애타게 추이를 지켜보고 있을 한 전 수석과 연락이 되지 않았다. 나는 5배수 진입에 신경을 집중했다. '아마 그분도 다른 채널로 자신의 문제를 챙기고 있겠지' 하고 생각했다. 이병규로부터 5배수 진입에 성공했다는 보고를 듣고서야 긴장을 풀었다. 이제 운명은 청와대 손으로 넘어갔지만 나는 그가 최후의 승자일 것으로 믿었다. 자력으로 5배수 안에만 들어가면 청와대가 낙점키로 했다는 그의 말을 철석같이 믿었기 때문이다.

내가 한 전 수석의 한전 사장 진출에 큰 관심을 갖는 이유는 간단했다. 엄청난 재정규모를 자랑하는 국영기업 CEO와 깊은 유대감을 가질 수만 있다면 한국일보가 여러 가지 면에서 덕을 보지 않을까 해서다. 끝 모르게 추락하고 있는 사세 탓에 한국일보는 광고나 협찬 등에서 메이저그룹 대우를 받지 못하고 있었다.

고 이 위원은 5배수 확정 소식과 함께 현장 분위기도 전했다. 이제 한이헌-한준호 두 한 씨 간 진검승부가 남은 것 같다고 했다. 최후의 승자가 되었던 한준호 후보는 한전에 기득권이 있는 구 상공부 출신이다. 경제기획원 출신인 한 전 수석보다는 지정학적으로 유리한 위치였다. 하지만 노무현 대통령과의 관계를 고려하면 한이헌 후보가 극적 반전을 하지 않을까 하는 것이 관전자들의 생각이었다.

한 전 수석과는 거의 새벽녘에서야 통화가 되었다. 자다 일어나 전화를 받는 듯했다. 나는 기쁜 마음으로 5배수 안에 들었다고 했다. 그러나 한 전 수석의 반응이 기대와는 전혀 달랐다. 내가 그때 받은 낭패감이란 형언할 수가 없었다. 이런 분이 아니리라 생각했는데 사람의 마음속은 헤아리기 어려웠다. 그 후로는 다시 그를 만날 기회가 없었다.

당시 이분이 왜 그런 어정쩡한 자세를 취했는지 알 길이 없다. 분명 한전 사장에 뜻을 두었기에 사장선발위원이 된 사외이사들의 면면을 살피지 않았겠는가. 그리고 그 가운데 한국일보 논설위원 등이 끼어 있자 주필인 나에게 도움을 청하지 않았겠는가. 사장추천위가 밤샘작업을 하리라는 점은 사장에 지원한 한 전 수석이 더 잘 알 것이다. "노 주필, 좀 도와주세요" 하고는 손을 놓아버린(?) 까닭이 지금도 궁금하다.

머칠 후에 나온 인선 결과는 상공부 출신 한준호 전 중소기업청장이었다. 지금은 고인이 된 후배 이병규 위원 보기가 민망했다. '역시 한국전력은 구 상공부와 떼려야 뗄 수 없는 관계구나' 하고 생각했다.

뒤에 이런저런 얘기가 들렸다. 주로 노무현 대통령과 한 전 수석 간의 신뢰성에 관한 얘기들이었다. 하지만 나와는 상관없는 일이라 크게 관심을 두지 않았다. 굳이 상황을 유추해 보자면 노 대통령이 한 전 수석에 대해 꼭 챙겨야 할 부담감이 없었다는 점이 아닐까 싶다.

김태정 검찰총장 임명의 의미

　YS 임기를 겨우 1년 남기고 검찰총장 인사가 있었다. YS의 경남고 후배 김기수 검찰총장의 2년 임기가 만료됐기 때문이다. 김 총장 얘기가 나왔으니 몇 마디 언급하지 않을 수 없을 듯싶다. 김 총장은 나의 고려대 7년 선배다. 더구나 그분과 나는 군대생활을 함께 했다. 그분은 사시합격 후 입대, 육군본부 고등군법회의 법무사(판사)로 일했고, 나는 보통군법회의 서기병이었다. 그분이 군법무관 5기생이고 나는 서기병 5기생이다.

　둘째 처남 김태정 대검 중수부장이 부산지검장으로 왔다. 동기생인 최영광 검찰국장과 서울검사장을 놓고 경합 끝에 패배한 것이다. 지금도 당시 청와대 부속실 관계자의 흥분된 전화 목소리가 생생하게 기억난다. 그는 숨을 헐떡이며 "분명히 어른(YS)께 보고된 인사안에는 서울검사장에 김 중수부장이 먼저였는데 결재과정에서 뒤바뀐 것 같다"고 했다. 나는 한국일보 부산경남취재본부장으로 먼저 부산에 와 근무하고 있었다. 조만간 처남 남매간이 함께 부산에서 얼굴을 마주해야 하는 달갑지 않은 일이 생긴 것이다.

하루는 처남 김 부산검사장에게 전화가 왔다. 같이 부산에서 근무할 때다. "노 서방, 방금 각하께서 전화를 주셨다"며 다소 흥분된 모습이었다. YS가 직접 부산으로 전화를 했다는 것이다. 화들짝 놀란 김 검사장이 현안보고를 하려니까 "그런 보고 받으려 전화한 것이 아니다"라며 "당신을 검찰총장으로 발령 낼 테니 바로 올라오라"고 명령했다. 그 말을 전하는 처남 목소리는 다소 흥분되어 있었다.

무슨 일이 YS의 심기를 그르치게 했는지는 알 수 없지만 김태정 같은 사람의 도움이 필요치 않았나 짐작된다. 김 검사장이 "각하, 모든 조직은 자체 질서가 있습니다. 저는 다음번에 해도 늦지 않습니다. 만약 저에게 의견을 물으신다면 각하의 경남고 후배 김기수 검사장님을 추천합니다"라고 대답했다. 무엇 때문인지 잔뜩 화가 난 YS는 "쓸데없는 소리 말고 당장 올라오라"고 했다. 김 검사장이 추천했던 김기수 고검장이 새 검찰총장이 되어 임기 2년을 마치게 된 것이다.

정권교체기의 검찰총장은 통치권자가 '후사'를 맡길 만한 사람을 선택하는 것이 관례다. YS는 새 검찰총장에 내 둘째 처남 김태정 법무차관을 선택했다. 불가능해 보이던 일이 현실화됐다. 경쟁자는 또 김 차관과 사시 동기인 최영광 서울고등검사장 등이었다. 둘은 서울검사장 자리를 놓고 대검 중수부장과 법무부 검찰국장 때 한 차례 격돌한 바 있다. 최 검사장의 승리로 김 차관은 부산지검장으로 가야 했다.

새 검찰총장에 김태정 차관 낙점의 함의는 YS가 걱정해야 할 후사가 없다는 방증이다. 이미 아들 현철이 구속기소된 마당에 YS 자신은 한 점 거리낄 일이 없었다. YS 주변에는 마지막까지 '김태정 불가론'을 제기하는 사람이 많았다. "왜 후사를 하필 전라도 사람에게…"가 이유였다.

얘기가 나왔으니 처가 얘기를 잠시 언급해야 할 것 같다. 내 처가는 뿌리가 전남 장흥이다. 장인이 일찍 부산으로 출타해 4남2녀를 두었다. 장인은 영도에서 제법 규모가 큰 선박 로프 공장과 공산품을 생산하는 제조업을 운영했다. 큰처남을 비롯하여 형제들이 모두 영도에서 출생, 영도초등학교를 졸업했다. 큰처남은 영도초교를 마치고 경남중학과 부산고를 거쳐 서울대 정치학과를 졸업했다. 둘째가 처형이고 셋째가 김태정 전 법무장관인데 그가 초등학교 5학년 때 처가가 모두 여수로 이사했다. 맨 막내인 아내만 여수에서 태어나 여수에서 초등학교부터 다녔다. 처가는 경상도와 전라도가 혼재한 분위기였다.

LG그룹의 금성사 사장과 기획조정실 사장을 지내다 요절한 큰처남은 서울대 문리대 캠퍼스 커플인 마산 출신의 부인과 함께 전형적인 경상도다. 굳이 찾으라면 막내인 내 아내만 호남사람이라고 할 수 있을 것 같다. 아내도 오빠, 언니의 경상도 분위기에 영향받아 출처불명의 언어체계다.

나는 "호남인 총장 불가"라는 일반의 기류에 맞서 YS께 직간접으로 호소했다. "나에게 생각이 있어"라는 YS 반응을 보고 나는 "가능성이 있겠구나" 하고 긍정적으로 생각했다. YS는 김 전 장관이 대검 중앙수사부장일 때 이미 굳건히 신뢰하고 있었던 것 같다. 부산지검장으로 간 후에도 몇 차례 친히 전화로 안부를 물은 것이 방증이 아닐까 싶다.

김윤도 변호사, 인사개입 시비

YS에게는 평생의 친구로 고 김윤도 변호사가 있다. 서울지검 검사로 있다가 변호사를 개업했고, 일찍 증권 쪽에 눈을 돌려 증권회사도 경영해 상당한 재력가가 됐다고 한다. YS 집권 5년간 고위급 인사와 관련, 그 사람 얘기가 끊이지 않는다. 언젠가 이원종 전 정무수석은 "YS 때 장차관 지낸 사람치고 그에게 머리 조아리지 않은 사람은 아마 나밖에 없을 것"이라고 했다. 문민정부 인사는 김 변호사가 많은 부분 개입했다는 얘기는 널리 알려졌다.

YS와 김 변호사의 친교는 YS가 국회의원이 된 1950년대부터라고 한다. 일설에 의하면 옛 뚝섬경마장 시절, 두 사람은 마주(馬主)로 만났다고 한다. 승마도 함께 하고 또 경주마를 경마장에 맡겨 쏠쏠한 부수입 재미도 봤다고 한다. 두 사람이 더욱 가까워진 것은 YS의 오랜 정치적 동지인 김명윤 전 의원과의 교분 때문이다. 김 전 의원과 김 변호사는 서울지검에서 검사로 함께 근무했다.

YS가 김 변호사와 더욱 가까워진 계기는 13대 대통령선거를 전후해서라고 알려졌다. 당시 YS가 어려웠을 때 김 변호사가 상당한 금액을 대여해 주었다고 한다. 뒤에 YS가 상환 대신 전국구의원을 제의했다. 김 변호사는 정치는 않겠다며 대여금을 헌금한 것으로 하자 YS가 깊은 감명을 받았다고 한다. 그 후로 김 변호사는 YS의 가장 가까운 지인이 되었고, YS가 집권하자 문민정부를 움직이는 실세비선이 된 것이다.

김 변호사는 YS 청와대의 첫 손님이자 마지막 손님이었다고 할 정도로 YS가 흉금을 털어놓은 막역한 친구가 되었다. 문민정부의 장차관 등 고위직 기용엔 그의 손길과 입김이 닿지 않은 곳이 없었을 정도라는 것이 YS 측근들의 증언이다. 수시로 청와대를 찾아 YS의 말벗이 되었고, 문제가 있을 땐 격론까지 벌이면서 YS의 결단을 이끌어내기도 했다.

그런 김 변호사도 YS를 설득하지 못한 사안이 '김태정 검찰총장안'이다. 마지막까지 '호남총장 불가론'이 기승을 부리자 김 변호사가 중재안을 냈다. 김 변호사가 들이민 카드는 '김종구 총장안'이었다. 김 씨는 충남 온양 출신으로 김 변호사 사위의 친구로 알려졌다. 그러나 YS는 김 변호사 중재도 물리치고 사시 기수가 1기 빠른 김종구(사시 3회)는 법무장관에, '검찰총장에 김태정'을 관철했다. 집권 말기 사정 지휘부로 '김종구 장관, 김태정 총장'의 절묘한 절충점을 마련한 것이다.

YS정부 내내 고위직 인사를 싸고 김 변호사 얘기가 끊이지 않은 것은 역설적으로 그가 거의 모든 인사에 개입했다는 의미다. "장차관을 하려거든 김윤도를 찾아가라"는 얘기는 YS정부하에서는 공공연한 비밀이었다. 거듭 얘기하지만 김 변호사의 훈수까지도 물리치고 '김태정 총장안'을 관철한 것은 YS가 흠 잡힐 일을 하지 않았다는 명백한 증거라고 생각한다.

김태정 검찰총장 시대

　나는 둘째 처남 검찰총장 만드는 일에 열심이었다. 집안일인데 누군들 그렇게 하지 않겠는가. 당시 나는 정치부장에서 물러나 논설위원으로 시간적 여유도 있었다. 처남이 총장이 된 후에는 편하게 일하도록 가급적 관심을 멀리했다. 그렇게 자주 하던 전화도 뚝 끊었다. 어느 날 김 총장에게 전화가 왔다. "노 서방, 뭐 섭섭한 일이 있느냐"고 했다. 그렇게 뻔질나게 하던 전화를 끊자 한 말이다. 나는 '연락할 일이 없어서'라며 마음 편히 일하시라고 했다.

　공직자가 주위 민원 탓에 난처해진 경우를 종종 본 적이 있다. 특히 인사문제 등으로 괴롭힐 소지가 있을 것 같아 나는 가급적 불가근불가원 입장을 유지하려 애썼다. 그래도 어떻게들 알고 이래저래 민원을 부탁해 왔다. 그러나 딱 잘라 모두 거절했다. 예외적으로 단 두 건의 인사민원을 부탁한 적이 있다. 정치적으로 부당한 피해를 입을 가능성이 있는 사람들이라 우선 명분이 있었기 때문이다.

　박근혜 정부에서 국무총리로 지명됐다가 로펌 과다수임료 시비로 도중하차한 안대희 전 대법관의 경우다. 안 전 대법관은 내가 부산 근무(한국일보 부산경남취재본부장) 때 만난 사람이다. 당시 그는 부산지검 특수부장이었다. 그의 초청으로 단 한 차례 저녁을 하며 인사를 나누었다. 얼마 후 안 부장이 대검 중수부 과장으로 전출돼 간 후로는 연락이 끊겼다. '소년등과'라는 세론과 같이 첫 인상이 소년같이 해맑았으나 수재형의 예리한 인상이었다.

안 검사는 대선자금 수사 때 '국민검사', '국민 중수부장'으로 성가를 높였다. 사시 동기인 노무현이 막내동생 같은 동기생 중수부장에게 한없는 신뢰를 보냈기 때문 아니겠는가. 그는 세간에 알려진 대로 공직생활을 깨끗하게 한 것으로 알고 있다. 그런 분이 총리후보자 검증과정에서 로펌 근무 때의 고액수임료 문제로 낙마하는 모습을 보면서 퍽 안타깝게 생각했다. 대법관을 마치고 나가면 유명 로펌에서 한 해 수십억 원을 벌 수 있게 되어 있는 제도가 존재하는 한 '제2, 제3의 안대희'가 나오지 말라는 법이 있겠는가.

김대중 정부가 출범하자 자기들 마음에 들지 않는 사람들을 솎아내기 시작했다. 검찰에서는 과거정부에서 자신들을 괴롭힌(?) 검사들이 주로 숙정 대상이 되었다. 동교동 사람들을 단죄하는 데 관여한 적이 있는 안 검사도 그 가운데 한 사람이었다.

하루는 뜬금없이 그가 나를 찾아왔다. 얘기를 듣고 보니 딱했다. 정치적 보복이라는 생각이 들었다. 당시 못마땅한 검사를 옷 벗기려면 연고도 없는 엉뚱한 곳의 고검 검사로 발령을 낸다고들 했다. 알아서 거취를 결정하라는 사실상의 통고란다.

안 검사는 경남 함안 출신이다. 그곳은 함안 조씨 문중 집성촌이다. 초창기 우리 문단의 유명 평론가 조연현 선생도 그곳 출신이다. 그분의 아들로 내 대학 1년 후배 되는 조광권 씨(전 서울시 국장)도 안 부장에 의해 기소돼 곤욕을 치렀다. 또 내 대학동기 이종화 전 공정거래위 독점 국장(행시 10회)도 안 부장에 의해 옷을 벗었다. 그들은 지금도 하나같 이 "내 눈에 흙이 들어가기 전에는…" 하고 억울함을 나타내고 있다.

나는 그때 안 검사에게 왜 그런 원한을 샀느냐고 물어봤다. 안 검사 는 "그래서 저는 변호사도 편히 할 수가 없습니다"라고 했다. 또 고향에 가서 누구처럼 정치 하는 것은 언감생심이라고 했다. 검사가 오로지 자 신의 천직이라고 했다. 그러니 좀 도와 달라고 선처를 호소했다. 원리 원칙대로 하다 보면 있을 수 있는 일이라 생각했다. 안 검사는 특히 조 광권 씨 구속에 대해 "앞만 보고 달려가다 수사 진도가 너무 나가 도저 히 뒤로 물러설 수 없었다"고 했던 말이 기억난다. 심지어 조 선생 추천 으로 문단에 나온 집안 인척이 "너는 고향에 안 올 거냐"고 노발대발한 일도 있었다면서 유감을 표한 것으로 기억된다.

황성진-안대희 불이익 안 된다

인사민원으로 처음 처남 김태정 총장을 찾아갔다. 안 검사의 구명을 호소하기 위해서다. 동교동 인사 사건을 담당했다고 불이익을 주는 것 은 정치적 보복이 아니냐고 했다. 김 총장은 우선 안 검사를 어떻게 아 느냐고 물었다. 부산에서 친하게 지냈으며, 특히 안 부장이 내 조모와 인척관계라고 둘러댔다. 얼마 후 발령이 났는데 고검 대신 천안지청장 이었다. 안 검사는 만족해했고, 나도 다소나마 그를 도왔다는 자부심을 갖게 되었다.

그가 천안지청장에 부임한 후에도 한 차례 저녁을 함께했다. 내가 정치외교담당 논설위원으로 시간적으로 큰 어려움이 없을 때다. 주말이나 휴일엔 운동 같지도 않은 골프 대신 등산에 미쳐 있을 때라 등산을 주제로 얘기를 많이 나누었던 것 같다. 안 검사는 천안에도 알맞은 등산코스가 있으니 한번 방문해 주도록 요청했지만 짬을 내지 못했다. 나하고 나이 차이가 꽤 나지만 매사가 반듯하고 원칙주의자라는 인상을 강하게 받았다.

또 하나의 경우는 내 중학 동기 황성진 검사다. 황 검사 역시 안 검사에 앞서 대검 중수부 과장시절 동교동 사건을 취급했다고 불이익 대상이 됐다. 부산지검 1차장이던 황 검사는 친구들이 안타까움을 호소했다. 그 사안 역시 인사보복이라 생각했다. 김 총장에게 구명을 호소했다. 김 총장은 황 검사가 내 친구라는 점을 알고 있었다. 소위 옷 벗는 인사라는 고검 대신 수원지검 2차장으로 발령했다. 서울 다음이 부산인데 부산지검 1차장을 수원지검 2차장이라니…. 친구 황 검사는 사실상의 강등 인사에 "진환아, 집에서 밥 먹고 다닐 수 있게 됐다"며 수용하고 부임했지만 얼마 안 있어 검찰을 떠났다.

안대희 전 대법관이 20대 총선에서 서울 마포갑 지역에서 여당 후보로 출마했다가 낙선했다. 하필 그 지역은 내가 사는 곳이다. 출마 때부터 당협위원장 측과의 볼썽사나운 충돌 장면을 뉴스 화면에서 보았다. 처음 부산에서 입지하려다 지도부의 험지 출마 종용으로 옮겨 왔다고 한다. 정치는 언감생심이라고 했던 생각이 바뀐 모양이다. 세월이 그를 정치 쪽으로 다가가게 했는지는 모르나 과유불급이란 말을 새겨 봤으면 한다. 대법관은 3000여 명에 달하는 전국 법관의 우상이자 선망의 대상이다. 자신의 처신이 후배 법관들에게 어떻게 비칠까, 한 번쯤은 역지사지했어야 하지 않을까 하는 안타까움이 남는다. 화불단행이라더니, 과다수임료 시비로 총리후보에서 낙마하고서도 왜 그런 망신을 다시 자초하는 길을 택했는지 잘 이해되지 않는다. "정치는 언감생심"이라고 했던 '검사 안대희'의 얼굴이 떠올라서 해본 소리다.

둘째 처남 김태정이 미묘한 시기에 검찰총장이 되자 내 사무실을 찾는 방문객이 더러 있었다. 주로 권력을 내놓은 구 여권인사들이 대부분이었다. 그분들은 오랫동안 내가 출입하면서 친교를 쌓은 사람들이다. 그들이 우르르 몰려오면 동료 논설위원들 보기 민망해 숫제 인사동 다방가로 자리를 옮기기도 했다. 대부분의 얘기가 지금 수사기관에서 자신의 주위를 이유 없이 뒤지고, 더러는 주변 친구들이 까닭도 모른 채 불이익을 받고 있다는 호소였다.

개별사안에 따라 나는 김 총장에게 자칫 정치보복으로 비칠 수 있음을 지적했다. 그러나 상당수는 의도적 사정이 아닌 것도 있었다. 또한 아니라고 부인해도 권력을 쥔 동교동 측에서 자신들에게 과거 섭섭하게 했던 사람들에 대한 응보를 희망했던 것은 사실이라고 믿고 싶다. 예컨대 내 친구 황성진 검사나 안대희 검사에 대한 인사조치 기도가 웅변하는 것 아니겠는가.

사정은 미운털 있는 사람부터

정권이 바뀌자 새 정부가 좋아할 것 같은 아이템을 밑에서 알아서 만들어 오는 경우가 많다고 한다. 김무성 전 새누리당 대표 경우가 아닐까 싶다. 정권이 바뀌자 전 정권 때 잘나갔던 사람으로 치부돼 지휘부에 몇 가지 혐의가 보고됐던 것 같다. 김 대표는 내 고향후배이기에 앞서 그가 YS 수하로 올 때부터 나는 YS 캠프 출입기자로서 고향 후배인 그를 지켜보았다.

김 대표가 나중에 법원에서 무죄판결까지 받았던 사건이 있다. 내가 김 총장에게 마녀사냥하듯 하는 것 아니냐고 불평했다. 김 총장이 김무성 대표 건에 대해 이것저것 보고하는 사람들에게 "이제 그만하라고 짜증을 냈노라"고 했던 말이 기억난다.

김덕룡 전 의원의 경우도 마찬가지다. 야당을 오래 출입하면서 YS 비서실장인 DR(김덕룡)과는 형과 아우 같은 끈끈한 정이 들었다. DR이 괴롭힘을 당하고 있다는 얘기를 듣고 김 총장에게 싫은 소리로 항의했다. 나는 정치판이 DR 같은 인사 한 사람 키우는 데 30~40년 걸린다는 말로 변호를 했다. 내 호소에 김 총장도 공감을 표시했다. YS 분신과도 같은 사람을 정부가 바뀌었다고 새 정부가 억지로 '손보려' 한다면 그야 말로 정치보복이 아니고 무엇이겠는가. 김 총장도 내 지적에 공감하면 서 DR에 대해서는 각별히 챙기겠다는 뜻을 밝혔던 것으로 기억된다.

대선 막바지에 DJ비자금을 폭로한 강삼재 전 신한국당 사무총장은 내가 미더운 동생같이 생각하는 정치인이다. 그는 원래 후농(김상현)이 발탁해 12대 국회 때 마산에서 신민당 공천으로 당선시킨 최연소 의원 이었다. 상도동 계보 본거지인 경남 한복판에 동교동계 의원이 탄생한 것이다. 지금은 정치를 떠나 연락이 잘 닿지 않고 있다. 하지만 나는 그 가 심지가 곧고 배포가 있는 사람으로 기억한다. 다행히 DJ가 집권한 후 강 의원에 대해서는 별다른 일이 없었던 것 같아 다행스럽게 생각한다.

하루는 강 의원과 통화하는 가운데 야당이 기존 리더십보다는 새로 운 '얼굴(간판)'을 발굴, 숫제 집을 새로 짓는 게 어떻겠느냐고 하는 데 생각을 함께했다. 새로운 인물이란 다름 아닌 강재섭 의원이다. "서당 개 3년이면 풍월을 읊는다"고 정치판을 오래 취재하다 보면 이런 생각, 저런 아이디어가 떠오르게 되고, 정치인들은 우리 얘기에 귀를 기울이 기도 했다. 당시 강재섭은 저평가된 우량 차세대 주자였다. 우선 깨끗 한 이미지가 좋았다. 이회창 '재수 리더십'보다는 상큼할 것 같다는 판 단에서다. 강삼재 의원이 "형님, 그럼 저는 강재섭을 태우는 마부가 되 겠습니다"라며 열의를 보였다.

강삼재, "판검사들 정치판 못 오게 해야"

나는 두 강 씨가 합치면 뭔가 세대교체의 밑그림이 그려지겠다며 격려했다. 한국일보 '지평선'이란 작은 칼럼에 'KK포의 가동'이란 제목의 격려 글도 내보냈다. 얼마 후 강재섭 의원에게 '보이지 않는 손'이 '칼끝을 내보이며' 위협을 가해 왔다고 한다. 갑자기 강 의원이 쥐 죽은 듯 사지를 납작 엎드렸다. 강삼재 의원의 가마에 오르기도 전에 스스로 주저앉아 버린 꼴이다. 무슨 약점이 그렇게 두려웠는지 모르나 강삼재 의원 심정이 어떠했겠는가. "형님! 검사, 판사 지낸 XX들은 다시는 정치판을 기웃거리지 못하도록 해야 할 것 같아요!" 강삼재의 분노에 찬 전화 목소리가 지금도 생생하다. "DJ비자금 폭로로 미운 털 박힌 나 같은 놈도 버티며 살고 있는데…." 강삼재 의원은 강재섭 의원의 변심이 못내 섭섭한 표정이다.

1996년 3월 1일, 나의 부친이 암투병 끝에 별세했다. 현대중앙병원 영안실에 많은 정치인들이 문상을 왔다. 총선이 코앞인 데다 내가 한국일보 총선취재 책임자인 정치부장이어서인지 유달리 정치인 문상객이 많았다. 아우 같은 강삼재 의원도 그중 한 사람이었다. 둘째 처남 김태정은 유력한 차기 검찰총장 후보 반열의 법무차관이었다. 고 정석모, 이한동, 박찬종 의원 등 여러 의원들과 김 차관, 강삼재 의원 등이 상가에서 소주잔을 기울이며 환담하고 있었다.

김 차관도 강삼재 의원을 나를 대하듯 동생처럼 살갑게 대했다. 이런 저런 얘기가 오간 끝에 취기가 약간 오른 김 차관이 집권당 사무총장인 강 의원에게 "어이 동생! 어른(YS)이 편하게 정치 하시도록 좀 잘해 봐" 하고 다소 큰 소리로 격려성 훈수를 했다. 이튿날 영문도 모르게 어느 신문이 김 차관과 강 총장이 한국일보 정치부장 부친 상가에서 시국문제로 말다툼을 벌였다는 터무니없는 기사가 실려 웃음 짓게 했다.

외화불법반출은 매국행위

　김태정 검찰총장은 1999년 5월 하순 돌연 법무부 장관으로 승진한
다. 전임 대통령 YS로부터 2년 임기의 검찰총장에 임명된 지 1년 10개
월이 채 지나지 않았을 때다. 검찰총장 임기를 2년으로 못 박은 것은
외풍에 흔들리지 않고 소신껏 일하라는 의미일 것이다. 그런데 불과 2
개월여의 법정 임기를 남겨두고 법무장관으로 전출은 크게 잘못된 인
사다.

　김대중 대통령이 4강 외교 일환으로 러시아를 방문 중이던 때로 기
억한다. 시기적으로는 1999년 5월 하순이다. 이른 아침 자고 있는데 처
남 김 총장으로부터 전화가 걸려 왔다. 김 총장은 "노 서방, 당분간 혼
자만 알고 있어"라며 "아마 나를 법무장관에 발령하려는 모양이야" 했
다. 잠을 깬 나는 즉시 "형, 총장 임기 중 옮기는 것은 검찰독립성 문제
와 관련해 모양새가 좋지 않을 텐데요"라고 했다. 김 총장도 다소 심드
렁하게 "글쎄, 돌아가는 모양새를 지켜보자고"라며 보안을 당부하고 전
화를 끊었다. 김 총장 스스로도 엄연한 법정 임기를 채우지 않고 법무
장관으로 가는 것이 마뜩찮은 표정이었다.

김 총장은 나와 통화 직전 김중권 비서실장한테 통보를 받았다. 김 실장은 러시아를 방문 중인 DJ의 재가가 나는 대로 인사를 단행할 예정이었다. 당시 시중엔 이듬해 16대 총선을 앞두고 총리, 국정원장, 청와대 비서실장 등 소위 '빅3' 교체 얘기가 심심찮게 나돌았다. 우선 이종찬 국정원장이 총선 출마를 궁리 중이었고, 김 실장 역시 경북 울진 지역 출마를 강하게 시사하고 있었다.

'빅3'를 비롯한 개각 수요가 있다고 검찰총장까지 끼워넣은 건 크게 잘못된 일이다. 검찰총장 임기를 2년으로 못 박아 둔 것은 검찰의 정치적 중립을 대내외에 천명한 것이다. 검찰의 정치적 독립은 또 구두선이 되지 않겠는가. 신한국당이 직전 검찰총장을 영입, 지역구에서 배지를 달게 해 검찰의 독립성 시비를 야기케 한 지 얼마 안 되어서다.

경북 울진에서 새정치국민회의 간판으로의 도전은 무모해 보였다. 아무리 청와대 비서실장이라 해도 김중권 실장의 야망은 실현 불가능해 보였다. 그래서 마지막까지 비서실장직을 붙들고 불리한 상황을 극복해 보려 한다고 의심받았다. 시중엔 이종찬 국정원장은 교체됐는데 '빅3' 일원임에도 자신은 비서실장직에 더 오래 있으려고 해 유임됐다는 소문이 파다했다.

어쨌든 김태정 총장은 법무장관이 되었다. 검찰의 독립성 훼손이 시비가 되지 않을 수 없는 상황이 마련됐다. 소위 '옷 로비' 소동의 서막도 때맞춰 열리게 된 셈이라고나 할까. 최순영 전 신동아그룹 회장 측의 '실패한 로비'로 결말났지만 그 과정에서 속없는 부녀자들의 일탈 모습이 드러나기도 했다. IMF사태 극복을 소임으로 출범한 DJ정부에게는 거액의 외화를 해외에 불법 도피시킨 죄상은 매국적이다.

나는 최순영이라는 사람을 모른다. 아는 거라곤 '준재벌이던 선대로부터 거액의 유산을 물려받은 사람'이란 정도였다. 그의 혐의를 신문지 상에서 보고 격분, 김태정 총장에게 자주 전화로 다그쳤다. 최 씨 구속을 싸고 검찰이 좌고우면하는 것 같아 사설로 즉각구속과 철저한 단죄를 촉구했다. 따지고 보면 온 국민을 고통 속에 몰아넣은 원인행위를 한 그런 파렴치하고 몰염치한 사람을 처단하지 않는다면 도대체 검찰의 존재이유가 무엇이겠는가.

최 씨 구속을 둘러싸고 DJ도 한때 흔들렸다고 한다. 개신교 지도자라는 사람들이 DJ에게 떼 지어 구명을 요청했기 때문이다. 나는 박주선 비서관에게까지 전화하는 극성을 부렸다. 사회정의 실현을 위해 최 씨 같은 매국노는 엄벌에 처해야 한다고 했다. 세상에 그런 나쁜 사람이 있나. 은행에서 차입한 거액의 외화를 외국에 개설한 페이퍼컴퍼니를 통해 빼돌렸다니, 결과적으로 IMF사태를 초래한 빌미가 되지 않았던가.

하루는 강남의 '짱뚱어' 전문집이란 곳에서 친한 의원 몇 사람과 저녁을 들고 있었다. 일행 중 한 분이 전화를 받으면서 내 이름을 대며 함께 저녁을 먹고 있다고 했다. 그랬더니 상대가 금방 합류할 테니 나를 꼭 좀 붙들어 두라고 했다고 한다. 내가 누구냐고 물었더니 신동아그룹 부회장이란다. 얼마 전 지상에 목포 출신의 박 모라는 사람이 갑자기 그회사 부회장으로 영입됐다는 기사를 본 적이 있었다.

나는 그와는 공식적으론 일면식이 없지만 그를 잘 알고 있었다. 내가 USC 유학 당시 LA 한국일보 지사에서 아르바이트할 때 회사에도 가끔 들러 낯이 익은 목포 출신 인사다. 교포 상대로 작은 건설회사를 하는 것으로 알고 있다. 내가 그 사람을 만나야 할 까닭이 없었다. 왜 그러느냐는 주위 만류를 뿌리치고 나는 자리를 박차고 나왔다. 그 사람이 탄차가 막 도착하고 있었다. 하마터면 원치 않는 대면을 할 뻔했다.

정치적 타살 주장은 허구

얼마 전 최순영 씨가 DJ정부에 밉보여 자신의 그룹이 해체됐다고 주장하는 월간지 인터뷰 기사를 읽은 적이 있다. 최 씨에게도 억울한 면이 있을지 모르지만 내가 보기엔 설득력이 떨어진다. 어느 정부가 거액의 외화를 해외로 빼돌린 재벌을 예뻐하겠는가. 아직도 자신의 행위에 반성을 모르는 뻔뻔한 사람이란 생각이 들었다.

사실 검찰이 청와대로부터 '불구속 수사를 검토해 보라'는 권유를 받은 바가 있는 것으로 알고 있다. 그때마다 나는 처남인 김 총장에게 "총장까지 한 마당에 권력 눈치 봐 가며 연명할 필요가 뭐 있느냐"고 엄벌해야 한다는 점을 집요하게 채근했다. 최 씨 구속으로 인한 후유증이 있으면 과감히 사표 내고 변호사 하면 될 것 아니냐고 압박했다. 검찰이 최순영 같은 사람을 구속처단하지 못한다면 존재이유가 무엇이냐고 다그치기도 했다.

당시 나는 두 아이가 미국에서 공부하고 있었다. 하루아침에 유학 경비가 2배로 훌쩍 뛰었다. IMF사태의 고통이 나를 극성스럽게 하지 않았나 생각된다. 한편으론 최 씨를 불구속 수사했던들 문제의 '옷 로비 소동'은 안 일어나지 않았을까 하는 후회는 솔직히 남는다. 최 씨가 "김대중 대통령에게 밉보여" 운운하는 것은 터무니없는 궤변이다. 이미 말했지만 DJ는 검찰에 불구속 수사를 몇 차례 타진한 것으로 안다.

우여곡절 끝에 최 씨는 구속됐다. 재판 결과도 사필귀정이다. 피의자 부인에게 뇌물로 옷을 받을 검찰총장 부인이 세상 어디에 있겠는가. 또 돈에 관한 한 청교도같이 엄격했던 김 총장이 아니던가? 다만 일부 권력층 부인네들이 우르르 떼 지어 몰려다니며 호들갑 떤 꼬락서니가 지탄받은 것은 어쩜 불가피하다 할 것이다. 상대적 박탈감을 느낀 대다수 여인네의 돌팔매나 성난 여론의 주먹질은 당연하지 않겠는가. 로비의 실체가 없었던 것으로 난 결론은 당연하다.

　나는 얼마 전 최 씨 월간지 인터뷰 기사를 읽고 처남인 김 전 총장에게 사건의 발단을 물어봤다. 처남의 대답은 전혀 뜻밖이었다. 하루는 김 총장이 선배총장들과 식사 모임을 가졌다고 한다. 참석자 중 한 분이 최 씨의 거액 외화 도피를 지적하며 철저한 수사를 당부했다. 그분은 누구라고 하면 금방 알 수 있는 특수수사의 대부다. 선배총장의 당부로 수사가 시작됐다고 했다. 정치권이 관련돼 있는 것처럼 호도하는 것은 죄를 짓는 일이다. 나는 DJ를 변호해야 할 하등의 이유가 없는 사람이다.

이회창에 진노한 YS

　YS 임기 말에는 여권 내부가 심한 권력투쟁의 내홍을 겪어야 했다. 임기 말엔 소위 '레임덕'이라는 심각한 권력누수 현상이 생긴다고는 해도 정도가 심했다. 특히 이회창 후보 측과 물러가는 YS 측과의 파열음은 한 치 앞을 내다보기 어려울 정도였다. 앞서도 잠시 언급했지만 YS는 자주 고해하듯 엄청난 돈과 국가권력이 총동원된 선거는 자신으로 마지막이길 바랐다.

　YS가 당선된 선거만 해도 국가의 모든 기관이 총동원됐다. 심지어 대선기간 동안 상대후보에 대한 반박성명도 안기부 선거대책반에서 적시에 내더라고 했다. YS 대선 때 홍보위원장이던 박관용 전 국회의장이 술회한 바 있다. 당 조직보다 관계기관이 먼저 알아서 적기적소에 대처하더라고 했다. 이런 선거를 치른 YS는 그 폐해와 후유증을 너무도 잘 알았다. 그래서 그런 선거는 자신을 마지막으로 단락 지으려 했다.

　그러나 YS 측의 전면지원을 기대했던 이회창 후보 측에서 발끈했다. YS는 이미 안기부 등에 엄정중립을 거듭거듭 지시했다. 이 후보가 못마땅해서가 아니다. 나라의 장래를 걱정하지 않을 수 없었기 때문이다.

그러자 이 후보 측에서 안기부장이 고분고분하지 않다고 교체를 요구했다는 말이 나돌기도 했다. 당시 안기부는 권영해 부장과 이 후보 쪽에 우호적인 것으로 알려진 박일룡 차장 쪽으로 양분됐다는 얘기도 파다했다. 그럴수록 YS는 정보기관만큼은 대선에서 엄정중립을 지키도록 거듭 지시했다

이 후보와 YS 측의 갈등은 봉합하기 어려운 지경으로 치달았다. 이 후보 측이 YS 인형을 훼손하는 감정적인 지경에까지 이르렀다. '김태정 검찰'이 DJ비자금 수사를 대선 후로 연기키로 하자 급기야 YS 탈당을 요구했다. 무엇보다 YS를 격노케 한 사실은 이 후보 측에서 제기한 YS 막내사위의 이권개입 주장이었다. 지금은 이혼한 것으로 알려진 당시 YS 막내사위는 국내 사정에 어두운 재미교포 국제변호사였다. YS가 당장 민정수석에게 진위 여부를 파악토록 지시했다. 결과는 터무니없는 것으로 밝혀졌다. YS의 진노는 극에 달했다.

昌, 이인제와 담판 주저앉혔어야

두 아들 병역기피 의혹으로 이 후보 지지세는 답보 상태였다. 가뜩이나 당내에서는 후보교체 요구가 드셌다. 이인제 전 경기지사가 드디어 탈당, 독자출마를 선언했다. 그때까지만 해도 YS는 이 후보가 담판이라도 해서 이 전 지사를 눌러앉히도록 종용했다. 그러나 이 후보 측은 사실상 이를 외면했다. 자세한 내막은 알 수 없으나 이 지사 세력이 나간다 해도 대세엔 별 영향이 없을 것으로 판단하지 않았나 보인다.

이인제 의원 편에 선 박찬종 전 의원의 자택(구 돈암장)엔 이회창 후

보 측과 이 지사 측 사람들이 번갈아 지지를 호소하러 왔다가 가곤 했다. 그러나 이회창 후보가 직접 다녀갔다는 얘기는 듣지 못했다. 나는 당시 돈암장 건물이 훤히 내려다보이는 언덕배기 아파트에 살아 직선거리로 200m가 채 안 된 그곳을 망원경으로 자주 내려다보곤 했다. 반면 JP와 박태준 등과 연대한 DJP연합은 욱일승천하는 분위기였다. DJ가 소위 캐스팅보트라는 충청권과의 연대에 성공함으로써 DJ정권 탄생은 점차 가시화됐다.

YS 측과 이 후보 간의 갈등은 봉합하기 어려운 지경으로 치달았다. 급기야 서로를 적대시하는 형국에까지 이르렀다. YS가 한때 후보교체를 검토하지 않았나 싶은 일도 있었다. 당내엔 이한동, 이수성, 이홍구 등 유력 잠룡후보군이 즐비했다. 이들 잠룡그룹은 모두 DJ에게 경쟁력이 있었다. 그러자 이 후보가 유력 잠룡 중 한 사람인 이한동 의원에게 총재직을 양도하려고 했다. 이 후보가 이한동 의원을 우군화하려는 시도임은 재론이 필요치 않다.

이 후보와 사사건건 대립, 감정이 격해질 대로 격해진 YS의 즉각 반격시도가 있었다. 이 후보를 고립시켜 낙마시키려는 생각에까지 이르지 않았나 보이는 대목이다. YS는 이한동에게 이 후보 제의를 거절하도록 시도했다. 자신의 수족이며 이한동의 고교(경복고) 후배 이원종을 보내 자신의 뜻을 전하려 했다. 만약 이한동이 YS 뜻대로 총재 제의를 걷어차 버렸다면 고립무원 상태가 된 이 후보는 곤란한 상황을 맞았을지 모른다.

그러나 이회창에게는 행운이라면 행운이 일어났다. YS 심부름을 받은 이원종은 직접 가지 않고 자신의 경복고 후배 오정소 전 안기부 차장을 대신 보냈다. 오정소로부터 YS의 뜻을 전해 들은 이한동은 "나는 정치공작 같은 일은 안 해"라며 '단칼에' 거부했다. 이로써 YS의 이회창 고사 전략은 무위로 끝났다. 만약 이원종이 직접 심부름을 갔더라면 상황이 어떻게 됐을까, 또 이한동이 YS 뜻을 받아들였다면 이회창 대신 이한동으로 후보가 교체되지 않았을까. 역사에서 가정은 부질없는 상상이긴 해도 많은 의문점이 남는다.

대세 그르친 협량한 리더십

이회창 리더십에 대해 말이 많았다. 평생을 법관으로 살아온 이력에서 보듯 대중성 결여가 치명적 약점으로 지적됐다. 대선후보의 으뜸 덕목은 상대를 대화와 타협으로 설득해 내 사람, 내 편으로 끌어오는 것이다. 불행히도 이 후보에게는 그런 대화와 타협의 기능이 없었다. 신뢰하는 인사 외엔 마음을 잘 열지 않았다. 소위 이회창 캠프에 참여했다가 나온 어느 정치학자는 이 후보가 나온 특정고교 출신이 아닌 사람은 언제나 '개밥에 도토리 신세'였다고 했다.

이 후보가 대권 재수를 하던 2002년 내가 보고 느낀 일이다. 이회창 한나라당 총재는 사실상 여권의 대선후보다. 광주에서 한국과 무적함대 스페인과의 월드컵 8강전이 열렸다. 8강전에 오른 것만도 대단한 성취다. 여기서 이기면 한국은 사상 최초로 4강이 된다. 임기 말 자식들 비리문제로 퍽 수척해진 대통령 DJ도 붉은색 목도리를 하고 광주 월드컵경기장에 나와 지근거리에서 열렬히 응원했다. 월드컵 특수로 FIFA 부회장이던 정몽준은 유력한 대선후보군의 일원이 되었다.

정몽준이 8강전 응원을 위해 서울에서 KAL에어버스 항공기를 전세

냈다. 300여 명의 각계 인사를 광주로 실어 나르기 위해서다. 한국일보 주필이던 나도 이 비행기에 편승, 경기를 관람할 기회를 가졌다. 알다시피 스페인과의 8강전은 전후반 90분을 0대0 무승부로 비겼다. 이어 연장전 30분도 숨 막히는 0대0 무승부였다.

이 총재 일행도 광주에서 직접 경기를 관람해 언론의 주목을 받았다. 이 총재 일행은 전후반 90분 경기가 끝나자 다음 일정 때문인지 운동장을 빠져나갔다. 서울행 비행기를 타기 위해서였던 것 같다. 이 총재 일행이 떠난 사이 양 팀은 연장전에서도 또 0대0으로 비겼다. 이제 5명의 키커들이 승부차기로 승부를 결정짓게 되었다. 양국 선수들은 피 말리는 승부차기 끝에 한국이 5대4의 극적인 승리를 거두었다. 월드컵 사상 첫 4강 신화를 이룬 것이다.

온 나라가 축제무드였다. 서울로 돌아오는 전세기 속에도 환호의 물결이 넘쳤다. 동승했던 정몽준 의원을 발견한 승객들이 "정몽준 대통령"을 목청껏 연호했다. 잠시 후 소란스러운 상황이 일어났다. 나는 비행기 맨 뒷좌석에 한국일보 후배로 당시 정 의원을 돕던 홍윤오 씨(국회 홍보기획관)와 함께 있어 정확한 모습은 보지 못했으나 이 총재 일행이 전세기에 올랐다고 한다. 갑자기 곳곳에서 "태우지 마! 내리라고 해!" 하는 불만의 소리가 터져 나왔다.

이 총재 일행은 상경을 위해 연장전도 보지 않고 운동장을 떠났다. 아마 공항 부근에서 TV로 연장전을 시청하지 않았나 짐작된다. 연장전 역시 무승부로 끝나고 승부차기에 돌입하자 그걸 보지 않고 떠나기는 쉽지 않았을 것이다. 광주발 서울행 항공편이 넉넉할 때가 아니었다. 비행기를 놓친 이 총재 일행이 정 의원이 마련한 전세기 신세를 지게 되지 않았나 보인다. 성난 승객들이 태우지 말라고 고함을 쳤던 것 같다.

이 총재 일행의 행동거지에 많은 생각이 들었다. 저렇게 여유가 없는 사람들이 국정을 맡으면 우리 사회가 얼마나 삭막하고 각박해질까. 또 얼마나 여유 없는 나라가 될까 하는 생각을 떨쳐버릴 수 없었다.

"DJ 치매다" 흑색선전

대통령선거를 비롯, 각종 선거에는 흑색선전이 '필요악'처럼 빠지지 않는다. 이회창 씨가 DJ와 대회전을 치른 1997년 대선 무렵이다. 하루는 이회창 씨 특보로 있던 김충근으로부터 전화가 걸려 왔다. 내가 친동생처럼 아끼는 후배다. 김 특보는 대뜸 "형님, 대통령선거는 이미 끝났습니다"라고 의기양양해했다. 내가 "Any good news?"(무슨 좋은 일이라도?) 하고 묻자 그는 뜬금없이 "형님, DJ 치매증상이 굉장히 심각한 것 같아요"라고 했다.

내가 무슨 말이냐고 되묻자 그는 DJ가 자꾸 헛소리를 한다고 했다. 공식 회의석상에서 이미 타계한 "신기하 총무가 안 보인다"고 고인을 자주 찾는다는 것이다. 사실이라면 그의 말대로 선거는 하나 마나 아니겠는가. 신 의원은 불의의 항공기 사고로 유명을 달리했다. 고인을 생존자인 양 찾는다는 것이 사실이라면 여간 심각한 일이 아니다.

DJ가 칠순을 넘긴 시점이라 충분히 가능한 상황이었다. 갑자기 알츠하이머 증상으로 불행한 말년을 보낸 레이건 전 미국 대통령이 생각났다. 그는 투병 초기에 자신이 알츠하이머라는 몹쓸 병에 걸렸음을 국민에게 실토하며 이해를 구했다. 불행히도 말년엔 사랑하는 아내 낸시조차 알아보지 못했다. 산전수전 다 겪은 DJ가 대선을 목전에 두고 그런 몹쓸 병을 앓게 되다니, 안타까운 생각이 들었다.

너무 뜬금없는 얘기인지라 평소 동교동계를 집중취재했던 고 이병규 논설위원에게 사실확인을 지시했다. 그러자 이 위원은 "주필, 며칠 전에도 만났는데 치매는 무슨 치매예요? 이제 한나라당이 터무니없는 흑색선전까지 벌이네요"라고 일축했다. 그래도 미심쩍어 여러 경로로 확인해 보았지만 'DJ 치매설'은 사실무근이었다.

헌정사에서 DJ만큼 박식하고 명석한 두뇌를 가진 정치인도 드물다. 지금도 정상외교에서 돌아온 대통령 DJ의 성남공항 귀국회견 모습이 눈에 선하다. 아무런 메모도 없이 '첫째, 둘째…' 하며 무려 대여섯 가지 외교 성과를 일목요연하게 설명하던 모습은 큰 감동을 주었다. 그런 사람에게 터무니없이 '치매 운운' 흑색선전은 용서받지 못할 일이다.

YS측, "틈 옷 벗기려 총리시켰다"

이 후보에 관한 예화 하나가 생각난다. YS정부 초기 기업으로부터 용돈을 받은 것이 문제가 돼 물러난 장 모 비서관으로부터 직접 들은 얘기다. 그는 상도동에서부터 YS를 지근거리에서 모신 소위 가신그룹의 일원이다. 의협심이 강하고 말을 다소 흐리는 듯하면서도 YS에게 직언도 마다않는 충직한 비서였다. 청와대 부속실장으로 일하다 가정사 등이 얽혀 YS 곁을 떠나지 않을 수 없는 안타까운 상황이 되었다. 나는 그를 신뢰했고, 그도 나와는 속 깊은 정을 주고받는 사이였다.

하루는 그와 통화 중에 이회창 감사원장의 총리임명 경위를 들었다. 당시 YS 주변의 분위기는 그의 총리 중용은 상상할 수 없었다. 이 감사원장이 감사원을 자기 마음대로 운영한다고 청와대가 부글부글 끓고 있었기 때문이다. 특히 율곡비리 등의 감사를 둘러싸고 불협화가 심했다. 그러나 감사원장의 법정 임기가 4년이라 인사조치는 엄두도 못 냈다. 그날 장 비서관은 "그 XX, 총리로 오면 짜를 수가 있잖아요"라고 했다. 총리로 옮기는 것이 여차하면 공직에서 추방하기 위함이라는 뜻이다. 만약 법정 임기 때문에 총리로 옮기게 했다면 그 또한 코미디가 아닐 수 없다.

이 총리가 청와대의 그러한 의중을 알고나 있었는지 알 길이 없다. 그런데 총리로 와서도 총리권한을 싸고 청와대와 또 부딪치는 일이 생겼다. YS에게는 울고 싶은데 뺨 때려 주는 일이 일어난 것이다. YS는 단호하게 이 총리를 해임했다. YS 측이 파놓은 함정에 이 총리 스스로가 빠져 준 꼴이었다고나 할까. 해임이냐, 먼저 사표를 던졌느냐를 둘러싸고 청와대와 이 총리의 입장이 달랐다. 하지만 부질없는 논쟁일 뿐이다. YS의 평소 성격을 아는 사람이라면 대답은 자명했다. 어쨌든 'YS와 맞짱 떴다'는 이 논쟁의 최대수혜자는 이 씨였다. 이를 계기로 그는 신한국당의 강력한 대통령후보가 되었고 또 대선 재수까지 하지 않았던가.

기사 고치는 일로 마음고생

그 무렵 한국일보 논설위원으로 정치 사설을 쓰던 나는 마음고생이 여간 심하지 않았다. 데스크가 특정인에게 불리한 내용은 삭제하는 일이 잦았기 때문이다. 당시 대선정국의 핫이슈는 이회창 후보 두 아들의 병역기피 의혹이었다. 모든 신문이 사설에서 주요 이슈로 다뤘음에도 한국일보는 자유롭지 못했다. 신문들이 공통으로 다루는 화제를 한 신문만 가린다고 무슨 효과를 보겠는가. 시중엔 이 총재의 고교후배인 이 데스크가 새 정부의 공보처 장관이라는 하마평까지 나돌았다. 기사를 고치는 데 대해 드세게 항의하자 이 데스크는 때론 나에게 인간적인 호소도 했다. 후배인 나는 선배의 호소와 '정론' 사이에서 난처한 입장에 처하기도 했다.

한나라당은 정권 재창출을 도모하는 집권여당이었다. 한번은 이런 일도 있었다. 넘긴 사설을 초벌대장에서 확인하니 주요내용이 또 누락돼 있었다. 마침 주필이 외출 중이라 수석논설위원 선배에게 항의해 삭제된 원문을 되살렸다. 이튿날 사달이 일어났다. 자칫하면 선배 간 다툼 상황이 될 뻔했다. 주필은 수석위원이 나를 사주한 게 아닌가 의심하면서 나에게 꼬치꼬치 캐물었다. 그러나 전혀 사실이 아니다. 내가 주필 부재중 기사누락을 항의하자 수석이 내 주장을 수용해 주었을 뿐이다.

동료들은 당시 내 행동을 퍽 긍정적으로 평가했다. 특히 사회담당 논설위원이던 김용정 선배는 "노진환 씨가 그나마 한국일보를 불편부당한 신문으로 지켰다"고 과분하게 평가했다. 김 선배는 제주도 출신이면서 목포에서 중고교(목포중고)를 나온 분이다. 주필의 경도된 자세에 정치가 소관이 아니어서 오불관언일 수밖에 없었지만 내가 그나마 문제제기를 하고 바로잡으려 해 굉장히 반갑고 고마웠다고 했다.

이런 분위기에서 개인적으로 이 후보에게 친밀감을 갖기 어려웠다. 이 후보가 대선 재수를 할 때는 동료 한 사람이 그의 캠프로 갔다. 한국일보는 앓던 이가 빠진 셈이었다. 그 친구의 글은 후배들로부터 많은 지적을 받았다. 후배들은 주필인 나에게 자주 불만을 쏟아냈다. 심지어 그 친구더러 책이라도 좀 읽고 글을 쓰라고 하라며 다그치기까지 했다. 더러는 "그 사람 글이 그게 글입니까?" 하고 거칠게 들이대기도 했다. 당시 신문의 추세는 기사의 실명화였다. 스트레이트 기사는 물론 작은 상자 기사에도 작성자 이름이 명기됐다. 자신의 글이 내외로부터 조롱의 대상이 되는 걸 알았는지 그는 '실명화'에 심하게 불평했다.

사설은 회사 방침이나 입장을 독자에게 천명하는 글이다. 그래서 모든 신문이 사설만큼은 '회사 입장'이라는 이유로 아직까지 비실명 형태를 유지하고 있다. 그러나 동일한 사안도 논설위원에 따라 입장이 달라 특정 필진의 의사를 '회사 입장'이라고 단정하기 곤란한 경우도 있다. 따라서 사설 역시 언제 실명화될지 알 수 없는 형편이다.

신문들은 논설위원이 집필하는 작은 칼럼도 실명화하기 시작했다.

논설위원들은 기사실명화를 크게 반기는 입장이었다. 사설이 익명이기 때문에 논설위원들은 자신의 존재를 확인받을 기회가 퍽 제한적이다. 기사실명화로 논설위원실에도 활기가 생겼다. 무기명이거나 기껏 출처를 '논설위원실'이라고 했을 땐 다들 시큰둥했으나 기명화되자 필진 지원도 늘었다. 그런데 유독 한 친구만 실명화를 못마땅해했다. 후배 논설위원들은 불평하는 그 친구를 숫제 집필진에서 빼버리도록 나를 압박하기도 했다. 유독 '실명화'에 반대, 불평했던 그 친구가 회사를 떠남으로써 분란이 해소됐다.

그곳 캠프 관계자는 "우리가 바라는 사람이 아닌데…"라고 불만을 표시하기도 했다. 정치판이 그렇게 허술하지만은 않을 것이다. 누가 어떤 글을 쓰고, 그 속에 어떤 생각이 담겼는지 나름대로 판단하지 않았을까 싶다. 출입기자의 전언에 의하면 그가 그 캠프 참여를 강청했다고 한다. 글 쓰는 일에 그렇게 스트레스를 받고서야 버티기 어려웠을 법도 하다.

공멸을 의미했던 DJ 비자금 수사

DJ비자금 수사의 대선 후 연기 결정에 대해 기억나는 바를 얘기할까 한다. 나는 나름대로 이 문제에 상당부분 관여했다. DJP연합이 성사되자 이회창 후보의 하향세가 뚜렷했다. 가뜩이나 YS와의 불화는 회복이 불가능할 정도로 악화되었다. '산토끼'는 물론이고 '품속의 집토끼'마저 등을 돌리는 사태가 일어났다. 이 후보 측이 회심의 반전카드로 들이민 게 DJ비자금 의혹 폭로다. 강삼재 사무총장이 총대를 멨고, 안기부 등 관계기관이 총망라됐다.

1997년 대선을 불과 두 달 앞둔 10월 7일이다. 신한국당 강 총장은 DJ가 670억 원의 비자금을 관리해 왔다고 폭로했다. 또 중간평가를 유보하는 조건으로 노태우 대통령으로부터 20억 원 외에 6억 정도를 더 받았다고 주장했다. 시중의 '20억 플러스알파'가 사실이었음을 폭로한 것이다. 신한국당이 발 빠르게 DJ를 특정범죄가중처벌법상 뇌물수수 및 조세포탈 혐의로 대검찰청에 고발했다. 만약 검찰이 수사에 착수하면 사실 여부와 관계없이 DJ는 치명타를 입을 게 명약관화했다. 그러면 선거는 하나 마나다.

김태정 검찰총장의 고민이 시작됐다. 이 문제를 두고 그와 나는 하루에도 몇 차례씩 전화로 생각을 주고받았다. 처남이 어려운 결단을 해야 하는 입장이라 조금이라도 합리적인 판단을 하도록 도움을 주자는 생각에서다. 내가 한결같이 강조한 메시지는 만약 검찰이 수사에 나서면 걷잡기 어려운 사태가 발생하리라는 점이다. 김 총장의 생각도 나와 다르지 않았다. 당시의 시대상황이 호남인에게는 DJ를 통해 한을 풀 수 있는 마지막 기회로 인식되고 있었다. 이런 급박한 상황에서 검찰이 판세를 엎으려 한다면 어느 누가 수용하려 하겠는가.

검찰의 수사 착수는 곧 원치 않는 소요사태 초래라고 보았다. 말이 소요지, 그것은 곧 피바다를 불러오리라는 점이 명백했다. 5·18 정도가 아니라 나라 전체가 온전치 못했을 것이다. 내가 김 총장에게 한 최초의 단어는 '민란'이었다. "검찰이 인위적으로 선거판세를 뒤집으려 하면 엄청난 재난이 닥칠 것"이라고 했다. 만약 이런 불행한 사태(검찰수사)가 생기면 "형이나 나나 모두 큰 피해자가 될 것"이라고도 했다.

신한국당이 고발했으니 수사는 하되, 대통령선거 후에 해야 한다고 했다. DJ비자금 수사를 안 하는 게 아니라 대선 후로 연기하자는 것이다. 김 총장도 수사로 인해 야기될 후유증을 누구보다 잘 알고 있었다. 나는 수사연기 발표도 수사 주체인 검찰총장보다는 오인환 공보처 장관이 발표하는 것으로 건의했다. 주요정책 결정이나 변경에 관한 발표는 정부 공식대변인인 공보처 장관에게 맡기는 것이 중량감이나 신뢰감을 더 줄 수 있기 때문이라는 이유를 댔다. 정치적 소용돌이에 검찰의 관여가 부자연스럽기도 했지만 또 처남인 김태정 총장을 '정치'로부터 보호하려는 충정에서 그런 생각을 하게 됐다.

터무니없는 DJ의 YS 협박설

비자금 수사 연기방침이 DJ가 막판에 YS를 협박해서 쟁취한 양 얘기하는 사람들이 있다. 하지만 내가 아는 한 전혀 사실이 아니다. 우선 YS가 DJ 협박에 굴복당할 사람이 아니다. 또 YS는 DJ에게 책잡힐 만한 '후사'가 전혀 없었다. YS의 불같은 성격을 몰라서 하는 소리다. 만약 DJ가 YS에게 '호소' 대신 '압박'을 했다면 YS는 자리를 박차고 맞설 사람이다. "전라도 출신을 마지막 검찰총장에 임명해서는 안 된다"는 주위의 잇단 강권에도 YS가 '김태정 총장안'을 관철한 것은 후임 검찰총장에게 부탁해야 할 '민원'이 없었기 때문이다.

YS는 다른 사람은 몰라도 DJ에겐 결코 지지 않으려는 오기가 있었다. 마치 스포츠 시합에서의 한일전 같은 양상이다. 한국과 일본은 다른 나라에는 다 패해도 서로에게만은 결코 지지 않으려 한다. DJ가 YS를 협박해서 얻으려 할 수가 없는 이치다.

김 총장이 비자금 수사를 대선 후로 미루기로 결정한 후 발표를 앞두고 YS에게 독대를 신청했다. 김 총장은 청와대 비서실의 안내에 따라 1997년 10월 19일 일요일 새벽, 관용차가 아닌 평범한 차량으로 청와대 대통령관저로 안내되었다. 수사유보 방침을 묵묵히 듣고 있던 YS가 한 말은 "김 총장 생각이 맞다. 절대 비겁한 짓을 해서는 안 된다"는 단 두 마디였다. 비자금 수사에 관한 한 검찰총장의 방침을 수용한다는 뜻이었다(2015년 11월 23일자 동아일보 '김태정 전 법무장관 인터뷰' 참고). 다만 YS는 검찰의 수사연기방침 발표를 오인환 공보처 장관 대신 수사 주체인 김태정 총장이 직접 하도록 했다. 내가 머리를 '굴렸던' '오인환 공보처 장관 발표안'이 YS에 의해 거부된 셈이다.

김 총장이 기록을 남기지 않았기 때문에 내가 당시를 가장 가까이에서 지켜본 사람으로서 증언하는 것이다. 나는 당시를 똑똑히 기억하고 있다. 강삼재 총장이 소위 DJ비자금을 폭로했을 때 나는 김 총장과 바로 통화했다. 내가 김 총장에게 한 첫말은 "형이 이제 지혜로운 판단을 해야 할 때라고 생각해요"였다. 그리고 본론을 꺼냈다. 만약 검찰이 이 사건에 개입하는 순간 나라가 위태로워질 것이라고 했다.

　내가 가장 우려한 상황은 혹시 YS가 비자금 수사를 지시하는 경우였다. 나는 우선 김 총장에게 "이 사건만큼은 형이 독자적 판단을 해야 한다"고 거듭 강조했다. 행여 YS 지시가 있을 경우는 '항명'을 해서라도 수사해서는 안 된다는 뜻이었다. 김 총장은 "걱정 마라. 절대로 무리는 하지 않겠다"고 다짐했다.

　잘 알려진 사실이지만 YS와 이회창 후보 간의 갈등양상은 극에 달했다. 이런 대립상황이 검찰총장에게는 운신의 폭을 넓혀주었다. 즉, YS에게 이 사건에 관해 일절 보고할 필요가 없었다. 당시 YS가 이회창 씨에 대해 얼마나 진노하고 있었는지를 상징하는 표현이 있다. YS가 "그 미친X 말은 듣지 않아도 된다"고 했다니 이 후보 측의 자업자득 아니겠는가. 검찰 판단을 언제든지 수용하겠다는 시사였고, 실제로 검찰의 방침을 그대로 존중했다.

　이 후보 측이 왜 YS와의 갈등 강도를 그렇게 높여 갔는지 이해가 안 된다. YS는 자신이 치른 선거가 결코 반복돼서는 안 되겠다는 확고한 신념이 있었다. 인기가 곤두박질한 정권과의 차별화를 이해 못 하는 바는 아니지만 정도의 문제가 아닐까 싶다. 설령 "나를 밟고 가라"고 하더라도 금도는 있어야 한다. 바른 길을 가겠다는 현직 대통령을 적대시하면서까지 대선 승리를 도모하는 것은 무모한 일이라 아니할 수 없다.

결국 검찰은 DJ비자금 수사를 대선 후로 연기키로 했다. '김태정 검찰'이 '대통령선거 불개입' 방침을 천명한 것이다. 만약 검찰이 수사에 나서 선거판을 엎었다면 이 나라는 어떻게 됐을까. 지금 생각해도 모골이 송연해진다. 비자금 수사 연기야 김태정 총장의 판단이지만 이런 검찰 입장을 흔쾌히 수용한 YS의 결단이 파국을 막은 셈이다. 나는 이 결정이 나오기까지 극성스럽게 검찰수사를 반대했다. 그것이 나라의 장래를 위하는 길이라 판단했기 때문이다.

지금은 기억에서 잊혔지만 당시 정무장관이던 홍사덕 선배도 검찰수사를 반대했다. 홍 장관 역시 DJ비자금 수사가 야기할 예측할 수 없는 사태를 걱정하지 않았나 생각한다. 만약 검찰이 선거기간 중 수사에 착수하면 진위 여부와 상관없이 DJ는 치명타를 입게 된다. 결과적으로 선거는 하나 마나고, 그 과정에서 호남지역을 중심으로 야기될 민란사태는 국가의 존립마저 위태롭게 할 우려가 있었다. 나는 홍 선배와 같이 안목과 경륜을 갖춘 정치인의 용기 있는 의사표시에 큰 감동을 받았던 기억이 새롭다.

김태정 총장은 10월 20일 대검 8층 회의실에서 고검장 회의를 소집했다. 내심 결정한 수사연기 방침의 명분 축적을 위해서였다. 고검장 회의는 검찰 내 최고위급 회의체로 알고 있다. 당시 검찰 내부의 견해도 수사해야 한다는 쪽과 대선 후로 연기해야 한다는 쪽으로 양분돼 있었다. 고검장급은 8명이었던 것으로 안다. 대검차장, 법무연수원장, 서울·부산·광주·대구·대전 고검장 등이다.

김 총장은 수사연기 발표 하루 전 서울에서 멀지 않은 지역의 검찰청 순시일정을 잡아 그곳을 찾았다. 자신이 결심한 수사유보 방침을 해당 고검장에게 귀띔하고 지지발언을 유도하기 위해서다. 다음 날 고검장

회의 때 첫 발언자로 지명하면 지지발언을 하기로 하고 귀경했다. 그런데 회의 당일 그 고검장은 간밤의 약속과 달리 수사해야 한다고 갑자기 태도를 돌변했다고 한다. 발언 지명을 받고 일어나 한동안 말없이 벽을 응시하더라고 했다. 김 총장이 당황할 수밖에 없었다.

김 총장은 이어 광주고검장의 견해를 물었다. 광주고검장은 수사 착수로 선거가 불가능해질 우려가 있다며 반대의사를 명백히 했다. 이에 김 총장이 "이 문제에 대한 견해가 엇갈릴 줄 알았다. 하지만 총장인 나는 대통령선거를 차질 없이 치르기 위해 DJ비자금 수사를 대선 후로 연기하기로 방침을 정했다"고 지휘방침을 밝힘으로써 DJ비자금 수사는 대통령선거 후로 미뤄지게 됐다.

나는 지금도 수사연기 결단이 나라를 누란의 위기에서 구했다고 확신한다. 나중의 일이긴 해도 간밤에 갑자기 입장을 바꾼 고검장은 DJ 당선이 확정되자 가장 먼저 사표를 제출하고 검찰을 떠났다고 한다. 한편 대통령선거의 원활한 진행을 위해 비자금 수사는 대선 후로 연기해야 한다고 했던 고검장은 뒤에 법무부 장관이 되었다. 사시 동기생 두 분의 명암이 엇갈린 상황을 보면서 갑자기 어느 유명 가전제품 CF 카피가 생각났다. "순간의 선택이 평생을 좌우한다."

북의 불평 부른 비전향장기수 송환

비전향장기수란 우리 체제에의 전향을 거부한 사람이다. 주로 자생적 게릴라거나 인민군 포로 혹은 남파됐다가 붙들려 복역 중인 간첩 등을 지칭한다. 우리 정부가 이들이 사회주의 사상이나 공산주의 사상을 포기할 때까지 옥살이를 시켰기 때문에 붙은 명칭으로 알고 있다. 국제 앰네스티 등 인권단체는 개인의 사상적 자유를 이유로 이들의 장기구금을 시비하기도 했다.

김영삼 정부는 1993년 3월 비전향장기수의 상징적 인사라 할 수 있는 이인모를 북한에 송환한 바 있다. 이 씨는 6·25전쟁 때 북한군 종군기자였다가 붙잡혀 전향을 거부한 채 34년을 감옥에서 지냈다. 이인모를 인도받은 북한이 이를 체제선전 도구로 적극 활용했음은 물론이다. 사실 비전향장기수는 자신들의 사상적 공고함 때문이라기보다는 '견딜 만한' 한국 교도소에서 자기 한 사람 고생함으로써 북쪽에 남겨진 가족들이 북한 사회에서 대우받고 사는 것에 만족하는 사람들이라고도 할 수 있다.

이인모 송환 이후 북한은 대대적인 체제선전 활동을 벌였다. 그러자 이미 우리 사회에 전향했던 사람들 가운데 북송을 요구하는 웃지 못할 일도 일어났다. 대체로 고령이라 정착이 어려운 사람들이었다. 예컨대 마지막 지리산 빨치산으로 잘 알려진 정순덕 같은 여인도 종교단체에서 생계를 보호받다가 이인모 송환 이후 자신도 북한에 보내줄 것을 요구했다. 지리산 언저리에서 태어나 빨치산 남편을 찾아 입산했다가 빨치산이 된 이 여인은 토벌과정에서 한쪽 다리를 잃은 불구의 몸으로 지내다 기구한 운명을 마감했다.

비전향장기수 문제는 DJ가 대통령이 되고 나서 획기적인 전기를 맞았다. DJ정부는 2000년 6·15남북공동선언과 남북적십자회담에 따라 같은 해 9월 북한행을 희망하는 비전향장기수 63명을 한꺼번에 송환했다. 문제는 그 뒤에 일어났다. 북한이 갑자기 금강산에서 적십자회담을 요청해 왔다. DJ정부와의 화해무드가 절정일 때다. 금강산에서 만난 북측 대표단은 은밀하게 송환된 비전향장기수를 위한 긴급 재정지원을 요청했다고 한다.

익명의 소식통에 의하면 북한은 송환된 비전향장기수에게 부상(차관)급 대우를 했다고 한다. 김정일 지시로 평양시내 유명거리에 있는 50~60평짜리 고급아파트를 제공했다. 냉장고 등 각종 편의시설은 물론 심지어 냉장고를 채울 식자재까지 공급했다고 한다. 북한이 한꺼번에 온 63명에게 이런 물품을 공급하려니 비용이 만만치 않았다.

송환된 비전향장기수 중 북한에 가족이 있는 사람은 별로 문제가 안됐다. 가족과 함께 평양의 고급아파트에 묶어둘 수 있으니까. 그러나 북쪽에 가족이 없는 사람이 문제였다. 이미 남한 사회의 풍요로움을 알고 있는 그 사람들을 흩어놓을 수는 없는 일이다. 지방에 보낼 수는 더더욱 없다. 북이 그들의 관리를 두고 고민에 빠졌다. 북측이 우리에게 그들의 생활비를 좀 지원해줄 수 없느냐고 황당한 요구를 해왔다는 것이다.

금강산 회동에서 정부는 북의 요구를 일축했다. 국회나 우리 국민이 알면 야단날 일이라고 거절했다고 한다. 당시 북한은 경제사정이 굉장히 어려운 처지였다. 북측은 체제선전을 위해 내심 소규모 인원의 송환을 기대했으나 DJ정부가 통 크게 63명 전부를 보내자 당황하지 않았나 보인다. 북측 대표가 회담 중 "이렇게 한꺼번에 다 보내면 어떻게 하느냐"고 불평했던 것으로 전해진다. 지금까지 알려지지 않았던 비화가 아닐까 싶다.

5

김영삼, 노무현 대통령에 대한 단상

직정경행의 YS

김영삼 전 대통령이 지난해 11월 22일 별세했다. 향년 88세. 김 전 대통령은 지난 2009년 뇌경색 진단 이후 입·퇴원을 반복하며 서울대 병원에서 치료를 받았다. 주로 뇌졸중과 협심증 등 노환에 시달렸고, 사인은 패혈증과 급성심부전이었다고 의료진이 밝혔다. 정부는 김 전 대통령의 장례를 첫 '국가장(國家葬)'으로 결정하고 11월 26일 오후 2시 국회에서의 영결식을 거쳐 동작동 현충원 묘역에 안장했다.

이로써 김종필 전 총리(JP)가 생존해 있긴 하지만 반세기 동안 우리 정치를 주름잡았던 '3김시대'는 사실상 종언을 고한 셈이다. 유언에 해당하는 고인의 마지막 유훈이 '화합과 통합'이었다는 점은 남은 자들이 새겨야 할 숙제이리라. 빈손으로 왔다가 빈손으로 돌아가는 모습을 일러준 YS의 고귀한 생애는 많은 사람에게 교훈으로 다가왔다. 5일 동안의 장례기간 중 많은 사람이 애도를 표했다.

지리산 언저리에서 부음을 접한 나는 22일 조문을 위해 상경했다. YS정부의 마지막 검찰총장이던 내 둘째 처남 김태정 전 법무장관과 함께 서울대병원 빈소를 찾아 헌화하고 명복을 빌었다. 처남은 만감이 교차하는 듯 영정 앞에서 눈시울을 붉혔다.

그는 세상 떠나는 날까지 공직자의 삶이 어떠해야 한다는 점을 일러주었다. 사랑하는 아내 손 여사가 별세하면 상도동 집도 기념재단에 헌납하리라 한다. 부친이 물려준 거제의 집과 어장, 땅 등은 이미 기념재단에 넘겼다. YS는 정말 겉과 속이 다르지 않은 대통령이었다. 그를 떠나보내는 게 더욱 애틋한 이유다.

빈소 분위기는 YS가 공(功)보다는 과(過)가 지나치게 부각되어 있다는 지적이 많았다. 민추협과 통일민주당을 함께했던 박찬종 전 의원이 남긴 고인의 인물평이 백미였다. 박 전 의원은 조문록에 "직정경행(直情徑行: 생각한 것을 꾸밈없이 행동으로 나타낸다)의 신념의 지도자 안식하소서"라고 명복을 빌었다. YS를 나타내는 말로 이보다 더 적확한 표현이 있을까. YS는 자신이 옳다고 생각한 대로 거침없이 행동으로 옮긴 정치인이었다.

DJ정부와 틈이 벌어졌을 때 YS는 종종 "김대중이는 내가 하나회를 없애지 않았으면 대통령이 되지 못했을 것"이라고 했다. YS 주장이 결코 빈말이 아님을 입증하는 예가 있다. 1986년 가을 국회 국방위원회의 보안사 국정감사를 취재할 때다. 보안사의 한 고위장성은 취재기자들 앞에서 공공연히 "김대중이 집권한다면 내가 수류탄을 까서 던지겠다"고 했다. 만약 하나회가 존속했더라면 김대중·노무현 정부가 과연 온전히 탄생할 수 있었을까. '하나회' 해체 결단은 민주화에 큰 초석을 놓은 셈이다.

YS, 아내 패스를 갈기갈기 찢어

나는 1986년 10월 마지막 날 재야인사 YS의 유럽여행 수행취재에 나섰다. 그날을 뚜렷이 기억하는 것은 내 아들이 태어난 다음 날이기 때문이다. 나는 두 딸에 이어 온 가족의 축복 속에 아들이 태어난 바로 다음 날 YS와 유럽여행을 떠났다. YS는 빌리 브란트 서독 사민당 총재로부터 독일방문 초청을 받았다. 전두환 5공 정부는 YS에게 처음으로 해외여행을 허가했다.

당시 독일은 동서로 양분돼 있었고, 서독의 수도는 본이었다. 초청자인 빌리 브란트를 본에서 만난 후 우리 일행은 공산권에 둘러싸여 고립돼 있던 서베를린을 방문했다. 김덕룡 비서실장, 최기선 비서(전 인천시장) 등이 수행했고, 신민당 국제교류위원장인 정재문 의원이 통역 겸 수행원으로 가세했다. 기자단은 조선(김현호), 동아(이낙연 현 전남지사), 중앙(김영배), 경향(김충일), 서울(정종석), 연합(김성진), 한국(필자) 외에 방송사도 수행취재했다.

떠나는 날 김포공항에서 작은 소동이 있었다. 5공 정부가 YS의 유럽여행에 통치권 차원의 관심을 표했다고 한다. 수행기자만 10명이 넘는 대규모 여행단에 청와대가 약간의 '촌지'를 보내왔다. 그러나 YS는 끝까지 수령을 거부했다. 만약 공항에서 해프닝만 없었어도 이 소동은 조용히 묻히고 말았을 것이다. 한사코 손사래 치는 YS에게 청와대는 관행을 이유로 김포공항에서까지 '성의'를 전달하려 했다. 그러나 YS는 끝까지 거부하고 떠났다. YS의 불같은 성격이 잘 드러나는 대목이다.

서독방문을 마치고 다음 행선지 이탈리아로 가던 도중 런던 히스로

공항에서 약간의 사달이 있었다. 런던공항에서 로마행 비행기를 갈아타기 위해 환승패스를 받고 약 2시간여 머무르게 되었다. 일행 가운데는 맛이 좋기로 소문난 유럽산 소시지에 시원한 생맥주를 들면서 시간을 보내기도 했다. 그러는 동안 YS는 무료했던지 무엇인가를 갈기갈기 찢고 있었다.

이윽고 탑승시간이 돼 모두 로마행 비행기 앞으로 다가갔다. 각자가 소지한 환승패스를 반납하고 탑승을 시작했다. 그런데 YS는 자기 것만 갖고 있었고 부인 손명순 여사의 환승패스는 갖고 있지 않았다. 손 여사는 환승패스를 받을 때 분명히 YS가 자신의 것까지 함께 받는 것을 목격했다. 시간은 급한데 환승패스가 없으니 손 여사는 탑승이 불가능했다. 최기선이 YS 호주머니를 전부 뒤져 봤지만 허사였다.

손 여사가 "아까 당신이 분명히 내 것까지 함께 받았다"고 하자 YS가 버럭 소리를 질렀다. "당신 것을 왜 내가 받아! 자기 것은 자기가 챙겨야지"라며 화를 냈다. 손 여사는 그래도 웃으며 "노 기자님, 우리 아이 아빠가 장난을 잘 쳐요. 호주머니를 다시 한번 챙겨봐주세요"라고 했다. 내가 YS의 외투 등 뒤질 만한 곳은 다 살폈지만 허사였다. 그런데 환승패스의 재질이 종이였다. 문득 YS가 무엇인지는 모르나 갈기갈기 찢던 모습이 생각났다. 나는 최기선 씨와 함께 YS가 머물던 곳의 쓰레기통으로 달려갔다.

쓰레기통을 헤집었더니 갈기갈기 찢긴 종이쓰레기가 흩어져 있었다. 주워 맞춰보니 바로 손 여사 환승패스였다. 우리 일행의 환승을 도우려 나와 있던 KAL 현지직원이 이를 퍼즐 맞추듯 대충 꿰맞춰 가까스로 로마행 비행기에 탑승할 수 있었다. YS의 버럭 오리발에도 손 여사는 "아이 아빠가 원래 장난을 좋아해서"라며 참고 절제하는 모습을 보

였다. 손 여사를 "드러나지 않고 조용히 내조하는 분"이라고 한 세평이
어울리는 대목이었다.

"공화국에서 온 기자입네다"

동서냉전의 상징 서베를린에 체류할 때다. 서베를린은 동서 양 진영
스파이들의 각축장이었다. 그럼에도 YS는 도착 다음 날 새벽 어김없이
호텔 주위를 뛰었다. 나는 도착일 저녁 수행기자들에게 장난전화를 했
다. 내 룸메이트는 경향신문 김충일 씨였다. 저녁에 딱히 잠도 안 와 동
료 몇 사람에게 북한 사투리로 전화를 했다. 적십자회담, 국회회담, 수
재물자인수 남북실무접촉 등의 취재를 위해 판문점 출입이 잦았던 나
는 북한말을 곧잘 흉내 냈다.

몇몇 동료에게 "남조선에서 온 기자 선생이시죠?" 하고 장난전화를
걸었다. 웃음을 억지로 참으면서 "베를린이 동포들끼리 만나는 데는 아
주 좋은 환경입네다. 차라도 한잔하실까요?"라며 너스레를 떨었다. 화
들짝 놀라며 "누구냐?"고 묻는 동료들에게 "공화국에서 온 기자입네다"
라고 하자 한숨을 내쉬거나 당황하며 숫제 전화를 끊어버리기도 했다.
잠시 후 장난을 했던 그 방에 다시 전화를 걸어 "우리 방에서 술이나 한
잔하자"고 했더니 "피곤하다"며 겁에 질린 표정으로 바깥에 나오려 하
지 않았다.

다음 날 아침식사 때 '전화' 얘기를 꺼내는 사람이 아무도 없기에 내
가 "엊저녁에 북한 공작원 같은 놈이 전화해 귀찮게 하더라"고 운을 뗐
다. 그제야 너도 나도 간밤에 장난전화 받은 얘기가 봇물 터지듯 했다.

김영삼 민추협의장의 유럽순방 수행취재단 일행이 베를린 검문소 앞에서 기념촬영을 했다.
(왼쪽부터 서울신문 정종석 기자, 저자, 김덕룡 YS비서실장, 1986년)

어떤 친구는 누군가가 자기 방문을 노크까지 했다고 '뺑튀기'했다. 룸메이트 김충일 씨가 "서울에 가면 불고지죄로 처벌받을 사람 많네"라며 장난전화였음을 알려 한바탕 웃음소동이 있었다. 광경을 지켜본 YS가 "쓸데없는 장난을 치는 저 노 기자가 문제야"라며 크게 놀라는 표정을 지었다. 그 장난전화를 계기로 다음 날 YS가 조깅을 중단하는 엉뚱한 결과가 일어났다.

상도동에서 첫 대면한 노무현

내가 노무현을 처음 만난 건 1988년 2월쯤이다. 통일민주당의 총선 대책을 취재하려 상도동을 찾았을 때다. 그가 YS의 부름을 받고 상도동 YS 자택을 방문했던 것으로 기억한다. 13대 총선을 채 두 달도 남겨 놓지 않은 시점이었다. YS가 부산에서 통일민주당 후보로 출마키로 한 노무현을 불러 무슨 대책을 협의하려 한 것이 아닌가 생각된다. 선거법 협상이 1구1인의 소선거구제로 결말이 난 얼마 후다. 여당인 민정당은 기존 1구2인제를 강하게 희망했지만 YS를 비롯한 야권은 소선거구제를 요구, 관철했다.

노무현은 저명한 인권변호사인 고 김광일 소개로 YS를 만나게 됐다고 한다. YS는 자신의 아성인 부산지역의 늘어난 지역구에 인권변호사로 이름을 떨치던 김광일과 노무현을 전진배치했다. 문재인 변호사도 영입대상이었으나 본인이 한사코 거부해 무산됐다고 한다. 정치 1번지라 할 수 있는 중구에 김광일을 출전시키고, 5공 군사통치의 상징 허삼수가 버티고 있던 동구에는 노무현을 배치했다. 부산시내 22개 선거구 가운데 동구만큼은 민정당이 지켜내리라 장담했던 여 강세지역에 노무현이 저격수로 기용된 셈이다.

노무현에 대한 나의 첫 인상은 유명 인권변호사라는 YS의 설명이 없었다면 별로 주목하지 않았을 것이다. 한겨울인데도 얼굴이 거무튀튀했고, 진한 경상도 사투리 외에는 별로 눈길을 끌지 못했다. YS와 얘기를 마친 노무현이 이내 떠나 직접 대화를 나눌 기회는 없었다. 다만 그가 허삼수 후보의 상대가 될 수 있을까 하는 데는 솔직히 회의감이 들었다. 그러나 YS만은 자신만만해했다. 인권변호사 노무현으로 허삼수 후보를 잡을 수 있겠느냐는 물음에 YS는 "두고 봐라" 하며 당선을 장담했다.

곧 반전이 일어났다. 합동유세에서 노무현의 진가가 서서히 드러나기 시작했다. 그의 연설은 청중을 사로잡았다. 당시 합동유세장에는 입구에서부터 여야 운동원들끼리 몸으로 부딪치면서 자기 후보 지지를 호소하였다. 몸싸움도 잦았다. 후보 연설을 들으러 왔던 청중은 운동원들의 격한 몸싸움에 눈살을 찌푸렸다.

다음 날 노무현은 자파 운동원 동원을 전격 중단했다. 전날 심한 몸싸움을 경험한 상대후보 측은 그날은 밀리지 않으려 운동원을 대거 동원했다. 노무현 운동원들이 한 명도 없는 상황에서 김빠진 지지운동을 해야 했다. 허점을 찌른 노무현은 연단에 올라 그 유명한 '아무개 후보 용용 죽겠지'라는 연설로 청중들의 열띤 호응과 지지를 얻어 갔다.

13대 총선 넉 달 전인 1987년 12월에 대통령선거가 있었다. 대개 대선 때 지역구 책임자가 공천을 받아 총선후보가 되는 것이 관례다. 그러나 YS는 자신의 텃밭, 부산에서만은 달랐다. 대선 때의 지역책임자를 자동공천하지 않았다. 김광일, 노무현은 앞선 대통령선거에서 YS를 위해 단 한 푼의 발품도 팔지 않았다. 그럼에도 YS는 부산의 '정치 1번지'라는 중구에 김광일을, 동구의 허삼수 대항마로 노무현을 발탁한 것이다.

반발도 없지 않았다. 대선 때 중구 지역책임자로 혼신의 노력을 다한 김영백이 공천탈락에 불복하고 무소속 출마를 결행했다. 김영백은 나의 한국일보 동료이자 친구다. 그는 대선기간 중구 구석구석을 다니며 자신의 얼굴을 알렸다. 그로서는 공천탈락이 도저히 승복하기 어려운 일이었다. 아침마다 지지자들과 함께 YS 일행과 기자단이 묵고 있는 광복동의 작은 D호텔 앞으로 몰려와 공천의 부당성을 항의하는 시위를 벌이기도 했다.

친구 김영백에 관한 얘기는 상반되게 전해져 나를 혼란케 한다. 상도동 측은 그에게서 중구를 양보받는 대신 다른 지역을 배려했다고 한다. 남구를 제의했으나 김영백이 거절했다고 했다. 당시 부산 남구는 주일대사를 지내기도 한 유흥수 전 의원이 역시 난공불락의 요새를 이루었다. 민정당이 부산에서 사수할 최후의 마지노선이 중구의 허삼수, 남구의 유흥수, 금정구의 김진재라고 했을 정도로 남구 역시 만만치 않은 곳이었다.

그러나 김영백의 설명은 달랐다. 자신에게 남구를 제의했다는 것은 터무니없다고 했다. 누구 말이 옳은가는 더 이상 확인하지 않았다. 그 과정에서 코미디 같은 일도 있었다. 젊은 비서 가운데 한 사람이 부산 지역 공천을 주지 않는다고 탈당하는 일이 일어났다. 그는 '상도동 김영삼 총재 귀하'의 사직서를 우편으로 보내왔다. 상도동 사람들이 "지가 언제 비서 임명장 받고 일했나" 하고 코웃음 치는 모습을 본 적도 있다. 남구도 허재홍이란 무명인사가 유흥수를 꺾는 이변이 일어났다.

바보 노무현

 '정치인 노무현'은 5공 청문회 과정에서 골격을 잡았다. 5공의 주요 인사나 그들에게 막대한 정치자금을 바친 재벌기업인들은 그의 송곳 같은 질문을 피해 가기 어려웠다. 5공 핵심인사들은 그의 추궁에 허둥댔고, 권력과 유착했던 재벌들도 예봉 앞에 무릎을 꿇어야 했다. TV 화면을 통해 그의 활약상을 지켜본 사람들은 환호했고, 초선의원 노무현은 어느새 우리의 우상이 되었다.

 그 후 노무현은 부산상고 선배 이기택, 친구 김정길 등과 함께 3당 합당 합류를 거부하고 험난한 역경을 가야 했다. 그를 다시 볼 수 있었던 것은 이명박의 빈자리 서울 종로구 보궐선거에서 당선되고서다. DJ 정부 출범 직후 노무현은 종로구 보선에서 한나라당 후보를 물리치고 재선의원이 되었다. 이미 노무현은 지역주의에 온몸으로 맞서는 전국적인 인물이 되었다. 종로에서 15대 국회 임기를 마친 후 안정권인 그곳을 버리고 다시 야당 간판으로 부산에서 입지를 모색했다. 그러나 패배했다. 그때부터 붙여진 이름이 '바보 노무현'이다.

 지역주의에 맞서 이를 극복하려던 그의 높은 의지는 평가받아 마땅하다. 하지만 대화와 타협이 곤란한 고집불통으로 인식되는 점은 극복해야 할 과제였다. 우여곡절 끝에 그는 2002년 대권을 거머쥐었다. 기득권을 가진 일부 언론은 그를 대통령으로 인정하려 하지 않았다. 노무현은 대화와 타협을 통해 이런 상황을 극복하는 대신 끝까지 맞서려 했다. 그가 등용한 인사는 반듯한 사람보다는 무엇인가 다소 부족한 듯한 사람이 대부분이었다.

내가 노무현을 다시 만난 것은 그가 새천년민주당 대통령후보가 되고 난 얼마 후다. 아마도 언론사를 순례하던 중이 아니었을까 생각된다. 당시 노무현을 수행하던 홍보담당자는 한국일보 후배기자 출신의 유종필이었다. 광주 출신의 유종필이 헌신적인 자세로 단기필마 격인 노무현을 지근거리에서 보좌하고 있었다. 지금 서울지역의 민선 구청장으로 있는 것으로 알고 있다.

2002년 11월 말쯤으로 기억된다. 유종필 특보로부터 전화가 걸려왔다. 유 구청장은 한국일보 견습 기수로는 10여 년 후배가 된다. "선배님, 노무현 후보가 한국일보 간부들과 저녁을 함께했으면 하는데 시간이 어떠신지요?" 그래서 인사동 한정식 집에서 저녁을 함께 하며 그의 정치적 포부 등을 들을 기회가 있었다. 한국일보 측에서는 장명수 사장과 주필인 나, 편집국장, 정치부장 등이 자리했다.

국회를 출입하면서 그를 잘 알고 있었기에 분위기를 띄우려 내가 옛날 얘기를 끄집어냈다. YS로부터 선거사무소 임대보증금 등 명목으로 받은 수표를 다시 들고 왔던 일을 물었다. 1988년 신년 초 13대 총선을 앞두고 YS는 노무현에게 선거운동 활동비로 3000만 원인지 5000만 원인지 고액수표를 주었다. 물러났던 노무현이 아무리 생각해도 0의 숫자가 터무니없이 많은 것 같아 YS를 다시 찾아온 일이 있었다. 선거가

4월이라 두 달 남짓 사용하면 될 사무실 임대료로 수천만 원짜리 수표를 주니 노무현은 YS가 잘못 준 것으로 생각했던 것이다.

그날 나는 노무현에게 그때 받은 돈이 3000만 원이었는지, 5000만 원이었는지 물었다. 노무현은 "오래전 일은 잊기로 합시다" 하고 서둘러 말을 잘랐다. 정치판에 처음 나올 때 그의 모습은 순진무구 그 자체였다. 나의 짓궂은 물음에 얼굴이 약간 붉어지면서 화제를 얼른 다른 곳으로 돌렸다.

노무현의 당선을 위해 헌신적으로 돕던 유종필이 선거 후 캠프를 떠났다. 대선 승리를 위해 온몸을 던지고도 막상 승리한 후 떠난 것이다. 2002년 5월 전혀 가능성이 보이지 않던 노무현의 특보로 들어가 막판 뒤집기로 후보를 쟁취하지 않았던가. 유종필은 지역구도 타파를 위해 몸을 사리지 않는 노무현에 매료돼 그를 돕기로 한 것이다. 하지만 대선 승리 후 다시 지역구도의 음영이 그를 덮쳤다. 이름하여 노무현의 '부산 인맥'들이 광주 출신인 그를 내치기 시작했고, '당선인 노무현'을 떠날 수밖에 없었다고 알고 있다.

자질 미달의 국정원장, 김만복

　　노무현 정부의 인사 기용이 언론의 입방아에 자주 오르내렸다. 좋은 사람을 고를 수 있는 입장임에도 주로 변두리 사람을 동원했다. 일부 언론의 지적에도 아랑곳 않고 자신이 옳다고 우기는 아집과 불통의 모습은 사람들을 실망시켰다. 물론 변두리 사람이라고 모두 실력이 없고 인품이 모자란다고는 하지 않겠다. 하나 노무현의 고집 하나로 기용된 사람 가운데는 함량 미달자가 많았다. 실례를 하나 들어 보자. 2008년 2월 19일자 서울신문에는 다음과 같은 기사가 실렸다. "김만복 전 국정원장 대선 하루 전 방북, 노무현 기념식수한 나무의 표지석 세우려" 제하의 박스기사다.

　　김만복 전 국정원장이 사퇴하기 직전 그를 퇴출하기 위한 연판장이 돌 뻔했을 정도로 국정원 내부불만이 극에 달했던 것으로 알려졌다. 김 전 원장은 본인의 거듭된 부인에도 불구하고 지난해 11월 국정원 간부들에게 오는 4월 총선에 출마할 뜻을 밝혔던 것으로 전해졌다. 익명을 요구한 국정원 핵심관계자는 18일 "잇따른 김 전 원장의 돌출행동으로 국정원 내부의 불만이 극에 이르렀었다"면서 "심지어 김 전 원장의 방북논란이 불거진 뒤엔 그를 퇴출시키기 위한 연판장을 돌리려는 움직임까지 국정원 내부에서 벌어졌다"고 말했다.

이 관계자는 "당시 김 전 원장은 북한담당인 서훈 3차장에게도 방북계획을 알리지 않았고, 이를 뒤늦게 알게 된 서 차장이 김 원장을 찾아가 거세게 항의했다는 얘기를 들었다"고 했다. 이어 김 전 원장 방북 직후 1, 2, 3차장과 기획조정실장이 긴급회동을 갖고 "'더 이상 김 전 원장은 우리의 리더가 될 수 없다'는 데 뜻을 같이했었다는 얘기도 있었다고 한다"면서 "그의 사퇴가 조금만 늦춰졌어도 국정원 내부에서 사퇴를 촉구하는 국정원 사상 초유의 연판장이 돌았을 것"이라고 덧붙였다.

아프가니스탄 한국인 피랍사건 때 김 전 원장이 사진촬영과 기내 인터뷰 등을 통해 과잉노출된 데 대해서도 "김 전 원장 때문에 앞으로 50년 동안은 국정원 내부인사가 원장이 되기는 틀렸다"는 자조의 목소리가 내부에서 터져 나왔다고 소개했다. 이 관계자는 "당시 노무현 대통령이 국정원을 직접 방문해 '내가 김 원장에게 조금만 튀라고 했는데 이번엔 좀 너무 튄 것 같다'며 별일 아니라는 듯 농담조로 말해 참석자들이 아연실색하기도 했다"고 전했다.

김 전 원장의 총선출마설에 대해서는 "지난해 11월 김 전 원장이 간부들에게 부산 기장 출마를 선언한 바 있다"면서 "지역주민들을 관광버스로 불러들이고 휴대전화 번호가 적힌 명함을 돌리는 등 그의 엉터리 처신에 많은 직원들이 골치아파했다"고 말했다. 이 관계자는 "김 전 원장은 재임기간 부산 출신 청와대 모 비서관과 호형호제하며 수시로 술자리를 갖고 술값을 대납할 정도로 긴밀한 관계를 유지했다"면서 부산 인맥이 그의 정치적 배경이었음을 시사했다.

이 관계자는 "국정원의 개혁은 무엇보다 우수인재 확보가 핵심"이라면서 "7급 공무원으로 시작하는 공채제도를 개선, 다른 정부기관처럼 5급 사무관 공채를 통해 우수한 인력을 확보해야 한다"고 주장했다.

홍○○-김○○ 기자

이 기사는 노무현 정부의 국정원이 어땠는가를 보여주는 단적인 예다. 국가 최고 공안기관의 모습이라고는 찾아볼 수 없다. 그저 장삼이사들이 패거리 지어 노닥거리는 장마당 풍경과 별로 다르지 않다. 노무현의 국정원은 철저히 무장해제되었다고 할 수 있다. 그들 사이에선 국정원장이 '만복 형'으로 통했고 답례로 '내 이름 달아놓고 마셔라' 했다니, 이것이 북한이라는 적을 앞에 두고 그들의 동태를 물샐틈없이 살피고 대책을 마련해야 하는 최고 공안기관에서 일어난 일이다.

국정원장 김만복의 자질 시비

김만복은 국정원장이 되기에는 자질이 터무니없다는 말이 많았다. 국정원의 한 전직 고위인사에 의하면 김만복은 국정원 7급으로 특채돼 1년간 훈련받고 요원(IO)이 됐다고 한다. 세종연구소에 파견 나갔다가 이종석을 만나 교유하게 됐고, 노무현 정부에서 갑자기 부상한 이종석의 추천으로 기조실장이란 중책을 맡게 됐다는 얘기가 파다했다. 평소 학력 콤플렉스(S사립대 박사)가 있던 이종석이 서울법대 출신의 김만복을 노무현에게 천거, 외교부 출신으로 파견근무했던 서대원 대사 후임의 기조실장이 됐다고 한다. 그러고는 승승장구해 원장에까지 오를 수 있었다고 한다.

그 관계자는 아프간 인질석방 교섭 때 '선글라스 맨'의 공개를 '직원 사기' 운운으로 변명한 김 원장의 처신은 정보원(spy)의 생리를 전혀 모르는 짓이라고 했다. 정보원은 '익명'이 생명이다. 익명성이 깨지는 날 그 정보원의 생명은 끝나는 것이라고 했다. 김 원장의 '과잉노출' 문제로 여론이 악화되자 노무현이 직접 국정원을 방문했다고 한다. 아마도 김 원장과 호형호제하면서 그를 뒤받쳐주는 청와대 비서진이 노무현 대통령에게 격려방문을 강하게 추천하지 않았을까 생각된다고 했다.

당시 국정원의 많은 직원들은 국정원을 찾은 노 대통령의 '농담성 격려'의 말에 자괴감을 느끼지 않을 수 없었다고 했다. 노무현은 "내가 (기장에서 총선에 출마하려는) 김 원장에게 조금만 튀라고 했더니 이번에는 좀 너무 튄 것 같아요" 했다고 한다. 대통령이란 사람이 공안책임자의 사려 깊지 못한 자세를 질책하는 말이 아니었다. 공사를 구분하지 못한 대통령까지 진흙탕에서 함께 뒹구는 모습으로 비쳤다고 탄식했다. 최고통치자의 그런 모습에서 국정원 사람들은 절망감을 느끼지 않을 수 없었다고 했다.

웃지 못할 '전화 부탁'

노무현의 인간적인 따뜻한 면은 우리가 인정해야 할 것이다. 그에게서 사람 냄새가 났다고 하지 않는가. 하지만 대통령은 시정의 장삼이사가 아니다. 우리가 청산해야 할 건 권위주의지, 대통령의 권위가 아니다. 대통령 권위는 오히려 지엄할수록 빛을 발한다. 지금은 타계한 신상우 선배한테 들은 얘기가 생각난다. 고 신 선배는 노무현 대통령을 만든 일등공신이다. 부산상고 동창회장을 맡으며 후배 노무현을 대통령 만드는 데 혼신의 노력을 다했다. 신 선배가 하루는 노 대통령에게 한 가지 부탁을 했다고 한다.

신 선배가 돈 있는 사람들과 만나기로 약속을 했는데 그 모임에 맞춰 노 대통령이 자신에게 전화를 한번 걸어줄 수 없겠느냐는 부탁이었다. 만약 노 대통령이 자신을 찾는 전화를 걸어만 준다면 그 사람들이 자신을 달리 보지 않겠느냐는 것이다. 대통령과 통화하는 자신을 감히 어느누가 홀대할 수 있겠느냐고 했다. 부탁을 받은 노 대통령이 약속대로 그에게 직접 전화를 걸어주었다고 했다. 신 선배는 노 대통령이 자신에게 용돈을 주는 것보다 더 나은 방법이 아니냐고 했다.

대통령에게 부탁한 것도 문제거니와 약속을 지킨다고 전화를 한 노무현이 더 문제가 아닐까 싶다. 조폭사회에서나 있을 법한 얘기일 뿐 정상적인 사회에선 결코 있을 수 없는 일이다. 또 이런 일이 노무현의 인간성으로 포장돼서도 안 될 일이다. 이 웃지 못할 일은 대통령 권위의 참담한 실추 현상을 말해줄 뿐이다.

김만복 새누리 입당 코미디

김만복 전 국정원장이 자질미달 시비에 휘말렸다. 자신의 연고지인 부산 기장에서 20대 총선 출마를 위해 2015년 8월말 새누리당에 은밀하게 입당원서를 제출했음이 뒤늦게 밝혀졌기 때문이다. 이 정도면 코미디도 보통 코미디가 아니다. 새누리당과 대척점에 있던 노무현 정부의 국정원장이 반대 당의 문을 두드린 것이다. 그러면서도 그해 10·28 재보궐선거에서는 야권후보 선거운동을 한 사실이 드러나기도 했다고 한다.

당초 "반대 당 정부의 국정원장이 귀순해 왔다"며 입당을 반겼던 새누리당은 뒤늦게 그의 입당 후의 해당(害黨) 행위를 구실로 탈당을 권유했다. 불응할 시에는 당 윤리위에서 제명조치를 취하리라고 겁박하기도 했다. 김만복 입당을 보는 여론이 차갑게 반응했기 때문이다. 선뜻 입당을 받아 주었던 새누리당도 '김만복 블랙코미디'의 들러리였다는 점에서 비난을 피하기 어렵게 되었다.

따가운 여론의 질타에 새누리당이 해당 행위를 시비하면서 출당을 하려 했다. 이에 김만복은 정식입당이 된 줄 몰랐다고 변명해 또 한 번 논란이 되기도 했다. 그러자 이번에는 새누리당이 입당 축하 문자메시지를 보냈다고 반격했다. 한편의 블랙코미디를 보는 것 같았다. 또 2개월간의 당비도 받았으니, 어떠니 하며 진실공방을 벌이기도 했다. 메시지를 잘 챙겨보지 않는다고 변명했다. 당비도 통장에서 소액 자동이체되기에 살피지 않았다고 했다. 메시지와 자동이체 사실을 잘 챙기지 않았다고 면피되는 것은 아닐 것이다.

문제는 이런 자질의 사람을 국정원장에 기용한 노무현 정부의 인사정책에 비난이 쏠리고 있다. 심지어 그를 발탁한 노무현이 도대체 어떤 인간이었느냐고 논란과 시비가 되고 있다. 심하게 말하면 노무현이 부관참시당하고 있는 형국이다. 노무현의 인사수석을 지낸 어떤 분은 노무현 부산 인맥의 전횡이 특히 심했다고 털어놓았다. 국정원장을 '만복형'이라며 호형호제했던 사람들이다. 이들 세계에서는 영화『친구』에서나 나올 법한 패거리 문화가 만연했다고 했다.

노무현의 한계

사람 냄새가 난다고 모두 면피되는 것은 아니다. 장인의 부역 시비만 해도 그렇다. 그의 장인 권오석이 어쨌든 적 치하 창원군 진전면에서 인민재판을 주재해 9명인지 11명인지를 처형한 일에 연루됐음은 엄연히 기록된 역사(대검 발행 《좌익사건실록》)다. 물론 장인의 얼굴도 모르는 노무현이나 어렸던 권양숙에게는 책임을 물을 수 없는 일이다. 그 일이 발생했을 때 그들은 겨우 젖먹이를 벗어난 때였을 것이다. 하지만 피해자 변 씨 일가의 유족 등이 지금도 피해 당시를 생생하게 증언하고 있다.

장인의 양민학살 시비 사과했어야

사정이 이러할진대 "장인이 좌익운동했다고 아내를 버리란 말입니까"로 단순히 넘길 사안은 분명 아니다. "나와 처는 어려서 모르는 일이긴 해도 역사적 사실이 그러하다면 장인을 대신해서 피해유족에게 심심한 사과를 드린다" 정도는 말했어야 했다. 노무현 정부 때 장관으로 기용된 어떤 인사도 고향이 마산 인근이다. 그분의 아버지도 권오석과 함께 양민학살에 관여한 혐의로 처벌받은 것으로 안다. 고향에서 살지 못하고 전라도 광주로 옮겨 가야 했고, 장관이 된 아들은 광주에서 학창시절을 보내야만 했다.

자식에게 무슨 죄가 있느냐고 항의할 수도 있다. 또 아버지가 저지른 일에 대해 훗날 자식에게 아버지의 책임을 물을 수 있느냐고 항변할 수도 있다. 설사 연좌제가 있다 해도 그건 사리에 맞지 않는 일일 것이다. 그러나 꼭 책임추궁은 아니라 하더라도 선대의 잘못에 대해 가족 입장에서 적어도 미안하고 죄송한 마음은 가져야 하는 것이 인간의 정리가 아닐까 싶다. 자신이 의식하지 못한 어린 시절에 일어난 일이라고 해도 그렇다.

사랑하는 아내를 지킨다는 호소로 비켜 갈 사안이 결코 아니다. 더욱이 시대의 아픔 정도로 이해하고 넘어가자고 해서는 더욱 안 된다. 설사 피해자가 관용을 베푼다고 하더라도 상응하는 최소한의 예의는 필요하다. 빌리 브란트(Willy Brandt) 전 서독 수상이 아우슈비츠 유대인 학살 장소를 찾아가 무릎 꿇고 사과한 것은 누가 강요한 것이 아니다. 가해자 측은 적어도 이렇게 마음속으로부터 우러나오는 사과를 반드시 해야 한다고 생각한다. 유감스럽게도 노무현은 생전에 그런 관용을 비는 마음이 없었던 것 같다.

지는 것 싫어해

노무현은 에이브러햄 링컨(Abraham Lincoln)을 자신의 롤모델로 생각하는 듯했다. 링컨이 자신과 비슷한 점이 많은 정치인이기 때문일 것이다. 초등학교 중퇴 학력으로 변호사 시험에 합격한 링컨이나 상고를 나와 직장생활을 하다 독학으로 고시를 치른 노무현의 이력은 닮은 데가 있다. 그러나 정치를 하는 동안 둘은 많이 달랐다. 링컨은 반대하는 야당과 국민에 대해 끊임없이 설득하고 함께 가려는 타협과 포용의 리더십을 보였다. 변호사 시절 자신의 외모를 빗대 '긴팔원숭이'라고 놀렸던 정적 에드윈 M. 스탠턴(Edwin M. Stanton)을 국방장관에 임명, 남북전쟁을 승리로 이끌었다. 스탠턴의 임명을 한사코 반대하는 공화당을 설득한 일은 유명하다.

반면 노무현은 남에게 지는 것을 싫어했다. 타협과 포용보다는 이를 극복하려 했고, 승부사적 우월감으로 꼭 이기려고만 했다. 정치학자들은 노무현의 이 같은 행태를 심각한 개인적 콤플렉스 탓으로 분석한다. 노무현은 세상을 바꾸려는 포부는 가졌으면서도 자신은 결코 바뀌려 하지 않았다. 이것이 노무현의 한계라고 했다. 고려대 정치학과 김호진 명예교수의 진단이다. 공감이 가지 않는가.

나는 타협을 거부한 채 일방적으로 싸우려고만 하는 노무현의 자세를 거듭 비판했다(한국일보 2003년 5월 2일자, 8월 22일자 메아리, '상생과 상극 사이', '신문 제소의 문제점' 등의 칼럼 참고). 대통령 노무현 이상의 현실권력이 세상에 또 어디에 있는가. 그럼에도 비판세력과 싸우려고만 했다. 그가 롤모델로 생각했던 링컨의 타협과 조정의 정치와는 달랐다. 모든 언론이 '대못 박는 행위'라고 취재관행의 일방적 변경 시도를 그렇게 반대해도 밀어붙였다.

여론도 노무현의 일방통행식 국정 자세에 고개를 돌렸다. 2005년 7월 재벌사 사장이던 고교동창 아들 결혼식장에서 일어난 일이다. 내 친구는 노무현의 부산상고 동기동창의 딸을 며느리로 맞았다. 식이 진행되는 도중 사회자가 "오늘 이 결혼을 축하하기 위해 노무현 대통령께서도 축전을 보내셨다"고 하자 거의 모든 테이블에서 "에이, 씨X, 개XX" 등 불쾌감의 쌍소리가 동시다발로 터져 나왔다. 나는 이것이 노무현 통치방식에 피로감을 느낀 민초들의 저항이라 생각했다.

그날 하객 가운데 노 대통령 부산상고 동기동창이 많았다. 그들 가운데는 내 대학후배를 비롯, 아는 후배도 많았다. 내가 그들에게 세상민심이 이러하다는 것을 당신들 친구(노 대통령)에게 좀 전하라고까지 했던 기억이 난다. 얼마나 식상하고 피곤함을 느꼈으면 '노무현 대통령' 하는 소리에 약속이라도 한 듯 일제히 야유, 욕설, 비난의 탄성이 터졌을까.

나를 감동케 한 이창동 문화부장관

한번은 이런 일이 있었다. 노무현이 비밀리에 청와대에 근무하는 행정관들의 봉급을 올려주려 시도한 일이 폭로가 돼 말썽이 일었다. 윗물이 맑아야 아랫물이 맑다는 속담도 있다. 우선 청와대부터 깨끗한 공직 풍토를 만들기 위해 박봉의 행정관 등의 처우를 개선하려 했던 것이 아닐까 하고 이해할 수도 있다. 문제는 다른 공무원들의 상대적 박탈감 정도는 감안하고 일을 추진했어야 했다.

보도후 공무원 사회가 술렁이자 발설자를 찾는 일이 벌어졌다. 웃기는 일은 청와대 직원 워크숍에 대통령이 직접 나가 발설자를 비난하는 일이 있었다. 자기네 직원이라지만 대통령이 "기자들과 술 마시다가 나가서는 안 될 정보를 내보내는 데 깊은 배신감을 느꼈다"고 했다. 아무리 소탈한 대통령이라고 해도 이 정도면 '막 하자는' 정도가 아닐까. 나는 한국일보 칼럼에서 '대통령과 오야붕' 제하로 조폭사회나 다름없는 청와대의 풍토를 신랄하게 비판했다(2003년 4월 4일자 '메아리' 참고).

청와대 직원 워크숍이 조폭모임과 다를 게 무엇인가. 조폭사회의 '오야붕'이 '꼬붕'들을 모아놓고 "너희들 배불리 먹이려는데 정보를 흘려?"

하는 질책과 뭐가 다른가. 노무현이 "배신감을 느꼈다"고 화를 낸 유출 정보는 청와대 3~5급 행정관에 대한 월급 편법인상 시도였다. 다른 공무원들이 들었으면 펄쩍 뛸 노릇 아닌가. 대통령은 청와대 일부 직원의 상전일 뿐만 아니라 전 국민의 어른이라는 생각을 했어야 한다.

이 칼럼에서 나는 부정확한 사실을 근거로 이창동 문화부 장관을 호되게 비판했다. 칼럼이 나간 날 아침 이 장관이 전화를 걸어와 사실이 잘못 인용됐음을 지적하고 유감을 표한 적이 있다. 대개의 경우 항의성 전화는 수화자 기분을 언짢게 하기 마련이다. 그러나 그날 이 장관은 퍽이나 차분하게 나를 감동케 했다. 설명을 듣고 보니 사실을 잘못 인용한 것이 확실했다. 기회가 되면 해명해야겠다고 생각했으나 그럴 기회를 갖지 못했다. 늦게나마 이 전 장관에게 유감을 전하게 됨을 이해해 주었으면 고맙겠다.

사정은 이러하다. 당시 일부 유력언론은 노무현 정부에 대해 '자루를 찢은 쥐새끼마냥' 사사건건 비판 일변도였다. 정권출범 후 일정 기간의 '허니문'이란 것도 없었다. 노무현 역시 조금도 지려고 하지 않았다. 양측 간에 일촉즉발의 위기감이 감돌던 시기다. 언론의 주무장관이기도 한 이창동 장관은 정부방침에 따라 기자들의 실국장실 무단출입을 금했다. 대신 용무가 있는 사람은 반드시 공보관을 통하도록 했다.

종래 마음껏 이 방 저 방 드나들던 기자들은 언론탄압이라고 강하게 맞섰다. 특히 일부 언론과 정부는 극렬하게 대립했다. 이 장관이 간담회에서 기존 취재관행을 바꾸게 된 방침을 설명하면서 그래도 (극성스러운 사람들은) 쓰레기통이라도 뒤져 특종을 하는 일도 있지 않겠느냐고 했다고 한다. 일부 신문은 기다렸다는 듯 거두절미하고 "이 장관이 앞으로 특종을 하려거든 쓰레기통을 뒤지라고 했다"고 보도했다. 한국일보는 이 장관 말을 침소봉대하거나 견강부회함 없이 사실대로 보도했다.

나는 노무현 정부에 반감을 갖고 있던 신문의 보도사실을 인용했다. 무슨 의도가 있었던 것이 아니다. 그냥 그들 유력신문을 읽고 부지불식 간에 사실로 인용하는 잘못을 저지른 것이다. 나중에 우리 기자에게 경위를 알아보니 일부 신문이 사실을 뒤틀었음이 밝혀졌다. 내 칼럼이 나간 날 아침 이 장관이 "한국일보는 기사는 정확했음에도 주필님 글은 사실과 다르게 되어 있다"고 유감을 표한 것이다.

유명 영화감독이기도 한 이 장관은 감정을 절제할 줄 아는 사람이었다. 상대방의 기분을 전혀 상하지 않게 자신의 얘기를 할 줄 아는 사람이라는 인상을 받았다. 이명박 정부에서 같은 직책을 맡아 소관 상임위에서 "열 뻗쳐, 씨X"이라고 했던 배우 출신 어떤 사람과는 질적으로 다른 인격체였다. 그분으로부터 항의성 전화를 받고 난 후 나는 기회를 봐 사실을 꼭 바로잡아야겠다는 생각을 스스로 하게 되었다.

임기 말의 방북은 만용

노무현은 2007년 10월 2일 북한을 방문했다. 그것도 판문점 군사분계선을 넘어 육로로 평양을 찾았다. 북한 김정일과의 남북정상회담을 위해서라고 했다. 임기를 불과 5개월도 남기지 않았을 때다.

통상 임기 말의 대통령은 다음 정부에 지장이 되는 활동은 가급적 삼가는 것이 도리다. 대통령의 외교활동은 더더욱 그렇다. 그런 점에서 노무현의 임기 말 방북은 그 어떤 명분으로도 양해하기 어렵다. 정권을 내놓고 물러가는 대통령에게 무슨 힘이 있어 김정일과의 협상에서 국익에 도움되는 결과를 얻어내겠는가.

노무현은 그해 10월 4일 김정일과의 정상회담을 결산한 8개항의 '정상선언문'을 발표했다. 두 사람은 선언문을 통해 6·15남북공동선언을 고수하고, 군사적 적대관계를 종식시키고, 긴장완화를 위해 긴밀히 협력하기로 하는 등 8개항에 합의했다. 배가 고프면 밥 먹으라는 얘기와 별로 다르지 않다. 김대중 대통령이 2000년 6월 방북 시 합의한 '공동선언'의 실현을 재다짐한 것에 다름 아니다.

임기 종료를 앞둔 대통령의 다소 주제넘은 이 합의는 뒤이은 대선과정에서 NLL(북방한계선) 포기 여부를 둘러싸고 엄청난 시비에 휘말렸다. 새누리당이 노무현이 김정일과의 정상회담에서 NLL 포기 의사를 밝혔다고 주장함으로써 발단이 됐다. 다만 기록물에서 'NLL 포기'라는 표현은 찾을 수 없었다.

내가 기억하기로 노무현 임기 말 즈음 NLL 존재에 관한 설왕설래가 있었다. NLL이 6·25 때 제해권을 가진 유엔사 의지대로 그어졌다는 것은 명백하다. 북한이 유엔사가 일방적으로 설정한 NLL을 사실상 인정해온 것 또한 사실이다. 해군력이 증강되자 NLL이 엄청난 장애요인임을 깨달은 북한은 기회 있을 때마다 무력화(無力化)를 시도했다.

1984년 여름 수재물자를 인도할 때도 북한은 NLL을 경계선으로 존중했다. 수재물자를 실은 그들 선박이 NLL 선상에서 우리 해군의 인도로 동해안과 서해안에 접안하기도 했다.

노무현에게 NLL 포기 의사가 있었는지는 당장 확인할 길이 없다. 다만 NLL을 기점으로 남북이 무장대치하는 사이 중국 어선의 싹쓸이 불법조업을 안타깝게 생각했을 수도 있다. 그래서 NLL을 기점으로 남북 공동어로수역을 구상했을 수도 있었을 것이다. 하지만 NLL 선상의 구역에서 과연 평화로운 공동어로가 가능하겠는가는 별개의 문제다. 자칫 지금까지 해안방어선으로 굳건히 정착돼온 NLL만 잃어버리는 우를 범하지는 않을까. 이런 모든 관점에서 노무현의 임기 말 방북은 실익은 커녕 만용이었다는 비난을 면키 어렵다.

6

서울신문사 사장으로

청와대 비서실장의 전화

2006년 5월 중순, 나는 이병완 청와대 대통령 비서실장으로부터 걸려온 전화를 받았다. 이 실장은 한국일보에서 함께 근무했던 후배다. 대학(고려대)이나 언론계 밥그릇 수를 헤아려 보면 내가 8~9년쯤 선배가 된다. 이 실장은 김대중 정부 때 한국일보 논설위원에서 청와대 비서관으로 발탁돼 갔다. 그가 청와대로 전직한 후에도 나는 한국일보 논설실장 혹은 주필 등을 역임하면서 가끔 그와 세상 돌아가는 얘기를 나누곤 했다.

그날 그는 "노 선배, 요즘 어떻게 지내십니까?"라는 간단한 문안인사에 이어 본론을 꺼냈다. 서울신문사에서 사장을 공모하는 모양인데 한번 응모해 보지 않겠느냐고 했다. 이명박 정권이나 요즘 정권과 달리 노무현 정권은 그래도 염치가 있는 편이었다. 청와대가 낙하산으로 찍어 내리면 안 될 일이 없겠지만 그래도 그 사람들은 인사문제에 관한 한 형식과 절차를 가급적 존중하는 것 같았다.

서울신문사 사장을 맡아달라고 해도 내키지 않을 터인지라 나는 그 제의를 일언지하에 거절했다. 거절 사유가 향후 서울신문사 사장 결정과정의 불확실성 때문이 아니다. 나는 이미 한국일보에서 만 33년, 특히 약 5년간은 논설실장 혹은 주필로 내가 기자로서 추구했던 이상이나 정의라 생각했던 바를 원 없이 썼기에 더 이상 언론계 생활엔 미련이 없었다. 오히려 새로운 세계, '인생 이모작'에 대한 흥미와 희망은 갖고 있었다.

나는 후배 이 실장에게 청와대가 나를 도울 의향이 있다면 다른 대안을 찾아주도록 요구했다. 서울신문사 사장 말고 다른 자리라면 응할 생각이 있다는 의미다. 정부 산하기관이 좀 많은가? 나는 꼭 기관장이 아니라도 감사나 이사 정도면 좋다고 했다. 그러나 이 실장은 "노 선배, 아직 현장에서 한창 뛰실 나이에 무슨 그런 한가한 생각을 하세요?"라며 단호했다. 나는 며칠간 말미를 가질 것을 요청하면서 곰곰이 생각했다. 그러고는 답답할 때 자주 찾는 기도원으로 달려가 하나님께 간절히 기도했다. 그러나 결론이 쉽지 않았다.

며칠 후 나는 이 실장에게 "서울신문사 사장만은…" 하고 고사의 뜻을 굽히지 않았다. 이 실장 역시 "노 선배도 다시 한번 잘 생각해 보세요"라며 일수불퇴의 강경한 입장을 거두려 하지 않았다. 시쳇말로 서울신문사 사장을 할 생각이 있으면 응모하고, 싫으면 그만두라는 통첩 같았다. 지금 생각해 보니 나나 이 실장이 팽팽한 줄다리기를 할 수밖에 없었던 데는 그만 한 사정이 있지 않았나 여겨진다.

노무현 정부는 자신들이 채워야 할 각종 자리를 흔히 말하는 '승자독식(winner takes it all)'의 전리품으로 생각하지 않았다. 정권을 잡은 후 나타나기 쉬운 교만이나 일탈이 다른 정부에 비해 훨씬 적었다. 인사문제에 관한 한 가급적 무리수를 두려 하지 않았던 것 같다. 서울신문사 경우도 집권 초기엔 사원 스스로 경영진을 선택하도록 자율성이 부여

되었다. 어느 정권인들 그들 영향하에 있는 언론이 자신들의 원군이거나 자신들을 위해 북 치고 장구 쳐주길 원치 않겠는가?

노무현 정부는 집권 초기 서울신문 경영진 선택을 사주조합에 일임했다. 바로 내 앞 27대 사장이 정부의 무관심 속에 사원들 희망대로 결정됐다고 한다. 정부의 철저한 방임이자 시장원리에 맡긴 셈이다. 그러던 정부가 왜 새삼스레 서울신문 경영에 관심을 갖게 됐을까? 서울신문의 도움이 필요했을까? 천만의 말씀이다. 정부가 자율성을 부여했던 지난 3년간 서울신문의 경영 상태를 눈여겨본 후라고 한다. 서울신문은 내가 취임하기 전 전임 경영진 3년간 500억 원대가 넘는 회사재산이 축났다.

나는 이 실장과 줄다리기하는 동안 나를 아끼던 선배, 동료 들과 이 문제를 상의해 봤다. 서울신문의 내부사정을 모르는 분들은 이구동성으로 지원하라고 권유했다. 심지어 서울신문 사장이 얼마 전까지만 해도 발행인협회 당연직 회장이었음을 상기시키는 분도 있었다. 나는 고민을 거듭하던 끝에 일단 응모했다. 생각할 시간을 더 갖기 위해서다. 자천타천으로 7~8명이 나선 가운데 사장추천위는 나를 제28대 대표이사 사장에 선임했다.

서울신문사는 사원이 최대주주(약 40%로 기억)였다. 하지만 과반에 미달, 단독으론 경영권 행사가 불가능한 구조다. 60%에 달하는 나머지 지분이 정부에 우호적인, 그런 지배구조다. 정부가 마음먹기에 따라서는 자신들이 원하는 인사를 얼마든지 사장에 앉힐 수도 있는 형태다.

그럼에도 노무현 정부는 처음 서울신문 사장 선임을 사원들이 자주적으로 행사하도록 사실상 자율에 맡겼다. 만약 앞의 경영진이 방만한 경영으로 문제만 일으키지 않았던들 다시 자율경영토록 했을 것으로 생각된다. 내가 징발(?)되는 사태는 일어나지 않았을 것이다. 이 실장이 나에게 서울신문사 사장직 응모를 권유한 것도 그런 이유였을 것이라 생각한다. 우선 내가 그런 모럴 해저드를 야기할 지저분한 사람이 아니라고 판단했던 것 같다. 노무현 정부는 그 뒤 사장추천위나 주주총회 등 남은 문제에 대해서도 형식과 절차를 존중했다.

김정일에 YS 방북초청을 권유하라

이병완 청와대 비서실장과 이 실장과 나는 대학 선후배라는 것 외에
는 별로 친교가 없었다. 나는 정치, 이 실장은 경제로 관심분야가 달랐
고 또 이 실장은 대부분의 기자생활을 자매지 서울경제신문에서 했기
때문이다. 그를 가까이에서 볼 수 있었던 계기는 그가 한국일보로 넘어
와 경제부장에 이어 경제담당 논설위원이 돼 잠시 정치담당이던 나와
함께 근무했을 때다. 그는 경제신문에서 갈고 닦은 실력으로 경제현안
에 관해 예리한 글을 집필했던 것으로 기억한다.

그가 김대중 정부의 청와대 비서관으로 발탁돼 간 후에도 나는 그와
이따금 만나 세상 돌아가는 얘기를 나누곤 했다. 이 실장과의 만남 가
운데 특히 기억에 남는 일은 2000년 6월 초 인사동에서의 오찬이다. DJ
의 역사적인 평양방문을 약 1주일 앞둔 시점으로 기억한다.

그날 오찬에서의 화제는 단연 DJ 방북이었다. 나는 논설실장(한국일보
는 당시 주필 대신 논설실장제를 잠시 채택했다)으로 한국일보 논설위원실 책
임자였다. 또 정치, 외교, 통일, 안보문제에 관해 직접 칼럼과 사설을 쓰
는 칼럼리스트이기도 했다. 그날 오찬에서 나는 남북정상회담 자체보다

는 회담 이후의 정국 향방에 관해 더 많은 얘기를 했다.

DJ정부는 과반 임기를 넘겨 등산으로 치면 하산길이다. 등산은 오를 때보다는 하산길이 더 험하고 위험하다. 시중엔 DJ 일가와 권력 주변의 온갖 추문이 사실인 양 나돌고 있었다. 그 가운데는 세 아들을 빗대 소위 '홍삼 트리오' 비리세트라는 것도 횡행하고 있었다. 만약 DJ정권이 이를 시정하거나 소문을 잠재우지 못하면 헌정사에 또 하나의 불행한 정권이 되는 것은 명약관화했다. 그날 내가 오찬 화두를 방북문제에서 내치문제로 돌린 이유다.

김대중을 너무 모른다

나는 이 비서관에게 다음과 같은 생각을 건넸다. DJ가 평양에서 김정일로부터 YS 내외의 평양방문 초청약속을 받아오도록 주문했다. 돌아와 방북결과를 설명하는 형식으로 북측의 초청사실을 YS에게 직접 전하도록 했다. DJ가 이룩한 남북정상회담의 초석은 김일성 생전에 YS가 놓은 것 아닌가? 그렇게만 될 수 있다면 일촉즉발 상태까지 이르렀던 양김 관계가 풀리지 않겠느냐고 훈수한 것이다.

사실 남북정상회담은 YS의 이니셔티브로 성사 직전에 무산된 바 있다. 김일성의 돌연한 사망 탓이다. 그래서 DJ가 돌아와 "김 형(YS)이 닦아놓은 길로 내가 결실을 거두게 됐소"라는 립서비스와 함께 김정일의 YS 방북초청장을 전할 수만 있다면 대치정국이 풀리지 않겠느냐고 본 것이다. 사실 DJ의 하산길을 상도동계가 엄호만 할 수 있다면 무리 없이 소프트 랜딩 할 수 있는 상황이라고 보았다.

내가 그런 훈수를 하게 된 배경은 이렇다. '헌정사에 또 한 사람의 실패한 대통령이 나와서야 되겠는가' 하는 내 나름의 충정에서 비롯됐다. 또 양 김씨를 중심축으로 영호남으로 갈라져 있는 망국적 지역대결구도를 두 사람의 화합 모양새로 해결했으면 하는 희망도 있었다. 대선에서 DJ 지지투표를 했던 나는 DJ정부가 성공하기를 진심으로 바라는 사람 중 하나였다.

내 얘기를 관심 있게 경청하던 이 비서관은 "형님, 좋은 아이디어 같습니다"라며 메모했고, 이를 위층에 보고했다고 한다. 당시 대통령비서실장은 한광옥 씨다. 한 실장이 동감을 표했는지 여부는 확인하지 못했다. 만약 DJ가 포용력을 발휘했다면 말년이 그렇게 참담하지는 않았으리라 확신한다. 나는 정상회담의 '컨벤션 효과'는 며칠을 못 갈 것으로 예상했다. 정국이 '홍삼 트리오' 같은 휘발성 강한 비리 스캔들에 빨려들 것이 분명했기 때문이다.

내 예언은 대체로 적중했다. DJ가 평양에 다녀온 직후부터 진승현, 이용호, 최규선 씨 등이 권력과 결탁한 연이은 비리의혹이 '게이트'란 이름으로 정국을 강타했다. 주로 DJ의 세 아들과 핵심측근, 심지어 안기부 고위간부까지 연루된 것으로 밝혀진 이 추문들은 DJ의 '하산길'을 더욱 힘들고 고통스럽게 했다. 평양 정상회담의 컨벤션 효과가 얼마 못 갈 것이라고 판단한 내 예측은 별로 어긋나지 않았다.

나는 내가 훈수한 대로 DJ가 방북 후 먼저 손을 내밀 가능성에 대해 상도동 측에도 넌지시 암시했다. YS 측근 가운데는 '혹시나' 하고 일말의 기대를 한 분도 있었다. 그러나 YS만은 "너희들이 김대중이를 몰라도 너무 모른다"며 일언지하에 가능성을 일축했다고 한다. '혹시나' 했던 기대는 YS 예상대로 '역시나'로 끝났다. 뒤에 이 비서관에게 좋은 아이디어라더니 DJ가 왜 이행하지 않았느냐고 물었다. "김 대통령이 건의대로 하지 않더라"고만 했다. 그 말로 미루어보면 내 훈수가 한광옥 실장을 거쳐 DJ에게 건네진 것만은 확실해 보였다. 그러나 어찌된 일인지 DJ가 평양에서 이를 묵살했다.

과도한 성취에 도취해 일을 그르치는 경우를 우리는 종종 목격한다. 아마 DJ도 김정일과 손을 맞잡는 순간 과신 혹은 환상 프레임에 함몰되지 않았나 생각된다. 역사적 평양방문으로 내치의 모든 얼룩을 일순간에 지워버릴 수 있으리라는 환상이 그것이다. 역사적인 평양방문의 밴드왜건 효과가 모든 이슈를 빨아들이는 블랙홀이 되지는 못했다. DJ의 자아도취는 돌아와 "이제 한반도에서 전쟁의 위협은 사라졌다"라고 한 데서 잘 나타난다.

뉴스통신진흥법

이런 일도 있었다. 한국일보 형편이 하루하루 버티기 힘들 정도로 최악의 상황으로 치닫고 있었다. 왕초(고 장기영 사주)의 넷째 아들인 장재국 회장체제가 물러나지 않을 수 없는 상황이 도래했다. 궁여지책으로 둘째, 셋째 아들이 포진해 있던 LA 미주본사가 한국일보 구세주로 등장했다. 그러나 기대와 달리 새 경영진으로 등장한 장재구 회장체제는 한국일보를 다시 일으킬 요술방망이는 갖지 못했던 것 같다.

피를 말리듯 하루하루 넘어가는 한국일보에 더 이상 머무는 건 가시방석 위의 삶과 같았다. 그래서 나는 일반사원의 정년에 해당하는 만 58세에 회사를 떠나기로 작정하고 있었다. 당시 주필의 경우 정년을 명확하게 규정한 룰이 없었다. 다만 내 앞 주필들의 정년이 대부분 62~63세였다. 내 전임인 고 정달영 주필은 만 61세에 나에게 자리를 물려주고 퇴직했다. 그 앞 주필들도 모두 만 60세를 넘겨 재직했다.

하지만 나는 그럴 생각이 추호도 없었다. 형편이 어려울 때는 입이라도 하나 더는 게 후배들에게도 떳떳할 것 같았다. 회사 재정상태를 들으니 하루하루가 가시덤불을 헤치며 지나는 것 같았다. 더구나 재정난을 구실로 신문이 나날이 '동교동 찌라시'화하는 상황을 지켜보면서 더 이상 머문다는 것은 양심이 허락지 않았다.

신문이 사설만 균형을 이룬다고 독자들로부터 불편부당하다는 평가를 얻기는 어렵다. 무엇보다 기사가 객관적이고 균형과 조화를 이뤄야 한다. 미안한 얘기지만 당시 한국일보는 그렇지 못했다. 나는 기사는 빠졌지만 사설만큼은 남의 기사를 인용해서라도 게재해 균형을 갖추려 안간힘을 썼다. 한국일보에만 기사가 안 나왔다고 사실이 덮이는 게 아닐 텐데도 손바닥으로 하늘 가리는 일이 한국일보에서 다반사로 일어났다.

연합뉴스를 감독하는 뉴스통신진흥위원회라는 조직이 생겼다. 연합뉴스가 한때 재정적으로 큰 어려움에 직면한 적이 있다. 민주화 물결 속에 우후죽순 생겨난 중앙, 지방지들이 치열한 경쟁을 견디지 못하고 도산, 폐업하는 사태 역시 우후죽순 같았다. 상황이 어려워지자 인터넷으로 기사를 베끼면서도 구독료를 내지 않는 '배째라' 신문들까지 생겨났다. 재정난에 봉착한 연합뉴스가 탈출구로 구상한 것이 뉴스통신진흥법 제정이다. 이 법의 골자는 국가기간통신의 재정난을 비록 한시적이나마 국가가 그 손실을 보전한다는 것이다.

생색내려 하는 말이 아니다. 나는 이 법을 성안하는 데 나름대로 힘을 보탰다. 이 법안을 추진한 연합뉴스 책임자는 나중에 사장까지 지낸 장영섭 당시 편집국장이다. 나는 장 국장과 일선기자 시절 함께 국회를 출입했다. 언론계 밥그릇으로 따지면 내가 장 국장보다 3년쯤 선배다. 한국일보 주필이던 나와 장 국장은 '국회보' 편집자문위원으로 '국회보' 편집자문을 위해 한 달에 한 번꼴로 국회에서 회의를 했다. 나는 국회 케이블방송 설치 자문위원으로도 일해 한 달에 두 번꼴로 국회를 방문

할 기회가 있었다.

이 법안을 추진하는 데 여당은 적극 협력했으나 야당인 한나라당이 한사코 반대해 많은 어려움이 있었다. 주로 연합뉴스 편집국장 차로 함께 국회에 가면서 장 국장은 나에게 도움을 요청했다. "노 선배가 한나라당 인사들하고 친분이 두터우니까 좀 도와 달라." 심성이 착하고 처세가 반듯한 장 국장을 나는 평소 퍽 아끼고 존경했다. 그래서 한나라당 사람들 설득하는 일을 적극 도왔다.

김무성-고흥길 의원이 도와

당시 한나라당 원내대표는 내 고향후배인 김무성 전 새누리당 대표였다. 그가 YS 문하생으로 정계에 입문했음은 잘 알려진 사실이다. 나는 한국일보 야당출입 팀장으로 그의 정치입문을 지켜보았다. 김 대표에게 연합뉴스의 어려운 사정을 설명하고 관련법이 성안될 수 있도록 도움을 요청했다. 하지만 반응이 여의치 않았다. 그래서 국가기간통신의 존립 필요성을 들어 집요하게 설득했다. 심지어 한나라당이 집권할 생각을 해야지 허구한 날 야당 할 생각만 해서야 되겠느냐고 했다. 지성이면 감천이라고 김 대표가 마음을 열기 시작했다. 그러고는 방법론을 일러주기에 이르렀다.

김 대표는 당시 문공위원회 자당 간사인 고흥길 의원을 먼저 설득하도록 권유했다. 문공위에서 성안만 되면 한나라당도 반대하지 않겠다고 했다. 고 의원을 찾아갔다. 고 의원은 중앙일보 정치부 기자 출신으로 국회를 함께 출입했던 언론계 선배다. 나에게 자초지종을 들은 고

의원은 처음에 완강하게 반대했다. 심지어 "장영섭이가 대학 직계후배지만 연합뉴스가 단 한 번이라도 나를 배려한 적이 없었다"며 평소 섭섭했던 마음을 내비치기도 했다. 그러나 장 국장의 집요한 설득으로 이 법안은 문공위에서 성안이 됐다. 고흥길 선배나 김무성 대표가 돕지 않았다면 이 법은 성안이 어려웠을 것이다. 연합뉴스는 이 두 분에게 두고두고 감사해야 할 일이다. 세월이 지나 장 국장이 연합뉴스 사장이 됐다. 내가 한국일보를 퇴직하기 직전 무렵으로 기억된다. 장 사장이 점심이나 같이 하자고 연락해 왔다. 장 사장과 나는 회사가 인접한 데다 이따금씩 만나 세상 돌아가는 얘기를 주고받는 가까운 선후배 사이다.

커밍아웃하듯 한 정년퇴직

DJ정부 말기 한국일보는 후배들의 탈출러시로 분위기가 뒤숭숭했다. 떠나는 이유가 한국일보에 장래성이 안 보인다는 것이다. 상대 지에 비해 열악한 처우가 간과할 수 없는 이탈 사유이기도 했다. 무엇보다 회사경영을 책임지고 있는 선배 한 사람의 지면제작 방침이 이들의 이탈을 부채질했다. 그분은 차입경영을 구실로 DJ정부 편향성이 도가 지나쳤다.

후배들은 삼삼오오 모이면 "한국일보가 동교동 찌라시가 됐다"고 한탄과 울분을 토해냈다. 장래성이 안 보이는 신문사에 누가 남으려 하겠는가? 자고 나면 떠나가는 후배들이 내 방을 찾아와 작별인사를 했다. 더러 아꼈던 후배가 떠날 때는 함께 붙들고 눈물바다를 이루었다. 알토란 같은 후배들을 떠나보내야 하는 나는 깊은 무력감에 빠져들기도 했다. 나 역시 한국일보에 더 이상 머물고 싶은 생각이 싹 가셨다. 그래서 나는 이미 언급한 대로 '58세 정년까지 근무'를 마치 커밍아웃하듯 공론화하고 다녔다.

2004년 5월 31일, 만 58세하고도 사흘 만에 나는 한국일보를 퇴사했다. 이름하여 정년퇴직이다. 입사한 지 정확히 32년 5개월 만이다. 내 생일이 5월 28일이니까 월단위 계산에 의해 사흘을 더 근무한 셈이다. 나보다 몇 년 일찍 퇴사한 어느 원로선배가 "청운의 꿈을 안고 들어올 때는 분명 일류였는데 막상 떠나려 하니 4류, 5류가 되어 있더라"고 탄식했다는 얘기가 가슴을 후벼팠다.

퇴사하기 얼마 전 회장 비서인 유 모 씨가 뜬금없이 주필실로 나를 찾아와서는 "노 주필은 아직 아이들 하나도 시집, 장가 안 보낸 걸로 아는데 회장께 말씀드려 좀더 근무하는 게 어떻겠느냐"고 했다. 나는 "걱정해주는 건 고마우나 내가 그렇게 곤궁한 사람은 아니라오"라고 일언지하에 거절했다. 유 씨 '권유'의 함의가 무엇인지 알 만도 했다. 하지만 편집국장의 논설위원 전입인사 문제를 싸고 회장과 언성을 높인 바 있어 더 이상 한국일보에 머문다는 게 내 자존심에 큰 상처로 남을 것 같았다.

내가 한국일보를 떠나는 날 편집국 후배들은 감사패(504쪽)로 이별을 아쉬워했다. 또 논설위원실 동료들도 감사패(505쪽)로 나를 전송했다.

회사가 어려워 퇴직금 달라는 얘기는 입 밖에 꺼낼 수도 없는 상황이었다. 그저 회사의 처분만 기다릴 수밖에. 퇴직 후 며칠은 그동안 미뤘던 잠을 실컷 잤다. 그리고 시간이 없다는 핑계로 못 만났던 사람들을 찾아가 만나기도 하고 주로 북한산, 도봉산을 자주 찾았다. 직장생활 동안 습관화됐던 폭음은 퇴사 1~2년 전부터 서서히 조절해온 덕에 무리 없이 양을 줄였다. 그리고 독주보다는 연한 술, 주로 막걸리를 즐겼다.

내가 한국일보를 퇴직했다는 사실이 알려지자 반응이 갖가지였다. 퇴사 직전 삼청동 남북대화사무국에서 열린 통일부 정책자문위원회 회의에서 곧 퇴사하게 돼 자문위원직을 사퇴하겠다는 의사를 표시했다. 내가 주필로 있으면서 꼭 한국일보 지면에 그분의 글을 단 한 번이라도 게재해 봤으면 하고 희망했던 분이 서울대 정치학과 장달중 교수다. 그분은 타사와의 계약 탓에 한국일보 지면에 기여하지 못함을 항상 미안하게 생각했다. 그분도 나와 함께 통일부 정책자문, 평가위원으로 활동했다.

내가 퇴직에 따라 자문위원직을 수행할 수 없음을 밝히자 장 교수는 대뜸 "한국일보가 앞으로 뭘 갖고 장사하려고 그러지"라고 했다. 분에

넘치는 과찬이다. 평소 그분과는 외교부 장관, 통일부 장관의 개별 초
청모임 등에서 자주 만났다. 장 교수의 사안에 대한 명쾌한 분석과 비
판, 향후 전망 등에 대한 날카로운 식견은 독자들로부터 많은 공감을
얻었다. 그분의 글을 한 번이라도 한국일보 지면에 실어보려 했던 내
희망이 무위로 끝난 것이 무척 아쉽다.

자문위원 활동

나는 한국일보 재직 중 정부기관 많은 곳의 자문위원으로 일했다. 보잘것없지만 일종의 재능을 기부하는 셈 치고 나를 필요로 하는 곳에서 정책자문위원 혹은 정책평가위원 등으로 활동했다. 내가 다루었던 분야가 정치, 외교, 안보라 주로 외교부, 통일부 등 정부 각 부서 자문위원으로 일했다. 내 전공과 별로 어울리지 않는 곳에서 일한 곳은 김정길, 최경원 씨가 법무장관이던 시절 법무부 자문위원으로 일한 것이다.

법무부 자문위원이 된 사연은 이렇다. 언제부터인지 모르나 법무부 자문위원은 언론계에서는 조선, 한국일보 주필 단 2명이 참여하고 있었다. 나에게 그 자리를 물려준 분이 한국일보 주필과 사장을 지낸 장명수 선배다. '장칼'이라는 별명이 말해주듯 장 선배는 '여성최초'라는 별칭을 달고 산 우리 언론계의 보석 같은 존재다. 단 하루도 거르지 않았던 '여기자 칼럼'은 언론사의 신기원이었고, 최초의 여성주필 시대에 이어 최초의 여성사장 시대를 연 선구자다.

DJ의 역사적인 평양방문이 이뤄진 후 남북 양측은 언론인 교류도 시작했다. 가장 먼저 신문발행인단(사장단)이 평양을 찾았다. 장명수 사장이 발행인단 일원으로 평양을 방문했을 때의 일화다. 김정일이 주최한 파티석상에서다. 가슴에 '한국일보 사장 장명수'란 명찰을 단 장 사장에게 김정일이 다가와 한마디 했다. "부친께서도 평양을 다녀가셨는데…." 김정일은 명찰을 보고 한국일보 장기영 사주의 딸로 착각한 것이다. 장 사주 딸이 아니고서야 여성이 어떻게 한국일보 사장이 될 수 있겠느냐고 착각했던 것 같다. 이에 장 사장이 "북한의 정보력이 겨우 이 정도 수준이냐"고 반격을 가해 좌중에 폭소가 터졌다고 한다. 당찬 장 사장의 일격에 '최고 존엄'이 크게 한 방 맞은 셈이다.

장 사장으로부터 법무부 자문위원 자리를 넘겨받은 것은 흔히 영어로 'Fringe Benefit'의 경우에 해당된다고나 할까. 즉, 내가 한국일보 주필이었기 때문이다. 장 사장이 주필이었을 때 법무부로부터 자문위원으로 위촉을 받아 활동했다고 한다. 그러다 한국일보 발행인 겸 사장이되자 그 자리를 후배 주필인 나에게 물려준 것이다. 당시 조선일보 측 자문위원은 주필인 류근일 선배였다.

문재인 수석의 한 표

　한국일보를 퇴사한 지 얼마 안 돼 김혁규 전 경남지사로부터 전화가
왔다. 또 지금은 고인이 된 신상우 전 국회부의장에게도 전화가 왔다.
김 전 지사는 내 중학 동기 절친인 김민영 전 홍아해운 사장과 이종사
촌 사이라 그분이 청와대 사정비서관과 경남지사 시절 형처럼 가깝게
지냈다. 신 부의장은 대학으로는 8년 직계선배다. 그는 "백수가 됐으면
신고라도 해야 하지 않느냐"며 백수기념 술이나 한잔하자고 했다.
　강남의 큰 한정식집이었는데 음식이 가득한 저녁 술상이 기다리고
있었다. 신 선배는 당시 노무현 대통령의 모교 부산상고 총동창회장에
다 대선기간 중엔 노 후보 후원회장을 맡는 등 노무현 당선의 일등공신
이라고들 했다. 시중엔 신 선배를 두고 노무현 정부의 배후실세라는 수
군거림도 있었다. 두뇌회전이 빠른 데다 친화력은 물론 사람을 포용할
줄 아는 폭넓은 인간성을 지닌, 대학과 언론계 선배다.
　술자리에는 적지인 경남부산지역에서 살아남은 야당출신 두 의원이
있었다. 잠시 후 청와대 세 수석이 합류했다. 야당 간판으로 당선된 김해
의 최철국 의원과 이번에 새누리당으로 간 조경태 의원으로 기억한다.

청와대 세 수석은 아마도 신 선배가 각별히 초청하지 않았을까 생각된다. 내가 자리에 채 앉기도 전에 신 선배가 뜬금없이 "이 사람들아, 노진환이가 한국일보를 퇴직했단다. 이런 사람 데려다 써야지"라고 했다.

신 선배가 나를 위해 그런 자리를 마련하지 않았을까 싶을 정도로 분위기가 퍽 부담스러웠다. 그래서 나는 "조간신문에서 33년간이나 근무했는데 적어도 한 3년은 푹 쉬어야죠"라고 얼른 말머리를 돌렸다. 신 선배의 얘기를 듣고 보니 나는 이제 일자리가 없는 백수라는 사실을 실감하게 됐다. 친화력이 뛰어난 신 선배는 둘째 처남 김태정 전 법무장관과도 형제처럼 가깝게 지냈다. 김 전 장관이 부산지검장일 때는 "태정이!"라고 꼭 이름을 불렀다. 몇 살 적은 김 전 장관도 신 선배를 형으로 깍듯이 대했다.

신 선배가 좌장이 돼 마련한 그날 자리는 분명 청와대 사람들을 나에게 소개하는 회식 같았다. 그러나 퇴직한 지 몇 달 안 됐을 때인지라 나는 구직에 대해 전혀 조급함이 없었다. 미국에 있는 아이들을 만나러, 또 캐나다에 있는 동생을 보러 몇 달을 정신없이 쏘다녔기 때문이다.

틈틈이 동료들과도 연락을 주고받던 중 어느 날 연합뉴스 장영섭 사장이 점심이나 하자고 전화했다. 장 사장은 내가 자신들의 생명줄이 된 뉴스통신진흥법 성안과정에 도움 준 일을 회고하며 그 법에 의해 구성되는 이사장에 올 의향이 있는지 물었다. 불감청이언정 고소원이라 나는 장 사장의 제의를 고맙게 받아들였다. 한국일보를 떠나기 전 그와 더러 만나는 중 내가 퇴사할 생각을 하고 있다는 것을 장 사장이 잘 알고 있지 않았을까 생각한다.

장 사장은 신설되는 뉴스통신진흥위원회 이사장이 상근으로 청와대가 결정한다고 했다. 이미 장 사장이 자사 청와대 출입기자를 통해 나를 적극 천거했다고 했다. 연합뉴스 청와대 출입기자는 청와대 기자실 간사였고, 또 내 고교후배였다. 장 사장은 청와대 인사위원들은 수석비서관들이라며 "다 아는 분들일 테니 전화로 부탁한다는 뜻을 전하는 게 좋겠다"고 했다.

장 사장이 미리 정치작업을 해두었다. 그래서 맨 먼저 후배 이병완 수석에게 전화했다. 반응이 긍정적이었다. 이어 문재인 시민사회수석, 박정규 민정수석, 김완기 인사수석, 이원덕 사회정책수석, 정상문 총무비서관 등에게 협조를 요청하는 전화를 했다. 문재인, 박정규 수석과 정상문 비서관은 이미 언급했듯이 신상우 선배와의 술자리에서 인사를 나눈 바 있다. 김완기 수석은 내 대학동기 박종근 군과 고교 동기동창이다. 또 그가 전남지역 지방공무원 시절 전남도내 시장, 군수로 오래 재직한 내 처외숙과 선후배 사이라 협조약속을 쉽게 얻을 수 있었다. 이원덕 수석은 덴마크 코펜하겐에서 열린 아셈 예비총회 한국대표로 나와 함께 해외출장을 한 바 있었다.

문재인 수석 "제 표는 드리겠습니다"

청와대 측 인사위원 전부에게 전화로 협조를 요청한 셈이다. 전화상이서인지는 모르나 단 한 사람, 문재인 수석을 제외하고 모두가 쾌히 협조적인 반응을 보였다. 문 수석만 "주필님, 저는 인사위의 1인에 불과합니다. 위원회가 열리면 제 표는 주필님께 드리겠습니다"라고 했던 것으로 기억한다. 이미 다른 수석들의 협조를 사실상 내약 받았기에 나는 "문 수석의 표만 주시면 되겠습니다"라고 했다.

그러나 결과는 엉뚱했다. 투표에 부친 결과 나는 단 1표를 얻었고, 나머지는 전혀 거론되지 않았던 제3의 인사에게 집중됐다고 한다. 낙점받은 사람은 노무현의 오랜 비서이자 부산인맥의 대표 격인 이 모의 친구 아버지라고 했다. 지방지에서 임원을 했다고 한다.

시쳇말로 길 닦아놓으니 뭐가 먼저 지나가는 꼴이 되었다고나 할까? 전혀 예상치 못한 일에 나는 상당히 충격을 받았다. 문 수석과 함께 거의 모든 수석들로부터 사실상 내약을 얻었기 때문이다. 뒤에 어느 수석은 그 이 모라는 친구가 노무현 정부 인사 때 종종 그런 횡포를 부렸다고 했다. 그 친구는 지금도 문재인 대표의 정치적 앞날에 큰 걸림돌인 양 언론에 종종 이름이 오르내리곤 한다. '친노패권'이란 말이 그런 친구들 때문에 회자되지 않나 생각된다.

어쨌든 나는 예상과 달리 고배를 마셨다. 나를 지지했다는 그 1표가 누구일까 생각해보니 대답은 자명했다. "저는 위원회의 1인에 불과합니다. 제 표는 주필님께 드리겠습니다"라고 한 문재인 수석이 틀림없다. 문 수석이 그런 뒤바뀔 결과를 미리 알고 자신의 표만 나에게 주는 것으로 했는지는 확인해 보지 않았다. 그러나 주위의 많은 사람들은 문 수석 스타일이 그렇다고 했다. 갑자기 뒤바뀐 결과를 미리 예측했을 리는 없다고 했다. 문 수석의 인간적 됨됨이, 그분의 정직한 인품을 나는 지금도 신뢰하고 있다.

최근 송민순 전 외교통상부 장관의 회고록을 두고 일부에서 문 수석에 대해 색깔시비 논란이 일어나고 있다. 나는 그들에게 문재인이 6·25전쟁 때 김일성의 폭압을 피해 목숨을 걸고 남쪽으로 내려온 탈북 피난민의 자식이란 점을 상기해 보라고 말하고 싶다.

서울신문사 사장 취임은 이렇듯 뉴스통신진흥위원회 이사장 낙마가 나를 엉뚱한 방향으로 인도한 것이다. 뒤에 청와대 비서실장이 된 이병완이 "선배는 아직 한창 일하실 나이" 운운한 것과도 무관치 않은 것 같다. 전후사정을 이렇게 미주알고주알 밝히는 것은 이명박 정권의 파렴치한 행위를 고발하기 위해서다.

거듭 말하지만 나는 내가 무엇이 되겠다고 설쳐대는 사람이 아니다. 서울신문 사장도 내가 먼저 "나요, 나!" 하고 나서지 않았다. 오히려 처음엔 일언지하에 거절했다. 조간신문사에서 만 33년간 지내면서 지칠 만큼 지쳤기 때문이기도 했다. 서울신문사 사장직을 걷어찼다가 기용된 것은 내가 처음이 아닐까 생각한다.

월급 도둑은 되지 말아야지

2006년 7월 나는 각 부서장 현안보고 청취를 시작으로 서울신문 사장 업무를 개시했다. 도덕적 해이를 근절하고 마른 수건 짜듯 하면 살길을 찾을 수 있으리란 희망적인 결론도 얻었다.

하루는 시설관리국장이 업무보고를 했다. 그는 내가 원하는 대로 집무실을 리모델링하고 집기도 교체하겠다고 했다. 일언지하에 거절했다. 집기며 시설 등은 전임자가 쓰던 그대로 사용하겠다고 했다. 비용이 드는 일은 일절 못 하게 했다. 형편이 어려운 회사가 왜 멀쩡한 사무실을 큰돈 들여 가며 형상을 바꾸느냐고 야단쳤다. 전임자들은 자신의 취향에 따라 사무실을 이리저리 리모델링하고 집기도 새로 들였다고 했다. 말이 리모델링이지 일단 손대기 시작하면 엄청난 비용이 소요되리라는 점은 명백했다. 적자투성이 회사가 이런 비생산적인 곳에다 돈을 펑펑 쓴대서야 어떻게 회생할 수 있겠는가.

사장실 사방 창문에 드리워진 칙칙해 보이는 낡은 커튼이 눈에 들어왔다. 시설관리국장은 커튼만이라도 교체하면 어떻겠냐고 했다. 누가 봐도 오래된 커튼의 먼지와 땟자국이 다소 흉측스러웠다. 좀이 슬었는지 몇 군데 상처도 있었다. 커튼은 길이만 해도 5~6m가 넘을 것 같았다. 이런 대형 커튼을 교체하려면 최소한 수백만 원 혹은 그 이상 들 것 같았다. 나는 교체 대신 먼지투성이 커튼의 세탁만 당부했다.

이것도 세탁소에 맡기면 수십만 원 혹은 그 이상의 비용을 지불해야 할 것 같았다. 그래서 세탁은 하되 저렴한 비용으로 할 방법을 찾아보도록 지시했다. 당시 서울신문사에는 사내 청소를 담당하는 부녀사원이 10여 명 있었다. 이 일을 그분들이 할 수만 있다면 비용이 크게 절감되리라는 결론을 얻었다. 그분들도 과외로 수고비를 벌 수 있어 환영했다. 새 사장이 좀 다른 것 같다는 얘기가 입소문을 탔다.

나는 서울신문을 '마른 수건을 짜듯' 경영했다. 그랬던 나를 마치 무슨 부정이나 저지른 파렴치범으로 몰아 쫓아내려 했으니 하늘인들 노하지 않았겠는가. 나를 음해했던 자들 대부분이 되레 자신들이 각종 부정부패에 연루된 혐의로 죗값을 치르지 않았던가? "X 묻은 개가 겨 묻은 개 나무란다"더니 정말 파렴치한 인간들이다. 대통령은 몰랐다고 용서되는 것이 아니다. 퇴임 후 사저를 짓겠다고 부지를 마련하면서 국고에 손댔다가 망신당한 대통령 정부 아래서 일어난 부정부패는 이루 말할 수가 없다.

서울구청 홍보지 확장에 사활

　서울신문 사장 취임 직후 나는 우선적으로 해야 할 과제부터 선정했
다. 이미 각 부서로부터 사전 업무보고를 받은 뒤라 현장 속으로 뛰어
들었다. 가장 큰 과제가 서울시 각 구청에 배달되는 홍보지를 확장하는
일이었다. 서울시내 각 구청에 홍보지를 확장 보급하는 일은 서울신문
의 사활이 걸린 과제였다. 각 구청마다 적게는 수백 부에서 많게는 수
천 부에 달하는 홍보지는 그야말로 알토란 같은 수입원이었다.

　당시 주요 종합일간지들도 시내 변두리에선 구독료 제값을 못 받는
경우가 허다했다. 그런 데 비해 홍보지로 들어가는 서울신문은 정가로
월말 예산에서 꼬박꼬박 받으니 얼마나 다행한 일인가? 그뿐만 아니
다. 가가호호 다니며 수금할 필요도 없다. 월말이면 한 푼도 할인되지
않은 채 정확하게 수금된다. 이런 남는 장사가 또 어디 있겠는가? 취임
하자마자 담당 임원과 직원들을 데리고 서울시 각 구청을 순방했다.

　다행히도 내가 정치부에서 기자생활한 게 퍽 도움이 됐다. 구청장
10여 명이 안면이 있었다. 다소간 친분관계가 있다 해도 무작정 서울신
문을 구독해 주지 않는다. 그들이 서울신문을 스스로 찾을 수 있도록

콘텐츠 개발이 뒤따라야 했다. 제일 먼저 착수한 것이 서울시정에 관한 뉴스 면을 대폭 늘리고 관련기사를 개발했다. 우수한 기자를 서울시에 집중투입해 시정 기사를 발굴토록 했다. 서울시를 커버하는 공공정책부를 편집국 내 선임부서로 위상을 높여 자긍심을 갖도록 했다. 이런 내 경영방침에 대해 서울시도 크게 반기는 분위기였다.

내 취임을 축하하는 어느 모임에서 박정삼 형을 만났다. 나보다 한국일보 견습기수가 1기 빠른 친근한 선배다. 여러 신문사에서 편집국장과 사장을 역임하고 노무현 정부에선 국정원 차장을 지내기도 했다. 특히 후배들을 아끼고, 아이디어가 풍부한 선배다.

그분은 나의 홍보지 확대 경영방침을 높이 평가하고 격려했다. 기왕에 홍보지 확대방침을 세운 이상 서울신문이 각 구청 면을 제작하는 것이 어떻겠느냐고 조언했다. 서울신문이 각 구청 지역판 신문을 만드는 구상이다. 그렇게만 되면 각 구청에 홍보지를 늘려 달라고 하소연하지 않아도 스스로 구독하지 않겠느냐는 것이다. 만약 그렇게만 된다면 그야말로 서울신문은 서울시민의 신문이 되지 않을 수 없다. 시간이 있을 때 나는 이에 대해 시뮬레이션을 통해 이해득실을 따져 보았다.

서울신문이 구청판을 만들면 홍보지 판매엔 분명 유리한 면이 있다. 상당한 지대수입 증대도 예견됐다. 몇몇 구청장의 의견을 들어보니 크게 환영하는 분위기였다. 그러나 불리한 점도 없지 않았다. 우선 제작상의 어려움이 그것이다. 구청판을 만들려면 편집국과 제작국 인원을 대폭 늘려야 했다. 가뜩이나 어려운 형편에 인원을 대폭 늘리는 것은 사실상 불가능했다. 무엇보다 전국 상대의 종합일간지가 서울이라는 한 지역에 매달리다 보면 전국지를 포기하는 셈이다. 고민을 거듭한 끝에 없었던 일로 했다.

홍보아카데미 개설하기도

대신 홍보지 배가 캠페인을 시작했다. 집무시간의 상당량을 이 캠페인에 할애했다. 서울 시정뉴스를 4개 면으로 대폭 늘렸다. 각 구청과의 소통을 위해 소위 '공보 아카데미'를 신설했다. 서울신문이 각 구청 홍보파트 근무자에 대한 재교육을 담당키로 했다. 임직원과 논설위원을 강사진으로 투입했다. 개강식 날엔 내가 강사로 나서기도 했다. 1박2일 일정으로 강의 후엔 구청 실무진과의 스킨십을 위해 간단한 주석도 마련했다.

서울신문이 구청 홍보실무자 교육을 한다는 소문이 삽시간에 퍼졌다. 경찰 쪽에서도 관심을 나타냈다. 어느 날 안면 있는 정보계통 경찰 인사가 찾아왔다. 아직 지휘계통을 거치진 않았지만 기왕의 교육을 경찰까지 확대함이 어떻겠느냐고 했다. 나는 경찰이 서울시내 구청만큼 서울신문을 구독해 주면 못 할 일도 없다고 했다. 그 사람들은 서울신문이 시정뉴스 지면을 대폭 늘리고 홍보교육 하는 함의를 몰랐다.

오세훈 시장 정치권 진입 도와?

당시 서울시장은 오세훈 씨였다. 그분은 나와 특별한 인연이 있다. 오 시장은 고려대 14년 후배다. 그는 정치판에 나오기 전 MBC '오 변호사, 배 변호사'라는 법률상담 프로를 통해 이름을 떨쳤다. 부산대 출신으로 오 시장과 사시 동기 배금자 변호사와 함께 진행한 이 프로는 시청률이 높았다. 다소 예리한 면모의 배 변호사와 귀공자 같은 오 변호사의 정곡을 찌르는 법률 해석이 시청자로부터 큰 인기를 얻었다.

1996년 4월 15대 총선취재를 지휘하면서다. 한국일보 정치부장이던 나는 소위 '격전지' 현장에 저명인사를 객원기자로 활용하는 기획을 했다. 첫 번째로 징발된 인사가 오세훈 변호사다. 지금은 법으로 금지됐지만 당시는 합동 정견발표회가 열렸다. 나는 이 합동유세에 오 변호사를 객원기자로 내보냈다. 오 변호사의 전신사진과 함께 '오세훈 변호사가 본 총선현장'이란 작은 컷도 만들어 지면을 꾸몄다. 획기적인 편집으로 많은 사람들이 객원기자를 탐냈다.

오 시장은 달변이지만 기사도 별로 손볼 것이 없었다. 보통 오후 1~2시에 시작된 합동유세를 보고 오후 5시까지는 원고를 데스크인 나에게 보내도록 약속했다. 오 시장은 약속시간보다 다소 이른 시간에 손질이 필요치 않은 거의 완벽한 원고를 보내 왔다. 내가 오 시장에게 "기자를 했어도 충분한 자질을 가졌다"고 칭찬했던 기억이 난다.

서울신문 사장이 되자 오 시장이 가장 먼저 축하 점심초대를 해주었다. 코리아나호텔 일식집에서 점심을 대접받았다. 그 자리에서 나는 "오 시장을 정치판으로 불러낸 사람이 나라고 생각하지 않으세요?"라고 농담했고, 그분도 부인하지 않았다. 물론 그분이 정치에 발을 담근 데는 또 다른 계기가 있었을 것이다. 한국일보 객원기자로 일한 것도 무시 못 할 동기라고 생각한다. 오 시장은 홍보지 확장에 직접적인 도움은 되지 않았으나 존재 자체만으로도 큰 울타리가 되었다.

빨갱이 신문 안 본다

내가 서울신문에 갔을 때 서울신문은 중도를 표방하면서도 다소 좌편향이란 평가를 얻고 있었다. 김대중 정부에 이어 노무현 정부 후반기였으니까 그럴 법도 했다. 특히 DJ정부 때는 사돈을 보내 아닌 척하면서도 사실상 직할경영했다는 비판도 있었다. 내가 홍보지 확장에 혼신의 노력을 하자 일부 야당(오늘의 여당) 소속 구청장 가운데는 서울신문 논조를 시비하면서 홍보지 구독을 거부하기도 했다.

일부 구청장 가운데는 재독학자 송두율 씨의 고정칼럼을 시비했다. 심지어 "빨갱이 글을 싣는 신문을 통·반장에게 어떻게 돌리라는 말이냐"고도 했다. 나는 서울신문에 입사한 뒤 그분의 글을 유심히 살폈다. 하지만 우려와 달리 이념적으로 크게 문제될 만한 일은 일어나지 않았다. 반발이 심한 구청이나 구청장에게는 실무자들이 내가 한국일보에서 송두율 씨에 관해 썼던 칼럼('메아리' 송두율 씨의 경우 I, II 2003년 9월 26일, 10월 24일자 참고)을 복사해 가서 설득했다. 이런 사람이 우리 사장인데 무슨 말을 함부로 하느냐고 설득해 효과를 많이 봤다.

나는 솔직히 송 씨의 이념체계랄까, 사상체계에 문제가 있다고 보고 한국일보에 비판적인 글을 썼다. 그가 '경계인'이란 수사(修辭)로 혹은 '내재적 접근법'이란 변명으로 사실상 북측을 편든다고 보았기 때문이다. 나는 칼럼에서 "유신에 절망해 북한노동당에 입당했다고 하면서 그보다 더한 김일성 수령 독재는 '김일성'의 눈으로 이해해야 한다는 것이 말이 되는 일이냐고 반박했다. 그런 논리라면 유신은 왜 '박정희의 눈'으로 이해하려 하지 않았느냐'고 논박했다.

또 송 씨는 자신이 '노동당 후보위원 김철수'가 아니라고 강하게 부인했지만 내게는 거짓말로 들렸다. 분명히 김일성 장례위원인 '정치국 후보위원 김철수'로 초청받고 평양에 간 사람이 '김철수로 대우'만 받았을뿐 김철수가 아니라는 주장은 궤변 그 이상도, 이하도 아니었다. 마치 술은 마셨지만 음주운전은 하지 않았다는 변명처럼 들렸다. 더욱이 김일성 시신 앞에서 흐느끼는 그의 모습은 한 인간의 사거를 추모하는 모습 그 이상으로 보였다.

특히 고 황장엽 씨의 증언은 송 씨가 '정치국 후보위원 김철수'임을 입증하는 움직일 수 없는 물증이었다. 팔순 고령의 황 씨가 송 씨에게 무슨 억하심정이 있겠는가? 온 가족을 죽음의 길로 몰아넣을 게 분명함에도 탈출을 감행한 노 망명객에게 감출 일이 뭐가 남아 있었겠는가? 황 씨의 증언은 송 씨가 거짓말을 하고 있음을 만천하에 드러나게 했다. 황 씨는 생전에 "송두율이가 노동당 후보위원 김철수가 아니라는 주장은 나 황장엽이가 노동당 비서가 아니라는 억지와 같다"고 했다.

버스 출근 고집하다 당한 교통사고

그 무렵 나는 출근길 버스 안에서 허리를 크게 다쳐 입원하는 일이 있었다. 어려운 서울신문에 와서 구두쇠 경영을 고집하다 생긴 소탐대실의 화였다고나 할까. 당시 나는 성북구 삼선교 부근에 살았다. 거의 모든 버스가 서울시내를 관통하는 대형 정류장이 집 앞에 있었다. 출근을 위해 회사 차가 필요치 않았다. 버스를 한 번만 타면 회사까지 10여 분밖에 걸리지 않았다. 그것도 내가 거의 꼭두새벽에 출근하기에 버스는 항상 논스톱으로 회사 부근에 닿았다.

승용차가 빈 차로 태우러 오는 것은 사치였다. 한 푼이라도 절약하기 위해 기사에게 출근을 위해서는 오지 말라고 했다. 대신 시내버스로 출근했다. 고용불안을 걱정하는 기사를 달래 아침시간에는 수송부에서 다른 일을 돕도록 했다. 저녁엔 업무를 위해 실무자들과 바깥일 보는 경우가 많아 현장에서 퇴근했다. 늦게까지 일하다 보니 새벽출근은 다소 무리였다. 그래서 출근길 버스에서 10여 분 조는 것이 꿀맛 휴식이었다. 때론 몇 정거장을 지나치기도 했지만.

2007년 추석을 며칠 지난 무렵으로 기억한다. 그날 새벽 집 앞에서

탄 버스는 거의 만원이었다. 맨 뒷자리 가운데가 비어 앉았다. 앉아 잠시 조는 사이 버스가 종로4가에서 우회전 중 갑자기 급제동했다. 불쑥 튀어나온 자전거 때문이라 했다. 졸고 있던 나는 앞으로 튕겨져 나가 버스 바닥에 내동댕이쳐졌다.

하차 지점인 종로1가에 내렸는데 허리가 쑤시는 통증으로 잠시 서 있는 것조차 불가능했고, 온몸에 진땀이 흘렀다. 가로수를 잡고 몸을 추슬러 보았지만 한 걸음도 뗄 수 없다. 통증을 억지로 참으며 청계천 을지로를 건넜으나 더 이상 걸을 수 없다. 회사에 연락해 수위를 불렀다. 부축을 받으며 겨우 사무실에 도착했다.

아무리 생각해도 통증의 원인을 알 수 없었다. 그날 아침 보호대 없는 버스 뒷자리에서 튕겨져 나간 충격으로 척추디스크가 손상됐으리라고는 상상을 못 했다. 두통, 치통 '무슨 통' 하며 고통을 얘기하지만 나는 허리디스크 통만큼 아픈 통증은 경험해 보지 않은 사람은 모르리라 생각한다. 흔히 단장(斷腸)의 아픔이라고 하는 그런 고통이 아닐까 싶다. 출근해 잠시 편안한 자세로 안정을 취했더니 통증이 거짓말같이 사라졌다.

그날 점심은 한국일보에서 함께 근무한 한나라당 정희수 의원으로부터 오래전 초대를 받았다. 정 의원은 내가 한국일보 주필 때 부설 백상경제연구원 원장으로 근무했다. 그분은 미 일리노이대에서 경제학 박사학위를 취득한 후 잠시 자매지 서울경제 논설위원을 지내기도 했다. 그 후 경북 영천에서 한나라당 소속 국회의원에 당선, 3선의 중진이 되었다. 내가 서울신문 사장이 되자 정 의원이 그런 인연을 챙겨 축하점심을 하자고 했다. 회사 옆 파이낸셜 빌딩에서였다. 후덕한 인품에다 실력까지 갖춰 대성할 소지가 충분한 분이었으나 안타깝게도 지난

20대 공천에서 분루를 삼켜야 했다.

정치부장을 대동하고 이웃 약속장소로 가는데 또 허리가 쑤셔 한 발자국도 내딛기 어려웠다.

수술환부에 세균, 사경 헤매기도

정치부장에게 사실상 업혀 가는 모습을 본 회사의 어느 국장이 디스크 통증 같다고 했다. 그러면서 자신이 아는 병원으로 나를 안내했다. CT 촬영 결과 디스크 연골이 삐죽 튀어나와 있었다. 추석 바로 직후여서인지 병원은 온통 디스크 통증을 호소하는 환자들로 가득했다. 곧바로 수술을 했다. 결과가 좋았다는 집도의 장담에도 불구, 통증이 사라지지 않았다. 나중에 알고 보니 무슨 까닭인지 환부에 세균이 감염됐다. 병원 측이 크게 당황하는 모습이 역력했다. 고단위 진통제를 맞지 않고는 잠을 잘 수 없었다. 며칠이면 퇴원하리라던 병원 측 장담과 달리 한 달간 씨름했지만 별무 소득이었다.

거짓말 같은 일이 일어났다. 어느 날 밤 꿈에 생뚱맞게 서울대학병원장이 나타났다. 간병하던 아내에게 서울대병원장에게 전화를 연결토록 했다. 당시 병원장은 내 고향 이웃인 거창 출신 성상철 교수다. 나나 그분이나 서로 이름은 알고 있었지만 그때까지 직접 얼굴을 마주친 일은 없었다.

뜬금없이 꿈에 나타난 성 원장에게 전화로 상황을 얘기했더니 빨리 CT 필름을 가지고 오라 했다. 아내로부터 받은 필름을 판독한 성 원장이 직접 전화를 걸었다. 앰뷸런스 달라고 해 지금 즉시 서울대병원 응급실로 오라는 것이다. 상황이 위중한 것 같았다. 나중에 안 사실이지만 조금만 더 지체했더라면 패혈증으로 생명을 잃을 뻔했다. 수술부위 주변이 온통 고름으로 가득 차 있을 정도로 위기의 순간이었다. 성 원장도 유명 정형외과 의사로, 특히 무릎관절에서는 당대 최고의 명의로 내외에 소문이 자자했다.

외교부를 출입하면서 퍽 가까이 지낸 6자회담 대표 이수혁 전 차관보가 나에게 들려준 얘기다.

독일대사로 부임하기 전 교통사고로 무릎이 크게 파손되는 일을 당했다. 서울대병원 성 원장에게 수술을 받고 완치를 못한 채 시간에 쫓겨 독일로 갔다. AS받을 때가 돼 일시귀국을 청원했지만 허가가 나지 않았다. 본부의 생각은 최고 의료선진국 독일에서 치료받으면 될 일로 대사가 임지를 떠나는 것은 옳지 않다는 것이었다. 할 수 없이 독일병원을 찾았다. 철심을 제거하려 환부를 열어본 현지 의사가 "누가 이 수술을 했느냐"며 탄성을 지르더라고 했다. 성 원장의 시술이 독일의사로부터 '환상적'이란 평가를 받았다고 한다.

어쨌든 나도 그 성 원장을 만나 정형외과장 집도로 허리를 두 번 수술받고 완치됐다. 강남병원에서 한 달, 서울대학병원에서 두 달 등 모두 석 달 간 병상생활을 해야 했다. 회사를 비우는 동안 회사의 모든 계획에 차질이 생겼다. 특히나 홍보지 확장사업이 가장 큰 타격을 받았다.

뻔질나게 찾아오던 내가 안 보이자 구청장들은 나에게 무슨 일이 있는지 염탐하는 분도 많았다. 해외출장이라며 극도로 보안을 유지했음에도 어떻게 알고 병문안 오는 분도 있었고, 심지어 의료진에게 상태를 파악하는 사람도 있었다. 패혈증으로 상황이 아주 안 좋았을 때가 없진 않았어도 난데없는 사망임박설이 나돌기도 했다. 어느 구청에서는 가망이 없다는데 약속을 지킬 필요가 뭐 있겠느냐고 했다는 보고를 받았다. 염량세태라고는 해도 세상인심의 무서움을 절감했다. 노 사장이 곧 죽는다는데 홍보지 증부 약속을 지킬 필요가 있겠느냐고 했다는 무서운 인면수심을 보기도 했다.

배은망덕

한번은 이런 일도 있다. 서울 어느 구청장이 선거법 위반으로 재판 중이었다. 현행 선거법은 선출직 공무원이 선거법을 위반해 벌금 100만 원 이상을 선고받으면 당선이 무효 되도록 규정하고 있다. 하루는 신문판매 담당국장이 찾아와 긴급한 제안을 했다. 만약 서울신문이 구청장을 살리는 데 도움이 되면 홍보지를 3배까지 확장할 수 있을 것 같다고 했다. 오지랖 넓은 사장을 브로커로 활용하려는 게 아닌가 하고 쓴웃음이 났지만 사원들 먹이는 문제라 매달릴 수밖에 없었다.

그 구청장은 2심까지 당선무효형을 선고받아 무망한 상태였다. 그가 유명교회 장로라고 했다. 나는 대법원장을 찾아뵙고 구명을 호소했다. 대법원장도 장로였다. 그분은 내가 육군본부 법무감실에서 사병 생활을 할 때 법무관으로 모셨던 상관이기도 하다. 40여 년의 세월이 흐른 뒤였지만 나는 그분을 찾아뵙고 구명을 호소했다. 사실대로 이유를 대지는 않았지만 그 구청장이 서울신문과 긴밀한 유대관계가 있음을 비쳤다. "장로가 장로를 벌하시면 하나님이 좋아하시겠습니까?" 하자 그분은 대답 대신 빙그레 웃었다.

꼭 내 구명호소 때문이라 단정 않겠지만 그 구청장은 상고심에서 벌금이 80만 원으로 깎여 살아났다. 그분과 나는 만남의 상당시간을 40여 년 전으로 돌아가 군대생활을 회고하기도 했다. 그분은 과거 자신의 졸병이 신문사 사장이 되어 찾아온 데 대해 기특해하는 표정이 역력했다. "기록을 잘 검토해 보겠다"는 말 속에서 솔직히 안도감을 느낄 수 있었다. 결과는 이미 얘기한 대로 그 구청장은 구사일생했다.

나는 그 무렵 교통사고로 서울대병원에서 병마와 악전고투했다. 회복 가능성이 없다는 헛소문이 나돌 정도로 상황이 나빴다. 어느 날 담당국장이 그 구청장이 이런저런 이유를 대며 약속을 지킬 수 없다고 했다는 보고를 해왔다. 궁지에 몰리면 감당할 수 없는 말이라도 해서 벗어나려는 게 인간의 속성이라는 걸 모르는 바 아니다. 그분도 일단 살고 보자는 심정으로 실행이 어려운 제의를 했던 것이 아닐까도 생각된다. 홍보지를 3배로 늘려주겠다고 했지만 쉬운 일은 아니다. 1년이면 수억 원의 구독료를 더 지불해야 한다. 나도 솔직히 이행하면 좋겠지만 그렇게까지 되겠느냐고 크게 기대는 하지 않았다. 그래도 2배 정도는 늘려 주리라 기대했다.

벌금 80만 원으로 살아나자 변심을 한 것이다. 사정을 잘 아는 서울시 고위직 출신인 선배가 흥분했다. 과거 서울시에서 그 구청장을 부하로 데리고 있었던 분이기도 하다. 그 사람이 다분히 그런 기질이 있는 사람이라고 했다. '면종복배'라고 할까, '배은망덕'이라고 할까. 사회생활을 하다 보면 그런 인간을 더러 만나게 된다. 그가 믿는 사람이라고 한 것이 더욱 비애를 느끼게 했다.

짠돌이 경영

서울신문사에 가도록 종용한 노무현 정부가 괘씸한 생각이 들 때도 있었다. 기사든 뭐든 시비하는 일이라도 생겼더라면 그를 구실로 "당신들이 와서 하라"며 벌써 뛰쳐나갔을 것이다. 그러나 그런 일도 전혀 일어나지 않았다. 모든 것은 자업자득이라고 체념할 수밖에 없었다. 그러나 기왕에 들어온 이상 서울신문에 뭔가 하나라도 남기고 싶은 욕심이 나를 현장으로 내몰았다.

누구나 마찬가지겠지만 서울신문 경영 정상화를 위해 나는 할 수 있는 것은 다 했다. 나와 관계있는 사람들이 많은 피해를 보게 됐다. 특히 기업 하는 내 친구들에게 신세를 많이 졌다. 광고는 물론이고 더러는 '협찬'이라는 명목으로 현물이나 현찰을 기증받기도 한 것으로 안다. 광고국장이나 실무국장의 요청이 있으면 손을 벌렸다. 요즘 동창회나 동향 모임 등에 가면 자신들이 그때 서울신문을 도왔노라는 사람을 자주 만나게 된다. 내가 왜 그렇게 극성이었을까 솔직히 후회스럽기도 하다.

내가 극성스러웠던 이유는 친정 한국일보에 작은 누라도 끼쳐서는 안 되겠다는 강박관념 탓이었다. 나를 사실상 인도한 후배 이병완 실장은 내 푸념을 듣기 싫은지 전화를 해도 응답이 없었다. 내가 서울신문 경영을 맡은 후 철저히 방관했다. 내가 갔을 때 정부가 바라보는 서울신문 위상은 그저 '여러 신문 가운데 하나'에 불과했다. 정부로부터 어떤 호의적 '대우'를 기대하기란 불가능한 상황이었다. 그렇다면 자력갱생 외에 다른 길이 있겠는가.

각 부서장의 업무보고를 듣고 내린 결론은 우선 도덕적 해이만 줄여도 생존이 가능하지 않겠느냐는 것이었다. '마른 수건도 짜는' 구두쇠 경영에 돌입하는 길밖에 없었다. 사장인 내가 법인카드를 반납했으니 임원들에게 얼마나 압박요인이 됐겠는가. 사정이 사정인지라 그분들도 내 뜻에 잘 따랐다. 그분들에겐 활동비 명목으로 한 달 100만 원 한도 내에서 버티도록 했다. 지금도 그분들에게 대단히 미안한 마음이다. 서울신문을 살려보자는 충정이기에 군말 없이 잘 따라주었다.

원래 경영진이 바뀌면 전임 경영진은 모두 물러나는 게 관행이다. 당시 자매지 스포츠서울 사장은 내 고교 10년 후배인 김영만 현 서울신문 사장이다. 부득이 그도 전임 경영진의 일원이었기에 물러날 수밖에 없었다. 임원은 연임이 안 되면 물러나게 돼 있다. 내가 그를 붙들 명분이 전혀 없었다. 그래서 임원을 '파리 목숨'이라고 하지 않는가. 이를 두고 마치 내가 고향후배인 그를 쫓아낸 것처럼 몇몇 고향사람들로부터 얘기를 듣기도 했다. 본인도 나에게 직접 그런 투의 섭섭함을 표하기도 했다.

그러나 긴 말 하지 않겠다. 내가 신임 임원들의 반대를 무릅쓰고라도 그를 붙들 만큼의 상황이 아니었다는 점은 그 자신도 잘 알 것이다. 나는 전임 경영진 가운데 단 한 사람, 김명서 이사를 영업담당 이사로 연임시켰다. 나는 그와는 일면식도 없었다. 여러 사람들로부터 좋은 평가를 얻고 있었고, 무엇보다 내가 그의 도움이 절실했기 때문이다. 분명한 사실은 내 주변에서는 단 한 사람도 데려오지 않았다는 점이다. 나라고 주위가 없겠는가.

YS, "서울신문 사장 뭐 하러 맡았나"

서울신문에 입사한 후 반 년 만인 2007년 1월 1일 새벽 늘 하던 대로 상도동 김영삼 전 대통령에게 새해인사를 갔다. 나는 그분이 청와대를 나온 이후 해마다 신정엔 어김없이 인사를 갔다. 마침 서울신문 사장이 되고 난 후라 겸사겸사 인사를 하기 위해서다.

김 전 대통령은 첫 인사가 축하의 말 대신 "에이, 한국일보 주필로 있지, 뭐 하러 서울신문사 사장으로 갔노"라고 했다. 내가 한국일보를 떠나 서울신문 사장으로 간 데 대해 퍽 내키지 않는 표정이 역력했다. 내가 얼른 "주필보다는 사장이 낫지 않습니까" 하고 말꼬리를 돌리려 했지만 서울신문 사장으로 간 내 선택이 자못 못마땅하다는 표정이었다. YS는 다소 미안했던지 이내 "그래, 신문은 얼마나 나가느냐, 기자들은 몇 명이나 되느냐" 등 개인적으로 궁금한 사항을 물었다. 대충의 사항을 대답드리고 났더니 "옛날 그 신문이 나에게 못되게 굴었다"고 서울신문에 얽힌 자신의 트라우마를 얘기했다.

YS의 불평이 아니라도 과거 정부기관지 시절 서울신문이 야당인사에게 어떤 스탠스를 취했는가는 물어보나 마나 한 일일 것이다. YS는 공화당 정권 시절, 특히 유신 때의 서울신문이 야당지도자인 자신에게 했던 일을 기억했다. 그래서 YS의 서울신문에 대한 인식과 사고는

30~40년 전 야당지도자 시절에 머물러 있는 듯했다. 내가 "각하, 서울신문은 더 이상 정부기관지라거나 친정부 신문이 아닙니다" 해도 변화된 위상을 믿으려 하지 않았다.

YS는 또 "정부가 서울신문을 얼마나 도와주느냐"고 물었다. YS의 서울신문에 대한 인식과 사고를 돌리기 위해 나는 "각하, 한국일보에서 33년이나 근무한 저 같은 사람이 사장이 되는 것이 오늘날의 서울신문입니다"라고 했다. 이미 얘기한 바와 같이 노무현 정부는 서울신문 경영이나 장래에 관해서는 관심이 없었다. 노 정부 들어 첫 경영진이 사주조합의 희망대로 결정된 점이 웅변하지 않는가.

서울신문 정상화를 위한 노력

기억에 남는 일 가운데 이런 일도 있다. 사장 전용차에 관한 얘기다. 전임사장이 타던 엔터프라이즈라는 낡은 승용차가 있었다. 연식도 오래되고 마일리지도 20만 km였다. 그러나 나는 출근은 버스로 했고 외근업무만 이용했기에 불편을 느끼지 않았다. 수송부에서 고장수리를 하려 해도 부품을 구할 수 없다는 불평을 해도 애써 외면했다.

나에게는 전용차량이 전혀 관심의 대상이 아니었다. 고장 나면 업무용 차량을 이용하면 됐다. 그런데도 광고국장이 현대자동차에 얘기했더니 취임축하 뜻으로 신형 에쿠스를 크게 할인한 값에 광고비와 상쇄해 주겠다고 했단다. 일언지하에 거절했다. 대신 에쿠스 한 대 값만큼의 광고를 취임축하 턱으로 더 주도록 해 관철했다. 에쿠스 문제는 없던 일로 했다. 사장 차량의 개비를 모색하던 실무진이 다시 상당액을 할인받고 또 광고비와 상쇄하는 조건으로 구입을 건의했다. 역시 일언지하에 거절했다.

얼마 후 내 허락 없이 에쿠스 차량이 사장 차 명목으로 들어왔다. 광고국장이 아무 말씀 마시고 타면 된다고 했다. 나는 이 새 차를 시장에 내다팔아 회사에 입금시키라고 했다. 탈 사람이 안 탄다는데 그들이 우길 이유가 없지 않은가? 나중에 들은 바로는 내 고집 탓에 숫제 이 차량을 취임축하 명목으로 협찬받았다고 했다. 믿을 수가 없어 이 차량 대금은 절대 지불해서는 안 된다는 다짐을 받았고, 한 푼도 지출이 안 된 걸로 안다.

병상에 누워 있는 사람에게 차량이 긴요하지 않았다. 당시 현대자동차에는 내 고향 중학후배 두 사람이 부회장과 총괄사장으로 근무하고 있었다. 하지만 대화창구는 주로 홍보팀 임원들이었다. 그들이 이구동성으로 "노 아무개 사장, 정말 지독하다"고 했다고 한다. 그런 얘기는 백번 들어도 부담되지 않았다. 그렇게라도 하지 않으면 회사가 정상적으로 굴러가기 어려운 처지였다.

내가 지난일을 되새기는 것은 결코 자찬하려는 게 아니다. 내가 원해서 가진 않았지만 그래도 3년여 머물었던 자리에서 누구처럼 지저분하거나 터무니없는 짓을 하지는 않았다는 것을 남기고 싶었을 뿐이다. 특히 나를 마치 권력에 아부한 사람으로 음해한 일부 극소수 인간들에게 내가 그렇게 살아오지 않았다는 것을 증명하고 싶었을 따름이다.

이코노미석 고집해 엉뚱한 일도

한번은 이런 일도 있었다. 한류열풍에 따라 서울신문이 해외 '한국필름 페스티벌'을 개최했다. 주로 동포들이 밀집한 지역에서 행사를 했고, 수익도 짭짤했다. 베트남과 카자흐스탄을 방문하여 행사했던 것으로 기억된다. 비행시간이 길어야 6~7시간 정도여서 나는 항공티켓은

싼 이코노미석을 고집했다. 한 푼이라도 아끼려는 의지였다. 프레스티지(우등) 좌석이 이코노미석의 약 2배라는 것은 항공기를 타본 사람은 다 아는 사실이다. 몇 시간의 불편만 감수하면 상당액이 절약되므로 나는 기꺼이 불편함을 택했다. 이 행사는 협찬기관에서 자기 직원 몇 사람을 공짜여행 조건으로 협찬했다고 한다. 요즘 말로 하면 또 다른 형태의 '갑질'이 아니겠는가?

카자흐스탄에는 마침 오세훈 서울시장 일행도 자매도시 방문차 출장을 갔다. 서울신문 행사엔 어느 시중은행이 스폰서였다. 임원 2명, 부장급 1명 등 모두 3명이 '숟가락'을 올렸다. 자신들 내규는 부장급까지 프레스티지급이라 해서 3명 모두 대우를 했다. 내가 탄 이코노미석보다 2배가 비싼 가격이다. 문제는 출발 직전에 일어났다. 이코노미석에 앉은 나를 발견한 은행사람들이 좌불안석이었다. 나에게 좌석을 바꾸자고도 했지만 "몇 시간만 가면 된다"며 단호히 거절했다. 본의 아니게 그분들을 불편하게 한 것 같아 미안한 생각도 들었다. 그렇게라도 해서 회사에 보탬이 되도록 했다.

나는 해외출장 때는 가급적 실무자들과 함께 생활했다. 직원들과 스킨십하기 그렇게 좋은 기회가 또 어디 있는가? 역시 카자흐스탄에서 있었던 일이다. 내 짠돌이 경영에 직원들도 잘 따라준 경우였다고나 할까.

직원들이 자신들의 숙소로 우리 평수로 60평 크기의 미분양 아파트 한 채를 며칠 빌렸다. 나는 직원들에게 양해를 구하고 숫제 숙소를 그 아파트로 정했다. 직원들이 처음엔 머뭇거렸으나 내 진심을 알고는 쌍수로 환영했다. 하루 방값 300달러를 지불하고 호텔에 머물 이유가 없었다. 돌아와 그렇게 아낀 출장비를 남은 동전까지 죄다 경리부에 반납했다. 경리부원들의 휘둥그레진 눈을 애써 외면했다. 서울신문에 새로운 전통이 자리 잡아가기 시작했다.

신문사가 무슨 태양광 발전소 건립?

서울신문은 정부가 강력히 추진하던 신재생에너지 사업에도 참여했다. 전남 무안군에 1MW급 태양광 발전시설을 건립했다. 정부가 시설비 거의 대부분을 장기저리로 지원하고, 생산전력은 비싼 값에 한전이 매입했다. 신문사가 무슨 태양광발전소를 짓느냐고 어리둥절해하는 사람도 있었다. 이런 사업은 아이디어 싸움이다. 융자 상환액과 전기 팔아 거두는 수입 사이에서 이익이 현저하면 신문사라고 못 할 일이 아니다. 당시 서울신문 형편이 사장인 내 입장에선 도둑질, 강도질 빼고 돈 되는 일이면 뭐든 해야만 하는 처지였다.

지금 정확하게 기억나지는 않지만 당시는 분명 큰 수입원이었다. 한전 납품가는 1kW당 600 몇십 원으로 기억한다. 이익이 크다는 소문에 따라 너도나도 태양광 발전시설에 대한 투자가 크게 늘어나자 정부가 얼마 후 납품단가를 400원대로 낮추었다고 한다. 신재생에너지 전력의 고가구매로 한전의 재정적자가 누적됐기 때문이란다. 그러나 서울신문은 한전과 600원대 납품계약을 장기로 맺었기에 상당기간 큰 이익이 발생하리라 본다.

하루는 상지대학 총장 김성훈 박사로부터 전화가 걸려왔다. 그분은 농림부 장관도 지낸 유명 농정학자이자 아이디어가 풍부한 소위 '목포의 수재' 가운데 한 분으로 알려졌다. 그분과는 과거 그분이 중앙대학

교수로 계실 때부터 교분이 있었다. 그분은 상지대학 캠퍼스에도 태양광 발전시설을 하고 싶은데 내 경험을 듣고 싶다고 했다. 점심을 얻어먹으면서 내 경험담을 들려 드린 일이 있다. 당시 김 총장이 비닐커버를 씌운 향수휴지를 주셨는데 8년이 지난 지금도 내 지갑은 여전히 향수냄새를 내뿜고 있다.

뒤에 들으니 김 총장은 상지대 캠퍼스 건물 외벽을 비롯, 지붕 등을 태양광 집열판으로 휘감았다고 한다. 정부가 한전의 적자누적을 이유로 매입단가를 크게 낮추고 난 후가 아닐까 생각한다. 얼마만큼의 이익을 보는지는 알 수 없지만 그분은 소신껏 공사한 것으로 알고 있다. 태양광 집열판이 캠퍼스 내외를 휘감고 있다고 생각해 보라. 신재생에너지에 관해 이보다 더한 교육적 효과가 있을 수 있겠는가?

굴욕의 오찬

서울신문사는 최근 버스광고업을 중단했다고 한다. 서울신문은 언제부터인지는 알 수 없으나 사실상 독점한 버스광고에서 상당한 수익을 거둔 것으로 안다. 내가 사장으로 취임해 보니 버스광고가 회사 수입원 가운데 상당한 몫을 차지했다. 버스광고를 전담하는 별도의 국(局)이 있었다.

하루는 담당국장이 담당임원과 함께 찾아와 버스조합 대표에게 취임인사를 하는 것이 좋겠다고 했다. 우리 일행은 잠실 교통회관에 있는 버스조합 사무실로 갔다. 내가 놀란 것은 버스업자는 '갑 중의 갑'이었고 서울신문은 그야말로 갑의 눈치를 살피며 아양을 떨어야 하는 '불쌍한 을'의 입장이었다.

마침 점심시간이 되어 점심을 하기로 했다. 조합 이사장이라는 분이 "오늘은 사장도 오셨으니 전복찜이나 먹으러 갑시다"라고 했다. 나도 한때 집안이 수산물과 관련 있어 생선이라면 다소 식견이 있다. 전복죽이나 전복회, 전복무침은 들어 봤지만 '전복찜'이란 얘기는 처음 들었다. 양식전복이라고 해도 좀 비싼 생선인가? 버스조합 수장이 처음 만

나는 나를 크게 환영하는 뜻으로 이런 요리를 대접하는 것으로 알고 전복찜 식당으로 따라갔다.

전복을 쪄서 수북이 쌓아놓고 소스에 찍어 먹었다. 말하자면 비싼 전복을 찜으로 먹으면서 식사를 대신했다. 나는 속으로 이분들이 운송업으로 많이 버니까 전복을 솥째 쪄서 먹는다고 생각했다. 그리고 처음 만난 나를 대접하는 것으로 고맙게 생각했다. 그러나 식사 후 상상도 할 수 없는 일이 일어났다. 나를 수행했던 담당국장이 분명히 자신의 지갑에서 꺼낸 카드로 결제하는 것이 아닌가? 나는 소스라치게 놀라 버스조합 사람들이 있거나 말거나 아랑곳 않고 "당신 지금 회사카드로 결제하는 거요?"라고 따졌다.

담당국장이 나지막한 목소리로 "사장님, 많이 버는 만큼 쓸 때는 써야 합니다"라고 했다. 조합의 협조로 많은 이익을 남긴다고 해도 이것은 결코 용납이 안 되었다. 먹은 것을 그 자리에서 토해 내고 싶을 정도로 큰 충격을 받았다. 이후부터 나는 버스업자들을 의도적으로 만나지 않았다. 내 일생에서 결코 지워지지 않을 굴욕적인 오찬이었다. 명색이 신문사 사장한테 "사장도 오셨으니 전복찜이나 먹읍시다"라고 '갑질'한 그 조합간부는 나중에 사고도 크게 친 것으로 안다.

살아오면서 남에게 별로 아쉬운 소리 하지 않았던 나는 새로운 환경에 적응하느라 무척이나 힘들었다. 정말 모든 것 팽개치고 그만두고 싶을 때도 많았다. "서울신문에서 월급 안 받아도 먹고살 수 있는데 왜 내가 이런 개고생을 해야 하나" 하고 자탄도 했다. 큰 딸아이가 보스턴대학을 마치고 P국영기업에 취업했다. 작은 딸아이도 전액장학금으로 로스쿨을 가서 돈들 일이 별로 없었다. 막내는 군복무 중이었다.

7

그들은 비열했다

서울신문·KBS 장악시도

2007년 대선에서 승리한 이명박 정권은 당선 직후부터 언론장악 시도에 나섰다. 그들이 손쉬우리라 생각한 것이 정부 영향력하에 있는 KBS와 서울신문사 경영권을 접수하는 일로 판단한 듯했다. 그들은 법적으로 보장된 임기나 지위, 관련 법규, 예규 따위는 안중에도 없었다. 이명박 사람들은 처음 내가 노무현과 무슨 친척이 되니 마니 하는 터무니없는 얘기를 흘렸다. 분명히 말하건대 나는 노무현과는 전혀 인척관계가 아니다. 성이 '노 가'일 뿐이지, 그와는 본도 다르다.

나는 기득권 언론들이 노무현을 고집불통의 고졸 대통령이라고 깔볼 때 주류언론과는 다른 목소리를 냈다. 고졸이라고 대통령 하면 안 된다는 규정이 있는 게 아니다. 링컨은 초등학교 중퇴다. 노무현처럼 독학으로 변호사가 됐다가 미합중국 16대 대통령이 됐다. 분파주의 색채가 짙었던 남부를 전쟁에서 굴복시키고 통합 합중국을 건설했다. 노무현도 유사한 면이 있다. 부산상고를 나와 독학으로 사시에 합격, 판사로 근무하다 인권변호사가 됐다. 지역구도 타파를 위해 '바보 노무현'의 험난한 길도 걸었다.

보수언론은 노무현의 '가방끈 짧음'을 은근히 조롱하고 비판했다. 노무현이 탈권위와 지역구도 타파를 위해 몸부림칠 때 나는 그를 옹호하는 글을 썼다. 그러나 그가 대통령의 품격을 떨어뜨리는 처신을 하고 있다고 판단했을 땐 가차 없이 비판했다. 이념적으로 부딪칠 땐 노무현의 좌편향을 공격했다. 특히 재독인사 송두율 씨의 사법처리 문제를 둘러싸고 보인 노무현의 좌편향을 매섭게 했다.

내가 서울신문사 사장이 되자 선배 한 분이 전화를 했다. 그분 말씀이 "대통령 노무현을 조폭에 비유해 비판한 사람이 서울신문사 사장이 되는 걸 보니 우리 사회가 민주화되긴 된 모양"이라고 했다. 아마도 그분이 내가 한국일보에서 청와대 행정관 등의 편법 보수인상 기도를 조폭에 비유, 노 대통령을 심하게 비판한 칼럼을 읽지 않았나 생각된다 (한국일보 2003년 4월 4일자 '대통령과 오야붕' 칼럼 참고). 기회 있을 때마다 나는 노 정부의 실정 비판에 게으르지 않았다.

MB멘토라는 최시중의 거친 손길

이명박 정권은 소위 그의 멘토라는 동향의 최시중을 통해 KBS와 서울신문을 장악하려 했다. 노무현 정부가 연임을 허락한 정연주 KBS 사장과 임기 절반에 이른 서울신문 사장인 나를 몰아내기 위한 공작이 개시되었다. 내가 이명박 정권의 만행이라고 흥분한 것은 그들이 동원한 수법이 야비하고 치졸했기 때문이다. 다른 기관이라면 몰라도 이 두 곳은 언론이라는 특수성을 가졌다.

이 작업의 사령탑이라는 최시중이란 사람은 내가 볼 때 거칠기 짝이 없었다. 언론계 출신이라 하기엔 너무 정직하지 않았다. 정치부 기자 사회에서 좋은 선배라고 기억하는 사람을 별로 보지 못했다. 후배들이 못된 선배를 지칭할 때 흔히 사용하는 '구악'이라는 카테고리 속에 있었다. 그와 동시대를 살다 일찍 타계한 이상하 선배와는 모든 면에서 판이하게 비교되었다. 그래도 고 이 선배에게는 몇 차례 술잔도 받아 보았다. 그러나 정치부 기자 생활하면서 나는 최 씨와는 일면식이 없었다. 국회에서 민주화투쟁 운운하며 눈물을 글썽이며 자신의 과거를 호도하는 모습을 본 어느 선배는 혀를 찼다.

동료 발행인 가운데 세상이 바뀌었으니 그를 한번 만나보는 게 어떻겠느냐고 충고(?)하는 분도 있었다. 나는 서울신문 사장을 안 했으면 안 했지 그렇게 비굴하지는 않겠다며 거절했다. 나는 살아오면서 뭐가 되겠다고, 또 내 유익을 위해 누구에게 아쉬운 소리를 별로 해보지 않았다. '서울신문 사장이 뭔데' 지금까지 지켜온 기조를 무너뜨리고 싶은 생각이 추호도 없었다. 그럴 만한 기회가 있었지만 그런 구차한 일은 하지 않았다.

나는 1990년대 말 우연히 최 씨와 처남 남매간이라는 김 모 사장과 몇 차례 어울린 적이 있다. 형 같은 선배가 청와대 인근 그분 사무실로 호출해서 만났다. 내 선배는 김 사장을 아우처럼 생각하고 지내는 사이라고 했다. 그분은 당시 소규모 항공화물회사를 운영하고 있었다. 마음이 넉넉한 분 같았고, 그분도 나에게 호감을 가졌다. 한번은 포항에서 '과메기'를 가져왔다는 연락을 받고 그분 사무실로 가서 맛있게 먹은 적도 있다. 그러나 그분에게 내 문제를 입 밖에도 꺼내지 않았다. 내가 아쉬운 소리를 할 하등의 이유가 없었기 때문이다.

언론계의 많은 동료들은 그가 젊은 시절 언론인으로서는 가장 금기시하는 돈과 관련한 추문으로 곤욕을 치른 사실을 기억했다. 결국 그는 이명박 정권에서도 부정부패의 상징으로 오랫동안 영어의 몸이 됐다가 풀려난 바 있지 않은가? 더욱 가관인 것은 최근 희대의 사기꾼 조희팔 사건 연루 혐의까지 거론되는 현실을 보니 무슨 막장 드라마를 보는 느낌을 지울 수 없다. "평소 알고 지내던 그쪽 세계(조폭사회)의 한 분이 소개해서 그분과 함께 조 씨를 잠시 만났다고는 하나 지금 기억이 잘 나지 않는다"는 해명을 방송에서 그의 육성으로 들었을 때 나는 내 귀를 의심했다.

그들의 방법은 졸렬하고 치졸했다

2008년 이명박 정부가 출범한 지 10일이 채 지나지 않은 3월 6일 오전 8시 25분께다. 내 휴대폰으로 생소한 번호의 전화가 걸려왔다. 수화기를 들자 "신재민이에요"라고 했다. 이명박 정부의 첫 문화부 제2차관이었다. "오, 그래! 신 차관이 경황이 없을 것 같아 내가 먼저 축하전화를 못 했소. 우선 축하해! 그런데 어쩐 일이요?" "네, 제가 사장님께 용건이 있어서요." 그는 나와 한국일보 몇 개 부서에서 한솥밥을 먹던 후배다. 내가 정치부장이었을 때 그는 부원으로 국회와 청와대를 출입했다. 주필일 때는 논설위원으로 함께 근무하기도 했다.

나는 축하전화를 하지 못한 데 대해 다시 양해를 구하면서 "그래, 용건이라니 무엇이요?" 하고 대화를 이어갔다. 그가 나에게 계속 '사장님, 사장님' 하는 호칭이 퍽 귀에 거슬렸다. 나는 바로 "당신이 서울신문사 사원도 아닌데 사장님, 사장님 하니 퍽 어색하다"며 왜 선배라는 좋은 말 두고 그러느냐고 했더니 서울신문은 문화부 2차관 소관부서이기에 그렇다고 했다.

그는 대뜸 "사장님, 이제 그 자리(서울신문사 사장)를 좀 비켜 주시지요"라고 했다. 말투가 참기 어려울 정도로 퍽 능글맞고 얄미웠다. 결론부터 말한다. 사람을 쫓아내더라도 방법이 이래서는 안 된다. 이명박 정부가 서울신문사 사장 자리가 필요하다면 신재민을 시켜서는 안 된다. 이건 인간의 본성을 짓밟는 패륜행위에 다름 아니다. 시킨다고 따르는 사람도 문제지만 지시하는 자가 물론 더 나쁘다고 생각한다.

나를 밀어내고 싶으면 최소한 신문사 밥그릇 수라도 나보다 많은 최시중 정도가 나서야 하는 게 도리 아닐까? 아마 그가 자리 좀 비켜 달라고 사정했으면 나도 깨끗이 정리했을 것이다. 내가 서울신문사에 와서 그들에게 책잡힐 일은 단 하나도 한 적이 없다. 유일한 편집국장 직선제 신문사에서 야기될 수 있는 '일탈'을 막기 위해 나는 발행인으로서 심신이 지칠 정도로 애썼다. 때로는 편집국장과 인상을 찌푸려 가며, 또 '사임'을 무기로 신문의 균형감을 찾으려 혼신의 힘을 다했다.

그런 나에게 신재민은 사실상 협박을 했다. "사장님! 망신당하시기 전에 자리를 비워 주시는 게 좋을 겁니다." 미안하지만 나는 지금까지 망신당할 일이나 지저분한 일과는 거리가 멀게 살아왔다고 감히 자부한다. 용기가 없어서 큰 소리로 저항은 못했을지언정 부정이나 비리에 결코 부하뇌동하거나 함몰되지 않았다. 논산훈련소 수용연대에서 '대학물' 먹었다고 억지로 '향도'란 자리를 맡은 이후 '나서는 일'엔 관심이 없었다.

나는 정치부 기자 생활을 통해 각종 출입처에서 소위 '간사'라는 것을 의도적으로 피했다. 하는 일이 구질구질해서 싫었고, 생리에도 맞지 않았기 때문이다. 우선 돈을 만지는 일이 싫었다. 내가 아니더라도 하고 싶어 하는 사람이 많았다. 그래서 나는 '회사가 못하게 해서'라거나 '숫자 개념이 없어서' 등의 갖가지 구실과 핑계로 간사 맡기를 한사코 피했다.

예외적으로 출입처에서 단 한 번 간사를 한 적이 있다. 국회기자단 간사를 부득이 맡은 적이 있다. 국회를 오래 출입하다가 논설위원실로 발령받은 어느 선배가 국회기자단 간사를 맡아달라고 정중하게 부탁했다. 처음에 손사래를 쳤음은 물론이다. 그 선배가 내 성향을 아셨는지 "노 형, 국회 간사는 지저분한 일은 하지 않아도 돼요"라고 했다. 그 선배는 "국회 간사는 기자들 출입증 발급 요청서에 추천서명만 하면 된다"고 권유해 맡은 적이 있다. 그분 역시 나와 비슷한 성품의 소유자로 내가 평소에 따랐던 분이다.

신재민의 '망신당하시기 전에'라는 말은 나를 극도의 흥분상태로 몰아넣었다. '노진환, 당신이라고 털면 먼지가 안 나오겠어' 하는 얘기와 뭐가 다른가? "개 눈에는 뭐밖에 안 보인다더니, 너희들 완장을 찼나? 어느 놈이 시켰어? 이명박이야, 최시중이야?" 나는 잠시 이성을 잃은 채 속사포로 쏘아붙였다. 나는 "그래, 털려면 한번 털어봐라" 하고는 전화를 끊었다. 아무리 세상이 말세라지만 신재민을 시켜 협박을 하다니 좀체 분을 삭이기 어려웠다.

"망신 당하기 전에…"에 격분

신재민과 나는 한국일보 몇 개 부서에서 선후배로 함께 근무했다. 내가 주간한국 부장일 때 부원으로, 정치부장일 때는 역시 부원으로 서다. 특히 신재민이 편집국에서 왕따가 돼 어느 부서도 받기를 주저할 때 자청해서 논설위원으로 받아들이기도 했다.

뿐만 아니다. 논설위원실에서 정치부장으로 보낼 때도 마찬가지다.

윤국병 사장을 비롯한 사내 간부들의 이해를 돕는 데 내가 앞장서기도 했다. 당시는 그를 돌봐주며 한국일보를 망치게 한 그 '보이지 않는 손'이 힘을 잃었을 때다. 그래도 나는 그를 감싸고돌았다. 나는 한번 인연을 맺은 후배에겐 그가 먼저 배신하거나 나락으로 떨어지지 않는 한 무한한 신뢰를 보내는 사람이다.

신재민은 공인의식이 다소 결여된 그렇고 그런 친구다. 그가 정치부장인 내 밑에서 청와대를 출입할 때다. 허구한 날 그는 출입처를 비웠다. 청와대라는 곳이 어떤 곳인가? 기사 취재를 하지 않더라도 자리만은 꼭 지켜야 하는 곳이다. 적어도 기사를 빠뜨리지 않기 위해서는 불가피하다. 일순간이라도 정국의 흐름을 놓치지 않기 위해서도 그렇다. 다시 말해 자리만 잘 지키면 특종은 않더라도 낙종은 면할 수 있는 곳이 청와대다. 그런데도 그는 출입처에 숫제 출근을 하지 못하는 경우가 많았다. 이유는 간밤의 과음 탓이었다. 더러는 자신의 뒤를 돌봐주는 회사 실력자 간부와 함께 한 술자리도 있었다.

점심 때 반주로 한 폭탄주에 자주 작취미성 상태가 되기도 했다. 술을 즐기는 편이기도 했지만 분위기에 약한 탓이 아닐까도 생각했다. 술을 즐기는 사람치고 인간성 나쁜 사람이 없다고는 하지만 신재민의 경우는 심했다. 심지어 대낮 한국일보 입구에 취해 널브러져 있는 경우까지 있었다. 회장의 산책 때 눈에 띌까 봐 얼른 회사 차로 실어 나른 경우도 있었다. 회장은 식사 후 회사 주위를 산책 습관이 있었다.

하루는 해외특파원을 관리하는 외신부장이 고민스러운 얼굴로 나를 찾아왔다. 신문사는 대개의 경우 기자들의 가장 원로선배가 주필이다. 후배들은 자신들의 말 못 할 사연이나 애로사항이 있으면 나를 찾았다. 나는 그런 어려움이나 애로를 경청하고 함께 해결책을 모색하기도 했다. 그것이 선배 된 자의 도리 아니겠는가? 그날 외신부장이 나를 찾은 이유는 워싱턴특파원에 관한 애로사항 타개를 위해서였다.

천성이 착하고 점잖은 외신부장은 긴 한숨을 내쉬며 얘기를 시작했다. 워싱턴특파원인 신재민이 어디론가 증발해 버리는 사태가 한두 번이 아니라고 했다. 워싱턴발 기사는 쏟아지는데 특파원과 연락두절 상태니 죽을 노릇이라고 했다. 그렇다고 기사를 빠뜨릴 수 없어 연합뉴스 기사를 신재민 이름으로 바꿔 꾸려가고 있다고 했다. 특파원의 부재를 알고 있는 연합뉴스를 비롯, 타사들 보기가 민망하다고 했다. 문제는 그런 일이 한두 번이 아니라는 데 있었다.

얘기를 듣고 보니 사태가 심각했다. 가뜩이나 당시 한국일보 형편이 특파원 체재비 한 푼 보내는 것이 힘든 때이기도 했다. 외신부장 얘기를 듣고 나도 나름대로 동업지 등을 통해서 사정을 알아봤다. 상황이 여간 심각한 상태가 아니었다. 심지어 어떤 때는 워싱턴 임지를 벗어나 뉴욕에서 폭탄주에 취해 있다는 상상도 할 수 없는 상황이 전해지기도 했다. 그런 사정을 알고 있는 외신부원들의 반발 또한 큰 숙젯거리였다.

외신부장의 보고를 듣고 나는 선배들과 조용히 이 문제를 상의했다. 선배들 모두가 내가 전한 실상 이상으로 흥분했다. "지금 회사 형편이 어떤 상황인데…" 하고 화살이 보고자인 나를 향해 되돌아오는 느낌으로 험악했다. 당장 소환키로 했다. 그래도 나는 가급적 소리 나지 않게 조용히 처리하도록 분위기를 잡았다.

"한솥밥 후배 시켜 협박은 패륜"

그러는 사이 한국일보 경영진 개편이 있었다. 왕초(장기영 창업주의 애칭)의 4남으로 고 장강재 회장 유지로 회장직을 맡아온 장재국 회장 체제가 물러나고 2남 장재구 회장 체제로 바뀌었다. LA 미주본사로부터 당장 '긴급수혈'이 이뤄지지 않으면 한국일보가 어려운 상황에 처할 수 있기 때문이라고 했다. 신재민 소환문제도 회장직 교체에 따라 몇 개월 지연되었다. 사람은 환경의 지배를 받는다는 사실을 나는 믿는다. 아무리 착하고 넉넉한 성품이라 하더라도 주위환경이 옥죌 때는 천성마저 잃게 마련인 것 같다.

나는 신재민의 경우를 보고 절감했다. 나는 그를 처음 발랄하고 유머도 있고 가슴이 넉넉한 후배라 생각했다. 그는 원래 MBC 기자로 출발했다가 한국일보에 재입사해 사회부에서 경찰출입을 했다. 법조를 출입하면서부터 사람이 서서히 변해가는 모습을 보게 되었다. 무엇 때문인지는 모르나 한국일보는 법조출입 기자를 편애하는 경향이 있었다. 가뜩이나 한국일보 위계질서까지 무시하면서 전횡하던 사람이 이들을 관리(?)하면서부터 그의 인성이 달라지기 시작했다고들 했다.

한번은 이런 일이 있었다. 나와 동향이자 대학 동기동창 친구가 서울지검 공안부로 발령이 났다. 지금은 어쩐지 모르겠으나 5공 무렵엔 공안부 검사가 됐다는 의미는 출세코스에 접어들었다는 뜻으로 받아들여졌다. 어느 날 나는 신재민에게 이번 공안부에 발령 난 주 아무개 검사가 내 대학동기이자 동향 친구이니 혹 만나더라도 좀 살갑게 해주라고 당부했다. 알다시피 나는 대다수 법원 검찰의 고위간부들과는 이미 군대생활을 통해 일찍부터 폭넓은 교유가 있었다. 더구나 나도 검찰가족의 일원이기도 하지 않은가?

신재민의 대답에 나는 쇠망치로 한 대 맞은 양 아연실색했다. 그는 "서동권 선수(서동권 검찰총장을 이렇게 불렀다) 해도 해도 너무했어요. 아무리 대학후배라고 해도 '말귀도 못 알아듣는 친구'를 공안부로 보내면 어떻게 해요?'라고 했다. 당시 신재민의 그 한마디는 두고두고 내 뇌리 속에서 지워지지 않고 있다. 아무리 내 친구가 검찰사회에서 자질이 좀 부족하다는 평이 있다고 해도 선배한테 그렇게 말해서야 되겠는가?

잘못된 선민의식은 자신을 파멸케 하기 마련이다. 또 회사 고위층의 민원 챙기는 일로 선민의식을 갖는 분위기에서 기자(記者)는 기자(棄子)이기 십상이다. 안타깝게도 신재민은 그런 프레임에 함몰되지 않았나 생각된다. 나는 기자는 영혼이 맑아야 한다고 생각하는 사람이다. 그래야만 세상을 제대로 바라볼 수 있을 것이다. 영혼이 서린 얘기를 글자로 담아내야만 울림이 있지 않겠는가.

이런 일도 있었다. 편집국장이라는 자가 정신병자 수준의 횡포를 부릴 때다. 정치부장이던 나를 비롯, 상당수 동료들이 별 까닭 없이 그 친구로부터 자주 괴롭힘을 당했다. 부원이던 신재민이 그런 내가 안쓰러웠던지 하루는 나에게 충고 아닌 충고를 했다. "부장! 한 사람 비위도 못 맞추십니까? 제가 부장이라면 한 사람 비위 잘 맞추면서 편히 살겠습니다." 용기가 없어 그 사람의 터무니없는 횡포에 정면으로 맞서지 못하고 억지로 참아내는 내 모습이 안타까워서 하는 훈수임이 분명하다.

이제야 하는 말이지만 신재민 등 후배들이 부장인 나로 인해 더러 고생도 했을 것으로 짐작한다. 한 사람 비위도 맞추지 않으려 하는 부장 탓에 대신 술자리도 가져야 하는 등 애로가 있었음을 알고 있다. 그러나 그 친구와 마주 앉는 것 자체가 나에게는 소름 돋는 일이었다. 그 친구 비위를 맞춰 편의를 찾고자 함은 영혼을 파는 일이나 다름없었다. 그래서 신재민에게 "당신은 당신 방식대로 살고, 나는 내 방식대로 사는 거야" 하고 우물거렸던 기억이 난다. 어쩌면 신재민, 그도 영혼을 팔 수밖에 없었던 피해자일지 모른다.

얘기가 잠시 빗나갔다. 최시중을 총책으로 하는 이명박 정권의 언론 장악 공작에 검찰이 동원됐다. 신재민으로부터 2차에 걸쳐 협박을 받자 나도 오기가 생겼다. 이미 언급한 대로 그들이 최소한의 예의만 갖추었어도 나는 내 발로 서울신문을 걸어 나왔을 것이다. 그러나 그들의 방법은 졸렬하고 치졸했다. 그들은 내가 내 발로 걸어나가지 못하도록 추하고 더러운 환경을 조성했다. 급기야는 검찰이 나를 불구속 기소했다.

비열한 정치공작의 실체

검찰은 2008년 10월 22일 뜬금없이 나를 증권거래법 위반 혐의로 기소했다. 서울신문사 대표이사인 본인과 CFO(경리회계 책임자)이자 부사장인 박종선, 조명환도 같은 혐의로 불구속 기소했다. 내가 그들의 요구대로 서울신문사 대표이사 사장직을 사퇴하지 않는 데 대한 사실상의 공갈협박이었다. 이 사건의 개요를 잠시 설명할 필요가 있을 것 같다.

서울신문사는 내가 취임하기 전 전임 경영진이 주거래은행인 우리은행과 자구를 위한 양해각서를 체결한 바 있다. 주된 내용은 서울신문이 소유한 재산을 처분해 1200여억 원에 달하는 대출금 일부라도 상환한다는 것이다. 그래야만 대출연기를 해주겠다는 것. 재산 가운데는 자매지 '스포츠서울' 주식도 있었다. CFO 박종선은 양해각서 작성 당시 채권자 우리은행 업무개선팀장으로 은행 측 실무책임자다.

나는 서울신문 대표이사 취임 직후 황영기 당시 우리은행장에게 CFO 적임자 추천을 요청했다. 내 주위에도 회계책임을 맡길 만한 사람이 없지는 않았다. 하지만 아무래도 주거래은행 출신이 향후 서울신문의 경리 및 회계 업무를 맡는 게 유리할 것으로 판단했다. 황 행장으로 부터 추천받아 CFO 부사장으로 영입한 사람이 박종선이다. 조명환은 '스포츠서울' 주식을 매입한 사람이다.

신문에 문외한이던 전임 경영진은 재임 3년 동안 500억 원이 넘는 재산을 축낸 것으로 드러났다. 경영에 도움 될까 하고 무가지를 발행했던 게 자충수였다. 당시 너도나도 무가지 발행 경쟁에 나서 무가지 춘추전국시대를 방불케 했다. 서울신문은 무가지 경쟁시대에 막차를 탄 셈이었다. 돈을 벌기는커녕 눈덩이처럼 쌓이는 적자를 메우는 일에 헉헉돼야 했다. 내가 서울신문 대표이사가 됐을 때 회사 형편은 은행으로부터 차입하지 않고는 더 버티기 어려운 최악의 상황이었다.

뿐만 아니다. 경영진의 모럴 해저드는 회사를 골병들게 했다. 신문사 사장이 무엇 때문에 거의 한 주도 거르지 않고 필드에 나가야만 했는지 도무지 이해되지 않았다. 또 그때마다 제반 경비를 신문사가 부담해야만 했는지 상식적으론 납득 안 되는 일이 일어났다. 심지어 캐디피(봉사료)는 현찰로 지불해야 한다는 구실로 비서실에서 정기적으로 카드깡으로 현찰을 마련했다고 한다. 인근 백화점 상품권을 법인카드로 구매했다가 그 자리에서 할인해 되팔았다니 입이 닫히지 않았다.

더욱 가관인 것은 후일 이 경영진이 골프잡지에 서울신문 사장하는 동안 원 없이 골프를 즐겼노라고 한 인터뷰 기사를 읽으면서 그분의 정신세계를 의심하지 않을 수 없었다. 당시나 지금이나 서울신문사 사장이 골프나 즐기면서 어영부영할 만한 상황이 분명 아니다. 그러니 신문사 경영 상태는 불문가지다. 이익을 못 내면 결국 은행차입을 늘리든가, 아니면 있는 재산을 팔든가 해서 연명할 도리밖에 더 있겠는가?

나는 취임하면서 우선 나 자신을 비롯, 임원들의 법인카드 사용부터

억제했다. 사장인 나는 숫제 회사에 반납했다. 임원들에게도 월 100만 원 한도로 사용할 것을 요구했고, 임원들은 내 이 무리한 구두쇠 전략에 따라주었다.

사실상 공갈협박

2008년 7월 서울신문 사업부서에서 베트남에서 '코리안 필름 페스티벌'(한국영화제)을 기획했다. 동남아시아에 일고 있는 한류열풍을 통해 상당한 수입이 기대된다고 했다. 명분도 좋고 또 실리가 예상돼 나는 이 일을 담당하는 업무팀과 베트남 현지로 출장을 다녀왔다. 4~5일의 출장에서 돌아오니 박종선 부사장이 검찰에 불려가 스포츠서울 주식매각과 관련해 참고인 조사를 받았다고 했다.

나는 '스포츠서울' 주식매각과 관련, 보고는 받았지만 사람의 일이라 실수도 있지 않았을까 하고 내심 당황했다. 나는 원래 돈과 관련된 사항은 CFO 박종선 부사장에게 일임했다. 돈을 모르는 내가 보기에도 박종선은 일처리가 분명한 사람이다. 박종선을 못 믿어서가 아니라 일을 하다 보면 실수도 있을 수 있지 않겠는가. 그러나 내가 '혹시나' 하고 걱정했던 일은 기우였다. 보고한 사실에서 한 치도 어긋나지 않았다.

검찰은 주식거래에서 공시를 문제 삼았다. 공시를 제대로 하지 않은 혐의라고 했다. 더러 중요한 사실을 누락하거나 왜곡하는 방식으로 주가를 조작해 불법적으로 이득을 취하는 경우가 있다고 했다. 그러나 서울신문은 금감원의 한정된 스페이스에 맞게 내용을 공시했다고 한다. 그럼에도 검찰이 중요한 내용이 누락됐다고 시비를 건 것이다. 이것은 누가 보아도 검찰이 무슨 저의를 갖고 사건을 만들어 가는 것이 분명했다. 서울신문사 사장직 사퇴를 거부한 나를 겁박하려는 불순한 의도가 보였다. 비열한 정치공작의 실체가 서서히 그 얼굴을 드러냈다.

그럼 검찰은 왜 나를 서울신문사 사장직에서 추방하는 데 하수인으로 등장하게 됐을까? 이명박 정부는 이와 함께 자신들과 대척점에 있는 것으로 생각한 KBS 정연주 사장의 교체도 함께 시도했다. 세간에 이명박의 대언론정책은 소위 그의 멘토라는 최시중에 의해 기획되고 집행되었다고 한다. 2003년 4월 노무현 정부 때 KBS 사장으로 임명돼 2006년 11월 연임된 정연주 사장이 최시중의 제1차 표적이었다고 한다. 두 사람은 한때 동아일보에서 함께 근무한 것으로 안다. 최 씨가 동양통신에서 동아일보로 옮겨 와 유신시절 숨죽이고 근무한 데 반해 정 씨는 반유신투쟁으로 자유언론수호에 앞장섰다 해직돼 유학을 떠난 것으로 안다.

나는 이미 설명한 바와 같이 2006년 6월 서울신문사 사장이 됐다. 이명박이 대통령 됐을 때는 사장 3년 임기의 절반 고지를 막 넘어가려는 시점이었다. 내가 외부에서 수혈됐기 때문인지 노조가 자주 시비를 걸었다. 처음 고사했지만 일단 사장으로 일하기로 한 이상 나는 개의치 않고 이들을 설득해 가며 회사 경영을 정상화하기 위해 혼신의 노력을 다했다. 우선 경영상의 도덕적 해이를 경계하면서 투명한 경영을 위해 최선을 다했다.

최소한의 예의만 갖추었던들

이명박 정권이 출범한 2008년 2월 하순 여러 곳으로부터 이상한 얘기들이 들려왔다. 임기가 절반이나 남은 나를 교체하기로 방침을 정했다는 얘기였다. 후임까지 구체적으로 이름이 거론되었다. 후임은 나와 한국일보에서 함께 근무한 L모라고 했다. 이 얘기의 진원지는 문화부와 청와대의 언론을 담당하는 친구들이었다. 결론부터 말하면 이들이 최소한의 예의만 갖추었던들 나는 미련 없이 서울신문을 떠났을 것이다.

당시 내 마음은 이미 서울신문을 떠나 있었다. 어찌됐든 연을 맺은 이상 회사를 한번 정상화하려 발버둥쳐 보았지만 성취감을 느끼기 어려운 상황이었다. 이제야 밝히는 사실이지만 나는 당시 사표를 던지고 출근하지 않은 적도 몇 차례 있었다. 내 충정을 몰라주고 엇박자만 놓으려는 일부 사원들과 단 하루도 함께 머물고 싶지 않았다.

반면 나를 붙잡고 회사를 다시 일으켜 보려는 사람들은 한사코 나를 못 나가게 했다. 평양감사도 본인이 싫으면 그만둘 권리가 있을 터인데도 사정은 그렇지 못했다. 이러지도 저러지도 못하는 진퇴양난의 상황에 빠졌다. 그래서 정말 그만둘 요량으로 사표를 던지고는 아무도 찾을 수 없는 무연고 지역으로 잠적하기도 했다. 나를 괴롭히는 사람들 못지않게 붙들어 두려는 사람들 역시 나를 괴롭히기는 마찬가지였다.

그 사람들은 내 주변사람들을 괴롭혔다. 서울신문이 싫어서 사표 내고 잠적했는데 피해는 주변사람이 입는 엉뚱한 일이 생겼다. 내 처남 로펌사무실이 피해를 보았고, 심지어 친한 선배 사무실까지 그들로부터 괴롭힘을 당했다. 그만두려고 나간 사람이 행선지를 밝힐 이유가 있는가? 그럼에도 나를 찾아내라고 나와 관계있는 사무실로 몰려가 괴롭히는 일이 일어난 것이다. 거듭 말하지만 이명박 정권이 최소한의 예의만 갖추었어도 나는 내 발로 미련 없이 서울신문을 떠났을 것이다.

더욱 황당한 사실은 내 후임이라고 이명박 측에서 흘린 인사에 관한 일이다. 그 사람은 내가 입에 담기도 싫은 사람이다. 한국일보에서 함께 근무할 때 내가 "인간이 사악해지면 어디까지 추락해질 수 있는가의 표본을 보았다"고 했던 자다. 뒤에 안 사실이지만 그 자의 서울신문사 사장 기용 실패 탓을 신재민 등은 나에게 돌렸다고 한다. 천만의 말씀이다. 그것은 서울신문사 내 그들의 '빨대'들 얘기에 불과하다.

그 인사를 내 후임으로 내정했다는 얘기가 나오자 몇 사람이 내 방을 잇달아 찾아왔다. 그들은 그 친구의 씻을 수 없는 흠결을 마치 자신들이 본 듯이 얘기했다. 만약 정부에서 밀어붙이면 가만히 있지 않겠다고 했다. 정부가 나를 강제축출하려 하면 거론되는 후임의 추악한 과거를 폭로하는 회견을 하겠다고 덤볐다. 나를 붙들어 회사를 일으켜 보겠다는 사람들 역시 과격하기는 마찬가지였다. 막상 바빠진 것은 나였다.

나를 음해한 사람들

그들이 내게 제보한 얘기는 내가 아는 사실과는 약간 달랐지만 팩트는 같았다. 그 사람 신상에 관한 사안을 어떻게 알았느냐고 물어보았다. 한 친구는 오래전 한국일보 친구로부터 들어 알고 있었다고 했다. 또 다른 사람은 여기자에게 들었다고 했다. 추문이 여기자 사회에는 이미 공지의 사실이라고 했다. '추문'에 관한 불편한 진실의 공을 결과적으로 내가 안게 된 형국이 되었다. 세상에 비밀이란 존재하기 어렵다.

가관인 것은 권력이 '빨대'로 활용하는 사주조합장이란 친구가 낸 성명이다. '명예훼손' 운운은 한 편의 블랙코미디였다. 그래도 친정인 한국일보의 명예와 관련되는 문제이기에 친정출신 몇몇 선배와 상의했

다. 그분들도 하나같이 한국일보 명예가 실추되는 일만은 없도록 신신
당부했다. 나 역시 그런 사태만은 막아야 하리라 생각했다. 선배들은
후에도 사태 진전을 점검하는 전화를 걸어오기도 했다.

　나를 음해한 사람들은 정말 비열했다. 무슨 '형님 편지'니 하고 떠들
었지만 나는 꾹 참았다. 만약 내가 그들처럼 비열했다면 얼마든지 그들
을 괴롭힐 수 있었지만 나는 신앙인이다. 뒤통수치는 비열한 짓을 증오
하는 사람이다. 하늘이 사악한 무리를 벌하리라는 확신이 있었기에 입
을 다물었다. 지금이라도 뉘우치는 모습이라도 보였으면 하는 바람을
갖고 있다. 하지만 그럴 위인들이 아니라는 점도 안다.

'정무수석감' 대 '구정권 사람'

이명박 정권이 출범하기 직전인 2008년 1월 중순께다. 퇴근해 쉬고 있는데 밤 10시쯤 차장급 대학후배 여기자가 전화를 했다. 그 여기자는 다소 흥분된 목소리로 그날 저녁모임에서 있었던 일을 보고했다. "사장님이 정무수석이 되실 것 같아요." 헛웃음이 나왔다. 나는 "여러분들이 내가 못마땅해 쫓아낸다면 모를까 임기가 절반 남은 사람을 흔들면 안 되지"라고 일축했다. 그가 "가문의 영광이지 않아요?"라고 했지만 나는 "임기를 잘 마치는 게 더 큰 영광입니다"라고 일러주었다.

제보자인 그 여기자의 설명은 이러했다. 그날 저녁 시내 L호텔 중식당에서 고려대 출신 정치부장단 모임이 있었다. 자신은 차장이라 대상이 아니었으나 선배들이 가자고 해서 참석했다고 했다. 만남 자체를 '없었던 일'로 다짐한 그날 모임은 이명박의 오랜 친구이자 대통령 당선의 일등공신이기도 한 천신일 고려대 동창회장이 소집했다고 한다. 당시 조선, 동아 등 유력 언론사 정치부장에 고려대 출신이 많았다.

제보 여기자에 따르면 천 회장은 그날 "다른 자리는 몰라도 인사와 관련 있는 정무수석만큼은 모교 출신이 바람직할 것 같다"며 언론계에

마땅한 후보가 없겠느냐고 했단다. 거기서 서울신문 사장인 나를 대상으로 거론했다고 했던 것 같다. 그날 모임을 알려준 여기자는 "모임 자체를 극비로 해달라는 주문이 있었지만 사장님 신상에 관한 얘기를 어떻게 모른 척할 수 있느냐"며 사실을 알려주었다. 그날 모임을 주재한 천 회장은 대학 같은 과 4년 선배다. 내가 잘 나다니지 않아 그를 개인적으로 만난 일은 없다. 그저 여행사로 돈 벌어 후배들에게 많이 베푸는 정겨운 선배 정도로 알고 있다.

천 회장이 정무수석에 모교 출신을 희망한 것은 애교심 때문이 아닐까 생각한다. 하지만 나를 대상에 올린 것은 잘못된 선택이다. 나는 그럴 생각이 추호도 없었다. 나는 평소 기자연하다가 하루아침에 정치판으로 가는 사람을 좋게 생각하지 않았다. 회사가 어려워 호구지책을 위해 가는 경우는 예외로 했다. 나는 회사 형편이 어려워 생계를 위협받는 후배들에게는 과감히 전직을 권유하기도 했다. 그리고 자리를 알아봐 주기도 했다.

이명박 정부 내에는 나에 대해 상반된 견해가 공존하지 않았나 생각된다. 특별히 이명박 정부와 내가 척을 질 일은 없었다. 이제야 하는 얘기지만 나는 그들에게 도움을 주었으면 주었지 손해되는 일은 한 적이 없다. 박근혜 의원과의 대통령후보 경선 때 나는 형처럼 생각하는 박희태 의원과 우연히 통화하는 기회에 이명박을 지지하는 게 아무래도 시대의 흐름이 아니겠느냐고 내 생각을 전한 바 있다. 이명박이 예뻐서가 아니다. 동문이어서는 더더욱 아니다. 당시의 시대적 화두가 '경제'였기 때문이다. 박근혜 후보보다는 그래도 실물경제라도 아는 이명박이 낫지 않을까 해서다.

이미 박근혜 후보 지지를 선언한 김덕룡 선배에게는 "선배가 살아온 궤적하고 지금의 선택은 전혀 맞지 않는 것 같다"며 재고를 요청하기도 했다. 중국을 다녀온 김 선배는 당초 생각과 달리 이명박 지지로 돌아섰다. 검찰이 뜬금없이 나를 괴롭힐 때 내가 그 두 분에게 "세상에 이럴 수가"라고 탄식하자 두 분 역시 "그게 아닌데"라면서 퍽 곤혹스러워했다.

고대 출신 정치부장단 모임에서 정무수석 얘기가 나온 후 여기저기서 나를 겨누는 일이 일어났다. 서울신문 사장 자리가 필요했던 쪽에서는 신재민을 앞세워 나를 밀어내려고 한 것이 아닐까 생각된다. 그들 진영 내에서조차 한쪽은 정무수석감이 됐다가, 또 다른 쪽에서는 '끌어내야 할 구정권 사람'이 된 것이다. 어쩌면 '정무수석' 얘기가 나오자 반대편에서 서둘러 나를 밀어내려 한 것이 아닐까 하는 생각도 든다.

인사라는 게 꼭 당사자의 동의 아래 회자되지는 않음을 안다. 그러나 본인의 뜻과 달리 이런 얼토당토않은 소문으로 황당한 경우를 몇 차례 경험했다. 내 뜻과는 상관없이 입질에 오르내렸던 것이다. 분명한 사실은 단 한 번도 내가 먼저 그런 생각을 갖지 않았다는 점이다. 정치판과는 천성적으로 잘 맞지 않았기 때문이다. 그런 얘기가 나올 때마다 나는 좌고우면함 없이 단호히 거부했다. 언론인 외길로 살아온 내 조그만 발자취에 누를 끼치고 싶지도 않았기 때문이다.

증권거래법 공시 위반으로 기소되다

2008년 10월 22일 서울중앙지검 금융조세2부는 나와 부사장 박종선, 그리고 조명환을 증권거래법위반(공시위반) 혐의로 불구속기소했다. 사건이 기소되기까지 우여곡절이 많았다. 법조출입기자의 일일보고를 보면 검찰이 내 문제로 좌고우면하는 모습이 적나라하게 드러나 있다. 신재민의 압박이 통하지 않자 그들은 청와대 민정수석실을 통해 검찰을 동원하기에 이르렀다.

심지어 그들은 서울지방 국세청 조사4국까지 움직인 흔적이 있다. 조명환으로부터 주식을 인수한 정홍희라는 사람을 조사하는 과정에서 드러났다. 정 씨를 조사하던 서울청 조사4국 요원이 "노진환 사장에 관련된 건이 있으면 협조해 달라"고 했다고 한다. 정홍희라는 사람은 박종선이 스포츠서울 주식을 인수할 사람이라고 데리고 와 잠깐 인사한 적이 있다. 내 집무실에서 1~2분 정도의 짧은 만남이라 그의 얼굴도 기억하지 못했다. 젊은 사람이 열심히 사업해 제주도에 골프장까지 소유한 재력가라고 했다. 그런 정 씨에게 나를 얽어맬 건을 달라고 했다니 나를 엮기 위해 기관이 총동원된 셈이다. 그런 사람들이니 천벌을 받지 않을 수 있겠는가. 정 씨가 "얼굴도 모르는 노진환 사장의 비리를 내가 어떻게 알겠느냐"고 대답했다고 한다.

서울지방 국세청 조사4국이 어떤 곳인가? 내가 알기로 청와대 하명 사건을 주로 취급하는 곳이다. 평생 백면서생처럼 신념에 따라 글만 써온 나를 자신들의 잣대로 재단하려 한 것이다. 이명박 정권이 길을 잘못 택한 것이다. 비열하고 치졸한 사람들이다. 뭐 눈에는 뭐밖에 안 보인다고 하지 않는가? 그들은 자신들의 잣대로 나를 털면 먼지라도 나오지 않겠느냐고 생각한 듯하다. 미안하지만 나는 그렇게 살아오지 않았다. 최시중이라는 사람 부류의 잣대로 나를 재단하려 했다면 큰 오산이다.

사퇴를 거부한 나에게 검찰의 기소내용은 주식을 거래함에 있어 공시를 위반했다는 것이다. 나는 솔직히 공시라는 제도가 있는지, 또 무엇인지도 몰랐다. CFO인 박종선이 주식을 팔았다는 내용을 실무자 시켜 금감원 게시판에 공고했다는 보고는 받았던 것 같다. 검찰은 나와 박종선이 공시에서 중요한 사항을 누락시켜 투자자에게 손해를 끼칠 우려가 있다고 했다. 그렇다 하더라도 무엇이 중요하고, 무엇이 덜 중요한지에 대한 다툼의 소지가 있을 수 있을 것이다. 만약 검찰 주장이 사실이라면 투자자들로부터 먼저 불만과 불평이 나왔을 것이다. 언제부터 검찰이 주식투자자들의 이익을 그렇게 잘 보살폈는지….

이런 상황에서는 이제 서울신문 사장을 그만두려고 해도 내 발로 나갈 수 없게 되었다. 퇴로가 막힌 셈이다. 이솝우화처럼 외투를 벗기려면 따뜻한 훈풍으로 더위를 느끼게 해야 한다. 바람이 세차면 세찰수록 외투 깃을 당기게 마련이다.

검찰, 1·2심 무죄에도 상고

지루한 법정투쟁이 시작됐다. 1심인 중앙지법 재판부는 검찰의 기소 내용에 대해 피고인들이 허위공시로 이득을 취할 이유도, 증거도 없다고 무죄를 선고했다.

주위사람들이 법원의 판단이 그럴 것이라고 예측했던 대로다. 기소장과 수사기록을 열람한 나의 변호사 친구들은 이구동성으로 "뻔한 일이니 걱정할 필요 없다"고 했다. 사정을 피고인인 나보다 더 잘 아는 박희태 형 말이 생각난다. 희태 형은 "노 사장, 딴 생각 말고 태정이(처남 김태정 전 법무장관)한테 변호사 한 사람 붙여 달라고 해"라고 했다. 왜 이명박 쪽에서 계속 헛발질을 하나 하는 곤혹스러움이 배어 있는 듯했다.

예상대로 2심도 검찰의 항소를 "이유 없다"고 기각, 무죄를 선고했다. 당연한 결과 아니겠는가. 나는 적어도 이쯤에서 검찰이 상고는 하지 않을 것으로 생각했다. 그러나 또 상고를 했다. 후안무치한 사람들이다. 이쯤 되니 나도 오기가 생겼다. 내가 눈에 흙이 들어가기 전에는 결코 잊지 못할 것이라고 한 까닭이기도 하다. 항소심 최후진술을 통해 나는 "검찰이 바로 서야 나라가 바로 선다"고 엉뚱하게 공판입회 검사에게 화풀이를 했다.

세상에 영원한 비밀은 없는 법이다. 세월이 흐른 후 검찰이 나를 기소한 이유가 드러났다. 그것도 당시 검찰 책임자의 입을 통해서다. 이명박 정권이 자기 사람으로 서울신문 사장을 교체하기로 한 것은 다음과 같은 이유였다고 한다. 즉, 서울신문이 '제2의 한겨레신문화', '제2의 경향신문화'할 가능성을 차단하기 위해서라고 했다. 그리고 서울신문 사장을 발행인협회 당연직 회장이던 유신시절의 막강한 정부기관지화하려는 음모도 있었다고 한다. 그러나 최시중 등 이명박 사람들의 기도는 쉽게 이뤄지지 않았다. 이미 나는 서울신문에 대해 어느 특정 도그마에 함몰되지 않도록 균형을 잡아가고 있었다. 나도 30수 년간의 기자 생활을 통해 신문이 어떤 스탠스를 가져야 한다는 것쯤은 터득하고 있었다.

그들은 신재민의 협박이 통하지 않자 청와대 민정수석실을 움직였다. 서울지검 고위간부를 지낸 사람의 실토다. 민정수석이라는 사람이 직접 서울중앙지검에 나를 압박토록 지시했고, 기소하기에 이르렀다고 한다. 나중에 고액수임료 파문으로 감사원장이 되지 못한 그 친구와는 일면식도 없다. 그 친구가 나를 특별히 해코지해야 할 하등의 이유가 없는 일 아니겠는가. 민정수석에게 하청을 준 배후는 이명박의 멘토라는 그 사람이 분명했다. 이명박 정권 아래서 그런 몰염치한 일들이 수시로 일어났다. 오죽하면 그들 정부에 비판의 날을 세웠다고 쫓아낸 강남 어느 사찰의 주지가 이명박 정권을 몰염치, 파렴치, 후안무치한 '3치 정권'이라고 빈정댔겠는가.

그 스님이 펴낸 고발서 『중생이 아프면 부처도 아프다』를 읽으며 이명박 정권의 파렴치한 면면을 일목요연하게 파악할 수 있었다. 그 고발서를 읽으며 솔직히 기자로서 자괴감을 느끼지 않을 수 없었다. 승려 신분으로 이렇게 정권의 비리를 고발하는데 소위 사회의 목탁이라는 언론은, 또 나는 그동안 무엇을 했는가 하는 자괴감이 그것이다. 아녀자가 한을 품어도 오뉴월에 서리가 내린다[五月飛霜]는데 온갖 박해에 시달린 승려의 한 맺힌 목소리는 우리 모두에게 큰 울림을 주었다. 기회가 되는 대로 나도 헌정사에서 결코 태어나지 않았어야 할 부도덕하고 부패한 이명박 정권에 대한 글을 쓸까 생각하고 자료를 챙기고 있다.

3심 모두 "이유 없다" 무죄선고

내 증권거래법위반 최종심은 두 해나 넘긴 2011년에야 대법원 최종 판결이 났다. 서울신문사를 퇴직하고 난 2년 후다. 3년 수개월간 나를 괴롭힌 끝에 결론이 난 것이다. 대법원은 역시 검찰의 상고를 이유 없다고 기각하고 무죄를 확정했다. 말이 나왔으니 하는 말이지만 검찰을 정치판에 끌어들인 정권치고 성공적인 평가를 받는 경우를 보지 못했다. 국가공권력의 상징이어야 할 검찰이 정치에 함몰되면 그날부터 검찰은 흉기와 다르지 않다.

결과적으로 이명박 정권은 내 선의를 악의로 갚은 꼴이 됐다. 물론 이명박이 이 문제까지 직접 관여한 것은 아닐 것이다. 당한 자의 입장에서는 그렇지 않다. 소위 그의 멘토라는 최시중이 기획하고 지휘한 일이라고 해도 분명 이명박도 책임을 면키 어렵다.

나는 처음 이명박 정권이 성공하길 진심으로 바랐다. 흔해 빠진 대학 선배여서가 아니다. 사사건건 싸우려고만 했던 지난 정권의 5년이 지겨웠기 때문이다. 정말 나라와 백성을 위해 먹고사는 문제만이라도 걱정이 없었으면 하는 바람도 컸다. 나는 한국일보 정치부장 때 고려대 동문 정치부장 몇 사람과 초선의원 이명박을 처음 만났다. 그때 내가 받은 인상은 솔직히 사람이 좀 가볍지 않으냐 하는 것이었다.

그가 한나라당 대선후보가 된 후 인사차 방문한 그를 서울신문 사장실에서 만났다. 나는 그가 성공한 대통령이 되도록 진심어린 고언을 했다. 수행의원단과 실무진을 물리친 채 단둘이 만났다. 수행했던 이동관은 30분이 넘었다고 했지만 기다리는 입장이라서지, 그렇게 길진 않았다고 생각한다. 나는 그에게 다음과 같은 몇 가지를 두서없이 주문했다. "'인사가 만사'라는 사실을 한시도 잊어서는 안 된다. 그러기 위해 고려대 출신 등용을 가급적 자제해야 한다. 이명박이 대통령 되고 고려 대가 인사에서 손해 봤다는 평가를 받는 것이 성공하는 길이다. 대신 인사 검증만은 철저히 해야 한다" 등이다.

이 자리에서 신재민에 관한 얘기가 많았다. 나는 그를 청와대보다는 외곽부서에 두는 것이 좋을 듯하다고 했다. 지금쯤 이명박도 나의 뜻을 헤아리지 않았을까 싶다. 이동관이 청와대로 가고 신재민이 문화부로 간 이유가 아닐까 하면 아전인수일까.

그도 내 고언에 공감하는 듯했다. 그러나 실상은 어땠는가? 소위 '고 소영, 강부자'라고 비아냥받은 인사가 웅변하지 않는가? 내가 그를 처 음 만났을 때 느낀 인상은 생각보다 말과 행동이 앞선다는 점이다. 일단 질러놓고 보는 스타일 같았다. 하지만 후에 생각하고 수습하려면 품이 몇 배가 든다. 나는 그런 시행착오를 걱정해 충언했던 것이다. 천문학적 혈세를 퍼부은 '4대강', '해외자원 개발' 등의 실패가 웅변하지 않는가?

이명박 정권이 나를 괴롭혔다고 해서가 아니다. 경박하고 탐욕스러 운 그의 성품으로 미루어 재앙은 이미 예고돼 있었다. 나는 이명박 정 부가 하는 일을 보며 동창이나 선후배들에게 그가 동문이었다는 사실 을 수치스럽게 여겨야 할 때가 반드시 올 것 같다고 예언처럼 말했다. 유감스럽게도 예상은 크게 빗나가지 않았다. 연전 연고전(고대 주최니 까) 때 5전 전승의 미증유 전적을 거둔 모교에 대해 연대의 촌철살인 한 마디가 우리의 폐부를 찌르지 않았던가? 그보다 더한 비유가 있겠는 가? "우리 연대엔 이명박 같은 동문은 없다!"

동기생 아들이 기소 검사로

이명박 정권의 헛발질로 인해 나는 친구도 잃었다. 나를 기소한 검사는 대학 동기동창 친구의 아들이다. 얼마 전 보도를 보니 청와대에 파견 간 것으로 알고 있다. 나를 기소한 책임자 금융조세2부장이던 우병우 검사는 박근혜 정부에서 민정비서관이 됐다가 수석으로 수직상승했다. 진우 군이 옛 상사의 부름을 받은 것으로 보인다. 우 수석은 노무현 전 대통령을 직접 수사했던 검사다. 노무현의 자살로 인해 수사 방식에 대한 시비가 일었고, 결과로 이명박 정권은 그를 검사장 승진에서 탈락시켰다.

검사장을 지낸 한 인사는 우병우를 가리켜 "'소년등과' 세론처럼 곰삭은 맛이라고는 조금도 없는 사람"이라고 했다. 사실 검찰 지휘부는 나를 얽어매라는 종용에 난색을 표했다고 한다. 그럼에도 나는 금융조세2부(부장 우병우)로부터 터무니없는 증권거래법 위반혐의로 억울하게 기소가 되었다. 이런 사람이 사정책임자라는 사실은 박근혜 대통령이나 이 나라에 큰 불행이라 하지 않을 수 없다. 검찰권 행사가 공정하기보다는 흉기로 남용될 소지가 크기 때문이다.

나를 기소한 내 친구 아들 주 검사는 인상이 무척 선하고 착해 보였다. 아버지를 닮은 듯했다. 그의 아버지는 부산지검 형사1부장을 끝으로 물러난 주대경이다. 주 변호사는 고교는 1년이 위나 대학은 동기다. 노무현 대통령 합격 기수인 사시 17회에 늦깎이로 합격해 검사가 됐다. 서글서글한 성격에 우정이 깊은 사람이다. 주위를 둘러볼 줄도 아는 인정 있는 친구다. 신재민이 매몰차게 '말귀도 알아듣지 못하는'이라고 해 나를 격분케 했던 바로 그 사람이다.

아마도 1975년 봄으로 기억한다. 나와 함께 1972년 대학을 졸업하고 몇 차례 사시에 실패한 그는 정릉 배밭골에서 어렵게 공부하고 있다고 했다. 당시 사법시험은 총무처 고시과에서 주관했다. 고생하는 친구를 생각해 중앙청을 출입하는 동료에게 사정해서 합격 여부를 발표 전 미리 알아냈다. 합격이었다. 효자동으로 생각되는 그가 머물던 처갓집으로 합격축하 전화를 걸었던 기억이 생생하다.

정확하게 시점은 기억나지 않지만 또 20여 년 지난 뒤 이번엔 아들 진우 군이 서울대에 응시했다. 아버지 주 변호사가 뜬금없이 전화를 걸어왔다. 그는 "우리에게 늘 좋은 소식을 전했던 노 형이 아들 진우의 서울대 합격 여부를 좀 알아봐 달라"고 했다. 사실 기자사회 민원 가운데 가장 지저분한 게 합격 여부를 확인하는 일이다. 며칠 혹은 몇 시간만 기다리면 되는데도 조금 미리 알겠다고 대학당국을 귀찮게 하기 때문이다. 기자들의 기피민원 1호가 바로 합격 여부를 알아보는 일이다. 그래도 나는 서울대를 관할하는 후배에게 사정해서 이번에도 진우 군의 합격소식을 미리 전하며 함께 기뻐했던 일이 기억난다.

이명박 정권은 이런 내 인간적 관계마저 파탄케 했다. 비밀이 영원하리라는 생각은 부질없다. 언젠가는 실체가 드러나기 마련이다. 피해자가 있을 경우는 더욱 그렇다. 나를 서울신문사 사장직에서 불법적으로 축출하려 한 음모의 실체를 알게 됐다. 물론 진우 군이 자의로 나를 기소하지 않았음도 잘 알고 있다. 상사의 명령을 따를 수밖에 없는 하수인이라는 사실을 모르지 않는다. 하지만 비록 무죄가 확정되긴 했어도 진우 군은 나를 기소한 검사다. 내가 징역 1년을 구형받았던 피고인이었다는 사실은 내 눈에 흙이 들어가기 전까지 결코 잊지 못할 것이다.

이런 악연은 이명박 정권이 만들었다. 베풀었던 선의가 악행으로 되돌아올 때 분개하지 않을 사람이 있겠는가? 이후 주 씨 일가와 나는 사실상 인연을 끊은 셈이 됐다. 누구 탓이겠는가? 최시중을 비롯한 이명박 하수인들이 기획하고 검찰이 들러리가 된 것은 엄연한 사실이다. 하지만 최근의 대법원 판결처럼 강압통치를 지시한 박정희는 죄가 되지만 그의 명령에 따라 법을 집행한 하수인들은 죄가 안 될까?

음모가 통하지 않은 중간평가

부당한 기소로 인해 내가 자의적으로 걸어나가는 것은 불가능해졌다. 이명박 정권과 법정에서 싸울 수밖에…. 이렇게 되자 이명박 정권은 나를 치사한 사람으로 몰아가려 했다. 여기엔 서울신문 내부의 동조자를 이용했다. 사주조합장이라는 박 아무개가 나를 상대로 음해극을 벌이기 시작했다.

그 친구는 서울신문 인재의 보고라는 수습 24기 출신이다. 내가 회사에 와서 처음 보고받은 인재풀 명단에는 그가 상당히 뒤처져 있었다. 1년을 넘긴 부서가 없었을 정도로 경력관리가 안 되고 방황하는 인상을 받았다. 인사 방이 붙었다 하면 단골로 붙는 사람이라고 했다. 조직에 꼭 필요한 사람이 아니라 '있으나 마나' 한 부류로 평가받았다. 내가 그를 기억하는 것은 그가 고려대 신문방송학과를 졸업했고 뉴미디어국장이라는 사실 때문이다. 동기들이 편집국장, 논설위원 등의 경력을 쌓아 가는 데 비해 그는 겉도는 인상을 받았다. 잘못 평가되지는 않았나 하고 까닭을 물었더니 담당임원은 기자로서의 근성과 자질에 문제가 있다고 했다.

어느 날 그가 사주조합장에 출마한다고 인사를 왔다. 당시 세 사람이 조합장을 놓고 경합했다. 모두가 고려대 출신 후배들이다. 아버지 고 서기원 씨(서울신문과 KBS 사장을 역임한 저명 소설가)를 이어 자기분야에서 필명을 날리던 서동철 기자는 인품이 중후했다. 베이징특파원을 역임하고 중국문제에 정통했던 이석우 기자는 매사를 긍정적으로 바라보는 서울신문의 자산이었다. 두 사람은 나에게 출사의 변으로 사주조합이 사원들의 이익을 지키는 데 최선을 다하기 위해서라고 했다.

박 아무개는 "왜 사주조합장이 되려고 하느냐?"는 물음에 웃으면서 "사장님을 도우려고…"라고 했다. 솔직히 나는 '셋 가운데 누가 돼도' 하는 방관자적 입장이었다. 하지만 세 사람 가운데 입사가 빠른 것 말고는 내세울 게 변변찮은 박 아무개는 경력관리나 좀 했으면 하는 선배로서의 바람이 있었다. 다소 늦기는 했지만 자신의 전문분야를 개척하는 것이 오히려 더 유익하지 않을까 생각했다. 결과는 예상을 깨고 박 아무개 승리로 끝났다.

나를 협박해 축출하려던 계획이 완강한 저항에 부닥치자 이명박 하수인들은 딴 궁리를 하게 되지 않았나 생각된다. 국세청과 검찰이 나섰지만 평생 가난한 월급쟁이를 털어봐야 무슨 먼지가 나겠는가? '협박축출'에 실패한 그들은 다시 엉뚱한 일을 기획하고 음모를 꾸미게 되지 않았나 생각된다. 사주조합장이 된 박 아무개가 이상해졌다. 갈 길 바쁜 내 바짓가랑이를 붙들고 늘어졌다. '박 아무개가 정부 측의 누구와 만나더라' 등의 보고도 잦았다. 설마 나를 배신한들 그가 누릴 유익이 뭐 있겠는가? 나는 개의치 않았다.

그러나 음모극은 점차 강도를 더해 갔다. 느닷없이 사장의 중간평가를 요구하고 나왔다. 주로 공장노조원을 선동해 서명을 받았다. 앞서도

572

언급했듯이 당시 나는 서울신문을 나가고 싶어도 나갈 수 없는 진퇴양난의 상황에 있었다. 이명박 정권의 파렴치한 소이를 생각하면 단 하루도 머물고 싶지 않았다. 하지만 나를 따르며 회사를 살리려는 사람들에게 경거망동할 수 없었다. 그들도 나를 옴짝달싹 못 하도록 했다.

사주조합장이란 자가 내세운 중간평가 의도는 분명했다. 정부의 희망대로 가장 손쉬운 방법으로 사장을 몰아내겠다는 것이다. 사주를 받지 않고는 상상도 할 수 없는 일이다. 그러나 사원들의 신임투표에서 62대38인가로 그들의 기도는 큰 표차로 좌절되었다. 투표결과를 들은 서울신문 임원출신 한 선배는 "노 사장이 서울신문 역사상 가장 높은 신임을 얻었다"고 격려전화를 걸어왔다. 그러나 그들의 공작은 멈추지 않았다.

소위 '형님 편지'의 공작 전모

소위 그들이 작명한 '형님 편지' 건이다. 세상에 이런 사악한 무리가 있나? 2008년 1월 초순께로 기억한다. 나는 일본 도쿄로 출장을 갔다. 서울신문 자매지인 주니치[中日]신문과 동경신문을 예방하기 위해서였다. 일본 간사이[關西] 지방 최대신문인 주니치는 수도권의 동경신문을 자매지로 갖고 있었다. 한일 양사는 경영진이 바뀌면 바뀐 쪽에서 인사차 상대국 제휴 신문사를 예방하는 관례가 있었다.

2006년 7월에 취임한 나는 경영상의 어려움 때문에 쉽게 시간을 내지 못했다. 이듬해인 2007년 역시 불의의 교통사고에 이은 수술 후유증으로 마찬가지였다. 일본 자매지의 반응이 별로 좋지 않다는 동경지사장의 채근에 따라 2008년 1월에야 겨우 시간을 내 방일했다. 마침 이명박 당선자는 형인 이상득 의원을 대일특사로 파견했다. 나는 그가 묵고 있던 오쿠라호텔에서 잠시 만나 서울신문의 증자문제를 도와주도록 간곡히 호소했다. 200억~300억만 증자되면 금융권 부채를 일부 갚고 경영을 정상화해 보려는 계획이다. 이 특사가 "그 문제는 서울에서 다시 논의하자"고 했으나 분위기가 좋았다. 나는 이 의원의 대답을 고무적으로 받아들이고 기쁜 마음으로 귀국했다.

이명박이 취임하자 정국은 4월 총선 국면에 돌입했다. 야당이 제기한 대통령 형의 총선출마 시비는 여당인 한나라당 내에서조차 찬반양론으로 갈렸다. 나는 서울신문이 혹시나 이상득 출마 반대편에 휩쓸려 일을 그르치지나 않을까 걱정하면서 지면제작을 관심 있게 살폈다. 한편 '동경 대좌'의 결실을 위해 이 의원과의 재회도 적극 추진했다. 이 의원과의 만남이 마냥 지체되자 정치부장에게 역정도 냈다. 내외로부터 불출마 시비에 휘말린 이 의원은 그럴수록 서울을 피해 포항 지역구만 누비고 다녔다.

그해 3월 1일자 서울신문에 '이상득 출마 논란' 제하의 작은 기명칼럼이 실렸다. 평소 정치엔 무관심한 이용훈 수석논설위원이 자신의 견해를 강하게 표했다. 요약하면 정치판에서 개인의 출마를 시비하는 것은 옳지 않다는 논지였다. 유권자가 표로써 심판할 일을 3자가 미리 '된다, 안 된다' 시비하는 것은 유권자의 권리를 침해한다는 것이다. 이 수석과 같은 소신파가 아니면 감히 꺼낼 수 없는 담론이다.

칼럼이 내심 그렇게 반가울 수 없었다. 그 기사가 어쩌면 이 의원과 내가 동경에서 꺼냈던 종자문제의 재론 모멘텀이 될 수 있을 것 같았다. 우선 나는 기사가 실렸다는 사실을 대학후배이자 포항을 지역구로 두고 있던 이병석 전 의원에게 전화로 알렸다. 그랬더니 이 의원이 포항서는 서울신문을 구경할 수 없다고 했다. 판매국장에게 경위를 알아보니 당시 서울신문 보급망이 허물어져 있다고 실토했다.

눈 감기 전엔 잊기 어려워

나는 후배 이 의원에게 관련기사 팩스를 이상득 의원에게 전해 달라며 관련기사 카피 하단에 간단한 인사말을 덧붙였다. 그랬더니 이 전 의원이 이상득 의원에게 직접 보내시라며 그의 사무실 팩스번호를 알려왔다. 그래서 비서를 시켜 후배 이 전 의원에게 보냈던 팩스 사본을 이상득 전 의원 사무실로 직접 보냈다. 3월 1일 오전에 팩스를 보낸 게 전부다.

이것이 박 아무개란 친구가 내가 마치 아부의 화신인 양 떠벌린 소위 '형님 편지'의 전부다. 내가 무엇이 아쉬워 권력에 아부하겠는가? 3월 1일까진 그 어느 누구로부터도 사퇴압력이나 종용을 받지 않았다. 거듭 밝히지만 나는 지금까지 내가 뭐가 되겠다고 아부하며 살아오지 않았다. 서울신문 사장이 된 것도 이미 설명한 대로다. 누구처럼 "나요, 나!" 하고 나서 누구의 도움을 받지 않았다. 내가 싫으면 언제든지 박차고 나갈 자유가 나에겐 항상 유보돼 있었다.

나를 모함한 자들에 대해 나는 이미 마음속으로는 용서를 했다. 하지만 결코 잊지는 않고 있다. 아니, 눈에 흙이 들어가기 전까지는 잊을 수 없을 것 같다. 저희들을 위해 수고한 나에게 음해의 덫을 씌운 그들은 천벌을 받아 마땅하다. 박 아무개란 친구는 나를 음해한 대가로 서울신문사에서 임원을 지냈다고 한다. 성공한 도박으로 임원까지 됐다는 동료들의 조소와 비웃음을 알기나 하는지?

나는 기자(記者)가 영혼을 버리면 기자(棄子: 버려진 자식)일 수밖에 없다고 생각하는 사람이다. 그가 영혼이 있는 언론인이기를 바란다면 세상을 그렇게 살아선 안 된다. 얼마 전 어느 모임에서 한 분이 "박 아무개가 지금쯤 사장님께 용서를 빌 때가 됐는데…" 하는 얘기를 했다. "자신의 잘못을 뉘우치고 용서를 빌 수 있는 자였다면 그런 야비하고 추악한 일을 했겠는가?" 나는 얼른 말머리를 다른 데로 돌렸다.

비서를 시켜 3월 1일자 기사를 당일 팩스로 보낸 복사본을 7개월이 지난 10월에야 입수해 벌인 왜곡 폭로극은 정말 추악한 짓이다. 가뜩이나 그 무렵은 내가 내외로부터 협공을 받던 때이기도 하다. 검찰까지 터무니없는 이유로 나를 기소했을 무렵이기도 하다. 하지만 분명 3월 1일자로 보낸 팩스였다는 사실은 전송기록이 엄연히 남아 있을 것이다. 더욱이 내가 아부한 것으로 억지를 쓴 당사자인 이상득 의원도 엄연히 세상에 살아 있지 않은가?

문건 입수한 정황 밝혀져

세상에 비밀이 영원할 수는 없는 법이다. 그 문건이 나를 음해하는 측에 전해진 정황들이 밝혀졌다. 내가 정권으로부터 터무니없는 핍박을 받고 있을 때 나를 걱정하는 사람들도 있었다. 그 가운데 한 분이 노재동 은평구청장이다. 그분은 나의 동향 일가이자 대학으로도 5년 선배다. 그분이 정치권에 있을 때 모신 분이 고 이기택 의원이다. 나와 이기택 선배와의 관계도 따로 설명이 필요치 않을 것이다.

노 구청장은 기회 있을 때마다 나를 각별히 챙겼다. 하루는 롯데호텔 36층에서 점심이나 하자는 연락을 받았다. 처음 전해 들은 참석자는 고려대 어윤대 총장과 이팔성 우리은행 회장 등이었다. 두 분은 내 대학 2년 선배다. 고려대 선후배 모임으로 알고 갔더니 박재완 청와대 정책

수석과 종로구 출신 박진 의원 등도 함께했다. 노 선배가 현실권력인 박재완 수석과의 교유를 도우려는 고마운 뜻으로 나를 부르지 않았나 생각된다. 이명박 정부가 출범한 지 얼마 안 됐을 때다.

청와대 수석이란 국정이 원활하도록 시중 여론을 대통령에게 바로 전할 책임이 있는 자리라고 생각한다. 나는 그날 밥값이나 하는 심정으로 "지금 MB 주변에 탐욕스러운 사람이 너무 많다"고 쓴소리도 했다. 노 선배가 말리기도 했지만 그때까지만 해도 나는 MB정부가 성공하기를 바랐기 때문에 한 고언이다. 그러나 갈수록 인사가 흉사가 되어 가는 모습을 보면서 기대를 접었다.

인사와 관련해 하나만 짚겠다. MB정부의 한 기상청장에 관한 얘기다. 나는 그와는 일면식도 없다. KBS에 있는 후배 얘기를 들으니 기가 찼다. 그 사람은 KBS 근무 시 만취상태로 운전하다 사망사고를 내고 뺑소니까지 했다. 피해자와 합의했다지만 KBS 직원으로는 부적절하다고 의원 면직당했다고 한다. 그런 사람을 차관급인 기상청장에 기용해 뒷말이 많았다. 대한민국 정부가 KBS보다 비도덕적 집단임이 드러난 셈이다. 그 사람이 어떻게 차관급에 발탁됐는지 알 길은 없다. 하지만 그 사람은 공직생활 중 기상장비 구입을 싸고도 추문을 일으켰다. 나중에 증거가 없어 무혐의 처분된 것으로 알지만 왜 하필 그런 사람이 발탁됐는지 궁금하다.

노 선배는 그 후에도 나를 많이 챙겼다. 그분은 나를 돕겠다고 갖고 있던 문제의 복사본을 몇 달이 지난 뒤 이 의원 측에 전했다고 한다. 갑자기 사주조합장이라는 친구가 그 사본을 10월에 입수해 노조와 함께 터무니없는 저질 폭로극을 벌였다. 문제의 문건을 '형님 편지'라고 각색해 내가 마치 권력에 아부라도 하는 양 떠들어댔다. 경위를 알아봤더니 그 팩스 문건을 갖고 있던 노 선배가 한참 뒤 이상득 의원에게 전하라고 그의 수행비서(김 모라고 했던 것으로 기억)에게 주었다고 했다.

　나를 도우려는 선배의 뜻은 감사하다. 하지만 아무것도 아닌 것으로 나는 졸지에 아부하는 사람으로 매도됐다. 그 후 나는 노 선배에게 "선배의 충정을 모르는 바는 아니지만 나를 곤경에 처하게 했다"고 불평했다. 결국 이 의원의 수행비서가 받은 문건이 정작 이 의원에게는 전달이 안 된 채 나를 음해하는 측에 넘어가 소위 '형님 편지'로 둔갑한 것이다. 내가 어찌 그 친구들의 소행을 잊을 수 있겠는가? 천벌 받을 사람들이다.

임기 석 달 앞두고 퇴임 결행

몸도 마음도 지쳤다. 그냥 쉬고 싶었다. 2009년 새해 시무식 석상에서 3월 말로 그만두겠다고 사직의사를 밝혔다. 6월 말이 임기만료이나 단 하루도 더 있기 싫었다. '건강이 좋지 않아서…'라는 핑계를 댔다. 사실 건강상태도 말이 아니었다. 더 이상 나를 붙들어 두려는 측의 반대도 없으리라고 판단했고, 그들 역시 그랬다.

떠나기 전에 '형님 편지'란 음해극을 사실대로 밝히고 싶었다. 정치부장을 시켜 이상득 의원과 저녁약속을 받았다. 2009년 2월 초순께로 기억한다. 이 의원과 나, 그리고 정치부장 세 사람이 서울 마포가든호텔 2층 일식당에서 저녁식사를 했다. 그에게 증자문제를 부탁해 서울신문의 재정난을 덜어보려던 생각은 이미 접은 지 오래다. 다만 내가 사주조합장 박 아무개로부터 억울하게 음해당한 사실을 당사자인 이 의원 앞에서 입증하고 싶었다. 내가 서울신문을 떠난 후라도 합석했던 정치부장이 증인이 될 수 있을 테니까.

황당한 일은 내가 꺼내든 문제의 팩스 사본을 이 의원은 그때까지도 모르고 있었다. 보고를 받았지만 시간이 지나 기억을 못 할 수도 있겠지만 나로서는 더욱 황당했다. 이 문건으로 엄청난 음해를 받았다고 했더니 이 의원은 도대체 이해가 안 된다는 표정이었다. 내가 그에게 신상에 관한 어떤 부탁도 한 적이 없기 때문이다. 거듭 말하지만 나는 내 일생 무엇이 되겠다고 비굴하게 부탁이나 민원을 한 적이 없다. 가뜩이나 아부, 아첨은 내 사전에는 찾을 수 없는 말이기도 하다.

이 의원은 이 문건이 무슨 아부냐고 황당한 표정을 지었다. 그러고는 읽어보겠다며 그 문건을 가져가려 했다. 내가 아랫부분의 메모를 가리키며 이 메모 탓에 터무니없는 음해를 당했노라며 그 부분은 찢고 주었다. 나는 이 의원에 대해서는 섭섭함이나 유감이 없다. 왜냐하면 그분에게 내 처지를 부탁하거나 기대할 하등의 이유가 없었기 때문이다. 다만 서울신문사 중자 얘기를 꺼냈다가 마무리가 안 된 점은 유감스러웠지만 불평할 일은 아니다. 그래서 주로 덕담을 나누었다.

그날 저녁 이 의원이 한 말이 오랫동안 내 머리에서 맴돌았다. 이런저런 얘기가 오가던 끝에 이 의원은 "노 사장! 나는 말이다, 노건평이가 당한 것의 10배, 100배 이상 당할 수도 있다는 각오로 일하고 있다"고 했다. 자신은 추호도 뒤에 탈이 날 행동은 하지 않았고 또 그런 자세로 산다는 장담이었다. 그러면서 의원들의 대출민원을 예로 들었다. 의원들이 부탁을 해오면 해당 은행장에게 전화로 "당신이 대신 물어주지 않도록 처리하라"고 했다고 했다. 그래서 나는 "이 부의장님! 그런 각오라면 문제 없겠지만 하산길이 그렇게 간단치만은 않다고 합디다"라고 했다. 그의 장담대로 과연 그는 무탈했던가?

신우회 결성이 가장 큰 보람

내가 서울신문사 대표이사가 됐던 2006년 7월 당시의 주식 분포는 다음과 같았다. 제1대 주주는 38%를 가진 사주조합이었고, 30%를 소유한 정부가 2대 주주였다. 뒤이어 POSCO가 18%, 그리고 KBS, 금호그룹 등이 3~4%씩 소유하고 있었고, 극히 일부가 소액주주 형태였다. 따라서 사주조합 소유분을 제외하면 남는 약 60%가 정부의 우호지분으로 간주되고 있었다. 정부가 마음먹기에 따라서는 서울신문 운영에 얼마든지 영향력을 행사할 수 있는 지배구조였다.

전임 경영진이 엄청난 손실을 본 것은 이미 밝힌 바 있다. 특히 참기 어려운 것은 경영진의 모럴 해저드 부분이다. 왜 그런 손실을 봤어야 했는지 경위만은 파악할 필요가 있다고 판단했다. 실패의 원인을 찾아 이를 반면교사로 하면 같은 실수를 반복하지 않을 것 아닌가. 사정기관에 있는 한 후배가 아이디어를 냈다. 정부 출자기관은 감사원이 언제라도 경영상태를 점검할 수 있는 법적 근거가 있다고 했다. 서울신문도 마찬가지라는 것이다.

그러나 감사원 감사를 자청하는 것은 위험한 도박 같았다. 정부가 언

582

론사 경영을 감시하는 좋지 못한 선례를 만들게 된다. 고민 끝에 감사원 감사 요청 건은 없던 일로 했다. 대신 우리 경영진부터 투명한 경영의 전통을 세우자고 독려했다. 나부터 법인카드를 반납했고, 필요한 해당부서에는 빌려주게 했다. 나는 업무상 식사약속이 없는 날은 구내식당을 찾았다. 주로 제작국 사원과 함께 나만큼 구내식당을 자주 이용한 사원은 없을 것이다. 나와 함께 임원생활을 했던 박종선 부사장, 김명서 상무, 이건영 상무 등도 보조를 맞추었다. 내 '짠돌이 경영'에 군말 없이 따라주었던 것이다. 나는 지금도 그들에게 고마움을 느끼고 있다.

퇴직 후 사원들로부터 자주 들은 얘기는 가슴을 후벼 파는 비수와 같았다. "사장님이 세우신 자랑스러운 전통이 무너지고 있어요." 나로 인해 일시적으로나마 세워졌던 전통이 하나둘 허물어지자 내뿜는 비명 같았다. 그렇다고 내가 했던 경영방식이 모두 옳았다고는 하지 않겠다. 하지만 나는 임원들에게 스스로에게 엄격하도록 주문했고, 잘 따라주었다. 서울신문은 우리들의 투명경영 노력만큼은 기억하고 지켜나가야 할 줄 안다.

자질구레한 일로 자랑하지는 않겠다. 지금 나는 시골의 작은 감리교회 장로다. 서울신문 사장으로 있을 땐 권사 직분이었다. 불신자들에게는 감흥이 없는 얘기겠지만 서울신문사 근무 중 가장 큰 보람을 찾으라고 한다면 '기독신우회'를 발족한 일이라고 감히 말할 수 있다. 기도는 어려운 환경일수록 효력을 발한다는 것이 믿는 사람들의 신념이다. 예수 그리스도가 이 땅에 온 것은 넉넉한 사람을 위해서가 아니다. 나 같은 혹은 서울신문처럼 어려운 환경에 처한 사람을 구원하러 오신 것이다.

내가 할 수 있는 가장 확실한 일은 하나님께 매달리는 것이었다. 김제현 감사를 비롯, 이목희 국장, 염주영 실장, 김주혁·강동형 국장 등

강원도 태백의 '예수원'에서 창설자 대천덕 신부(루벤 아치 토레이)와
송구영신 예배 후에 다과를 함께하였다(1989년).

참예수쟁이들이 서울신문의 무탈과 번영을 위해 간절히 기도했다. 이
석일 목사님의 헌신과 봉사는 서울신문 신우회를 반석 위에 올리는 초
석이 되었다. 회사를 교회로 만들려 한다는 일부의 비판도 없지 않았
다. 나는 지금도 신우회가 잘 운영되고 있음을 하나님께, 또 자랑스러
운 우리 성도 동료들께 감사하고 있다. 신문사 내에 울려 퍼지는 찬송
가와 기도 소리가 서울신문을 굳건히 지키는 수호천사가 되리라고 확
신한다.

18대 국회의 새 피, 최규식과 김영춘 의원

신문사에 오래 근무하다 보면 터무니없는 인사 하마평에 오르내리는 경우가 더러 있다. 나는 한국일보에서 만 4년 반이나 주필(논설실장 포함)직에 있었다. 주로 정치, 외교 등에 관한 글을 쓰다 보니 정치권으로부터 더러 주목을 받기도 한 모양이다. 정부 인사철에 나도 모르는 사이 나에 대한 인사 하마평이 소위 '찌라시'라는 것을 통해 유통된 것을 어떨 때는 시간이 훨씬 지난 뒤에 알게 된 경우도 있다.

새천년민주당이 열린우리당으로 발전적(?) 해체를 할 무렵이다. 시기적으로 2003년 말 아니면 다음 해 1월쯤이다. 경제부서의 후배 한 사람이 "노 주필에게 좋은 소식이 있지 않습니까?" 하고 물었다. 뜬금없이 무슨 소리냐고 물었더니 '찌라시'에 내가 청와대 정무수석 후보로 유력하다고 났다고 했다. 한마디로 웃기는 일이 벌어진 것이다. 나는 그 후배에게 터무니없는 정치공작이라고 일소에 부쳤다.

말도 안 되는 '찌라시' 얘기로 언짢아하고 있는데 정동영 열린우리당 대표로부터 전화가 왔다. 정확한 일자는 기억나지 않지만 그 무렵의 일요일이다. 논설위원실은 휴일엔 주필인 나를 제외하고는 분야별로 구색을 맞춰 반수가 근무했다. 그날 나와 당번 논설위원 5~6명이 을지로 3가 냉면집에서 점심으로 냉면을 들며 반주로 소주를 꽤나 마셨다. 날씨가 을씨년스럽기도 해 피한용으로 다소 과음을 한 셈이다.

돌아와 양지바른 곳에서 잠시 졸고 있는데 정 대표의 전화를 받았다. 정 대표는 다짜고짜 "형님이 청와대에 가셔서 저를 좀 도와주셔야겠습니다" 했다. 그러고는 "저도 노통(노무현 대통령)에게 형님을 정무수석으로 강력히 추천하겠습니다" 하는 것이 아닌가. 자다가 봉변당하는 꼴이라 나는 "정 대표, 쓸데없는 애길랑은 마시고 우리 최규식이나 당당하게 일할 수 있게 해주세요" 했다. 내가 후배 최규식을 거론했던 것으로 보아 그가 한국일보 논설위원직을 떠나 정 대표 특보로 자리를 옮긴 직후가 아닐까 생각된다.

그가 왜 뜬금없이 그런 얘기를 했는지 나는 정 대표에게 확인하지 않았다. 혹시 그도 내 이름이 거론된 '찌라시'를 본 것이 아닐까. 미안하지만 나는 정치판에는 추호의 관심도 없었다. 그때는 물론이고 지금도 마찬가지다. 그러고 보니 당시 청와대 정무수석이란 분이 자신의 과거 지역구로 복귀하려 한다는 기사가 눈에 띄었다. 그러나 나하고는 전혀 관계없는 일이라 나는 지나가는 해프닝 정도로 치부하였다.

정 대표 특보로 발령 난 최규식 씨는 내가 아끼는 후배다. 최 씨는 형 같은 아우요, 선배 같은 후배다. 영혼이 맑은 드문 기자였다. 그도 팔자가 사나운 데가 있어서인지 한국일보에서 생활하는 동안 굴곡이 많았다. 정의롭고 불의를 참지 못하는 사람이지만 정도 있고 유머도 풍부한 재사다. 문제의 그 친구와 부딪치면서 사표를 던진 경우도 내가 알기로 몇 차례다. 한번은 아주 찾지 못하게 부산으로 잠적한 적도 있다. 그럼에도 그 친구는 쉬쉬하면서 아무 일 없는 것처럼 수습하려고 했다.

천직이 기자일 것 같았던 최규식이 정치권에 스카우트돼 갔다. 동년배이면서 고교, 대학 1년 선배인 정 대표로부터 영입제의를 받은 것이다. 처음 최규식은 펄쩍 뛰었다. 그나 나나 정치권에 간다는 것은 상상도 않았던 일이다. 정 대표의 집요한 설득 끝에 그는 서울강북구에서 열린우리당 의원으로 당선됐다. 18대 국회 때 일이다. 나는 18대 국회를 통틀어 최규식 같은 인사가 충원된 것은 세대교체의 의미 있는 일이라고 감히 말할 수 있다.

그가 정치권 입문을 요구받고 망설일 때 나는 환경을 한번 바꿔 보도록 권유했다. 정치권에 이렇게 영혼이 맑은 사람이 충원되는 것을 우리 정치가 한 걸음 전진하는 것으로 보았다. 그러나 내부반발이 심했다. 현역의원 불출마로 그 지역을 노렸던 지구당 부위원장이란 친구가 심하게 반발했다. 밑바닥에서 자라온 사람답게 "시너 한 통이면 끝난다" 등 험악한 말을 한다는 얘기도 들렸다.

그 사람은 지금은 정치를 떠난 이부영 최고위원과 가깝다고 했다. 이 선배는 동아일보 출신으로 언론계 후배들로부터 존경받는 분이다. 후배 최규식을 위해 교통정리라도 도울 수 있다면 하고 나섰다. 이 선배께 전화로 도움을 요청했다. 이 선배는 오히려 "정 대표와 친한 노 주필이 최규식을 전국구로 보내고 그 친구를 지역구로 해 두 사람이 윈윈하도록 하는 게 어떻겠느냐"고 공을 도로 나에게 넘겼다.

그러면서 그 친구는 '아이구치(단검)'로 해칠 사람이라고 했다. 나는 어이가 없어 "이 선배, 용팔이 사시미칼 휘두를 때도 저희들은 야당 출입했습니다. 그 말씀은 안 들은 것으로 하겠습니다"라며 "알토란 같은 언론계 후배 최규식을 좀 도와주십시오"라고 서로 평행선을 긋는 대화를 했던 기억이 난다. 당시 여당 내에는 정 대표 독주를 견제하려는 움직임이 있었고, 이 선배도 그 움직임에 뜻을 같이하는 듯했다.

최규식은 우여곡절 끝에 공천을 받았고, 무난히 당선되었다. 18대 국회가 정말 '사람 같은 사람'을 충원하게 된 것이다. 최규식을 위해 힘쓴 사람 가운데 김영춘 의원이 있다. 김 의원은 당시 서울 광진구 지역의 재선의원으로 정동영 대표가 비서실장으로 발탁했다. 김 의원은 YS 정부의 정무비서관을 지낸 바 있다. 나는 그가 1987년 말 야당지도자 YS의 막내비서로 입문할 때 출입기자로 지켜본 바 있는 후배다. 매사가 올곧은 그는 고교 때는 전교 1~2등을 놓치지 않은 수재였다고 한다. 서울대 어느 학과에 합격할 정도의 실력이었음에도 1981년 4년 전액 장학생인 안암장학생으로 고려대를 택했다.

광주사태 등 신군부의 강압통치는 공부벌레 모범생을 결국 운동권으로 인도했다. 그는 "이런 상황에서 졸업하고 또 유학해서 교수가 되면 뭐 하나"라며 과감히 현실참여를 택했고, 5공 군사정권에 맞서다 오랜 기간 영어의 몸이 되기도 했다. 그는 망국적인 지역구도 타파를 기치로 안정적인 서울지역(재선)을 버리고 고향 부산에서 고집스럽게 '바보 노무현의 길'을 뚜벅뚜벅 걸어갔다. 이번 20대 총선에서 드디어 부산진갑에서 더불어민주당으로 당선의 영예를 안았다. 국회는 소중한 또 한 사람의 '새 피'를 수혈받게 된 것이다.

기업의 사외이사로 세상에 눈뜨다

지금까지 살아오면서 나는 여러 기업의 '사외이사'로 일했다. 이 제도는 다소간의 물질적 도움은 물론이고 '기자'에 닫혀 있던 나의 좁은 정신세계에 자양분이자, 새 세상에 개안(開眼)이었다. 시작은 한 제약회사의 사외이사였다. 한국일보 논설위원이던 1998년 나는 ㈜종근당 사외이사로 선임돼 만 6년(임기가 3년이나 연임)간 일했다.

비록 한 달에 한 번꼴로 열리는 이사회지만 새로운 세상, 즉 제약업계를 들여다보고 공부할 수 있는 소중한 기회였다. 종근당은 잘 알려진대로 고 이종근 회장이 창업하고, 현재는 그분의 장남인 이장한 회장이선대의 유지를 받들고 있는 우리나라 유수한 제약회사다. 아담한 체구의 이 회장은 대학에서는 경영학을 전공했으나 미국 가서는 신문학(미주리대학석사)을 공부한 다소 괴짜 경영인이다. 그가 2006년 고려대에서신문방송학 박사학위를 취득한 것을 최근에 알았다. 내가 그 분을 만난계기는 우연했다.

문민정부가 끝나갈 무렵인 1997년 9월께 나는 케이블 TV사업자 선정 심사위원이 되어 만 4일간 일한 적이 있다. 영문도 모른 채 주필의 권유로 공보처장관실로 불려가 그 길로 세검정 한 호텔에 사실상 감금된 채 이 작업을 했던 것. 나처럼 불려온 사람이 십여 명이었다. 주로 언론인, 대학교수(주로 신문학), 시민단체대표, 변호사, 공보처 국장급 등 각계인사 7명씩으로 A, B팀이 구성됐는데 나는 호선방식으로 A팀의 위원장이 되었다. 작업은 서류심사에 이어 마지막 날 정부종합청사 대회의실에서 청문회를 통해 최종결정했다.

세월이 꽤 흐른 후 하루는 종근당의 홍보업무를 담당하는 김성남 부장이란 친구가 논설위원실로 나를 찾아왔다. 붙임성이 있는 이 친구는 내가 정치부장일 때 바로 옆 부서인 경제부에 자주 들러 나와도 눈인사를 주고받았다. 기업의 홍보파트에 근무하는 사람들은 '누가 어떻고, 또 누구는', 하는 보학(譜學)에 밝은 사람들이다.

종근당의 사외이사로

김 부장은 뜬금없이 "노 선배가 케이블TV 사업자선정 심사위원장 하셨다면서요?"라고 했다. 내가 "당신이 어떻게 알아?"라고 하자 종근당이 당진지역 케이블TV사업자로 선정이 됐다고 했다. 당진지역은 내가 위원장으로 있던 A팀이 심사했다. 종근당 창업주 고 이종근 회장이 당진출신이라고 했다. 아마도 장남 이 회장이 선대를 기리려는 뜻으로 이 지역케이블TV사업자 신청을 하지 않았나 생각된다. 기억을 더듬어보니 당진지역 사업자로는 종근당이 우수한 성적으로 선정됐다.

청문회에 참석했던 이장한 회장이 뒤에 김 부장에게 "심사위원장이 한국일보의 노 아무개 논설위원이라던데 아느냐"고 묻더라고 했다. 그래서 이 회장께 나에 대해 아는 대로 보고를 했노라고 했다. 얼마간 시간이 흐른 뒤 김 부장이 나를 찾아왔다. 마침 그때가 주총시즌이었다. 종근당도 정부 권유대로 언론계 출신에서 사외이사를 찾으려 했다. 김 부장이 대뜸 "형님이 우리 회사 사외이사를 좀 맡아주시면 어때요"라고 의사를 물었다. 내가 당신 뜻인가, 윗분 의중인가 하고 묻자 나를 추천했더니 OK사인이 났다고 했다.

이렇게 해서 나는 종근당과 소중한 인연을 맺게 되었다. 아마도 종근당이 첫 사외이사를 둔 경우가 아닐까 생각한다. 나 말고 또 한 분이 더 있었다. 그 분도 역시 언론 출신이다. 서울대 법대를 졸업하고 동아일보에서 기자생활을 하다가 유신시절 해직된 고 김두식 선배였다. 그 분은 한겨레신문 창간에 참여하고 제6대 사장을 지낸 언론계 선배였는데 이 회장의 서울고 선배였다. 2010년 9월 갑자기 돌아가셨다고 한다. 그 해 여름 미국에 유학중인 아이들을 만나러 갔다가 돌아와서 한동안 모르고 있다가 한참 뒤에 별세하신 걸 알았다.

김 선배와 나는 한 달에 한번 꼴로 이사회에서 만났고 가끔 술자리도 했다. 지사적 풍모를 지닌 그분과 나는 생소한 제약업계의 사정을 다소나마 알게 되었다. "서당개 3년이면 풍월을 읊는다"는 속담처럼 6년간의 종근당 경험은 이제 웬만한 제약업계 담론에 끼어들 수 있을 정도가 되었다. 유유상종이라고 했던가? 내가 평소 큰 형처럼 따랐던 고 정필근 형(전 일동제약 부사장, 15대 의원, 고교선배)과도 자주 어울리게 됐고 또 약사출신 김정수 전 보사부장관과도 더욱 가까워지기도 했다.

다국적 제약회사 횡포에 분노

종근당 사외이사로 있으면서 특별히 생각나는 일이 하나있다. 종근당은 세계유수의 면역억제제(싸이폴엔으로 기억)를 생산하고 있다. 남의 장기를 갈아 낀 사람은 이식받은 장기가 자신의 장기조직과 마찰을 빚지 않도록 평생 이 약을 복용해야 한다. 만약 약이 고가라면 사람들은 이식수술을 망설이게 돼 생명을 단축해야 할지 모른다. 그러나 다행히 면역억제제는 환자에게 큰 부담이 안 되는 가격으로 공급되는 것으로 안다.

남미나 아프리카 등 빈곤국의 경우, 장기 한 쪽을 팔아 연명하는 경우가 많다고 한다. 세계시장을 쥐락펴락하는 다국적 제약사 가운데 독점을 미끼로 면역억제제를 터무니없는 고가로 환자를 괴롭히는 사례가 많았다. 종근당이 1990년대 말 국제입찰에서 세계유수 다국적 제약회사를 제치고 남미 과테말라에서 면역억제제 공급권을 땄다. 아마도 종근당의 공급가격은 남미지역에서 독점적 지위를 가진 다국적기업보다 어림잡아 3분의 1도 안 되는 저렴한 가격이었다.

과테말라에 약효가 우수한 종근당의 저렴한 면역억제제가 공급되면 전체 남미시장 확보는 시간문제였다. 종근당의 공급가는 경쟁력이 충분했다. 남미지역의 면역억제제 시장수요는 자그마치 연간 2조원 대였던 것으로 기억한다. 대박은 시간문제로 보였다. 그런데 시장을 잃게 된 세계1~2위를 다투는 다국적 제약사가 터무니없는 횡포를 부리기 시작했다. 주로 현지의 부패한 관리를 매수해 시비를 걸어온 것이다.

과테말라 정부 보건성 최고위 관리가 매수된 흔적이 나타났다. 낙찰자인 종근당 제품의 "약효가 의심스럽다"는 등 터무니없는 시비를 걸어왔다. 그에 맞서 종근당은 유수한 우리의료진(특히 미국에서 활동한 바 있는)을 과테말라로 보내 약효에 아무런 문제가 없음을 증명해 보였다. 종근당은 계약을 성사시켜 저렴하고 약효가 우수한 우리제품을 남미 저개발국에 널리 공급하기 위해 혼신의 힘을 다했다.

부사장을 팀장으로 한 대책반을 과테말라에 파견, 몇 달간 상주하다시피 했다. 한국의 우수한 약품을 저렴한 가격으로 공급하게 된 점을 과테말라 당국에 설득작업을 벌였다. 외교부 정책자문위원이기도 한 나도 현지 공관을 통해 과테말라 정부를 설득토록 했다. 외교부는 또 주한 과테말라대사를 불러 '공정무역'에 대한 주의를 몇 차례 환기시켰다. 김항경 차관이 적극 도왔다. 외교부 남미담당 실무자들은 주한 대사에게 과테말라 정부의 불법적인 조치에 강력히 항의하기도 했다.

과테말라 통치자 최측근인 보건최고당국자가 다국적기업에 매수당한 정황이 속속 드러났다. 과테말라는 후진국 가운데서도 가장 부패지수가 높은 국가다. 마침 알아보니 우리 경제부처에서 저개발국원조차관(EDCF) 2천 수백만 달러어치의 중장비가 과테말라에 제공되기로 예정되어 있었다. 정부는 주한 과테말라 대사를 통해 과테말라 정부가 공정무역을 해치는 처사를 시정하지 않으면 포클레인, 불도저, 지게차 등

2천 수백만 달러어치의 중장비지원(EDCF차관)이 취소될 수 있음을 통고하기도 했다.

다국적 제약사로부터 수뢰한 부패관리는 EDCF차관 취소위협에도 아랑곳하지 않았다. 내 호주머니에 들어온 100만 달러 현찰이 중요하지, 나라를 위해 들어오는 몇십 배가 넘는 금액의 중장비 따위는 안중에도 없었다. 철저하게 부패한 국가의 전형적인 모습이다. 우리가 이런 국가에까지 개발원조를 지속해야 하는지 정부가 한번 곱씹어봐야 할 대목이다.

최후의 수단으로 그곳 국회의장 방한초청을 했다. 현지공관의 건의에 따라 나는 박관용 국회의장을 뵙고 과테말라 국회의장 방한 초청장을 만들어 파우치 편에 보냈다. 당시 실권자는 국회의장이었다. 쿠데타 과정에서 많은 사상자가 생겼다고 한다. 쿠데타 주동자는 '바지 대통령'을 내세우고 자신은 국회의장으로 은둔해 있었다. 김석우 의장비서실장이 신속하게 초청장 작성을 도왔다.

얼마 후 과테말라 국회의장으로부터 답신이 왔다. 바빠서 올 수가 없다는 내용이었고 이 문제는 최선을 다한 노력에도 불구하고 무위로 끝나고 말았다. 다국적 제약사의 비겁하고 추악한 몰골을 인식하는 계기가 되었다. 종근당은 과테말라에서 많은 비용을 들였지만 탐욕스런 한 다국적기업의 횡포로 분루를 삼켜야 했다. 과테말라 환우들은 아직도 다국적 독점기업의 값 비싼 약을 복용하고 있을 것이다.

커미션을 받고 공정거래를 외면하는 국가에까지 사실상 무상원조나 다름없는 차관을 제공하는 일은 한번쯤 재고해 볼 시점이 아닐까 생각한다. 나는 기회 있을 때마다 우리도 이제 떳떳한 대외정책을 펼 것을 촉구했다. 저개발국을 돕더라도 명분과 실리를 얻어야 하지 않겠는가.

과테말라의 경우를 타산지석으로 삼아야 하리라 본다. 차제에 저개발국 원조방식에 대해서도 재검토가 있어야 할 것 같다.

우리는 저개발국 원조를 투 트랙으로 하고 있다. 외교부 산하 국제협력단(KOICA)을 통한 공적자금(ODA)무상지원이 있는가 하면 재경부가 수출입은행을 통해 관장하는 EDCF차관이 있다. 말이 차관이나 사실상 무상공여나 다름없다. 차제에 저개발국지원방식을 통합운영하는 것도 검토해 봐야 한다. 밥그릇 싸움으로 국력을 분산시킬 것이 아니라 통합으로 시너지 효과를 찾는 것이 국익을 위해 필요하다.

종근당을 위해 고생했던 현지 H대사가 일시 귀국했다. 그는 내가 외무부를 출입할 때 총무과에 근무해 친한 사람이다. 종근당의 낙찰 건이 다국적 제약사 훼방으로 무산된 뒤다. 나는 과테말라 건은 생각하기조차 싫었다. 그럼에도 이장한 회장은 이들에게 저녁을 대접하고 노고에 감사했다. 다른 사람이라면 큰 손실을 보고 끝난 일을 생각하기도 싫을 텐데도 이 회장은 기어코 그들을 불러 감사를 표했다. 나는 종근당과 이장한 회장의 기업가정신을 다시 한번 돌아보게 되었고, 아름다운 추억으로 고이 간직하고 있다.

나는 그 뒤에도 J보험, K저축은행, M사 등에서 사외이사로 다른 세상을 바라볼 기회를 가졌다. 서울신문사 대표이사 사장직을 물러난 뒤에도 몇몇 기업의 사외이사로 활동한 바 있다. 지금도 S사 사외이사로 내가 언론인 40년 외길에서 결코 범접하지 못했던 새로운 세계에서 새로운 경험을 하고 있다.

8

아! 한국일보

창업보다 수성이 더 어렵다

나는 서울 종로구 중학동 14번지 근처를 의도적으로 피한다. 가끔 정기검진을 받으러 서울대학병원을 가려면 33년간 머물렀던 한국일보 옛터를 지나쳐야 한다. 하지만 시선이 닿지 않도록 둘러서 간다. 콘크리트 더미처럼 다소 우중충했던 13층의 한국일보 구사옥은 이미 자취가 사라진 지 오래다. 대신 잘 빠진 여성 허리를 연상케 하는 쌍둥이 유리건물이 자리하고 있다. 잘생긴 유리건물에도 눈길을 빼앗기기가 싫다. 나만 그럴까?

창업보다 수성이 어렵다고 한다. 구구절절 옳은 말이다. 적어도 옛 한국일보가 지나온 역사의 거울에 비춰 보면 그렇다. 신문기자에겐 쌀한 가마니 값이면 족하다고 했던 사주의 경영관에 어느 누구 토를 달지 않았다. 한 달에 쥐꼬리만 한 반월급 두 번 받으며 "양주는 스트레이트로 마시지 말고 얼음 타서(온더록스) 마셔야 한다"는 호령을 들었을 때도 우리에겐 내일이 있었고 파랑새가 보였다.

얼마 전 한국일보 문패가 바뀌었다고 한다. 제호는 그대로이나 주인이 바뀐 것이다. 고작 환갑도 넘기지 못한 채 옛 주인이 물러간 자리에 새 문패가 걸렸다. 누구의 문패건 '한국일보'가 창간 당시의 사시(社是)대로 역동적인 젊은 신문을 만들었으면 하는 바람이다.

왜 이렇게 됐을까? 이 처참한 몰락을 가져온 요인은 무엇일까? 한때는 생기가 팔팔한 '한국 제1언론그룹'이라고 했다. 우리는 창간 사주를 사장이란 호칭 대신 '왕초'라고 불렀다. 본인도 기꺼이 수용했다. 의리 하나로 똘똘 뭉친 끈끈한 조폭사회나 다름없었다. 그런 구 한국일보가 고작 환갑도 넘기지 못하다니…. 누가 이 가슴 아픈 몰락사를 쉬이 수긍하겠는가? 그 탄탄했던 자산들이 도대체 어떻게 허물어졌단 말인가?

사태의 1차적이고도 중요한 책임은 장 씨 일가에 있다. 창간 이후 그들은 한국일보를 가업으로 소유, 운영해 왔기 때문이다. 창간 사주는 5남1녀의 다복한 가정을 꾸린 것으로 알고 있다. 그런데 어떻게 단 한 사람도 한국일보 울타리 밖에서 키우거나, 클 생각을 하지 않았을까? 형제가 많으면 공무원도 있고 의사나 변호사도, 또 엔지니어도 있게 마련이다. 적어도 일반적인 가정이라면 그렇다.

계란을 한 바구니에 담지 말라는 경구가 있다. 주식도 한곳에 집중하는 '몰빵'보다는 분산투자가 안전하다고 한다. 행여 닥칠지 모를 위험을 분산하기 위해서다. 5남1녀를 한국일보 안에서 지지고 볶게 해 모두를 '잃은 자'로 만든 '왕초'(장기영)의 철학에 문제는 없을까? 그는 유능한 신문인이었을지는 모르나 다복한 가장은 아니었던 것 같다. 왜 아들 형제 간에 같은 비행기 탑승은 말리면서도 생업만큼은 그러지 못했을까? 종업원 입장이었긴 하지만 회한이 남는다. 소용없는 넋두리인 줄 안다. 하지만 너무 안타까워서 해보는 소리다.

한국일보는 벌였다 하면 '한국 최초'

　내가 한국일보에 입사했을 무렵 한국일보는 뭐든지 벌였다 하면 한국 최초였다. 그리고 모두가 대박을 터뜨렸다.

　한국 최초의 스포츠 전문지인 일간스포츠는 신문가판의 역사를 새로 써야 했다. 고우영이란 걸출한 만화가가 그려내는 삼국지, 수호지 등 연재만화는 장안의 화제였다. 다음 날 후속편을 미리 보려고 신문사를 찾아오는 극성 독자도 많았다. 일간스포츠 가판을 들고 있지 않은 대학생은 대학생이 아니었다. 캠퍼스에 객원기자가 등장했고, 또 그들이 작성한 기사로 '캠퍼스 문화'가 조명받기 시작했다. 더러는 청년문화라는 이름으로 지면을 통해 전파되기도 했다. 스포츠에 이어 레저라는 낯선 단어가 지면을 장식하기도 했다. 사람들이 정치, 경제, 사회 기사 위주의 답답한 틀에서 벗어나 여가와 오락, 연예를 찾게 되었다. 일간스포츠는 시대조류에 맞춰 옛날엔 듣지도 보지도 못한 '레저부'를 만들었다. 이들 여가와 오락, 연예 기사를 지면에 주워담기 위해서다.

　한국 최초의 경제지라는 '서울경제'는 지식인의 필독신문이었다. 바지 뒷주머니에 꽂힌 '서울경제'는 그 사람이 지식인임을 인정하는 신분

증명서였다. '서울경제' 분석기사는 한국 경제 해부도였다. 신화는 그것 뿐만 아니다.

주간신문의 효시라는 '주간한국'은 뭉뚱그려 '문화'라는 이름으로 문학, 철학, 영화, 연극 등을 지면에 오롯이 담았다. 언론사상 최초의 '연예부'가 생겨나기도 했다. 다른 신문은 감히 흉내마저 낼 수 없는 과감한 변신이자 기존질서의 혁파였다. 1964년 창간한 타블로이드판 32면의 '주간한국'은 최고 40만 부를 발행하는 대기록을 세웠다고 한다. 이 발행부수는 그때까지 우리나라 모든 정기간행물을 통틀어 사상최고의 발행부수였다고 했다. 최초의 여성주간신문인 '주간여성'은 "제 살 깎아 먹는 일 아니냐"는 일부의 비판도 없지 않았지만 역시 여성이 갖춰야 할 각종 교양지식을 공급하는 샘터 같은 존재였다.

사주는 정치도 하고(서울 종로구 국회의원), 행정도 하고(부총리 겸 경제기획원 장관), 체육계(IOC 위원 겸 대한체육회장)에서도 큰 족적을 남겼다. 신문 잘 만들어 잘 팔린 덕에 큰돈도 만질 수 있었을 것이다. 또 번뜩이는 아이디어로 적기에 창간한 신문들의 영향력 덕에 언론계를 휘어잡을 수도 있었을 것이다. 그럼 그렇게 번 돈은 모두 다 어디로 갔을까? 한국일보 사원들이 하늘을 찌를 듯한 사세에 상응하는 대우를 받은 적이 단 한 차례라도 있었을까? 유감스럽게도 한국일보에 근무했던 사원 가운데 "그렇다"고 대답할 사람은 단 한 사람도 없으리라 확신한다.

대신 일본 데이고쿠[帝國] 호텔이나 오쿠라 호텔의 벨보이나 웨이트리스에게서는 찾을 수 있을지 모를 일이다. 한국IOC 위원 '장(張) 상'은 팁이 후하기로 유명했다니까. 그분이 오셨다고 하면 호텔 로비엔 90도로 허리 숙인 종업원 도열이 예사였다고 한다. "돈은 개같이 벌어 정승같이 쓴다"는 고사처럼 그분은 일본 호텔이나 화류계에서는 '정승같이'

썼는지 모른다.

정치부 일선기자 시절 JP 등을 통해 가끔 그분의 화류계 무용담을 들을 기회가 있었다. JP가 들려준 왕초와 관련한 술집 무용담은 나에게는 비수와 같이 다가왔다. 왕초가 돌아가신 후라 참고 들었지만 살아 계셨다면 아마 자리를 박차고 나왔을지 모른다. 창간 사주는 항상 입버릇처럼 "한국일보는 나가는 사람 붙잡지 않고 되돌아오려는 사람 막지 않는다"고 자랑스럽게 말했다. 이 말이 듣기에 따라서는 퍽 자비롭게 들릴지 모른다. 하지만 얼마나 근무환경이 열악했으면 떠날 생각을 했을까를 먼저 자성해 봐야 한다. 그래서 나는 한국일보가 '기자 사관학교'였다는 말이 가장 싫다.

회장 측근의 전횡과 호가호위

요즘 말로 한국일보는 블루오션을 장착한 청년신문이었다. 이런 신문사가 한 세기도 넘기지 못하고 다른 사람 손에 넘어가야 했다니 유감스러운 일 아닌가? 아버지의 혜안을 승계하지 못한 자식들의 무지는 그래서 비판받아 마땅하리라 본다. 무엇보다 회사경영에 참가했던 사람들의 책임은 면할 길이 없다. 한국일보를 치명적인 상황으로 치닫게 한 1차적 책임은 경영주의 모럴 해저드였다고 한다. 이들은 회사 재산을 자기 주머닛돈으로 생각하는 버릇이 있었다고 한다.

더 큰 망조의 단초는 내부에서 일어나고 있었다. 경영진의 모럴 해저드보다 더 심각했으면 했지, 결코 덜하지 않았다. 한국일보 붕괴는 시간문제였을 정도로 심각했다. 지금 나는 그동안 보고 겪었던 일을 객혈하는 심정으로 이 글을 쓰고 있다. 한국일보 쇠망사인 셈이다. 언제부터인가 한국일보 편집국 인사는 회장 측근이란 사람이 왜곡하고 있었다. 직책은 고작 편집국 부장 혹은 부국장이었으면서도 편집국장, 사장보다 훨씬 막강한 권력을 휘둘렀다.

예를 하나 들어 보겠다. 지금은 모두 고인이 된 이문희, 정달영 두 분이 핵심부서가 아닌 편집이사와 홍보실장으로 근무하고 있을 때다. 회장 측근이라는 사람이 슬그머니 다가오더니 두 분에게 "곧 좋은 소식이 있을 것"이라고 귀띔하고 갔다. 나는 당시 정 실장 아래서 홍보부장을 하고 있을 때라 현장을 직접 목격할 수 있었다.

그 사람이 간 뒤 이 이사와 정 실장은 상기된 얼굴로 내가 있는 자리에서 대화를 나누었다. 두 분은 "당신도 연락받았느냐"고 상호 확인을 했다. 몇 시간 지난 뒤 8층 회장실에서 시차를 두고 두 사람을 차례로 불렀다. 새 보직을 통보하기 위해서다. 전후 상황으로 보면 그 사람이 먼저 한 개별통보는 회장의 지시가 아님을 금방 알 수 있다. 자신이 이번 인사에 관여했음을 과시하기 위해(?) 회장에게 들은 정보를 미리 알린 것이다. 이 이사는 주필, 정 실장은 일간스포츠 편집국장 임명을 통보받았을 때 얘기다.

언제부터인가 한국일보 사내에는 그를 '부회장'이라고 빈정거리는 얘기가 많았다. 오랫동안 회장의 시중을 들었던 최 모라는 분은 간부인사는 회장이 직접 당사자를 불러 통보한다고 증언했다. 회장에게 엿들은 내용을 자신의 세를 과시하기 위해 흘린 것이라고 했다. 그 친구가 그렇게 세를 과시하고 다녀서인지 한국일보 내에서는 사장이나 편집국장 등 어느 누구도 그를 제어할 만한 사람이 없었다.

문제의 그 사람이 사건기자 시절에 있었던 일화라고 한다. 한번은 사건기자이던 그 친구가 '물먹은' 일이 있었다고 한다. 부장이라는 분이 했다는 말에서 일찍부터 그가 '실력자' 대우를 받고 있었음이 분명해 보인다. 사회부장은 "그래, 동양 최고의 사스마와리(경찰기자)가 이게 무슨 일이야"라고 했다고 한다. 글쎄 동양 사회에서 사건기자를 서로 단순비교하는 경우가 있는지 모를 일이다. 그 부장님은 후일 최고경영진이 됐다.

한 사람의 전횡과 호가호위는 조직을 망가뜨린다. 좋은 부서로 옮겨 달라고 그의 집을 찾아다니는 얼빠진 군상들까지 생겨났다고 한다. 나는 고인이 된 회장이 자신의 친구에게 호가호위하도록 용인했다고는 생각지 않는다. 우선 생각나는 순서대로 내가 목격하고 겪은 사례들을 얘기하려고 한다. '원조 한국일보'의 쇠망사를 그곳에 청춘을 바쳤던 우리 모두는 알아야 할 권리가 있다.

수서사건 특종도 막아

나는 주간한국 부장을 약 1년 했다. 앞서 근무했던 곳이 사회2부장이다. '부회장'이란 사람이 1년 전 선심 쓰듯 서울시청을 사회부에서 떼어내 붙여주며 나를 달랬던 곳이다. 오인환 편집국장이 홍보실에서 고생했다며 정치부 차장으로 복귀 인사안을 올렸다고 직접 통보해준 직후다. 그 친구가 갑자기 13층 라운지의 한 작은 방으로 나를 불렀다. 그러고는 "나(정치부장)는 노진환 씨가 정치부 복귀한다면 환영하겠으나 노진환 씨는 이미 부장을 했으니 부장으로 가야 하지 않겠느냐"며 걱정하는 듯 마련(?)해준 곳이 사회2부장이었다.

그런데 1년 만에 또 주간한국 부장으로 옮겼다. 말이 옮긴 것이지, 내몰린 것이다. 아마도 사회2부장(전국부장)도 탐을 내는 사람이 있었던 것 같다. 내가 사회2부장을 하면서 우선 겪었던 얘기를 하지 않을 수 없다. 수서지구택지 불법용도변경 사건, 속칭 '수서사건'으로 세상이 시끄러웠다. 한국일보가 확보한 최대 특종을 고의로 낙종시킨 얘기부터 해야 할 것 같다.

하루는 내 친구인 야당 K모 의원이 잠시 보자고 했다. 그는 오래전부터 알던 친구다. 내 대학동기이자 절친 서 아무개와는 울산 중고교 동기동창이다. 수서지구 용도가 불법으로 변경된 사실이 적시된 문건을 주면서 한국일보가 먼저 터뜨리라고 했다. 친구라고 나에게 희대의 특종을 쥐어준 것이다. 수서사건은 당시 최고권력이 한보그룹에 토지용도 변경을 허가해 엄청난 특혜를 안긴 대형 스캔들이다. 그 과정에서 정태수 한보그룹 회장이 150억 원을 청와대에 직접 전달한 것으로 나중에 드러난 권력형 비리다.

기쁜 마음으로 기사화하려고 보고했다. 오래전부터 편집국장을 제치고 그 친구가 사실상 국장노릇을 하고 있었다. 당시 그의 직책이 정치부장이었는지, 부국장이었는지는 기억이 정확지 않다. 특종을 가져온 데 대해 칭찬은커녕 예의 궤변이 시작됐다. "여보시오! 한국일보가 서울시에 민원이 얼마나 많은데 이런 걸 신문에 쓴단 말이오"라며 기사화를 막았다. 특종을 해온 나는 졸지에 애사심 없고 센스도 없는 사람이 되고 말았다.

한국일보가 특종자료를 받고도 기사를 누락한 이틀 후 신생 S일보에서 수서사건 1보가 터졌다. 나는 괴로워 '석양주'를 한잔하고 곧장 퇴근했다. 회사에서 나를 찾느라 부산했다. 엊그제 가져와 내 서랍에 넣어둔 폭로자료를 꺼내기 위해서다. 나는 S일보에 난 그대로 베끼면 된다고 하고는 회사에 나가지 않았다. 그 친구가 후배 박 모를 시켜 자물쇠가 채워진 내 서랍을 강제로 따고 그 서류를 꺼냈다고 한다.

S일보가 특종을 하게 된 계기도 흥미롭다. 한국일보에 대서특필의 폭로를 기대했던 제보자(K의원)가 기사가 안 나오자 독촉전화를 해왔다. 내부사정을 얘기하며 잠시 시간을 벌려고 했다. 그러자 K의원은 급

하다며 다른 신문에 넘기려 했다. 하필이면 오랜 경쟁관계였던 C일보에 주려 했다. 평소 친하게 지내던 젊은 H모 기자에게 주려 했다. 나는 처음 자료를 내가 갖고 있어 시간을 좀 끌 수 있으리라 생각했다. 제보자는 나에게 전한 문건 말고 또 다른 사본을 갖고 있었다.

특종을 단념해야 했다. 대신 C일보보다는 낙종의 충격이 좀 덜할 것 같은 신생 S일보에 주기로 제보자 K의원과 합의했다. 왜냐 하면 그 신문엔 심성이 고운 후배가 있었기 때문이다. 원래 S신문 수습출신인 그 후배는 집이 잠실 부근이라 야간 국회 후 새벽 귀가 때 내 차를 이용할 때가 더러 있었다. 우리는 가끔 잠실2단지 포장마차에서 심야에 한잔 하기도 했다.

그 친구는 S신문을 떠나 H신문이 창간하자 그곳에서 역시 국회를 출입했다. 그러나 신생 H신문의 논조나 컬러가 심성이 고운 그 친구에겐 맞지 않아 한동안 마음고생이 심했다. S일보가 창간되자 다시 그곳으로 옮겨 역시 국회를 출입했다. 내가 K의원에게 그 친구의 딱한 사정을 전하며 차라리 특종을 그에게 주자고 했다. 친구 K의원도 순순히 따라 주었다. 낙종을 수용해야 하는 처지라 나는 일절 나서지 않았다.

이후 나는 특종을 승계한 그 후배기자에게 단 한 번도 이런 사실을 입 밖에 꺼내지 않았다. 처음으로 세상에 공개하는 비화다. 신생 S일보는 심성이 착한 그 후배기자로 인해 희대의 특종을 하게 됐고, 인구에 널리 회자되었다. 세상에 특종을 쥐고 와도 한 사람의 전횡으로 낙종해야 하는 한국일보가 어떻게 잘될 수 있겠는가? 그 수서사건 특종은 연말 각종 언론상을 휩쓴 것으로 기억한다.

재벌 비판 안 된다는 자기 검열

　비록 눈 뜨고 물은 먹었지만 한국일보는 그렇게 쉽게 물러서지 않았다. 수서사건 취재를 지휘하는 사회2부장이던 나는 후배들을 독려하여 꽤나 많은 부스러기 특종은 했다. 우선 수서사건 핵심인 한보그룹과 나는 이래저래 많은 네트워킹이 있었다. 그룹 회장 정태수 씨와 나는 동향이다. 또 미국에서 돌아온 내 중고교 동기동창 친구가 전무이사였고, 13년 선배 강 모 씨가 그룹 주력기업인 한보건설 사장이었다. 세간엔 한보그룹은 소위 '진주 마피아'가 움직인다고들 했다. 이미 고인이 된 강 모 사장은 서울시에서 산업국장을 지낸 전직 관료로 나의 아버지와도 친근한 선후배 사이다.

　특히 한국일보는 강 전 사장 수첩을 입수해 꽤나 많은 잔재미를 보았다. 그러나 메인 특종은 경위야 어찌 되었든 신생 S일보에 넘겨주지 않았던가. 특종기사를 물어온들 한 사람의 전횡으로 기사화가 불가능한 구조가 당시 한국일보 상황이었다. 그 사람이 전횡할 때 우리 모두는 비겁한 침묵의 방관자가 되어야만 했다. 뿐만 아니다.

　한참 뒤 이번엔 검찰을 출입하는 후배 L기자가 망해 가는 한국일보의 실상을 나에게 격정적으로 토로했다. 검찰에서 재벌관련 특종기사를 취재해 넘겼더니 보도를 못 하게 했다고 한다. 예의 낯익은 궤변은 "우리가 누구 때문에 월급 받는데 아무거나 다 기사화할 수는 없다"는 것이었다. "광고주를 배려해야 한다"는 말은 일응 수긍할 수 있다. 충격적인 사실은 기사를 빼준 회사의 담당임원들과 술자리 하는 모습을 목격했다고 한다. 소위 특종을 '엿 바꿔먹는' 상황에서 한국일보가 어떻게 정상적인 신문이기를 바랄 수 있겠는가?

그 사람의 전횡에 관한 얘기는 밤을 꼬박 새우고도 모자란다. 내가 사회2부장에서 '주간한국 부장'으로 옮겨 왔을 때다. 편집부국장인 그 친구도 다소 미안했던지 "이제『주간한국』은 노 부장이 편집국장이니 소신껏 만들라"고 했다. 기사를 쓸 수 있는 자원이라야 나와 기자 한 사람 등 단 두 사람이다. 대신『주간한국』이 기사를 발주하면 우선적으로 돕도록 부장단에 지시하겠다"고 약속했다. 부장인 나도 직접 외신을 번역해 싣는 한편 대형 기획물로 넓은 지면을 메워 나가야 했다. 내가 '주간한국' 페이지를 메우려 연재했던 '외교 비사'가 한 권의 책이 됐는데 그것이 졸저《외교가의 사람들》(부제 '秘錄 5공 외교')이다.

『주간한국』엔 고정필진이 있었다. 대개 정치, 경제 등은 사내 논설위원의 기고를 받았다. 나는 우선 정치는 황소웅 논설위원, 경제는 이재승 논설위원을 고정필진으로 지정하고 원고를 받았다. 황 위원은 정치부장을, 이 위원도 오랜 경제부 기자생활 후 논설위원으로 있었다. 두 분 모두 한국일보의 '알토란 같은' 재사다. 특히 황 위원은 정치부장 1년 만에 부국장이 됐다가 또 논설위원으로 가게 된 얄궂은 사연이 있다. 사내에서는 그 친구가 자신의 바로 위 선배이자 라이벌 격인 황 위원을 이리저리 내치게 했다는 소문이 파다했다.

하루는 그 친구가 나를 불렀다. 그가 한 말을 그대로 옮겨 보겠다. "노 부장! 경제칼럼 이재승이는 괜찮은데 정치칼럼 황소웅이는 문제가 있어." 그러면서 무엇이 문제인가는 이유를 대지 않았다. 나에게 "『주간한국』은 노 부장이 편집국장이니 소신껏 만들라"고 했던 말의 침도 마르기 전이다. 그가 문제라고 지적한 황소웅은 한국일보 기수로 그의 몇 기 선배다. 그도 나도 황 선배와 함께 정치부에 근무했다. 황소웅은 당대 정치부 기자 사회에서는 전범(典範) 같은 존재다. 출입처마다 그의 활약상이 눈부셨고, 명성은 화려했다.

그러나 황소웅은 정든 한국일보를 떠나지 않을 수 없었다. 한국일보는 큰 손실이 아닐 수 없다. 그의 예상치 못한 조기퇴장을 한국일보의 많은 동료들은 후배 한 사람 잘못 만난 탓에 인생 전체가 뒤틀린 사례로 안타깝게 생각했다. '경제칼럼 이재승이는'이라고 한 이 논설위원은 그 친구의 고교 6년 선배로 알고 있다. 그가 회장이나 손윗사람이 아랫사람 얘기하듯 '이재승이는' 운운하며 기고만장 설쳐대는 상황에서 한국일보가 과연 온전할 수 있겠는가?

그는 금방 했던 말도 자신의 편의대로 수시로 뒤집기 일쑤였다. 황소웅 논설위원의 필진 시비에도 나는 아무런 대꾸도 않고 그대로 밀고 나갔다. 나는 천성이 독하지 못해 덤벼들지는 않았지만 불의라고 생각하면 불복종할 만큼의 고집은 있다. 그러면서 어떻게 하면 한국일보를 그 친구 손아귀에서 벗어나게 해 되살릴 수 있을까 궁리하면서 기회를 보며 여론을 모아갔다.

사실 나는 '유언 집행인'이라는 허울에 포위돼 있는 장재국 회장과 LA의 두 분 형제가 힘을 합쳐 맞서도록 시도했다. 그 친구의 전횡을 막아낼 수 있지 않을까 해서다. 그리고 그렇게 해주도록 기대했다. LA의

두 분은 장재국 회장에게는 형이다. 만약 세 사람이 합력한다면 분명 선을 구할 수 있을 것이기 때문이다. 이는 곧 한국일보를 한 사람의 전횡으로부터 벗어나게 하는 일이다.

후배 L기자의 얘기를 듣고 나는 LA로 달려갔다. 여름 휴가철이라 미 동부에서 유학 중인 두 딸도 볼 겸 해서다. 무엇보다 장재구 전 사장과 장재민 미주지역 사장에게 한국일보의 위기상황을 호소하기 위해서였다. 장강재 회장이 별세함으로써 전횡을 하던 그 친구도 힘이 빠질 것으로 생각했다. 그러나 기대는 물거품이 되었다. 한국일보 장래가 더욱 암담해짐을 걱정하지 않을 수 없었다. 그 친구는 어느새 '유언 집행인'이라는 해괴한 이름으로 더욱 기승을 부렸다. 그의 사내권력이 위축은 커녕 더욱 강화되는 듯했다.

지금도 당시를 생각하면 황당하기 짝이 없다. LA 장재민 사장 방을 찾아 형제분에게 심각한 한국일보 상황을 호소했다. 대책마련이 화급함도 전했다. 나는 한 사람의 전횡으로 한국일보가 파멸의 길을 가고 있음을 강조했다. 그러나 두 분의 반응을 보고 나는 적이 실망했다. "그 친구가 왜 그러지? 그럼 어떻게 해야지?"가 먼 길 마다 않고 달려온 내 앞에 내놓은 그분들의 대책 아닌 대책이었다. 참담함을 느끼며 돌아섰던 기억이 난다.

"한국일보에 '악의 축' 있다" 소문

LA에서의 별무소득에 크게 실망했지만 그렇다고 주저앉을 수만은 없었다. 한국일보가 망해 모두가 쪽박을 차기 전에 무슨 발버둥이라도 쳐봐야 할 것 아닌가? 그때 나는 논설위원으로 그 친구로부터 독립적 지위에 있었다.

나는 이상우 선배를 주목했다. 당시 이 선배는 한국일보 자매지 '엘르'라는 여성잡지 사장직을 수행하고 있었다. '엘르'의 실질적 소유주이자 회장은 고 장강재 회장 미망인인 이순임(예명 문희) 여사였다. 회장인 이 여사가 실제로 종로구 수송동 부근 사무실에 출근한다는 걸 알았다. 이 여사는 당시 한국일보 대주주로 사실상의 사주 격이었다. 우선 그분에게 급박한 한국일보 사정을 호소하기 위해 투 트랙으로 접근했다.

우선 내가 이상우 선배를 맡았다. 한편으로는 정의감과 애사심이 남다른 후배 신학림 노조위원장이 이순임 여사를 담당토록 했다. 나와 신 위원장은 한국일보를 더 이상 방치하면 회복이 불가능하다는 데 생각이 일치했다. 나는 이상우 선배에게 그 친구의 오랜 전횡을 설명하고 이 여사를 설득해 주도록 간청했다. 이 선배도 한국일보의 풍전등화 같

612

은 긴박한 사정을 잘 알고 있었다. 이 여사를 찾아간 신 위원장은 약 3시간에 걸쳐 한 사람의 전횡으로 한국일보가 위급한 상황임을 설명하고 행동해 주도록 간청했다.

사세는 나날이 기울어 조직이 뿌리째 흔들리기 시작했다. 편집국이 특히 민감했다. 기자들이 하나둘 움직이기 시작했다. 대책이 마련되지 않으면 편집국 붕괴는 시간문제로 느껴졌다. 심지어 상대 지에서 "이제 한국일보에는 더 데려올 만한 사람이 없다"고 극언했다는 말까지 나돌았다.

다행인 것은 대주주 격인 이 여사가 이미 여러 곳으로부터 그 친구의 전횡을 들어 알고 있는 듯했다. 드디어 한국일보는 그 사람에 대해 더 이상 편집권이나 인사에 개입 못 하도록 업무를 한정하기에 이르렀다. 대주주 격인 이 여사가 그 친구에 대한 신뢰를 철회했다고 한다. 그리고 얼마 후에 말 못 할 이유로 그는 회사를 떠나야 했다.

그러나 때가 너무 늦었다. 그 친구의 전횡으로 회사를 떠난 사람에 이어 그 사람의 보호를 받았던 사람들까지 회사를 떠나기 시작했다. 보호벽이 사라지자 지금까지 누려온 기득권 상실과 앞으로 닥칠지 모를 불이익에 대한 두려움 때문인 듯했다. 이래저래 한국일보는 떠나가는 사람들로 인해 분위기가 뒤숭숭했다. 특히 입이 걸쭉한 한 후배는 경쟁지로 떠나면서 나에게 "형님 제가 '살인자'가 안 되기 위해 떠납니다"라며 굵은 눈물을 쏟았다.

어느 때부터인가 젊은 기자들 사이엔 한국일보에 '악의 축'이 존재한다는 얘기가 나돌았다. '악의 축'이란 조지 W. 부시 미국 대통령이 한 말이다. 2002년 연두교서에서 그는 반테러전쟁의 제2단계 표적으로 이라크, 이란, 북한을 '악의 축'이라고 했다. 유엔 등이 규제하는 핵무기

제조 기술을 밀거래해 인류의 재앙을 초래할 수 있는 핵무장을 도모하는 불량국가들을 지칭했다.

기자들 사이에는 한국일보에도 이런 부류의 사람이 있다고 수군거렸다. 문제의 그 사람을 정점으로 그의 고교인지 중학인지 후배가 되는 L과 그 밑의 C, S가 바로 그들이라고 했다. 더러는 젊은 Y까지도 포함시켜야 한다고 주장하기도 했다. 그들은 하나같이 그 친구의 추락과 함께 앞서거니 뒤서거니 한국일보를 모두 떠났다. 그 친구가 실력자로 전횡할 때 그들은 각종 인사상 혜택을 입었던 것으로 소문났다.

후배의 좌절과 죽음

가슴을 아리게 하는 슬픈 기억도 있다. 나보다 5~6년쯤 후배인 고 유석근에 관한 추억이다. 유석근은 체육부에 오래 근무한 체육전문기자다. 브라질로 사실상 이민을 떠난 김인규(전 체육부장)와 함께 둘은 형제처럼 사이좋은 체육전문기자 선후배였다. 두 사람 모두 성격이 원만하고 선배에겐 예의 바르고 또 후배를 아낄 줄도 아는 착한 사람들이었다.

유석근이 그 친구 아래서 사업담당 업무를 하면서 내 방을 찾는 횟수가 잦았다. 내 방을 찾을 때마다 그는 가슴을 쥐어뜯는 시늉을 했다. 그 친구를 가리켜 "세상에 인간의 탈을 쓰고 짐승보다도 못한…"이라며 울분을 터뜨리기도 했다.

하루는 좋은 사업거리가 생겼다며 나에게 의견을 구했다. 모처럼 큰 수익이 날 만한 일을 찾은 것 같다며 기뻐했다. 그가 전한 내용은 북한 교예단(서커스단)을 초청, 공연하는 일이었다. 북한 교예단 해외공연 사업권을 위임받은 미국 시민권자 교민을 만났다고 했다. 그 사람은 유석근 친척과도 막역한 사이로 신뢰할 수 있다고 했다. 그 교민으로부터 "한국일보가 이 사업을 대행할 의향이 있느냐"는 제의를 받았다고 한다. 미주 동포사회에서 한국일보의 위상은 높았다.

유석근은 그 사업을 추진하는 데 남북교류협력기금을 지원받는 문제를 상의했다. 당시 나는 통일부 정책자문위원과 정책평가위원으로 지근거리에서 통일부 업무를 자문, 평가하고 있었다. 시대상황도 금강산관광에 이어 2000년 6월 DJ의 평양방문으로 남북관계가 해빙무드였다. 북한 교예단은 기량이 뛰어난 것으로 세계적으로 정평이 나 있다. 서울에 유치만 할 수 있다면 흥행은 보나 마나라고 했다.

내가 유석근에게 들은 사업계획은 대충 이랬다. 추석 등 명절을 즈음해 교예단을 초청, 서울, 부산, 대구, 인천, 광주 등 순회공연을 한다는 것. 유석근은 입장료 수입으로 북한에 지불할 비용이 충분할 것으로 예상했다. 후원 협찬도 이북출신 기업에 국한토록 돼 있었다. 거기다 남북 협력기금을 얻을 수 있다면 엄청난 수익을 기대할 수 있다.

유석근은 비밀리에 추진했다. 그러면서 궤변과 억지로 괴롭히면 어쩌나 하며 재가과정을 걱정했다. 그 일을 계획한 후 유석근은 주로 내 사무실(주필 방)을 드나들며 일을 했다. 나 역시 사업이 성공해 가뜩이나 어려운 한국일보에 도움이 됐으면 하고 기대했다. 남북협력기금 사용문제에 대해 나는 그가 지켜보는 앞에서 통일부에 전화했다.

당시 기획관리실 최 모 실장과의 통화다. 최 실장은 우선 교예단 초청이 실향민에게 좋은 교류사업이라며 공감을 표했다. 금액이 얼마가 될지는 알 수 없지만 지원 가능성만은 확인할 수 있었다. 최 실장은 구체적인 지원금액에 대해서는 권한 밖이라면서도 "노 대감이 우리 사장(통일부 장관)과 친하시잖아요" 했다. 내가 "한 5억 원만 지원해주면 되겠는데…"라고 하자 최 실장은 "노 대감이 우리 사장께 잘 말씀하시면 저야 실무자로서 당연히 돕지요"라고 했다.

옆에서 통화내용을 엿듣던 유석근이 쾌재를 불렀다. 그러고는 내 방을 박차고 나갔다. 내 통화를 듣고 자신감이 생긴 유석근이 상급자인 그 친구에게 사업계획을 설명하러 달려가는 게 분명했다. 그 후 며칠 동안 유석근 모습을 통 볼 수 없었다. 뻔질나게 드나들던 내 방에도 나타나지 않았다. 나도 한동안 그 일을 잊고 지냈다.

얼마나 지났을까? 얼굴이 다소 까칠해진 그가 다시 나타났다. 대뜸 "개XX!" 등 쌍소리를 내지르며 "형님! 내가 죽거든 'XX코' 그 개XX 때문인 줄 아시오"라며 연신 가슴을 쳤다. 얘기인즉 그 친구를 찾아가 사업계획을 설명했다고 한다. 그러자 "그런 일이 당신(유석근) 눈에 띌 때까지 조선, 동아, 중앙 등은 눈 감고 있었겠느냐"며 묵살해 버리더라고 했다. 유석근은 그날도 분을 못이기고 "그 개XX 말대로라면 한국일보는 평생 특종 할 수 없고, 또 해서는 안 되는 것 아니냐"며 가슴을 쳤다.

그 친구의 궤변, 반대를 위한 반대는 한국일보 내에선 유명했다. 사람이 어떻게 저럴 수 있을까? 많은 후배들은 그의 터무니없는 횡포에 정신적으로 병들어 갔다. 그의 대학동기이자 절친으로 소문난 한 후배 기자는 "개XX! 30년 우정 좋아하네"라며 울분을 토하기도 했다.

야심차게 추진했던 사업이 불발되자 유석근은 크게 좌절했다. 오죽했으면 그 사업을 다른 신문사에 통째로 넘기려 했을까. 그 친구로 인해 좌절된 교예단 초청사업을 성공시켜 처절한 복수극을 생각하는 듯했다. 이번엔 내가 반대했다. 나는 "사업을 안 하면 그만이지 그렇게까지 할 필요가 있느냐"고 달랬다. 내 앞에서 D일보 등 다른 신문사와 접촉하려는 걸 "그러려면 내 방을 나가서 하든지 말든지 하라"고 쫓아버린 적도 있다. 유석근이 얼마 후 아침운동 나갔다가 급사했다. 마음 착한 후배를 떠나보내며 나는 영안실에서 통곡으로 그와 작별했다.

쓰레기 신문을 자초하다

밤을 새워도 다 못 할 정도로 할 얘기가 많다. 그 친구는 자신만이 한 국일보를 위하고 애사심이 있는 것으로 착각했다. 성격적으로 결함이 많았다. 재산도 많은 것으로 소문났다. 그런데도 돈을 엄청 밝히고 탐했다. 나는 기자가 돈을 탐하는 순간 언론인으로의 생명력은 끝났다고 생각하는 사람이다. 그가 정치부장일 때 후배부원 C는 그로부터 자신의 명절소요자금 상납을 요구받고 해주었다고 공공연히 떠들고 다녔다. 요구받은 소요자금 규모가 1000만 원대였다고 했던 것 같다. C는 전체인지 일부인지는 모르나 "제가 좀 해주었습니다"라고 했다.

그의 수족처럼 행세하던 C는 그런 요구 탓인지 기자사회에서 돈과 관련해 무척 뒷말이 많았다. C는 내가 정치부장일 때도 여전히 정치부 근무를 했다. 하루는 고인이 된 한 유명 정치인에게서 전화가 걸려왔다. 그분이 대뜸 "노 부장! 너희 XX일보 할라카나? 나는 당신이 그런 사람이 아닌 줄 알지만, 한국일보 정말 좋은 신문이었데이"라고 했다. 국회 주변에서는 C가 의원들에게 빈지갑을 보이며 "나 혼자만 먹고살 수 있나요?"라며 은근히 한국일보의 상납구조를 암시하고 다닌다는 얘기가 파다했다.

세상에 신문사에 상납구조라니, 한국일보에서 실제로 그런 일이 일어나고 있었던 것 같다. "너희 XX일보 할라카나?" 했을 때 처음 나는 그 말의 의미를 몰랐다. 뒤에 또 다른 중진의원 측으로부터 C의 앵벌이가 사실임을 듣게 됐다. 쥐구멍에라도 들어가고 싶은 창피함을 느꼈다. 지금은 없어졌지만 과거 XX일보는 그런 식으로 신문사를 운영했다고 한다.

그 사람은 인색하기 짝이 없는 사람이었다. 말이 명절자금이지 남에게 베풀기보다 자기 주머니를 채우려는 욕심이었다. 어느 날 지방판 작업을 끝내고 잠시 회사 부근 공중목욕탕을 찾았다. 제작국장 정 모를 거기서 만났다. 아니, 나를 만나러 일부러 왔는지도 모를 일이다. 정 국장이 대뜸 "편집국장이란 그 개XX가 내일 200명이 넘는 제작국 전체인원이 야유회 간다고 알렸더니 달랑 20만 원을 보내왔다. 그게 인간이냐?"고 거품을 물었다. 더 이상 듣기 싫어 내 지갑을 꺼내 주었다. 그는 비상금 10만 원을 남긴 채 지갑을 돌려주었다.

신문이 아니라 쓰레기

이런 일도 있었다. 1996년 3월 1일이다. 내가 날짜까지 정확하게 기억하는 것은 그날 오후 부친이 별세하셨기 때문이다. 15대 총선이 목전이라 정치부장인 나는 한시도 몸을 빼지 못했다. 지척임에도 임종도 못한 불효를 저질렀다. 지방판을 막을 무렵 병원에서 운명하셨다는 연락이 왔다. 그날 한국일보 지면에는 다른 신문들과 마찬가지로 전국의 총선 격전지 현장이 소개됐다. 하필 전국 최고의 공방전이 예고된 부산

해운대지역 차례였다.

15대 총선 최대 격전지는 부산 해운대였다. 6선의 정치경력을 가진 고 이기택 의원에 맞서 여당은 김 모 의원을 대항마로 내세웠다. 3당 합당을 부도덕한 야합이라며 반YS 기치를 든 이 의원의 저격수로 김 의원이 차출됐다. 두 의원 간 대결은 치열했다. 온 국민의 시선이 그 지역구에 쏠렸다고 해도 과언이 아니었다. 그런 지역에서 어느 한쪽을 편든다는 것은 신문이 쓰레기임을 자인하는 행위나 다름없다.

나는 해운대지역 취재를 지금은 대학으로 자리를 옮긴 S기자에게 맡겼다. 출장을 보내면서 첫째도, 둘째도, 셋째도 기사가 균형을 이루도록 당부했다. 심지어 단어 하나의 의미도 양쪽에 공평하도록 했다. 이런 뜻에 따라 S기자는 정말 50대50의 기사를 작성했다. 그 기사를 마지막으로 넘기고 빈소로 달려가 문상객을 맞았다. 일과 후 부원들도 문상을 위해 몰려왔다. 저녁 늦게는 친구 김 의원도 부산에서 마지막 비행기를 탔다며 문상을 왔다.

부원 L이 "부장, 큰일 났다"며 하는 얘기를 들으니 어이가 없었다. 지방판 신문이 나오자 그 친구가 자신을 불러 해운대 기사를 고치도록 명령했다고 한다. 그는 "6선의원과 재선의원을 같은 조건으로 다루어서는 안 된다"는 궤변을 늘어놓으며 "이 의원이 7대3이나 8대2 비율로 유리하도록 고치라"고 해서 고쳤다고 했다. 무소불위의 그 친구 말을 어찌 거역할 수 있겠는가. L은 그러면서 "내일 당장 김 의원의 반발을 어떻게 해결해야 할지 모르겠다"며 걱정했다.

정치생명을 건 한판 승부전에서 신문이 어느 한쪽 편을 든다는 건 신문이 아니라 '쓰레기'를 자초한 행위다. 전 국민이 지켜보는 해운대 선거에서 한국일보는 또 손바닥으로 하늘을 가리는 짓을 했다. 사실 이기택은 나와 가까운 대학선배다. 나는 이 선배의 부인을 스스럼없이 형수라고 불렀다. 북아현동 집에 후배들과 함께 자주 찾아가기도 하고 식사도 같이 하곤 했다. 지난 2월 갑작스러운 비보에 급거 상경, 고인의 명복을 빌기도 했다.

선거 막바지에 형수께서 전화도 주셨다. "노 부장 얼굴이라도 한번 보려고 왔다"며 회사 부근까지 찾아오기도 했다. 난들 그분의 심정을 왜 모르겠는가. 하지만 그때마다 나는 "형수님, 공정히 잘할 테니 조금도 걱정 마시라"며 만나지 않았다. 얼마나 가슴 졸였으면 그랬을까 이해가 갔다. 나를 만나 '성의'를 전하고 위안을 얻고 싶은 심정을 모르는 바 아니다. 그러나 공정성이 추호도 훼손되지 않도록 하는 것이 소임이기도 하다.

어찌된 일인지 아버지가 돌아가신 날 저녁 우려했던 일이 일어났다. 그것도 내가 빈소로 달려가고 난 직후다. 마침 급거 상경해 빈소에 와 있던 김 의원의 모습이 보였다. 나는 그에게 "내일 한국일보는 보지 마라"며 지면제작에 문제가 발생했음을 미리 알리고 사과했다. 김 의원도 평소 출입기자들을 통해 그 친구의 전횡을 잘 알고 있었다. 그가 어떻게 하면 좋겠느냐고 묻기에 "뭐 좋아하는 X한테는 뭐밖에 약이 더 있겠느냐"고 했다. 그랬더니 마침 와 있던 그 친구를 밖으로 불러내 상당액의 촌지를 건넸다. 이게 조폭사회가 아닌 한국일보라는 신문사에서 공공연히 일어난 낯 뜨겁고 창피한 일이었다.

장례를 마치고 바로 귀사했다. 선거가 임박해 단 하루도 비울 수 없었다. 그 친구가 "김 의원이 거액(500만 원)을 주더"라고 했다. 소금도 먹은 X이 물 킨다고 자신의 소이에 비해 부담스러웠던 모양이다. 그러면서 자신이 왜곡했던 해운대지역을 한 번 더 취급하면 어떻겠느냐고 했다. 웬만한 일에는 그냥 넘어갔지만 그날만은 도저히 참을 수 없었다. 아무리 격전지라도 두 번 게재는 안 된다고 일축했다. 그럼 이번엔 돈을 준 의원을 편파적으로 그리라는 것인지….

그 친구는 선거가 끝나자 김 의원 얘기를 꺼내며 한번 자리를 했으면 했다. 그와 함께하는 것은 생각만 해도 몸서리쳐졌다. 나는 김 의원에게 "그 친구가 당신이 보고 싶다고 하더라"고 농담했다. 눈치를 챈 김 의원이 직접 신문사를 찾아왔다. 그러고는 전과 같은 금액의 촌지를 그 친구에게 주고 갔다. 백주 한국일보사에서 일어난 일이다.

"이런 사람이 정치부 기자라니"

그의 수족과도 같았던 정치부원 C로 인해 생겨난 일도 가관이다. C는 숫제 기사가 되지 않는 사람이다. 그럼에도 C를 데스크 보조로 두도록 지시했다. 그는 기껏 200자 원고지 2~3매의 작은 박스기사를 쓰느라 끙끙대는 일이 잦았다. 그 기사는 기자사회의 비속어로 누구를 '빨아주는' 내용이었다. '빨아주든' 무엇을 하든 문장이 돼야 할 것 아닌가? C는 자신이 엮은 기사에 항상 막내부원 J 이름을 도용했다.

C는 데스크 보조를 하면서 기사를 개악하는 경우가 잦았다. 부원들은 기사를 전송한 후 바쁜 나에게 꼭 전화하는 것을 빠뜨리지 않았다. 이유는 C가 또 '개악'할까를 우려해서다. 그들은 기사를 전송한 후 그 바쁜 가운데도 "부장! 기사를 띄웠으니 부장께서 꼭 데스크를 봐주세요" 하고 로비전화를 했다. 눈코 뜰 사이 없는데 로비전화까지 받아야 했던 나는 때론 죄 없는 부원들을 야단치며 스트레스를 풀기도 했다.

정치기사가 넘쳐날 때라 부장 혼자 기사를 만지기가 도저히 불가능했다. 그래도 시간을 쪼개 C가 넘긴 기사를 다시 불러내 재검증했다. 그러나 C가 끙끙대며 작성해 넘긴 '냄새나는' 기사까지 챙길 시간은 도저히 안 됐다. 솔직히 말해, 보고 싶지 않았다. 결국 사달이 났다. 지방판 신문 나오기가 무섭게 회장으로부터 호출을 여러 차례 받았다. 번번이 C가 막내 J기자 이름으로 넘긴 '냄새나는' 작은 상자기사가 회장의 눈에 띈 것이다.

회장의 불호령이 떨어졌다. "노 부장! 이거 좀 읽어 보시오. 내가 아무리 기사를 모른다고 해도 이게 말이나 돼요? 이런 사람이 정치부 기자라니 이번 인사에서 J기자를 당장 빼겠소!" 불똥이 엉뚱하게 명의가 도용된 막내기자에게 튄 것이다. 그렇다고 그건 C차장이 쓰고 이름이 도용됐다고 할 수 없어 "제가 모두를 챙기지 못해 죄송합니다"라고 얼버무릴 수밖에 없었다. C가 J 이름으로 내보낸 박스기사는 그 뒤에도 몇 차례 더 적발됐다. 결국 J는 외신부로 전출되었다.

나는 그 친구에게 C를 바꿔줄 것과 이른 시일 내 J기자의 복귀를 강력히 요구했다. 그때서야 그 친구는 당황하며 6개월 내 원대복귀를 약속했다. 하지만 자신의 수족이라 할 수 있는 C의 교체 요구만은 손가락으로 입을 다물어 달라는 제스처를 하며 묵살했다. 이렇게 만들어진 한국일보가 독자들로부터 무슨 감흥을 얻겠는가. 한국일보는 점점 암울한 지경으로 빠져들었다.

독자로부터 외면당하다

　그 친구의 전횡이 사라진 후에도 한국일보는 권력 눈치를 살피는 또 다른 '자기검열' 시기가 있었다. 문제는 권력의 요구와 현실을 여하히 절충하느냐가 관건이다. 한국일보 경우는 더더욱 그렇다. 유감스럽게도 한국일보는 그런 균형감 있는 중간경영진을 찾을 수 없었다. 권력을 비판하는 기사가 한국일보에서만 빠진다고 실정이 다 덮어지지 않는다. 손바닥으로 하늘 가리는 일들이 한국일보에서는 다반사로 일어났다. 한국일보는 이렇게 피멍이 들어 갔고, 독자들 시야에서 점점 멀어지게 됐다.

　이런 잘못된 관행은 그 친구가 사라지고 난 뒤에도 지속되었다. 한번 잘못된 길로 빠지면 후일 뒷사람도 그것이 마치 정도인 양 답습하는 경우가 아닐까 싶다. 조선조 후기의 문신 이양연(李亮淵)의 시구가 생각난다. 천설야중거불수호란행, 금조아행적수위후인정(穿雪野中去不須胡亂行, 今朝我行跡遂爲後人程: 눈 덮인 들판 길을 걸어갈 때 함부로 어지럽게 걷지 마라, 오늘 내가 가는 이 발자취는 뒷사람의 이정표가 될 것이니).

　그 친구만 없어지면 한국일보가 제자리를 찾을 줄 알았다. 하지만 뭐

피하고 나니 또 뭐 만난 꼴이라고 해야 할까. DJ정부 들어서도 한국일보는 유독 사실의 왜곡이 심했다. 젊은 기자들은 종종 나를 찾아와 "한국일보가 동교동의 찌라시냐"며 울분을 토했다. 그러나 비록 기사는 지면에서 사라졌지만 사설이 그런대로 커버하는 일에 후배들은 감사하기도 했다.

그 무렵 논설위원실 책임자인 나는 자주 사내에서 압력을 받았다. 당시 내 메모철을 보니 예컨대 이런 압박이었다. 우리 신문에도 안 난 사실을 왜 사설로 다루느냐, 이수동은 DJ가 아끼는 측근인데 왜 사설로 비판하느냐, 사설이 세 아들 문제를 너무 자주 다룬다 등이 그것이다. 나는 71년 대선 땐 가족에게 미친놈 소리 들어가며 DJ에게 투표했다. 뿐만 아니라 97년 대선에도 그에게 지지투표를 했다. 하지만 국정책임자로서의 DJ는 비판받을 사항이 너무 많았다.

동교동 요구대로 한국일보에만 기사를 뺀다고 DJ 허물이 가려지는가? 기사를 누락한 한국일보만 독자로부터 외면당할 뿐이다. 기사를 뺐다고 사설까지 '묵언수행'해야 하는가? 당시 편집국장은 내가 가장 아끼는 후배다. 기자로서의 소양은 물론 금도가 있는 사람이다. 자신은 마지못해 기사를 뺄 수밖에 없었지만 사설이 이를 커버하면 마치 자기 일처럼 기뻐하던 모습이 눈에 선하다.

한국일보가 독자로부터 외면당하는 모습이 확연했다. 한번은 이런 일도 있었다. 편집국장 교체인사가 있었다. 편집국장은 취임한 지 1년 반 정도 됐다. 아침에 배달된 신문에 편집국장이 논설위원으로 전보된 인사기사가 났다. 출근하기가 싫었다. 아무리 자기 신문 자기 마음대로 한다지만 이건 상궤에 어긋난다. 초판을 보고 퇴근한 나(주필)는 저녁에 끼워넣은 개판(改版) 인사를 귀띔받지 않으면 알 수가 없다. 더구나 편집국장을 논설위원으로 보내는 인사인데. 한국일보가 정상적인 조직이라면 주필인 나에게 양해까지 구하지는 않더라도 미리 귀띔 정도는 했어야 했다.

출근과 동시에 회장실로 찾아가 강력히 항의했다. 정말이지 더 이상 회사에 머물고 싶지 않았다. 회장은 사장이 미리 얘기하지 않았느냐고 했다. 회장이 책임회피를 위해 사장과 핑퐁게임을 하는 것이 아니라면 이는 중대한 실수다. 회장은 사장이 당연히 했어야 할 일로 판단하는 듯했다. 그러나 그런 일은 없었다. 이래저래 중간관리층이 회사를 더욱 어려운 지경으로 몰았다. 장 씨 소유의 한국일보가 환갑도 넘기지 못하고 문패를 갈아 달아야 했던 이유가 아닐까 싶다.

﹌ — 글을 끝맺으며

　금년은 유달리 무더웠다. 내가 세 해째 머물고 있는 지리산 자락은 이제 쏠쏠한 바람이 실어 나른 계절 탓에 제법 완연한 가을의 느낌을 준다. 글을 끝맺으면서 되돌아 본 지난 세월은 대체로 부끄럽고 후회스럽다.

　나는 다시 태어나도 기자이고 싶다. 하지만 내가 일했던 '그 한국일보'에서만은 다시 하고 싶지 않다. 누구는 그때를 '인공(人共)치하' 같다고 질겁했다. 터무니없게 한 사람이 전횡할 때 우리 모두는 비겁한 침묵의 방관자가 되었다. 자신의 입지 탓인지 '버르장머리 없는' 후배의 '일탈'을 나무라거나 타이르기는커녕 비위를 맞추려는 선배도 있었다. 견디다 못한 후배들 가운데는 회사를 떠난 사람도 있다.

　'견습' 딱지가 떨어진 지 얼마 안 된 후배가 한국일보를 떠나면서 나에게 던진 한 마디를 나는 지금도 똑똑히 기억하고 있다. "선배는 무슨 희망으로 한국일보에서 버티시렵니까?" 그가 남기고 떠난 말은 나의 가슴팍을 후벼 파는 비수로 다가왔기 때문이다. 한국일보에는 '악의 축'과 같은 사조직이 횡행했다. 그들만의 세상이었고 그들만의 한국일보였다. "저더러 프락치가 되라는 말입니까"하고 마수를 뿌리치고 저항했던 한 젊은 기자는 다음날부터 '왕따' 되어 그도 결국 한국일보를 떠날 수밖에 없었다고 한다.

글을 맺으면서 돌이켜보니 한국일보에서의 33년 세월은 부끄럽고 후회가 막급하다. 결기라도 부리며 저항하지 못한 나는 '원조 한국일보' 쇠망의 공범이다. 다행히 3년간의 서울신문사 사장으로 한국일보에서 느꼈던 '갈증'을 어느 정도 해갈할 수 있었다. 비록 이명박 정권 하수인들 방해로 명예로운 퇴장은 하지 못했지만 후회 없이 일했고 미련 없이 떠날 수 있었다. 아마도 나를 서울신문사로 인도한 성령께서 물러날 시점도 일러 주셨기 때문이 아닐까 생각한다. 나는 지금도 서울신문사 대표이사로 언론인 생활을 매듭지을 수 있었던 것에 대해 깊이 감사하고 있다.

시대의 격랑 속에서

지은이 노진환

1판 1쇄 인쇄 2016. 10. 25
1판 1쇄 발행 2016. 11. 4

펴낸곳 예 · 지
펴낸이 김종욱
책임편집 황경주

등록번호 제1-2893호
등록일자 2001. 7. 23
주소 경기도 고양시 일산동구 호수로 662
전화 031-900-8061(마케팅), 8060(편집)
팩스 031-900-8062
전자우편 yejibk@gmail.com
트위터 @yejibooks
페이스북 Yeji Buk

표지디자인 마야
편집디자인 신성기획
종이 영은페이퍼
인쇄 제본 서정문화인쇄사

ⓒ RHO, JIN-HWAN, 2016
Published by Wisdom Publishing, Co.
Printed in Korea.

ISBN 978-89-89797-98-2 03040

이 도서의 국립중앙도서관 출판시도서목록(CIP)은 서지정
보유통지원시스템 홈페이지(http://seoji.nl.go.kr)와 국가
자료공동목록시스템(http://www.nl.go.kr/kolisnet)에서
이용하실 수 있습니다.(CIP제어번호: CIP2016024525)

• 이 책은 관훈클럽 신영연구기금의 도움을 받아 저술 출판되었습니다.

예 지 의 책은 오늘보다 나은 내일을 위한 선택입니다.

은사인 고 조동필 교수님의 주례로 아내 김영옥과 결혼식을 올렸다.(1972년 10월 25일)

금년에 초등학교에 입학한 첫 손자 호진이와 함께.

서울특별시문화상 수상을 축하해준 둘째처남 김태정 전 법무부장관 내외와 아내, 두 딸과 함께했다.(2008년)

큰딸 소연이의 결혼식에서 아내, 둘째 주연(왼쪽), 막내 재호(오른쪽)와 함께했다.(2008년)

저자는 십년 넘게 공주의 변화산 감리교회에 다니고 있다. 사진은 장로 취임식 광경이다.(2014년)

함양으로 저자를 찾아준 한국일보 선배들. 저자의 상경에 맞춰 환영연도 열어주셨다.
(왼쪽으로부터 김진동 전 서울경제 주필, 저자, 윤국병 전 한국일보 사장, 김영렬 전 서울경제 사장,
좌장격인 권혁승 전 서울경제 사장, 한국일보 입사 1년 선배인 박정삼 전 국정원 차장)